BLEU DE PRUSSE

PHILIP KERR

BLEU DE PRUSSE

UNE AVENTURE DE BERNIE GUNTHER

roman

TRADUIT DE L'ANGLAIS
PAR JEAN ESCH

ÉDITIONS DU SEUIL
25, bd Romain-Rolland, Paris XIVᵉ

Ce livre est édité par Marie-Caroline Aubert

Titre original : *Prussian Blue*
Éditeur original : A Marian Wood Book / Putnam
© thynKER Ltd, 2017
ISBN original : 978-0-399-17705-7

ISBN : 978-2-02-134074-7

© Éditions du Seuil, mai 2018, pour la traduction française

www.seuil.com

Ce livre est dédié à Martin Diesbach,
qui n'est pas un parent mais un très bon ami,
à qui je serai éternellement redevable.

Je ne suis pas faible au point de me soumettre aux exigences de l'âge quand elles vont à l'encontre de mes convictions. Je tisse un cocon autour de moi, et je laisse les autres en faire autant. Je laisse au temps le soin de montrer ce qu'il en résultera : un papillon éclatant ou un ver.

Caspar David Friedrich.

1

Octobre 1956

La saison touchait à sa fin et la plupart des hôtels de la Riviera, y compris le Grand-Hôtel de Saint-Jean-Cap-Ferrat, où je travaillais, fermaient déjà pour l'hiver. Bien que l'hiver ne veuille pas dire grand-chose dans cette partie du monde. Contrairement à Berlin, où il s'apparente davantage à un rite de passage qu'à une saison : vous n'êtes pas un authentique Berlinois tant que vous n'avez pas survécu à la cinglante expérience d'un interminable hiver prussien. Cet ours célèbre que vous voyez danser sur les armoiries de la ville essaye juste de se réchauffer.

Habituellement, l'hôtel Ruhl était un des derniers établissements de Nice à fermer, car il abritait un casino et les gens aiment jouer par tous les temps. Peut-être auraient-ils dû en ouvrir un dans l'hôtel Negresco voisin, auquel le Ruhl ressemblait, à cette différence près que le Negresco était déjà fermé et donnait l'impression qu'il le resterait l'année prochaine. Certaines personnes racontaient qu'il allait être transformé en appartements, mais le concierge – qui était une de mes connaissances et un horrible snob – affirmait qu'il avait été vendu à la fille d'un boucher breton, et sur ce genre de choses il se trompait rarement. Il était parti à Berne pour l'hiver, et sans doute ne reviendrait-il pas. Il me manquerait, mais tandis que je garais ma voiture et traversais la promenade des Anglais pour rejoindre l'hôtel Ruhl, je ne pensais pas vraiment à ça. Peut-être était-ce dû à la nuit froide ou à l'excédent de glaçons déversé dans le caniveau par le barman, mais je pensais à l'Allemagne. À moins que ce ne soit à cause des deux golems à la coupe en brosse plantés devant la somptueuse entrée du cercle de la Méditerranée, en train de manger des cornets de glace, vêtus d'épais costumes fabriqués en Allemagne de l'Est, du genre de ceux que l'on produisait à la chaîne comme les pièces de tracteur et les pelles. Le simple fait de voir ces deux brutes aurait dû éveiller ma méfiance, mais une chose plus importante occupait mon esprit : j'avais hâte de retrouver ma femme, Elisabeth, qui, sans crier gare, m'avait écrit pour m'inviter à dîner. Nous étions séparés et elle était retournée vivre à Berlin, mais dans sa lettre manuscrite – de sa belle écriture Sütterlin interdite par les nazis – elle disait avoir gagné un peu d'argent, ce qui pouvait expliquer qu'elle ait les moyens de revenir sur la Riviera et de loger au Ruhl, presque aussi cher que l'hôtel d'Angleterre ou le Westminster. Quoi qu'il en soit, j'avais hâte de la revoir, avec la foi aveugle de celui qui croyait à une réconciliation. J'avais déjà préparé un discours pour me faire pardonner, bref mais élégant. Je lui dirais qu'elle me manquait et que, pensais-je, ça pouvait encore marcher entre nous. Ce genre de choses. Évidemment, une partie de moi-même envisageait la possibilité qu'elle soit venue pour m'annoncer qu'elle avait rencontré quelqu'un et souhaitait divorcer. Mais c'était se donner beaucoup de mal, me semblait-il, car de nos jours il n'était pas si facile de voyager depuis Berlin.

Le restaurant, dessiné par Charles Dalmas, se situait au dernier étage, sous une des coupoles d'angle. C'était peut-être le meilleur de Nice. En tout cas, c'était le plus cher. Je n'y avais jamais mangé, mais j'avais entendu dire que les plats étaient excellents et je me régalais par avance. Le maître d'hôtel traversa la magnifique salle Belle Époque pour me rejoindre devant le pupitre et trouva le nom de ma femme dans le cahier des réservations. Je jetais des regards inquiets par-dessus son épaule sans réussir à apercevoir Elisabeth. Je consultai ma montre et constatai que j'étais peut-être un peu en avance. Je n'écoutais pas vraiment le maître d'hôtel m'annoncer que l'autre personne était arrivée, et j'avais déjà franchi la moitié de la salle au sol de marbre quand je vis qu'il me conduisait vers une table située dans un coin, où un homme trapu à l'air coriace s'attaquait à un très gros homard accompagné d'une bouteille de bourgogne blanc. L'ayant aussitôt reconnu, je tournai les talons, pour découvrir que le chemin était barré par deux autres primates, dont on aurait pu penser qu'ils étaient entrés par la fenêtre après avoir escaladé un des nombreux palmiers de la Promenade.

« Ne partez pas tout de suite, me dit l'un d'eux tout bas, dans un allemand teinté d'un fort accent de Leipzig. Le camarade-général n'apprécierait pas. »

Je leur tins tête un instant, me demandant si je pouvais courir le risque de foncer vers la sortie. Mais je n'étais pas de taille à rivaliser avec ces deux hommes, coulés dans le même moule grossier que les deux golems croisés en bas, à l'entrée de l'hôtel.

« C'est juste, ajouta l'autre. Vous feriez mieux de vous asseoir bien sagement, sans faire d'histoires.

– Gunther. Bernhard Gunther, venez donc, vieux fasciste, dit une voix dans mon dos, toujours en allemand.

N'ayez pas peur. » L'homme attablé rit. « Je ne vais pas vous tirer dessus. Nous sommes dans un lieu public. » Sans doute supposait-il, avec raison, que les germanophones étaient une denrée rare à l'hôtel Ruhl. « Qu'est-ce qui pourrait vous arriver ici ? En outre, la cuisine est excellente, et le vin encore plus. »

Je me retournai afin d'observer plus longuement l'homme qui restait assis et continuait à décortiquer son homard à l'aide d'une pince à crustacés et d'un pic, tel un plombier changeant le joint d'un robinet. Il portait un costume de meilleure qualité que ses sbires – bleu à fines rayures, fait sur mesure – et une cravate en soie à motifs forcément achetée en France. En RDA, une telle cravate aurait coûté une semaine de salaire et vous aurait sans doute valu un tas de questions embarrassantes au poste de police du coin, tout comme cette grosse montre en or qui brillait à son poignet tel un phare miniature tandis qu'il extirpait la chair du homard, de la même couleur que la chair, plus abondante, de ses mains puissantes. Ses cheveux étaient encore bruns sur le dessus, mais coupés si court sur les côtés de sa tête semblable à une boule de démolition qu'il paraissait coiffé d'une calotte de prêtre. Il avait grossi depuis la dernière fois que je l'avais vu, et il n'avait pas encore attaqué les pommes de terre, la mayonnaise, les pointes d'asperges, la salade niçoise, les gros cornichons en saumure et l'assiette de chocolat noir disposés sur la table devant lui. Avec son physique de boxeur, il me rappelait fortement Martin Bormann, le secrétaire particulier de Hitler. En tout cas, il était aussi dangereux.

Je m'assis, me servis un verre de vin blanc et lançai mon étui à cigarettes sur la table.

« Général Erich Mielke, dis-je. Quel plaisir inattendu.

14

– Je suis navré de vous avoir attiré ici sous un prétexte fallacieux. Mais je savais que vous ne seriez pas venu si vous aviez su qui vous invitait.

– Elle va bien ? Elisabeth ? Répondez juste à cette question et j'écouterai tout ce que vous avez à me dire, général.

– Oui, elle va bien.

– Je suppose qu'elle n'est pas réellement ici, à Nice.

– Non. Désolé. Mais vous serez heureux d'apprendre qu'elle n'a pas écrit cette lettre de gaieté de cœur. J'ai dû lui expliquer qu'un refus serait beaucoup plus douloureux, pour vous du moins. Alors, je vous en prie, ne lui en tenez pas rigueur. Elle a écrit cette lettre pour la meilleure raison qui soit. » Mielke leva le bras et fit claquer ses doigts pour appeler le serveur. « Mangez quelque chose. Buvez du vin. Personnellement, je bois très peu, mais on me dit que celui-ci est ce qu'on fait de mieux. Prenez ce que vous voulez. J'insiste. C'est le ministère de la Sécurité intérieure qui paye. En revanche, abstenez-vous de fumer, s'il vous plaît. Je déteste l'odeur de la cigarette, surtout quand je mange.

– Je n'ai pas faim, merci.

– Bien sûr que si, voyons. Vous êtes un Berlinois. Nous n'avons pas besoin d'avoir faim pour manger. La guerre nous a appris à manger quand il y a de la nourriture sur la table.

– Et ce n'est pas ce qui manque sur celle-ci. On attend quelqu'un d'autre ? L'Armée rouge peut-être ?

– J'aime avoir beaucoup de plats devant moi, même si je ne finis pas tout. Un homme ne doit pas seulement remplir son estomac, il doit contenter tous ses sens. »

Je pris la bouteille et examinai l'étiquette.

« Corton-charlemagne. J'approuve. Il est bon de voir qu'un vieux communiste comme vous sait encore apprécier certaines des meilleures choses de l'existence, général. Ce vin est certainement le plus cher de la carte.

– C'est exact. »

Je vidai mon verre d'un trait et m'en servis un autre. Le vin était excellent.

Le serveur approcha l'air inquiet, comme s'il avait déjà goûté à la langue acérée de Mielke.

« Nous prendrons juste deux steaks bien juteux, dit le général dans un français parfait, résultat, supposais-je, de ses deux années passées dans un camp de prisonniers français, avant et pendant la guerre. Non, mieux. Donnez-nous un chateaubriand. Très saignant. »

Le serveur repartit.

« Le steak est la seule chose que vous aimez de cette façon ? demandai-je. Ou le reste aussi ?

– Toujours le même sens de l'humour, Gunther. Je n'arrive pas à croire que vous soyez resté en vie aussi longtemps.

– Les Français sont un peu plus tolérants vis-à-vis de ces choses-là que ce que vous nommez, de manière risible, la République démocratique allemande. Dites-moi, mon général, quand le gouvernement communiste va-t-il dissoudre le peuple pour en élire un autre ?

– Le peuple ? » Mielke éclata de rire et, abandonnant son homard un instant, il prit un morceau de chocolat, comme si ce qu'il mangeait importait peu, du moment que c'était un produit difficile à obtenir en RDA. « Il sait rarement ce qui est bon pour lui. Plus de treize millions d'Allemands ont voté pour Hitler en mars 1932, donnant au parti nazi la prédominance au Reichstag. Croyez-vous sincèrement qu'ils savaient ce qui était bon pour eux ? Non, évidemment. Aucun ne le savait. Tout ce que demandaient ces gens, c'était un salaire régulier, des cigarettes et de la bière.

– C'est pour cette raison, je suppose, que vingt mille réfugiés d'Allemagne de l'Est passaient en République fédérale chaque mois, du moins jusqu'à ce que vous imposiez votre prétendu régime spécial avec sa zone interdite et votre cordon de protection. Ils voulaient de la meilleure bière, de meilleures cigarettes et la possibilité, peut-être, de se plaindre, un peu, sans en redouter les conséquences.

– Qui a dit : Nul n'est plus esclave que celui qui se croit libre ?

– Goethe. Mais votre citation est inexacte. Il a dit : Nul n'est plus esclave que celui qui se croit libre *sans l'être*.

– Vous êtes un pauvre idiot romantique. Je l'oublie parfois. Écoutez-moi, Gunther. L'idée que la plupart des gens se font de la liberté, c'est de pouvoir écrire des obscénités sur le mur des toilettes. Pour ma part, je pense qu'ils sont paresseux pour la plupart et préfèrent confier au gouvernement le soin de gouverner. Toutefois, il est important que la population ne place pas une charge trop lourde sur les épaules de ses dirigeants. D'où ma présence en France. En règle générale, j'aime mieux aller à la chasse. Mais je viens souvent ici à cette époque de l'année pour fuir mes responsabilités. J'aime jouer au baccara.

– Un jeu à haut risque. Mais vous avez toujours été joueur.

– Vous voulez savoir ce qui est vraiment formidable quand je joue ici ? » Il m'adressa un grand sourire. « La plupart du temps, je perds. S'il existait encore en RDA ces signes de décadence que sont les casinos, les croupiers feraient en sorte que je gagne, j'en suis sûr. Mais gagner, c'est amusant seulement si vous pouvez perdre. Avant, j'allais au casino de Baden-Baden, mais la dernière fois, on m'a reconnu et je n'ai pas pu y retourner. Alors, maintenant je viens ici, à Nice. Ou au Touquet, parfois. Mais je préfère Nice. Le temps est un peu plus fiable que sur la côte atlantique.

– Bizarrement, je ne crois pas que vous êtes là pour ça.

– Et vous avez raison.

– Alors, qu'est-ce que vous voulez, bordel ?

– Vous vous souvenez de cette histoire, il y a quelques mois, avec Somerset Maugham et nos amis communs Harold Henning et Anne French[1]. Vous avez presque réussi à foutre en l'air une bonne opération. »

Mielke faisait allusion à un complot de la Stasi destiné à discréditer Roger Hollis, le directeur général adjoint du MI5, le service de contre-espionnage britannique. Le véritable plan consistait à donner une bonne image de Hollis une fois dévoilé le plan bidon de la Stasi.

« Vous avez été très aimable de régler les derniers détails à notre place, ajouta Mielke. C'est bien vous qui avez tué Henning, n'est-ce pas ? »

Je ne répondis pas, mais nous savions à quoi nous en tenir lui et moi. J'avais abattu Harold Henning dans la maison qu'Anne French louait à Villefranche et tenté de lui faire porter le chapeau. Depuis, la police française m'avait posé toutes sortes de questions sur elle, mais je n'en savais pas plus. À ma connaissance, Anne French était retournée en Angleterre, à l'abri.

« De façon purement hypothétique, disons que c'était vous », reprit Mielke. Il finit le morceau de chocolat qu'il avait dans la bouche, le remplaça par un gros cornichon aigre-doux et fit passer le tout avec un verre de bourgogne blanc, ce qui me convainquit que ses papilles étaient aussi

1. Voir, du même auteur, *Les Pièges de l'exil*.

18

pourries que sa politique et sa morale. « Le fait est que les jours de Henning étaient comptés de toute façon. Comme ceux d'Anne. L'opération visant à discréditer Hollis n'est crédible que si nous essayons de l'éliminer elle aussi, comme le mérite quelqu'un qui nous a trahis. Et c'est d'autant plus important que les Français tentent maintenant de la faire extrader afin de la juger pour le meurtre de Henning. Inutile de préciser que cela ne doit pas se produire. Et c'est là que vous intervenez, Gunther.

– Moi ? Voyons si j'ai bien compris : vous me demandez de tuer Anne French ?

– Exactement. Sauf que je ne vous le "demande" pas. Vous devez accepter de tuer Anne French si vous voulez rester en vie. »

2

Octobre 1956

Un jour, j'ai calculé que la Gestapo avait employé moins de cinquante mille officiers pour surveiller quatre-vingts millions d'Allemands, mais d'après ce que j'ai lu et entendu au sujet de la RDA, la Stasi utilisait deux fois plus d'agents – sans compter les informateurs civils et les espions à la petite semaine qui, à en croire la rumeur, représentaient un dixième de la population – pour surveiller seulement dix-sept millions d'Allemands. En tant que chef adjoint de la Stasi, Erich Mielke était un des hommes les plus puissants de RDA. Et, comme on pouvait s'y attendre de la part d'un tel individu, il avait anticipé toutes mes objections face à une mission aussi déplaisante que celle qu'il venait de décrire, et il était prêt à les repousser avec la force brutale de celui qui est habitué à imposer sa volonté à des personnes elles aussi autoritaires et pleines d'assurance. J'avais le sentiment que Mielke aurait été capable de me saisir à la gorge ou de me cogner la tête contre la table car, bien évidemment, la violence était une composante vitale de sa personnalité : jeune cadre du parti communiste à Berlin, il avait participé au meurtre, tristement célèbre, de deux policiers en uniforme.

« Non, ne fumez pas, dit-il. Écoutez, plutôt. C'est une excellente opportunité pour vous, Gunther. L'occasion de gagner de l'argent, d'obtenir un nouveau passeport – un authentique passeport ouest-allemand, avec un autre nom –, pour repartir de zéro quelque part. Mais surtout, vous pourrez faire payer à Anne French, avec les intérêts, la manière dont elle s'est servie de vous sans aucune pitié.

– Uniquement parce que vous le lui aviez ordonné. Pas vrai ? C'est vous qui l'avez persuadée.

– Je ne lui ai pas demandé de coucher avec vous. L'idée venait d'elle. Quoi qu'il en soit, elle vous a manipulé, Gunther. Mais peu importe maintenant, n'est-ce pas ? Vous êtes tombé sous son charme, sérieusement même.

– Il est facile de voir ce que vous avez en commun tous les deux. Une absence totale de principes.

– Exact. Mais la concernant, c'est également une des meilleures menteuses que j'aie jamais rencontrées. Un vrai cas pathologique. Je crois qu'elle ne savait pas elle-même si elle mentait ou si elle disait la vérité. Et je pense que l'aspect immoral de ce subterfuge ne lui faisait ni chaud ni froid. Du moment qu'elle pouvait conserver ce sourire glacé et satisfaire son goût immodéré pour les biens matériels. Elle a réussi à se persuader qu'elle ne faisait pas ça pour l'argent, et l'ironie de la chose, c'est qu'elle était convaincue d'agir au nom de ses principes. Ce qui en faisait l'espionne idéale. Même si tout cela n'a plus aucune espèce d'importance.

» Le plus important maintenant, à mes yeux en tout cas, c'est que quelqu'un doit la tuer. Le MI5 serait très étonné, je le crains, que nous n'essayions pas, au moins, de la liquider. Et de la façon dont je vois les choses, ce quelqu'un pourrait être vous. Vous avez déjà tué des gens, n'est-ce pas ? Henning, par exemple. Ça ne peut être que vous qui lui avez tiré une balle dans la tête en faisant croire que c'était elle la meurtrière. »

Mielke s'interrompit quand le garçon servit notre chateaubriand et débarrassa le reste de homard. « On le découpera nous-mêmes, dit-il d'un ton brusque. Et apportez-nous une bouteille de votre meilleur bordeaux. Décanté, de préférence. Mais je veux voir la bouteille, d'accord ? Et le bouchon.

– Vous ne faites confiance à personne, hein ? dis-je.

– C'est une des raisons pour lesquelles je suis resté en vie si longtemps.» Mielke coupa la pièce de viande en deux et piqua une généreuse moitié avec sa fourchette pour la déposer dans son assiette. Et il ricana. « Mais je fais très attention à ma santé aussi. Je ne fume pas. Je bois peu et j'aime me maintenir en forme car, au fond de moi-même, je suis resté un vieux bagarreur de rue. Et puis, il me semble que les gens écoutent plus facilement un policier qui donne l'impression de prendre soin de lui. Vous seriez surpris si je vous disais combien de fois j'ai dû intimider des gens au Comité central du SED[1]. Même Walter Ulbricht a peur de moi, je vous le jure.

– C'est comme ça que vous vous qualifiez maintenant, Erich ? Vous êtes un policier ?

– Pourquoi pas ? C'est la vérité. Mais pourquoi est-ce que ça gênerait un homme tel que vous, Gunther ? Vous avez été membre de la Kripo et du SD[2] pendant presque vingt ans. Certains de ces soi-disant policiers à qui vous rendiez des comptes étaient les pires criminels de l'histoire : Heydrich, Himmler, Nebe. Vous avez travaillé pour eux. »

1. Parti socialiste unifié.
2. Kripo, abréviation de Kriminalpolizei : la police criminelle. Sicherheitsdienst (SD) : service de renseignements de la SS.

Il secoua la tête, excédé. « Un jour, vous savez, je vais plonger le nez pour de bon dans votre dossier du RSHA[1] pour voir quels crimes vous avez perpétrés, Gunther. J'ai le pressentiment que vous n'êtes pas aussi innocent que vous voulez le laisser croire. Alors, ne faisons pas comme si nous étions chacun d'un côté de la morale. Nous avons tous les deux commis des actes que nous aurions préféré ne pas commettre. Mais nous sommes toujours là. »

Mielke se tut pendant qu'il coupait son steak en petits cubes.

« Cela étant dit, je n'oublie pas que c'est vous qui m'avez sauvé la vie, deux fois.

– Trois, rectifiai-je avec amertume.

– Vraiment ? Possible. Bref. Tuez-la. Saisissez cette occasion. De prendre un nouveau départ. De revenir en Allemagne et de quitter cet endroit sans intérêt en bordure de l'Europe, où un homme tel que vous gâche son talent, très sincèrement. En supposant que vous soyez assez intelligent pour le comprendre. »

Mielke enfourna un morceau de viande dans sa grande bouche et se mit à mastiquer furieusement.

« Suis-je en train de discuter ? demandai-je.

– Non. Pour une fois. Et je trouve ça étrange. »

Je haussai les épaules.

« Je suis prêt à faire ce que vous me demandez, mon général. Je n'ai plus un sou. Je n'ai plus d'amis. Je vis seul dans un appartement à peine plus grand qu'un casier à homards, et j'exerce un métier qui va bientôt être suspendu à cause de l'hiver. L'hiver me manque. Bon sang, même le froid me manque. Si tuer Anne French est le prix que

1. Reichssicherheitshauptamt (RSHA) : office central de la sécurité du Reich.

je dois payer pour retrouver ma vie d'avant, alors je suis tout à fait disposé à le faire.

– Vous n'avez jamais été du genre influençable, Gunther. Je vais être franc avec vous : je m'attendais à davantage d'opposition. Peut-être haïssez-vous Anne French plus que je le croyais. Peut-être avez-vous réellement envie de la tuer. Mais, en l'occurrence, vouloir ne suffit pas. Vous allez devoir vous rendre en Angleterre. »

Le serveur revint avec une carafe contenant du vin rouge, qu'il posa devant nous. Mielke la prit, renifla le contenu et montra d'un mouvement de tête la bouteille vide de Château Mouton Rothschild qu'on lui avait apportée comme il l'avait exigé.

« Goûtez », m'ordonna-t-il.

Je m'exécutai et, comme on pouvait le prévoir, ce vin était aussi bon que le blanc qui l'avait précédé, peut-être même meilleur. Je hochai la tête.

« À vrai dire, je la hais, admis-je. J'en suis le premier surpris. Alors, oui, je la tuerai. Mais, si vous le permettez, j'aimerais en savoir un peu plus sur votre plan.

– Mes hommes vous attendront à la gare, ici à Nice. Ils vous remettront votre nouveau passeport, de l'argent et un billet pour le Train bleu, jusqu'à Paris. De là, vous prendrez la Flèche d'Or pour Calais, puis Londres. À l'arrivée, vous serez accueilli par d'autres hommes à moi. Ils vous donneront de plus amples informations et vous accompagneront au cours de votre mission.

– C'est là qu'elle vit maintenant ? À Londres ?

– Non. Elle vit dans une petite ville sur la côte sud de l'Angleterre. Elle tente de s'opposer à son extradition, mais sans grand succès. Le MI5 semble l'avoir plus ou moins abandonnée. Mes hommes vous fourniront un compte-rendu détaillé de ses allées et venues afin que vous puissiez la rencontrer "par hasard" et l'inviter à boire un verre.

– Supposons qu'elle n'ait aucune envie de me revoir ? Nous ne nous sommes pas quittés en très bons termes.

– À vous de la persuader. Sous la menace d'une arme, s'il le faut. Nous vous en donnerons une. Mais obligez-la à vous suivre. Dans un lieu public. Elle se sentira plus en confiance.

– Je ne comprends pas très bien. Vous ne voulez pas que je l'abatte ?

– Grand Dieu, non. Je ne voudrais surtout pas que vous vous fassiez arrêter et que vous vous mettiez à table devant les Britanniques. Il faut que vous soyez loin d'Anne French quand elle mourra. Avec un peu de chance, vous serez déjà en Allemagne à ce moment-là. Sous une nouvelle identité. Une aubaine pour vous, n'est-ce pas ?

– Alors, quoi ? Je dois empoisonner son thé, c'est ça ?

– Oui. Le poison, c'est toujours ce qu'il y a de mieux dans ce genre de situations. Depuis quelque temps, nous utilisons le thallium. Une arme formidable, franchement. Incolore, inodore, insipide, et les effets ne se font sentir qu'après un jour ou deux. Mais à ce moment-là, ils sont dévastateurs, précisa Mielke avec un sourire cruel. Si ça se trouve, vous venez d'en ingurgiter en buvant ce vin que vous semblez apprécier. Vous ne le sauriez même pas. J'aurais pu ordonner au serveur d'en verser dans la carafe, c'est pour ça que je vous ai demandé de goûter à ma place. Vous voyez comme c'est facile ? »

Je jetai un regard inquiet à mon verre de Mouton Rothschild et serrai le poing sur la table. Visiblement, Mielke savourait mon appréhension évidente.

« Tout d'abord, reprit-il, elle croira avoir l'estomac dérangé. Et puis… vous serez ravi d'apprendre que c'est une mort très longue et très douloureuse. Elle va commencer par vomir, pendant deux ou trois jours, puis elle sera prise de violentes convulsions, accompagnées de crampes musculaires. À partir de là, elle subira un changement de personnalité total : hallucinations et crises d'angoisse. Après cela : alopécie, cécité, douleurs thoraciques insupportables... jusqu'à la fin. Croyez-moi, c'est un enfer. La mort, quand elle surviendra enfin, ressemblera à une délivrance.

– Existe-t-il un antidote ? »

J'avais toujours un œil sur mon verre de vin, en me demandant si je devais ajouter foi aux paroles de Mielke.

« J'ai entendu dire que le bleu de Prusse, administré par voie orale, était un antidote.

– La peinture ?

– Exactement. Le bleu de Prusse est un pigment synthétique qui opère par dispersion colloïdale, par échange d'ions, ou quelque chose comme ça. Je ne suis pas chimiste. Mais selon moi, il s'agit d'un de ces antidotes à peine moins douloureux que le poison, et le temps que le personnel d'un hôpital anglais comprenne que la pauvre Anne French a été empoisonnée au thallium et qu'ils essayent de lui administrer du bleu de Prusse, il y a de fortes chances pour qu'il soit déjà trop tard.

– Bon sang », dis-je.

Je pris mes cigarettes, en coinçai une entre mes lèvres et allais l'allumer quand Mielke me l'arracha et la jeta dans un pot de fleurs, sans un seul mot d'excuse.

« Mais comme je vous le disais, au moment de sa mort, vous serez déjà à l'abri en Allemagne de l'Ouest. Pas à Berlin, cependant. Vous ne me serez d'aucune utilité à Berlin, Gunther. Il y a trop de gens qui vous connaissent là-bas. Je pense que Bonn ou Hambourg vous conviendraient mieux. Surtout, ça m'arrangerait davantage.

– Vous disposez, je suppose, de centaines d'agents de la Stasi dans toute l'Allemagne de l'Ouest. À quoi pourrais-je vous servir, général ?

– Vous possédez des compétences particulières, Gunther. Et une expérience très utile pour la mise en œuvre de mon projet. Je veux que vous fondiez une organisation néonazie. Avec votre passé de fasciste, ça ne devrait pas être trop compliqué. Votre première tâche consistera à vandaliser et à profaner des sites juifs dans toute l'Allemagne de l'Ouest : centres culturels, synagogues, cimetières. Vous pourrez également convaincre, ou contraindre par chantage, certains de vos anciens camarades du RSHA d'envoyer des lettres aux journaux et au gouvernement fédéral pour exiger la libération des criminels de guerre nazis et protester contre le procès infligé aux autres.

– Qu'avez-vous contre les juifs ?

– Rien.» Mielke goba un autre carré de chocolat, qui alla rejoindre le morceau de viande qui se trouvait déjà dans sa bouche d'omnivore. J'avais l'impression de dîner avec le porc de concours d'un éleveur prussien qui se régalait de la pâtée confectionnée avec les meilleurs restes de la maison. «Absolument rien. Mais cela apportera de la crédibilité à notre propagande qui affirme que le gouvernement fédéral est toujours nazi. Après tout, c'est Adenauer qui a dénoncé le processus de dénazification et proposé une loi d'amnistie en faveur des criminels de guerre nazis. Nous aidons les gens à ouvrir les yeux, rien de plus.

– Vous semblez avoir pensé à tout, général.

– Si ce n'est pas le cas, quelqu'un l'a fait à ma place. Sinon, ils en paieront le prix. Mais ne vous laissez pas abuser par mon humeur joviale, Gunther. Je suis peut-être en vacances, mais sachez que je prends cela très au sérieux. Et vous feriez bien d'en faire autant.»

Il pointa sa fourchette sur moi comme s'il envisageait de me la planter dans l'œil, et je fus presque rassuré de voir qu'il y avait un morceau de viande au bout.

« Car si vous ne prenez pas ça au sérieux, je vous conseille de vous y mettre tout de suite, ou bien vous ne verrez pas le jour se lever demain. Eh bien ? Vous prenez ça au sérieux ? »

Je hochai la tête.

« Oui. Très. Je souhaite la mort de cette salope d'Anglaise autant que vous, mon général. Peut-être même plus. Écoutez… je préfère ne pas entrer dans les détails de ce qui s'est passé entre nous, si ça ne vous ennuie pas. Cet épisode reste douloureux pour moi. Mais je vais vous dire ceci : dans tout ce que vous m'avez raconté jusqu'à présent, mon seul regret sera de ne pas pouvoir être là, en personne, pour la voir souffrir. Car c'est ce que je veux : sa souffrance et son avilissement. Eh bien, ai-je répondu à votre question ? »

3

Octobre 1956

Je pris la direction de mon appartement, avec pour seule satisfaction d'avoir convaincu Mielke que j'allais suivre ses ordres et me rendre en Angleterre pour assassiner Anne French. En vérité, même si je haïssais cette femme qui m'avait tant fait souffrir, je ne la haïssais pas au point de la tuer, et certainement pas de la manière monstrueuse décrite par Mielke. J'avais très envie de posséder un nouveau passeport ouest-allemand, mais j'avais aussi envie de vivre assez longtemps pour l'utiliser, et j'étais persuadé que Mielke n'hésiterait pas à me faire liquider par ses hommes s'il soupçonnait, même vaguement, que je m'apprêtais à le doubler. C'est ainsi que, pendant quelques instants, j'envisageai de faire ma valise illico et de quitter la Riviera pour de bon. J'avais un peu d'argent sous mon matelas, une arme et la voiture, évidemment, mais il y avait fort à parier que ses hommes surveillaient mon appartement, auquel cas toute tentative de fuite serait sans doute futile. Restait la perspective, terrifiante, de suivre le plan de Mielke juste le temps d'empocher le passeport et l'argent, et de saisir la première occasion qui se présenterait pour fausser compagnie à ses sbires, ce qui revenait à mettre le doigt entre le tronc et l'écorce. Les agents de la Stasi, formés par la Gestapo pour la plupart, s'y entendaient pour retrouver les gens. Autant essayer d'échapper à une meute de chiens de chasse anglais.

Afin de savoir si j'étais suivi, je décidai de faire une petite promenade sur le front de mer, dans l'espoir que cela obligerait les agents de la Stasi à se démasquer, et que l'air frais de la nuit, en mettant de l'ordre dans mes pensées, m'aiderait à trouver une solution à mon problème immédiat. Inévitablement, mes pas me conduisirent dans un bar de la rue Obscure si bien nommée, où je bus une bouteille de vin rouge et fumai la moitié d'un paquet de cigarettes, ce qui provoqua exactement le contraire de l'effet recherché. Et j'étais encore en train de passer en revue mes rares options quand je repris, d'un pas mal assuré, le chemin de la maison.

Villefranche offre un étrange dédale de ruelles et d'allées étroites et, particulièrement la nuit, en fin de saison, on se croirait dans le décor d'un film de Fritz Lang. Il est facile de s'imaginer poursuivi par de « bons citoyens » invisibles à travers ces catacombes sinueuses, tel le pauvre Peter Lorre, un M tracé à la craie dans le dos de votre manteau, surtout quand vous avez trop bu. Mais je n'étais pas ivre au point de ne pas voir qu'on me collait au train. À vrai dire, j'avais surtout entendu les *clic-clic* de leurs chaussures bon marché sur les pavés, dans leur tentative de calquer leurs pas sur ma démarche fantasque. J'aurais pu les apostropher, pour me moquer de leur piètre filature, mais j'avais le sentiment – on pourrait appeler ça du bon sens – qu'il valait mieux ne pas donner à ces types, et surtout au camarade-général, l'impression, même vague, que j'avais des velléités d'insubordination. Le nouveau Gunther avait une moins grande gueule que l'ancien, et c'était sans doute une bonne chose. Du moins, si je voulais revoir l'Allemagne. Aussi fus-je surpris, en regagnant la Promenade, de voir deux bollards humains se dresser sur mon passage, arborant l'un et l'autre des cheveux d'une blondeur aryenne absurde, que le coiffeur préféré de Himmler aurait exhibés sur son mur dédié aux coupes de cheveux des héros. Derrière eux, dans l'ombre, se tenait un homme plus petit, avec un bandeau en cuir sur l'œil, que je croyais avoir déjà vu dans un lointain passé, sans pouvoir dire où ni quand, sans doute parce que les deux bollards humains avaient décidé de me fourrer un bâillon dans la bouche et de me ligoter les poignets sur le devant.

« Je suis désolé, Gunther, dit l'homme que j'avais confusément reconnu. Quel dommage que nous nous retrouvions dans ces circonstances, mais les ordres sont les ordres. Je n'ai pas besoin de vous expliquer comment ça marche. Alors, n'y voyez rien de personnel, d'accord ? Le camarade-général veut qu'il en soit ainsi. »

Pendant qu'il parlait, les deux bollards blonds me soulevèrent du sol en me tenant par les avant-bras et m'emmenèrent jusqu'au fond d'une impasse voûtée, comme un mannequin dans une vitrine. Là, un unique lampadaire diffusait dans l'air du soir une faible lueur jaune soufrée, jusqu'à ce que quelqu'un l'achève d'un coup de pistolet muni d'un silencieux. Mais j'eus le temps d'apercevoir la poutre en bois qui traversait la voûte et le nœud coulant en plastique qui y pendait, avec des intentions très nettement fatales. L'idée que j'allais être pendu de façon sommaire dans cette ruelle sombre et oubliée suffit à insuffler un ultime sursaut de force à mes membres engourdis par l'alcool et je me débattis comme un beau diable pour échapper à l'étau d'acier des deux hommes de la Stasi. En vain. Tel le Christ montant au ciel, je me sentais déjà quitter le sol pavé pour aller à la rencontre du nœud coulant. Un autre agent de la Stasi, vêtu d'un costume gris et d'un chapeau, s'accrochait au lampadaire, à la manière de Gene Kelly, pour, obligeamment, aider ses camarades à me passer la corde au cou.

« C'est bon », dit-il quand le nœud coulant fut en place. Avec l'accent de Leipzig. L'homme de l'hôtel Ruhl peut-être ? Sans doute. « Vous pouvez le lâcher maintenant, les gars. Ce salopard va se balancer comme une cloche d'église. »

Le temps qu'il ajuste le nœud sous mon oreille gauche, j'avalai une rapide bouffée d'air et dans la seconde qui suivit, les deux bollards humains s'écartèrent. La corde en plastique se tendit, le monde devint flou, comme une mauvaise photographie, et j'arrêtai complètement de respirer. En essayant désespérément de prendre appui sur le sol avec le bout de mes chaussures, je ne parvins qu'à tournoyer sur moi-même, tel le dernier jambon dans la vitrine d'un charcutier. J'entrevis les hommes de la Stasi qui m'observaient et continuai à pédaler encore un peu sur mon vélo invisible avant de décider finalement que ce serait peut-être plus simple de ne pas lutter, d'autant que, à vrai dire, ça ne faisait pas vraiment mal. Ce que je ressentais, c'était moins la douleur qu'une intense pression, comme si tout mon corps allait exploser par manque d'aération. Ma langue ressemblait à une palette de baccara tellement elle avait grossi, et c'était sans doute pour cette raison qu'elle semblait sortir de ma bouche ; mes yeux regardaient mes oreilles, comme pour essayer de déterminer la provenance de ce vacarme épouvantable, qui devait être le bruit du sang qui cognait dans ma tête, évidemment. Plus étrange encore, je sentais la présence du petit doigt que j'avais perdu des années plus tôt, à Munich, quand un autre vieux camarade l'avait sectionné avec un burin et un marteau. J'avais l'impression que mon être tout entier se concentrait sur une partie de mon corps qui n'existait plus. Soudain, l'année 1949, Munich et la pauvre Vera Messmann semblaient dater d'il y a dix minutes. Le doigt fantôme se propagea rapidement pour devenir un membre entier, puis tout mon corps, et je sus que j'étais en train de mourir. C'est à ce moment-là que je me pissai dessus. Je me souviens d'avoir entendu quelqu'un rire, et d'avoir pensé que, après toutes ces années, je l'avais bien cherché finalement, et que je ne m'en étais pas mal tiré en vivant jusque-là sans incidents. Puis je me retrouvai au fond de la mer Baltique, glacée ; je nageais de toutes mes forces pour remonter de l'épave du paquebot *Wilhelm Gustloff* et atteindre la surface qui ondulait, mais elle était trop loin, mes poumons allaient éclater, je savais que je n'y arriverais pas. C'est là que je dus m'évanouir.

J'étais toujours suspendu dans le vide, mais je me voyais d'en haut, allongé sur les pavés de la rue Obscure. Je planais au-dessus des têtes des larbins de la Stasi tel un nuage de gaz. Ils avaient coupé la corde en plastique et essayaient de défaire le nœud autour de mon cou. Ils renoncèrent quand l'un d'eux sortit une pince coupante pour sectionner la corde, en même temps qu'un peu de peau sous mon oreille. Quelqu'un me piétina la poitrine en guise de premiers secours, et je commençai à revivre. L'un d'eux applaudit mon numéro de corde raide – je cite ses paroles – et maintenant que j'avais réintégré mon corps, je roulai sur le ventre pour cracher et baver sur les pavés, avant d'inspirer douloureusement un peu d'air dans mes poumons affamés. Je touchai quelque chose de mouillé sur ma joue : mon sang. Et je m'entendis marmonner quelques mots avec ma langue qui peu à peu s'habituait à réintégrer l'intérieur de ma bouche.

« Hein ? Qu'est-ce que vous dites ? »

L'homme à la pince coupante se pencha pour m'aider à me redresser en position assise et je répétai :

« Il me faut une cigarette… Pour reprendre mon souffle. » Je plaquai la main sur ma poitrine et j'obligeai mon cœur à ralentir avant qu'il s'emballe totalement après avoir vécu ce que je croyais être mes derniers instants sur terre, ou presque.

« Vous êtes un coriace, faut le reconnaître. Il réclame une clope. » Il rit et sortit de sa poche un paquet de Hit Parade. Il en coinça une entre mes lèvres encore tremblantes. « Et voilà. »

Je toussai de nouveau, puis inspirai à fond quand la flamme de son briquet jaillit. Jamais une cigarette ne m'avait semblé aussi bonne.

« J'ai entendu parler de la cigarette du condamné, dit-il. Mais je n'ai jamais vu le condamné fumer *après* l'exécution. Vous êtes un vieux salopard coriace.

– Pas si vieux que ça. Je me sens comme un homme neuf.

– Relevez-le, ordonna un autre homme. On va le raccompagner chez lui.

– N'espérez pas un baiser, dis-je d'une voix éraillée. Après un coup pareil. »

Ils avaient fait du bon boulot en exécutant cette pseudo-pendaison, et une fois debout, je faillis m'évanouir. Ils durent me retenir.

« Ça va aller, dis-je. Accordez-moi une minute. »

Et je vomis, ce qui était dommage après avoir mangé un si bon steak avec Mielke. Mais ce n'est pas tous les jours que l'on survit à sa propre exécution.

Ils me portèrent autant qu'ils m'accompagnèrent jusque chez moi, et en chemin, l'homme que j'avais reconnu m'expliqua pourquoi ils avaient tenté de me faire avaler mon bulletin de naissance.

« Désolé, Gunther, dit-il.

– Ce n'est rien.

– Le patron a eu l'impression que vous ne le preniez pas au sérieux. Ça ne lui a pas plu. Il estime que le vieux Gunther aurait dû se montrer un peu plus réticent à l'idée de tuer son ancienne petite amie. Et je dois dire que je suis d'accord avec lui. Vous avez toujours été une forte tête. Alors, il a pensé que vous vous foutiez de lui. On voulait juste vous bousculer un peu, mais il a dit qu'il fallait bien vous faire comprendre ce qui vous arriverait pour de bon si vous essayiez de l'entuber. La prochaine fois, on a ordre de vous laisser vous balancer au bout de la corde. Ou pire.

– C'est bon d'entendre quelqu'un parler allemand », dis-je avec lassitude. J'avais du mal à mettre un pied devant l'autre. « Même si vous êtes un salopard.

– Ah, ne dites pas ça, Gunther. Vous allez me faire de la peine. Nous étions amis dans le temps. »

Je voulus secouer la tête, mais me ravisai en sentant la douleur fulgurante. J'avais l'impression d'avoir fait une séance de kiné avec un gorille. Pris d'une nouvelle quinte de toux, je m'arrêtai pour cracher dans le caniveau.

« Je ne m'en souviens pas. Mais il est vrai que mon cerveau a été privé d'oxygène pendant plusieurs minutes. Je me souviens à peine de mon nom, alors le vôtre…

– Vous avez besoin d'un remède contre la douleur », dit mon vieil ami et il sortit une petite flasque qu'il approcha de mes lèvres pour me faire boire une bonne gorgée de son contenu. Ça ressemblait à de la lave en fusion.

Je grimaçai et exécutai un bref concerto pour toussotements.

« La vache, c'est quoi, ce truc ?

– Goldwasser. De Dantzig. » L'homme m'adressa un grand sourire et hocha la tête. « Ça vous revient maintenant, hein ? Vous vous souvenez de moi, Gunther ? »

En vérité, je n'avais toujours pas la moindre idée de qui il était, mais je lui rendis son sourire et hochai la tête à mon tour. Rien de tel qu'une pendaison pour vous donner l'occasion de faire plaisir, surtout quand c'est votre bourreau qui affirme gentiment faire partie de vos connaissances.

« Oui, c'est ça, reprit-il. Je buvais ce truc à l'époque où on était flics tous les deux sur l'Alex. Vous vous en souvenez sûrement, non ? Un homme comme vous n'oublie rien, j'imagine. J'étais votre adjoint en 1938 et 1939. On a bossé ensemble sur quelques grosses enquêtes. L'affaire Weisthor. Vous vous rappelez ce salaud ? Et Karl Flex, évidemment, en 1939. Berchtesgaden ? Vous n'avez pas pu l'oublier. Et le froid de l'Obersalzberg ?

– Oui, je me souviens de vous, mentis-je en jetant ma cigarette. Mais je vous croyais mort. Comme tout le monde. Les gens tels que vous et moi, du moins.

– Nous sommes les derniers, c'est vrai. De l'ancienne Alex. Si vous la voyiez aujourd'hui, Gunther. Ma parole, vous ne reconnaîtriez pas la place. La gare est toujours là, les grands magasins aussi, mais l'ancien Präsidium de la police a disparu depuis longtemps. On dirait qu'il n'a jamais existé. Les Popov l'ont détruit en affirmant que c'était un symbole du fascisme. Idem pour le QG de la Gestapo dans Prinz Albrecht Strasse. Tout ce quartier n'est plus qu'un couloir ouvert à tout vent. De nos jours, les flics sont installés à Lichtenberg. Dans un bel immeuble flambant neuf, avec tout le confort moderne : cantine, douches, crèches. On a même un sauna.

– Vous avez de la chance. Je parle du sauna. »

Nous étions arrivés devant ma porte. Quelqu'un eut l'obligeance de chercher mes clés dans ma poche pour me permettre d'entrer chez moi. Ils me suivirent à l'intérieur et, en policiers qu'ils étaient, en profitèrent pour fouiller dans mes affaires. Je m'en fichais. Quand vous avez failli perdre la vie, tout le reste vous paraît insignifiant. En outre, j'étais trop occupé à examiner ma tête de cadavre dans le miroir de la salle de bains. Je ressemblais à une rainette aux yeux rouges.

« J'ai grandi de quelques centimètres, je crois.

– Dans quelques jours, vous verrez que vos yeux seront redevenus normaux. Mais vous devriez peut-être porter des lunettes d'ici là. Il ne faudrait pas faire peur aux gens, hein ?

– Vous êtes coutumier du fait, on dirait. Pendre les gens à moitié. »

Il haussa les épaules. « Heureusement qu'on a déjà collé votre photo sur le passeport.

– Oui, n'est-ce pas ? »

Je caressai la marque écarlate laissée par la corde en plastique autour de mon cou. N'importe qui aurait eu le droit de penser que ma tête avait été cousue sur mes épaules par le Dr Mengele.

Un des hommes de la Stasi était dans ma cuisine, en train de faire du café. C'était bizarre de voir ces types s'occuper ainsi de moi, après avoir fait mine de me pendre. Évidemment, tout le monde se contentait d'obéir aux ordres. À l'allemande.

« Hé, chef, dit un des agents à l'homme qui se tenait à côté de moi dans la salle de bains. Son téléphone ne marche pas.

– Désolé, dis-je. Étant donné que personne ne m'appelle jamais, je n'avais pas remarqué.

– Essayez de trouver une cabine quelque part.

– Bien, chef.

– Nous sommes censés appeler le camarade-général pour lui raconter comment ça s'est passé.

– Dites-lui que j'ai déjà connu des soirées plus agréables. Mais n'oubliez pas de le remercier pour le dîner. »

L'homme de la Stasi s'en alla. Mon « ami » me tendit sa flasque et je bus une autre gorgée de Goldwasser. Il y avait véritablement de l'or dans ce truc. De minuscules paillettes. Ce n'est pas plus cher pour autant, mais votre langue ressemble à une pierre semi-précieuse. Ils devraient en donner à tous ceux qui vont être pendus. Ça pourrait égayer les festivités.

« Aucun esprit d'initiative, déplora-t-il. Il faut toujours leur dire ce qu'ils doivent faire. Point par point. À notre époque, c'était pas comme ça, hein, Bernie ?

– Écoutez, Fridolin, ne le prenez pas mal surtout. Je n'ai aucune envie de renouveler l'expérience de ce soir, mais je ne sais pas qui vous êtes, je n'en ai pas la moindre idée. Je reconnais le menton. La vilaine peau, le bandeau en cuir, et même la petite moustache. Mais le reste de votre sale tronche demeure un mystère. »

L'homme porta la main à son crâne chauve.

« C'est vrai, j'ai perdu pas mal de cheveux depuis la dernière fois. Mais j'avais déjà le bandeau sur l'œil. À cause de la guerre. » Il me tendit la main avec affabilité. « Friedrich Korsch.

– Oui, ça me revient maintenant. » Il avait raison : nous avions été amis, ou du moins de proches collègues. Mais tout ça, c'était dans le temps. Traitez-moi d'être mesquin si vous voulez, mais j'ai tendance à avoir une dent contre mes amis quand ils essaient ou font semblant de me tuer. Ignorant sa main tendue, je demandai : « C'était quand ? La dernière fois que nous nous sommes vus ?

– En 1949. J'avais infiltré un journal américain à Berlin pour le MVD[1]. Vous vous souvenez ? *Die Neue Zeitung* ? Vous recherchiez un criminel de guerre nommé Warzok.

– Ah bon ?

– Je vous ai invité à déjeuner à l'Osteria Bavaria.

– Oui, bien sûr. J'ai pris des pâtes.

– Et avant cela, vous étiez venu me voir à Berlin, en 1947, quand vous vouliez entrer en contact avec l'épouse d'Emil Becker.

– Exact.

– Qu'est-il devenu, au fait ?

– Becker ? Les Amis l'ont pendu. À Vienne. Pour meurtre.

– Ah.

– Ils ont fini le boulot, eux. Ces cow-boys ne faisaient pas ça pour s'amuser, comme vous. Même si je ne me plains pas. Je n'aurais jamais cru que c'était si bon d'avoir les deux pieds sur le plancher des vaches.

– Je m'en suis voulu de faire ça, dit Korsch. Mais...

– Oui, je sais. Vous ne faisiez qu'obéir aux ordres. Pour essayer de rester vivant. Je comprends. Pour des hommes comme nous, ce sont les risques du métier. Mais ne faisons pas semblant d'être amis. C'était il y a longtemps. Depuis, vous êtes devenu une vraie plaie. Alors, vous pouvez foutre le camp de chez moi avec vos sbires maintenant. On se retrouvera à la gare de Nice après-demain, comme convenu avec le camarade-général. »

1. Ministère de l'Intérieur russe.

4

Octobre 1956

La gare de Nice possédait une charpente métallique en fer, un impressionnant balcon de pierre et une énorme horloge tarabiscotée qui aurait sa place dans la salle d'attente du purgatoire. À l'intérieur, plusieurs lustres grandioses pendaient au plafond, si bien que l'ensemble s'apparentait davantage à un casino de la Riviera qu'à une gare. Même si je n'avais pas visité beaucoup de casinos. Les jeux de hasard ne m'avaient jamais attiré, peut-être parce que la majeure partie de ma vie d'adulte ressemblait à une dangereuse loterie. En tout cas, concernant les prochains jours, les jeux étaient faits. Difficile d'imaginer qu'être embauché par la Stasi puisse avoir une issue heureuse pour le dénommé Gunther. Probablement projetaient-ils de me liquider dès que la mission en Angleterre serait terminée. Mielke avait beau affirmer que je travaillerais pour lui à Bonn ou à Hambourg une fois Anne French réduite au silence, nul doute que je serais le dernier élément de l'opération Hollis à éliminer. En outre, mes yeux évoquaient le deux de carreau, une carte sans valeur dans n'importe quel jeu. Je portais des lunettes noires pour cette raison, et je ne vis pas les deux hommes de la Stasi en entrant dans la gare. Mais eux me virent. La RDA leur donne à manger des carottes radioactives afin qu'ils voient dans le noir. Ils m'accompagnèrent jusqu'au quai, où Friedrich Korsch m'attendait devant le Train bleu qui me conduirait à Paris.

« Comment allez-vous ? me demanda-t-il, plein de sollicitude en confiant mon sac à un de ses sbires afin qu'il le monte à bord.

– Bien, répondis-je gaiement.

– Et vos yeux ?

– C'est plus impressionnant qu'autre chose.

– Sans rancune, j'espère ? »

Je haussai les épaules.

« À quoi bon ?

– Exact. Au moins, vous en avez encore deux. Moi, j'en ai perdu un en Pologne, pendant la guerre.

– Dites-moi, le trajet est long jusqu'à Paris. Et je suppose que vous m'accompagnez. Je l'espère. Je n'ai pas d'argent.

– Tout est là, dit Korsch en tapotant la poche de poitrine de sa veste. Et, oui, nous allons jusqu'à Paris avec vous. Et même jusqu'à Calais.

– Parfait. Je suis sincère. Cela nous donnera l'occasion d'évoquer le bon vieux temps. »

Il plissa les yeux, méfiant.

« Vous avez changé de ton depuis l'autre jour.

– Je venais d'être pendu jusqu'à ce que mort s'ensuive, ou presque, Friedrich. Jésus aurait peut-être pu pardonner à ses bourreaux après une telle expérience, mais je suis un peu moins compréhensif. J'ai cru y passer.

– Oui, je suppose.

– Vous pouvez supposer tant que vous voulez. *Moi, je sais.* Franchement, ça m'est resté en travers de la gorge. D'où ce foulard, et les lunettes noires. Je n'ose pas imaginer ce qu'on va penser de moi au wagon-restaurant. Je suis un peu trop vieux pour ressembler à une star de Hollywood.

– Au fait, demanda-t-il. Où êtes-vous allé hier ? Vous avez faussé compagnie à mes hommes. Nous avons vécu dans l'angoisse toute la matinée, jusqu'à ce que vous réapparaissiez.

– Vous me surveilliez ?

– Vous le savez bien.

– Il fallait le dire. Figurez-vous que j'avais quelqu'un à voir. Une femme avec qui je couche. Elle habite à Cannes. Je devais lui annoncer que je partais quelques jours… et je ne voulais pas faire ça par téléphone. Je suis sûr que vous comprenez. De plus, je ne tenais pas à ce que vos agents connaissent son nom et son adresse. Dans son intérêt. Depuis l'autre soir, je ne sais pas de quoi vous êtes capables, votre général et vous.

– Hum.

– Quoi qu'il en soit, je me suis absenté quelques heures seulement. Je suis là maintenant. Alors, où est le problème ? »

Korsch ne répondit pas, il me dévisagea, mais à cause de mes lunettes noires, il n'avait rien à se mettre sous la dent.

« Comment s'appelle-t-elle ?

– Je ne vous le dirai pas. Écoutez, Friedrich, j'ai besoin de ce travail. L'hôtel est fermé pour l'hiver et je dois retourner en Allemagne. J'en ai soupé de la France. Les Français m'exaspèrent. Si je dois passer un hiver de plus ici, je vais devenir fou. »

C'était la vérité, et presque aussitôt après avoir prononcé ces paroles, je regrettai cet accès de sincérité. Je m'efforçai de le masquer en débitant des inepties sur mon désir de me venger d'Anne French.

« Alors, laissez tomber, d'accord ? Je ne vous en dirai pas plus.

– Soit. Mais la prochaine fois que vous voudrez aller quelque part, prévenez-moi. »

Nous montâmes à bord du train tous les quatre, déposâmes les bagages dans notre compartiment et nous rendîmes au wagon-restaurant pour prendre un petit déjeuner. J'avais une faim de loup. Les autres aussi, apparemment.

« Karl Maria Weisthor ? demandai-je d'un ton affable lorsque le serveur nous apporta le café. Alias Wiligut. Ou quel que soit le nom que se donnait ce salopard meurtrier quand il n'était pas persuadé d'être un ancien roi germanique. Ou Wotan en personne. Je ne sais plus. Vous m'avez parlé de lui l'autre soir et je voulais vous poser la question : Savez-vous ce qu'il est devenu ? Après qu'on l'a épinglé en 1938 ? Aux dernières nouvelles, il vivait à Wörthersee.

– Il a pris sa retraite à Goslar, dit Korsch. Protégé et entretenu par les SS, bien entendu. Après la guerre, les Alliés l'ont autorisé à s'installer à Salzbourg. Mais ça n'a pas marché. Il est mort à Bad Arolsen, dans la Hesse, en 1946, je crois. Ou en 1947. Bref, ça fait longtemps. Bon débarras.

– Et tant pis pour la justice, hein ?

– Vous étiez un bon inspecteur. J'ai beaucoup appris avec vous.

– Vous êtes resté en vie. Ça en dit long, dans ce contexte.

– Ce n'était pas facile, n'est-ce pas ?

– Pour moi, ça n'a pas beaucoup changé, je le crains.

– Vous êtes encore là pour un moment. Vous faites partie de la race des survivants. Je l'ai toujours su. »

Je souris, mais bien évidemment, il mentait. Anciens camarades ou pas, si Mielke lui ordonnait de me tuer, il n'hésiterait pas. Comme à Villefranche.

43

« Vous et moi, on est comme au bon vieux temps, Friedrich. Vous vous souvenez du train qu'on a pris pour aller à Nuremberg ? Interroger le chef de la police locale au sujet de Streicher ?

– C'était il y a presque vingt ans. Mais je m'en souviens, oui.

– Voilà à quoi je pensais. Vous étiez un bon flic, Friedrich. Ce n'est pas facile, ça non plus. Surtout dans ces circonstances. Avec notre chef de l'époque.

– Vous voulez parler de ce salopard de Heydrich ?

– Je veux parler de ce salopard de Heydrich. »

Erich Mielke ne valait pas mieux dans le genre, mais je jugeais préférable de garder ça pour moi. Nous commandâmes le petit déjeuner et le train s'ébranla en prenant la direction de Marseille vers l'ouest, d'où il remonterait vers Paris. Un des hommes de la Stasi émit un grognement de plaisir en goûtant le café.

« C'est du bon café », dit-il, comme s'il n'était pas habitué à ça, et il ne l'était pas. En RDA, la liberté et la tolérance n'étaient pas les seules denrées rares.

« S'il n'y avait pas de bon café et de bonnes cigarettes, il y aurait une révolution dans ce pays, dis-je. Peut-être que vous devriez le suggérer au camarade-général, Friedrich. Ce serait plus facile d'exporter la révolution. »

Korsch esquissa un sourire presque aussi fin que sa moustache.

« Le régime doit avoir une grande confiance en vous, Friedrich, ajoutai-je. Et en vos hommes. D'après ce que j'ai entendu dire, rares sont les Allemands de l'Est qui peuvent voyager à l'étranger. Du moins, sans faire d'accrocs à leurs chaussettes à cause des barbelés.

– On a tous des familles. Ma première femme est morte pendant la guerre. Je me suis remarié il y a cinq ans environ. Et maintenant, j'ai une fille. Vous voyez donc que j'ai de bonnes raisons de rentrer au pays. Sincèrement, je ne me vois pas vivre ailleurs qu'à Berlin.

– Et le général ? Qu'est-ce qui le pousse à rentrer ? Il semble apprécier la vie ici, bien plus que vous.»

Korsch haussa les épaules.

« Je l'ignore.

– C'est peut-être préférable.» Je jetai un regard de biais à nos deux compagnons de table. « On ne sait jamais qui nous écoute.»

Après le petit déjeuner, nous regagnâmes notre compartiment, où nous continuâmes à bavarder. En définitive, nous nous entendions très bien désormais.

« Berchtesgaden, dit Korsch. Ça aussi c'était une sacrée affaire.

– Je ne risque pas de l'oublier. C'était un sacré endroit aussi.

– Ils auraient dû vous donner une médaille, pour la façon dont vous avez élucidé ce meurtre.

– Ils m'en ont donné une. Mais je l'ai jetée. Le reste du temps, je n'avais toujours qu'une longueur d'avance sur le peloton d'exécution.

– J'ai reçu une médaille de la police vers la fin de la guerre, avoua Korsch. Je crois qu'elle est encore au fond d'un tiroir quelque part, dans une jolie boîte bleue.

– N'est-ce pas dangereux ?

– Je suis membre du parti maintenant. Le SED, je veux dire. Tous ceux qui travaillaient à la Kripo ont été rééduqués, évidemment. Si je garde cette médaille, ce n'est pas par fierté, mais pour me rappeler qui j'ai été et ce que j'ai été.

– En parlant de ça, mon vieil ami, dis-je, vous devriez peut-être me rappeler qui je suis. Ou plutôt, qui je suis

45

censé être. Au cas où quelqu'un me poserait la question. Plus vite je m'habituerai à ma nouvelle identité, mieux ça vaudra, vous ne croyez pas ?»

Korsch sortit de la poche de sa veste une enveloppe en papier kraft qu'il me tendit.

« Passeport, argent et billet pour la Flèche d'Or. Le passeport s'accompagne d'une "légende". Désormais, vous vous appelez Bertolt Gründgens.

– On dirait un communiste.

– En fait, vous êtes un représentant de commerce de Hambourg. Vous vendez des livres d'art.

– Je n'y connais rien.

– Le véritable Bertolt Gründgens non plus.

– Où est-il, d'ailleurs ?

– Il purge une peine de dix ans dans le cercueil de cristal pour publication et diffusion de propagande incitant à la révolte contre l'État.»

Le cercueil de cristal était le nom que les détenus donnaient à la prison de Brandebourg.

« Nous préférons utiliser l'identité de personnes existantes dans la mesure du possible. Cela confère un peu plus d'authenticité, si quelqu'un s'avise de vérifier.

– Et le thallium ? demandai-je en glissant l'enveloppe dans ma poche de pantalon.

– Karl le gardera jusqu'à Calais, expliqua Korsch en montrant un des deux hommes de la Stasi. Cet élément pénètre très facilement dans la peau, il faut donc respecter certaines précautions pour le manipuler sans danger.

– Ça me va très bien.» J'ôtai ma veste et la lançai sur le siège voisin. « Vous n'avez pas chaud avec votre costume en laine ?

– Si. Mais le ministère ne nous paie pas de garde-robe spéciale Riviera.»

Nous continuâmes à parler de Berchtesgaden et très vite nous eûmes presque oublié les conditions désagréables qui avaient accompagné nos retrouvailles. Mais notre conversation était entrecoupée de nombreux silences pendant lesquels nous fumions en contemplant à travers la fenêtre du compartiment la mer bleue sur notre gauche. Je m'étais attaché à la Méditerranée et je me demandais si je la reverrais un jour.

Après Cannes, le train prit de la vitesse et moins d'une heure et demie plus tard nous étions déjà à mi-chemin de Marseille. À quelques kilomètres de Saint-Raphaël, j'annonçai que je devais aller aux toilettes et Korsch ordonna à un de ses hommes de m'accompagner.

« Vous avez peur que je me perde ?

– Oui, en quelque sorte.

– La route est longue jusqu'à Calais.

– Vous n'en mourrez pas.

– J'espère. C'est mon intention, en tout cas. »

L'homme de la Stasi me suivit dans le couloir du Train bleu jusqu'aux toilettes et c'est à cet instant, alors que le train approchait de Saint-Raphaël, qu'il commença à ralentir. Heureusement, ils n'avaient pas pensé à me fouiller à Nice et, une fois seul dans les toilettes, je sortis de ma chaussette une matraque en cuir que je fis claquer dans ma paume. Je l'avais confisquée à un client de l'hôtel un ou deux mois plus tôt. C'était un superbe objet, muni d'une dragonne, assez flexible et lourd pour offrir une véritable puissance de frappe. Mais c'était aussi une vilaine arme, un accessoire de malfrat, car souvent elle profite d'un sourire ou d'une question amicale pour prendre sa victime par surprise. Quand j'étais un jeune flic en uniforme dans le Berlin de Weimar, nous l'avions mauvaise lorsque nous arrêtions un Fritz qui avait une matraque dans sa poche,

47

car ça peut vous tuer, ce machin. Voilà pourquoi, parfois, on se servait de la matraque du Fritz pour nous éviter de la paperasserie et rendre une justice sommaire : sur les genoux et les coudes, ce qui est suffisamment douloureux, croyez-moi. J'en ai reçu moi aussi quelques coups.

Je la cachai dans mon dos en sortant des toilettes quelques minutes plus tard, souriant, tenant une cigarette dans l'autre main.

« Vous avez du feu ? demandai-je à mon escorte. J'ai laissé ma veste dans le compartiment. »

Mon sourire de malfrat faiblit légèrement lorsque je me souvins que j'avais en face de moi Gene Kelly, le type de Leipzig qui m'avait passé la corde autour du cou. Ce salopard allait me le payer.

« Oui », répondit Gene en s'appuyant contre la paroi du wagon, alors que le train freinait bruyamment.

Je coinçai la cigarette entre mes lèvres et attendis pendant que, les yeux baissés sur la poche de sa veste, Gene sortait son briquet. Je n'en demandais pas plus. J'abattis la matraque en une fraction de seconde avec la dextérité d'un jongleur. Il la vit arriver, mais trop tard. L'arme en forme de spatule frappa le sommet de son crâne couleur paille. Le bruit évoquait un coup de pied dans un ballon de football gorgé d'eau. Gene s'écroula comme une cheminée délabrée et, alors qu'il était encore à genoux, je frappai une seconde fois, violemment, car je n'avais pas oublié ni pardonné son rire alors que je me balançais dans le vide. Je ressentis un spasme de douleur dans le coude, mais ça en valait la peine. Tandis qu'il gisait à mes pieds, inconscient, ou pire, je m'en foutais, sur le sol qui tanguait légèrement, je lui pris son arme. Puis, aussi vite que possible, car il était lourd, je le traînai à l'intérieur des toilettes et fermai la porte. Sur ce, je fonçai vers l'autre extrémité du train, ouvris une portière et attendis qu'il stoppe à un signal lumineux, tout près de la corniche de Boulouris-sur-Mer, comme prévu. Au fil des ans, j'avais plusieurs fois pris ce train pour Marseille. Et pas plus tard que la veille, assis dans ma voiture après avoir faussé compagnie quelques heures aux agents de la Stasi, j'avais regardé le train s'arrêter à la hauteur du même signal.

Je sautai sur le bord de la voie, refermai la porte du wagon et courus en direction de l'avenue Beauséjour, où j'avais garé ma voiture. La fuite est toujours un meilleur plan qu'on ne l'imagine. Demandez à n'importe quel criminel. Il n'y a que la police pour dire que la fuite ne résout rien ; elle ne résout pas les crimes, c'est certain, et ne facilite pas les arrestations. En outre, la fuite était une perspective beaucoup plus séduisante que d'empoisonner une Anglaise avec qui j'avais couché, aussi salope soit-elle. J'avais déjà suffisamment de choses sur la conscience.

5

Octobre 1956

Le train ne s'arrêterait pas avant d'atteindre Marseille, dans un peu plus d'une heure. Je poussai presque un soupir de soulagement. Il n'y avait pas un seul nuage dans le ciel et une parfaite journée de fin octobre s'annonçait. Quelques familles de Français marchaient vers les plages de Saint-Raphaël en riant, insouciantes et détendues, en quête d'un peu de soleil d'automne avant le long hiver, et je les regardai avec jalousie, rêvant d'une vie un peu plus ordinaire et moins intéressante que la mienne. Personne ne me prêtait attention, mais je repensai soudain au pistolet glissé dans ma ceinture et je sortis le pan de ma chemise, déjà trempé de sueur, pour masquer la crosse. J'enjambai une clôture basse et traversai un terrain vague avant de rejoindre l'avenue Beauséjour. Mon cœur battait comme celui d'un petit animal et si le bar au coin de la rue avait été ouvert, je crois que je serais entré boire un verre pour maîtriser ma peur qui grandissait à chaque minute. Arrêté près de ma voiture, je laissai échapper un profond soupir de désespoir et contemplai les atomes éclatants et piquants de l'existence, en me demandant si ce que je faisais avait un sens. Quand vous prenez la fuite, vous devez être convaincu que le jeu en vaut la chandelle, et je n'en étais pas certain. Plus maintenant. J'étais déjà fatigué. Je n'avais plus assez d'énergie pour vivre, et à plus forte raison pour fuir. Mon cou continuait à me faire souffrir et mes yeux étaient deux brûlures d'acide sur mon visage. Je n'avais qu'une envie : dormir pendant cent ans, comme Frédéric Barberousse au fond de sa tanière de l'Obersalzberg. Que je sois vivant ou mort, tout le monde s'en fichait, y compris Elisabeth et Anne French très certainement, alors à quoi bon ? Jamais je ne m'étais senti aussi seul.

J'allumai une cigarette dans l'espoir d'insuffler un peu de bon sens à ces organes frappés d'une soudaine faiblesse qui rétrécissaient à l'intérieur de ma poitrine.

« Allons, Gunther, me dis-je. Tu t'es déjà retrouvé au pied du mur. Tout ce que tu as à faire, c'est monter dans cette voiture française pourrie et rouler. Tu veux vraiment donner à ces porcs de bolcheviks la satisfaction de te rattraper ? Arrête de te lamenter sur ton sort. Où est donc ce fameux cran prussien ? Tu ferais bien de te dépêcher. Car d'une minute à l'autre maintenant, quelqu'un va te chercher et je te laisse imaginer ce qui se passera quand ils découvriront Gene Kelly en train de lire l'intérieur de ses paupières. Alors, finis cette cigarette, monte dans cette foutue bagnole et file avant qu'il soit trop tard. S'ils te mettent le grappin dessus, tu sais ce qui arrivera, hein ? La pendaison ressemblera à une partie de plaisir à côté de l'empoisonnement au thallium. »

Quelques minutes plus tard, je roulais vers l'ouest sur la nationale, en direction d'Avignon. Je sais parler aux gens pour les motiver, même si en l'occurrence je m'adressais à moi-même. Ma décision était prise : je survivrais, ne serait-ce que pour contrarier ces salopards de communistes. J'avais un réservoir plein et une Citroën qui sortait

51

du garage – quatre cents francs pour une vidange –, alors j'étais certain qu'elle ne me laisserait pas tomber, du moins autant qu'on peut l'être quand on ne conduit pas une voiture allemande. Le coffre renfermait de l'argent, des vêtements chauds, une autre arme et quelques affaires provenant de mon appartement de Villefranche. Pendant un moment, je ne cessai de tourner la tête vers la mer, car j'avais maintenant le Train bleu dans mon champ de vision, sur la gauche, et je priais pour qu'aucun des agents de la Stasi ne regarde par la fenêtre du compartiment. La route longeait la voie ferrée. Cela me valut une demi-heure de conduite angoissée, mais je n'avais pas d'autre solution si je voulais rejoindre la grande route qui montait vers le nord le long du Rhône. Je ne me détendis vraiment qu'en atteignant Le Cannet-des-Maures, où la N7 et la voie ferrée se séparaient. Mais malgré mon avance sur mes compatriotes, je ne me faisais pas d'illusions : je les savais capables de me mettre la main dessus. Friedrich Korsch était intelligent, d'autant qu'il subissait la pression d'un individu tel qu'Erich Mielke, qui menacerait de s'en prendre à son épouse et à sa fille de cinq ans s'il ne me rattrapait pas. À l'instar de la Gestapo avant elle, cela faisait presque dix ans que la Stasi retrouvait des Allemands qui ne voulaient pas qu'on les retrouve. Ils étaient très doués pour ça, les meilleurs au monde peut-être. La police montée canadienne avait la réputation de toujours attraper sa proie, mais la Stasi s'en prenait également aux femmes et aux enfants, et elle les faisait souffrir, tous. Des milliers de personnes étaient enfermées dans la tristement célèbre prison de Hohenschönhausen, sans parler de plusieurs camps de concentration autrefois dirigés par les SS. Nul doute qu'ils allaient bâtir de toutes pièces un stratagème pour m'obliger à quitter la France, que je le veuille ou non. Peut-être avais-je sérieusement amoché

Gene Kelly avec la matraque, auquel cas Korsch pourrait l'achever, faisant de moi un meurtrier recherché par la police française. Je savais donc que je devais quitter le pays, et vite. Il était presque impossible d'entrer en Suisse, évidemment. L'Angleterre et la Hollande étaient trop loin, et l'Italie sans doute trop proche. J'aurais pu opter pour l'Espagne, mais c'était un pays fasciste, et j'avais eu ma dose. De toute façon, j'avais déjà fait mon choix, plus ou moins, avant même de sauter du train. Où pouvais-je aller sinon en Allemagne ? Où un Allemand pouvait-il se cacher sinon parmi des millions d'autres Allemands ? Les criminels de guerre nazis le faisaient depuis des années. Seuls quelques milliers avaient pris la peine, et avaient eu besoin, de s'exiler en Amérique du Sud. Chaque année, semblait-il, on découvrait un homme recherché qui s'était construit une nouvelle vie dans un trou paumé du genre Rostock ou Kassel. Après avoir franchi la frontière française, je trouverais une petite ville allemande et disparaîtrais pour de bon. N'étant pas quelqu'un de particulièrement important, c'était une hypothèse plausible. Une fois en Allemagne de l'Ouest, je pourrais me passer d'un de mes deux passeports. J'aurais plus de chances que n'importe où ailleurs, ou presque. Voilà pourquoi je regrettais amèrement d'avoir confié à Korsch mon désir de retourner au pays, même si c'était pour le convaincre que nous étions redevenus amis. Il n'était pas stupide et sans doute se mettrait-il à ma place, pour parvenir à la même conclusion.

Où pourrait bien aller Gunther, si ce n'est en République fédérale ? S'il reste en France, la police française le retrouvera pour nous, et quand il sera incarcéré dans une petite ville de province, nous l'empoisonnerons au thallium comme nous le ferons pour Anne French. Il n'y a pas

d'autre choix que l'Allemagne de l'Ouest pour Bernhard
Gunther. Il a été chassé de partout.

J'accélérai pour tenter de gagner du temps, car chaque minute était dorénavant précieuse. Dès qu'il arriverait à la gare de Marseille, Korsch appellerait Erich Mielke à l'hôtel Ruhl, à Nice, et le camarade-général mobiliserait tous les agents de la Stasi qui opéraient clandestinement en France et en Allemagne pour qu'ils surveillent la frontière. Ils avaient ma photo, ils avaient mon numéro de plaque d'immatriculation et les ressources quasiment illimitées du ministère de la Sécurité intérieure, sans oublier une efficacité impitoyable qui aurait fait l'admiration de Himmler ou d'Ernst Kaltenbrunner.

Toutefois, je possédais certaines ressources moi aussi. Ancien inspecteur à la Kripo de Berlin, j'avais appris une ou deux choses utiles pour échapper à la police. N'importe quel flic vous dira qu'il n'y a pas de meilleure école pour devenir un fugitif. Ce que j'étais désormais. Quelques jours plus tôt, je n'étais qu'une source de renseignements vêtue d'une queue-de-pie derrière le bureau du concierge du Grand-Hôtel du Cap-Ferrat. Je me demandais ce qu'auraient imaginé certains clients en me voyant assommer un agent de la Stasi. À la pensée de ce que pourraient me faire les amis de Gene Kelly s'ils me mettaient le grappin dessus, j'écrasai l'accélérateur et fonçai vers le nord à cent kilomètres à l'heure, jusqu'à ce que le souvenir du bruit de la matraque s'abattant sur son crâne épais s'estompe légèrement. Peut-être s'en tirerait-il finalement. Et moi aussi.

J'adore conduire, mais la France est un grand pays et ses routes sans fin ne me procuraient aucun plaisir. J'aurais aimé être assis à côté de Grace Kelly, dans une belle Jaguar décapotable bleue, sur une route de montagne pittoresque, avec un panier de pique-nique dans le coffre. Mais pour la plupart des gens, conduire en France est lassant, et la seule chose qui permet d'échapper à l'ennui, ce sont les Français eux-mêmes qui comptent parmi les plus mauvais conducteurs en Europe. Pour plaisanter, nous disions, non sans fondement, que les mauvais conducteurs avaient tué plus de Français durant la débâcle de l'été 1940, alors qu'ils tentaient de fuir l'avancée allemande, que la Wehrmacht. Voilà pourquoi j'essayais de fixer mon attention sur ma conduite mais, par contraste avec l'implacable monotonie de la route qui s'étendait devant moi, mon esprit se mit bientôt à errer comme un albatros perdu. On dit que la perspective d'être pendu permet de concentrer à merveille ses pensées, et je suis sûr que c'est vrai. Toutefois, je peux témoigner que la pendaison et le manque d'oxygène provoqué par un nœud coulant comprimant les carotides affectent l'esprit de diverses manières, toutes négatives. Peut-être était-ce l'objectif de Mielke : me rendre idiot et docile. Dans ce cas, il avait échoué. La docilité idiote n'a jamais été mon fort. Ma tête était remplie de coton et obscurcie par des choses oubliées depuis longtemps, comme si le passé venait embrouiller le présent. Mais ce n'était pas exactement ça. C'était plutôt comme si tout ce qui se trouvait sous ma ligne de mire était embrumé et que, au-delà de mon désir de retourner en Allemagne, je ne voyais pas où je devais aller ni ce que je devais faire. Je ressemblais à cet homme sur le tableau de Caspar David Friedrich, seul au-dessus d'une mer de nuages, insignifiant, déraciné, doutant de l'avenir, contemplant la futilité de chaque chose et, peut-être, la possibilité d'en finir.

Des visages, autrefois familiers, réapparaissaient à l'horizon. Des bribes de musique wagnérienne résonnaient entre des sommets montagneux furtivement entrevus. Il y avait aussi des odeurs et des fragments de conversation. Des femmes que j'avais connues jadis : Inge Lorenz, Hildegard Steininger, Gerdy Troost. Mon ancien partenaire Bruno Stahlecker. Ma mère. Mais peu à peu, alors que je laissais derrière moi la Riviera et roulais avec détermination vers le nord, vers l'Allemagne de l'Ouest, je voyais ressurgir, en détail, les souvenirs que m'avait soufflés Korsch. Si tout cela me revenait maintenant, c'était à cause de lui et de ce qui apparaissait, rétrospectivement, comme une tentative pour me déstabiliser. C'était un bon flic en ce temps-là. Et moi aussi. Je repensai aux deux enquêtes que nous avions menées ensemble, quand il avait réintégré la Kripo sur ordre de Heydrich. La seconde affaire était encore plus étrange que la première et j'avais été obligé d'enquêter quelques mois seulement avant que Hitler envahisse la Pologne. Je me souvenais très nettement, comme si c'était hier, d'une nuit glaciale et sombre d'avril 1939, au cours de laquelle j'avais traversé presque la moitié de l'Allemagne à bord de la Mercedes du général ; je me souvenais de Berchtesgaden, de l'Obersalzberg, du Berghof et de la Kehlsteinhaus ; je me souvenais de Martin Bormann, de Karl Brandt, de Hermann Kaspel et de Karl Flex, et je me souvenais des grottes du Schlossberg et du bleu de Prusse. Mais, surtout, je me souvenais que j'avais presque vingt ans de moins, et un sens de la morale et de l'honneur qui me semblait plutôt pittoresque aujourd'hui. À cette époque, pendant quelque temps, j'étais sincèrement convaincu, je pense, d'être le seul homme honnête que je connaissais.

6

« Il était grand temps qu'ils viennent vous arrêter, Gunther, lança une voix cassante venue d'en haut. Il n'y a pas de place pour les rouges de votre espèce dans la police de cette ville. »

En levant les yeux, je vis une silhouette familière en uniforme descendre le grand escalier de pierre, telle une invitée retardataire au bal du Führer, mais si Heidi Hobbin avait possédé une pantoufle de vair, elle l'aurait retirée pour me planter le talon dans l'œil. Les femmes étaient rares dans la police berlinoise. On y comptait Elfriede Dinger, qui épousa Ernst Gennat, peu de temps avant qu'il meure, puis le préfet Heidi Hobbin, surnommée l'Horrible Heidi, non parce qu'elle était laide (en fait, c'était une vraie beauté), mais parce qu'elle prenait plaisir à mener les hommes à la baguette de manière impitoyable. L'un d'eux au moins devait aimer ça car j'appris par la suite que Heidi était la maîtresse du chef de la Kripo, Arthur Nebe. Les femmes dominatrices : une perversion que je n'ai jamais comprise.

« J'espère que vous le conduisez directement à Dachau », dit Heidi aux deux hommes de la Gestapo qui m'escortaient dans l'escalier de derrière, vers la sortie du Präsidium sur

Dircksenstrasse. Elle était accompagnée d'un jeune et ambitieux conseiller du tribunal d'instance nommé Max Merten. « Il ne mérite pas autre chose. »

Depuis que Hitler était devenu chancelier en janvier 1933, je n'étais plus en odeur de sainteté à l'Alex. Bernhard Weiss ayant été chassé de la Kripo parce qu'il était juif, les membres de sa brigade étaient inévitablement regardés d'un œil méfiant par nos nouveaux chefs nazis, surtout si, comme moi, ils soutenaient le SPD, un parti de centre gauche. Quoi qu'il en soit, l'erreur de Heidi était facilement excusable car même si les hommes de la Gestapo faisaient un effort pour m'emmener poliment – ou presque – à leur quartier général sur l'ordre de Reinhard Heydrich, ils se débrouillaient malgré tout pour donner l'apparence de deux policiers qui effectuent une arrestation. Mais Heidi ignorait la vérité et elle continuait à s'imaginer, à tort, que l'on me conduisait derrière les barreaux. Si l'on pense qu'elle était censée être préfet, elle ne se montrait pas très observatrice.

Savourant par avance son imminente déception, je m'arrêtai et portai la main à mon chapeau.

« C'est très aimable à vous, madame. »

Elle plissa les yeux et me toisa comme si j'étais des toilettes sales. Max Merten ôta son chapeau melon avec courtoisie.

« Vous êtes un fauteur de troubles, Gunther, dit Heidi. Vous l'avez toujours été, avec vos petites remarques spirituelles. Franchement, je ne comprends pas pourquoi Heydrich et Nebe ont jugé bon de vous reprendre ici.

– Il faut bien quelqu'un pour réfléchir maintenant que les chiens policiers ont été renvoyés. »

Merten sourit. C'était une plaisanterie que j'avais entendue dans sa bouche à diverses occasions.

« Voilà exactement le genre de remarques dont je parle. Et qui font que personne ne vous regrettera. » Je m'adressai à un des agents de la Gestapo : « Vous voulez bien annoncer la bonne nouvelle au préfet ? Ou dois-je m'en charger ?

– Le commissaire Gunther n'est pas vraiment en état d'arrestation », dit-il.

Je souris. « Vous avez entendu ?

– Comment ça "pas vraiment" ?

– Le général Heydrich l'a convoqué dans son bureau de Prinz Albrecht Strasse pour une réunion urgente. »

Heidi se décomposa.

« À quel sujet ? demanda-t-elle.

– Je crains de ne pouvoir vous le dire, répondit le gestapiste. Si voulez bien nous excuser, madame le préfet. Nous n'avons pas le temps de discuter. Le général n'aime pas qu'on le fasse attendre.

– C'est exact, ajoutai-je en regardant et en tapotant ma montre avec impatience. Nous n'avons vraiment pas de temps à perdre. Je dois assister à une réunion urgente. Avec le général. Plus tard peut-être, si j'ai le temps, je ferai un saut dans votre bureau pour vous dire sur quel sujet il souhaitait me consulter. Mais seulement si Heydrich juge que c'est approprié. Vous savez qu'il est très à cheval sur les questions de sécurité et de confidentialité. Mais peut-être pas. Il ne met pas tout le monde dans la confidence. Au fait, Fräulein Hobbin, où se trouve votre bureau ? J'ai oublié. »

Les deux gestapistes se regardèrent et essayèrent, sans succès, de réprimer un sourire. Malgré toutes les preuves du contraire, ils avaient le sens de l'humour, mais un humour noir, et c'était le genre de plaisanteries que chaque nazi obsédé par le pouvoir – c'est-à-dire tous ou presque – pouvait comprendre et apprécier. Max Merten, le jeune magistrat

– il ne devait pas avoir plus de trente ans –, faisait encore plus d'efforts pour ne pas sourire. Je lui adressai un clin d'œil. J'aimais bien Max, il venait de Berlin-Lichterfelde et à une époque il avait envisagé de faire carrière dans la police, jusqu'à ce que je l'en dissuade.

Pendant ce temps, Heidi Hobbin, les poings serrés dans un geste qui symbolisait sa personnalité pugnace, tourna brusquement les talons et remonta l'escalier. Devinant que mon hilarité ne ferait qu'attiser sa colère, je laissai échapper un grand éclat de rire, et me réjouis d'entendre mon escorte en faire autant.

« Ça doit être chouette de travailler pour Heydrich, dit l'un des deux gestapistes en me tapant dans le dos pour me féliciter.

– Oui, renchérit son collègue, même les chefs doivent faire gaffe avec vous, hein ? Vous pouvez les envoyer sur les roses, pas vrai ? »

Je répondis par un sourire gêné et les suivis vers la porte qui donnait sur l'Alex. Je n'aurais jamais qualifié d'ami le chef de la sécurité du Reich. Les hommes tels que Heydrich n'avaient pas d'amis ; ils avaient des bureaucrates sous leurs ordres et parfois des myrmidons, comme moi, car j'étais certain que Heydrich me réservait encore un sale boulot dont il pensait que seul Bernhard Gunther pouvait l'exécuter. Personne en Allemagne n'avait jamais dû se montrer aussi prudent que les anciens membres du SPD qui travaillaient désormais pour Heydrich, surtout maintenant que la récente invasion de ce qui restait de la Tchécoslovaquie rendait une nouvelle guerre quasiment inéluctable.

Une fois dans Dircksenstrasse, j'allumai ma dernière cigarette et m'empressai de monter à l'arrière de la Mercedes qui nous attendait. La matinée était glaciale à cause d'une chute de neige de printemps, mais il faisait bon dans la voiture, et tant mieux car j'avais oublié mon manteau, signe de l'urgence de la convocation. J'étais assis dans mon bureau d'angle à regarder par la fenêtre ce décor de train électrique qu'est Alexanderplatz et, l'instant d'après, sans explications – c'était inutile –, je me retrouvais à l'arrière de cette voiture qui roulait vers l'ouest sur Unter den Linden, en répétant une tirade qui me permettrait peut-être de me soustraire à la mission qui m'attendait. J'étais un peu trop scrupuleux et ergoteur pour faire un bon myrmidon. Toute intransigeance serait vaine, évidemment. À l'instar d'Achille, le général n'était pas quelqu'un qui se laissait détourner de son objectif. Autant essayer de contrer le javelot d'un héros grec avec une assiette en porcelaine de Saxe.

Unter den Linden était encombrée de voitures et de passants, il y avait même des véhicules garés devant les bâtiments gouvernementaux de Wilhelmstrasse, mais Prinz Albrecht Strasse restait la rue la plus calme de Berlin, pour la même raison qui incitait les Transylvaniens sensés à éviter les coins reculés des Carpates. Comme le château de Dracula, le 8 Prinz Albrecht Strasse abritait son prince des ténèbres au visage pâle, et chaque fois que j'approchais de l'entrée néobaroque, je ne pouvais m'empêcher de penser que les deux femmes nues qui ornaient le fronton cintré segmenté étaient en réalité deux sœurs vampires mariées à Heydrich et qui, la nuit, erraient à travers les lieux en quête de vêtements et d'un bon repas.

L'intérieur de l'immense bâtiment, tout en très grandes fenêtres, plafonds voûtés, balustrades de pierre, svastikas, bustes de l'Antéchrist, était dépourvu de meubles et de sentiments humains. Quelques bancs de bois étaient disposés le long des murs blancs et nus, comme dans une gare, et l'on n'entendait que des murmures, des pas pressés dans les couloirs aux sols de marbre et parfois l'écho d'une porte qui violemment se refermait sur l'espoir dans quelque coin reculé de l'éternité. Seuls Dante et peut-être Virgile auraient pu pénétrer dans ce lieu d'infortune sans se demander s'ils en sortiraient un jour. Situé au premier étage, le bureau de Heydrich n'était guère plus grand que mon appartement. Un espace imposant, d'une blancheur et d'une sobriété glaciales, impeccablement rangé – plus une place d'armes qu'un bureau –, sans touche personnelle apparente, qui avait le mérite de donner une image propre, immaculée, du nazisme, mais qui, à mes yeux, symbolisait le vide moral niché au cœur de la nouvelle Allemagne. Une épaisse moquette grise couvrait le parquet ciré. Il y avait des colonnes moulées, plusieurs hautes fenêtres et un bureau à cylindre fait sur mesure qui abritait un régiment de tampons et un standard téléphonique. Derrière le meuble se découpaient deux grandes portes à double battant et, entre les deux, une bibliothèque clairsemée sur laquelle était posé un bocal à poissons vide. Juste au-dessus, une photo encadrée de Himmler, un peu comme si le Reichsführer-SS à lunettes était lui-même une étrange créature vivant à la fois dans l'eau et au-dehors. Un reptile autrement dit. Devant une immense carte de l'Allemagne fixée au mur étaient disposés des canapés et des fauteuils en cuir, et c'est assis dans l'un d'eux que je vis le général, en compagnie de trois autres officiers : son aide de camp Hans-Hendrik Neumann, le chef de la Kripo Arthur Nebe et l'adjoint de celui-ci, Paul Werner, un procureur de Heidelberg à l'air renfrogné qui me haïssait tout autant que Heidi Hobbin. Heydrich et Nebe possédaient l'un et l'autre un profil prononcé, mais alors que celui du général aurait pu figurer sur un billet de banque, celui d'Arthur Nebe avait davantage sa place chez un prêteur sur gages. Les experts raciaux du parti nazi aimaient utiliser des compas pour mesurer le nez et déterminer « scientifiquement » le degré de judéité, et je n'étais pas le seul flic de l'Alex à me demander si cet homme s'était soumis à ce test, et si oui quel en avait été le résultat. Quant à Hans-Hendrik Neumann, il ressemblait à un Heydrich au rabais. Avec ses cheveux blonds et son front haut, il possédait un nez intéressant, pointu, mais qui avait encore besoin de grandir avant de pouvoir rivaliser avec le tarin crochu de son maître.

Personne ne se leva et personne, à part moi, ne fit le salut hitlérien, ce que Nebe dut particulièrement apprécier, étant donné que nous nous connaissions et nous méfiions l'un de l'autre depuis si longtemps. Comme toujours, j'avais l'impression d'être un hypocrite en faisant ce salut, mais l'hypocrisie a un bon côté, ce que Darwin ou l'un de ses premiers disciples appellerait l'instinct de survie.

« Ah, vous voilà enfin, Gunther, dit Heydrich. Asseyez-vous, je vous en prie.

– Merci. Permettez-moi de vous dire, mon général, que c'est un grand plaisir de vous revoir. Nos petites conversations me manquaient. »

Heydrich me gratifia d'un large sourire, il appréciait presque mon insolence.

« Messieurs, dit-il, j'avoue qu'il m'arrive de croire à une providence qui protège les simples d'esprit, les ivrognes, les enfants et Bernhard Gunther.

– Dans ce cas, dit Nebe, je pense que nous sommes, vous et moi, les responsables de cette providence. Sans nous, cet homme mangerait les pissenlits par la racine depuis longtemps.

– Oui, vous avez peut-être raison, Arthur. Mais j'ai toujours besoin d'un homme utile, et il est très utile. En fait, je crois que son utilité est sa plus grande qualité. » Heydrich leva les yeux vers moi comme s'il attendait réellement une réponse. « Pourquoi, à votre avis ?

– Vous me posez la question, mon général ? »

Je m'assis et regardai l'étui à cigarettes en argent posé sur la table basse devant nous. Je mourais d'envie de fumer. La nervosité, sans doute. Heydrich pouvait produire cet effet. Deux minutes en sa présence et déjà il me tapait sur le système.

« Oui. Il me semble, dit-il. Allez-y, parlez librement.

– Je pense que, parfois, une vérité nuisible est préférable à un mensonge utile. »

Heydrich éclata de rire.

« Vous avez raison, Arthur, nous sommes les responsables de la providence dans le cas de cet individu. » Il ouvrit l'étui à cigarettes. « Fumez, Gunther, je vous en prie. J'insiste. J'aime encourager les vices d'un homme. Surtout les vôtres. J'ai le sentiment qu'un jour ils pourraient être encore plus utiles que vos qualités. J'en suis même certain. Faire de vous mon larbin sera désormais un de mes projets à long terme. »

7

Avril 1939

Je pris une cigarette dans l'étui en argent, l'allumai, croisai les jambes et soufflai la fumée en direction des moulures du haut plafond du bureau de Heydrich. J'en avais suffisamment dit pour le moment. Quand vous êtes assis face au diable, il est préférable de ne pas l'insulter plus que nécessaire. Le diable portait un uniforme de la même couleur que son cœur : noir. Les autres aussi. Moi seul étais vêtu d'un complet-veston, ce qui m'aidait à me convaincre que, d'une certaine manière, j'étais différent d'eux. Meilleur, peut-être. C'est plus tard seulement, pendant la guerre, que j'en vins à penser que, finalement, je ne valais guère mieux qu'eux. Chez moi, la prudence et les bonnes intentions semblaient toujours l'emporter sur la conscience.

« Comme il se doit, vous vous permettez une certaine liberté du fait de votre présence ici, dans mon bureau, dit Heydrich. Et je suppose que vous en êtes déjà arrivé à la conclusion que vous alliez m'être utile une fois de plus.

– L'idée m'a traversé l'esprit.

– À votre place, Gunther, je n'y accorderais pas trop d'importance. Je m'aperçois que j'ai une très mauvaise mémoire dès qu'il s'agit d'accorder des faveurs. »

Heydrich avait une voix assez haut perchée pour un homme de sa corpulence. À croire que ses jodhpurs étaient trop serrés.

« Moi-même, général, j'ai compris qu'il était souvent plus prudent d'oublier certaines choses que je croyais importantes. En fait, plus ou moins toutes les choses auxquelles je croyais, maintenant que j'y réfléchis. »

Heydrich m'adressa un petit sourire, presque aussi pincé que ses yeux bleus délavés. Mais le reste de son long visage demeura totalement inexpressif : il ressemblait à une victime de l'incendie du Bazar de la Charité.

« Après avoir accompli ce travail, vous allez devoir oublier pas mal de choses, Gunther. Presque tout. À l'exception des hommes présents dans cette pièce, vous ne pourrez parler de cette affaire avec personne. Car, de fait, je crois qu'il faut bien parler d'une affaire maintenant. Vous n'êtes pas d'accord, Arthur ?

– Si, mon général. Après tout, un crime a été commis. Un meurtre. Un meurtre d'un genre très inhabituel, compte tenu de l'endroit où il a été perpétré et de l'extrême importance de la personne à qui il faudra rendre des comptes.

– Oh ? Et de qui s'agit-il ? demandai-je.

– Du secrétaire du Führer, Martin Bormann, ni plus ni moins, dit Nebe.

– Martin Bormann, vous dites ? J'avoue que je n'ai jamais entendu parler de lui. Mais c'est sans doute quelqu'un d'influent, en effet, étant donné la personne pour laquelle il travaille.

– Que cette ignorance ne vous empêche pas de prendre conscience de l'importance colossale de cette affaire, je vous en conjure, dit Heydrich. Même si Bormann n'occupe aucune fonction officielle au sein du gouvernement, sa proximité avec le Führer fait de lui un des hommes les plus puissants d'Allemagne. Il m'a chargé de lui envoyer mon meilleur enquêteur. Et puisque Ernst Gennat n'est pas en état de voyager, il semblerait que ce soit vous dans l'immédiat. »

Je hochai la tête. Mon vieux mentor, Gennat, souffrait d'un cancer et, selon la rumeur, il lui restait moins de six mois à vivre, ce qui, dans ma situation actuelle, commençait à ressembler à une éternité. Heydrich était un homme qui ne tolérait pas l'échec. Il m'avait déjà envoyé à Dachau, il pouvait facilement recommencer. C'était le moment de la dérobade.

« Et Georg Heuser ? demandai-je. Vous l'oubliez ? C'est un bon enquêteur. Beaucoup plus qualifié que moi. Et puis, il est membre du Parti.

– Oui, c'est un bon enquêteur, confirma Nebe. Mais pour l'instant, Heuser doit fournir quelques explications au sujet de ses prétendues qualifications. Une histoire de doctorat en droit.

– Ah bon ? » J'essayai de réprimer un sourire. Je faisais partie des rares inspecteurs de l'Alex à ne pas être docteur en droit, cette nouvelle avait donc quelque chose de réjouissant pour quelqu'un qui avait seulement son *Abitur*[1].

« Vous voulez dire qu'il n'est en réalité pas docteur ?

– Je savais que ça vous ferait plaisir, Gunther. Il est suspendu en attendant les résultats de l'enquête.

– Quelle tristesse, mon général.

– On peut difficilement envoyer un homme tel que lui à Martin Bormann, dit Nebe.

– Je pourrais envoyer Werner, évidemment, reprit Heydrich. Même s'il est vrai que son savoir-faire s'applique davantage dans le domaine de la prévention de la criminalité.

1. En Allemagne, examen qui conclut les études secondaires.

Mais je n'aimerais pas le perdre, si par malheur il faisait tout foirer. La vérité, c'est que vous pouvez être sacrifié, et vous le savez. Contrairement à Werner. Il est indispensable au développement de la criminologie radicale dans la nouvelle Allemagne.

– Présenté sous cet angle, je comprends votre point de vue, mon général.» Je me tournai vers Werner et hochai la tête. Il avait le même grade que moi, *Kommissar,* je pouvais donc m'adresser à lui avec plus de liberté. « Je crois avoir lu votre article, Paul. La délinquance juvénile comme conséquence de l'hérédité criminelle. N'est-ce pas votre dernière contribution ?»

Werner ôta sa cigarette de sa bouche et sourit. Avec ses yeux sombres et fuyants, son teint basané et ses grandes oreilles décollées, il ressemblait autant à un criminel que tous ceux que j'avais arrêtés.

« Vous lisez ce genre de choses à la police criminelle ? Je m'étonne. À vrai dire, je m'étonne même que vous lisiez quoi que ce soit.

– Bien sûr que oui. Vos articles de criminologie sont essentiels. Toutefois, je crois me souvenir que la plupart des délinquants juvéniles que vous avez identifiés étaient des Gitans, pas de purs Allemands.

– Et vous n'êtes pas d'accord ?

– Ça se pourrait.

– D'après quels critères ?

– Mon expérience, voilà tout. À Berlin, il y a toutes sortes de criminels. Selon moi, si on veut comprendre pourquoi un Fritz pique dans la poche d'un autre, la pauvreté et le manque d'éducation sont toujours de meilleures explications que sa race ou la taille de son nez. D'ailleurs, vous-même semblez avoir un peu de sang gitan, Paul. Hein ? Vous êtes un Sinté ?»

Werner continuait à sourire, mais seulement en apparence. Il venait d'Offenbourg, une ville du Bade-Wurtemberg, près de la frontière avec la France, connue pour avoir brûlé des sorcières et abrité une chaise métallique tristement célèbre, hérissée de pointes que l'on pouvait chauffer à blanc. Il avait une tête de chasseur de sorcières souabe et je devinais qu'il se serait réjoui de me voir sur le bûcher.

« Je plaisante. » Je me tournai vers Heydrich. « On montre nos muscles, comme deux durs à cuire. Je sais bien que ce n'est pas un Sinté. C'est un gars intelligent. Je le sais. Vous avez un doctorat, n'est-ce pas, Paul ?

– Continuez à jacasser, Gunther, dit Werner. Un de ces jours, ça vous conduira à la guillotine de Plötzensee.

– Il n'a pas tort, intervint Heydrich. Vous êtes un sale insolent, Gunther. Mais il se trouve que c'est une bonne chose. Votre esprit indépendant témoigne d'une certaine résilience qui sera très utile ici. Car, voyez-vous, il y a une autre raison pour laquelle Bormann vous a choisi, plutôt que Werner, ou même Arthur. Puisque vous n'avez jamais été membre du Parti, il croit que vous n'êtes l'homme de personne, et surtout pas le mien. Mais ne vous y trompez pas, Gunther. Vous m'appartenez. Comme si vous vous appeliez Faust et moi Méphisto. »

Je ne relevai pas, inutile de discuter avec Heydrich, mais c'était réconfortant de croire que Dieu, dans sa bonté, pouvait encore convaincre quelques anges d'intercéder en ma faveur.

« Tout ce que vous pourrez apprendre sur ce salopard pendant que vous serez dans l'Obersalzberg, je veux le savoir.

– Je suppose que vous faites allusion au secrétaire du Führer ?

– C'est un mégalomane. »

Je m'abstins de formuler une opinion à ce sujet. J'avais déjà trop parlé.

« Surtout, j'aimerais savoir s'il y a une part de vérité derrière cette rumeur intrigante qui circule à Berlin, selon laquelle son propre frère, Albert, le ferait chanter. Albert est l'aide de camp d'Adolf Hitler et également le chef de la Chancellerie de l'Obersalzberg. De ce fait, il est presque aussi puissant là-bas que Martin Bormann lui-même.

– C'est là que je dois aller, mon général ? Sur l'Obersalzberg ?

– Oui.

– Parfait. Un peu d'air alpin me fera du bien.

– Ce ne sont pas des vacances, Gunther.

– Non, bien sûr, mon général.

– Si vous pouvez récolter des ragots sur cet homme, ou n'importe qui d'autre, n'hésitez pas. Vous ne serez pas juste un enquêteur là-bas, vous serez mon espion. C'est bien compris ? Vous penserez sûrement qu'on vous demande de choisir entre la peste et le choléra, mais c'est faux. Vous êtes *mon* Fritz, pas celui de Bormann.

– Bien, mon général.

– Et au cas où vous commettriez encore l'erreur de croire que votre âme misérable vous appartient, sachez que la police de Hanovre enquête sur la découverte d'un cadavre dans une forêt près de Hamelin. Rappelez-moi les détails, Arthur.

– Il s'agit d'un dénommé Kindermann, un médecin qui dirigeait une clinique privée à Wannsee, un collègue de notre ami commun Karl Maria Weisthor. Apparemment, il a été tué de plusieurs balles.

– Compte tenu des liens entre Kindermann et Weisthor, j'oserais dire qu'il l'a bien mérité, reprit Heydrich. N'empêche, si vous deviez expliquer à la police de Hanovre quelle était la nature de vos rapports avec cet homme, cela pourrait être embarrassant.

– Je pars quand ? demandai-je gaiement.

– Dès la fin de notre entretien. Un de mes hommes est déjà passé chez vous pour mettre quelques affaires dans une valise. Une voiture vous attend en bas pour vous conduire directement en Bavière. Ma propre voiture. Elle est plus rapide. Vous devriez être sur place avant minuit.

– C'est tout ? Vous parliez d'un meurtre ? Qui est mort ? Pas quelqu'un d'important, je suppose, car nous aurions appris la mauvaise nouvelle à la radio ce matin.

– Je ne sais pas trop. Bormann n'a pas été très clair à ce sujet quand nous nous sommes parlé au téléphone. Mais vous avez raison, ce n'était pas quelqu'un de notable, Dieu soit loué. Un ingénieur civil du coin. Ce qui est important, c'est *l'endroit* où a été commis ce crime. La victime a été tuée d'un coup de fusil sur la terrasse de la résidence privée de Hitler sur l'Obersalzberg. Le Berghof. Le meurtrier, qui est toujours dans la nature, savait certainement que le Führer faisait un discours à Berlin hier soir. Il est donc peu probable qu'il s'agisse d'une tentative d'assassinat manquée visant Adolf Hitler. Mais, évidemment, Bormann s'inquiète des conséquences sur son image auprès du Führer. Le fait même que quelqu'un puisse être abattu dans la résidence de Hitler, là où il peut se détendre et oublier un peu toutes ses responsabilités, constitue un motif d'inquiétude pour quiconque est impliqué dans la sécurité du Führer, voilà pourquoi Bormann tient à ce que le meurtrier soit arrêté le plus vite possible.

» Tant qu'il n'a pas été appréhendé, il est hors de question que le Führer retourne au Berghof. Si on ne le retrouve pas, Bormann pourrait même perdre son poste. Dans un cas comme dans l'autre, cette situation est bonne pour le

SD et la Kripo. Si le meurtrier n'est pas arrêté, Martin Bormann sera certainement congédié par Hitler, ce qui fera énormément plaisir à Himmler ; et s'il est pris, Bormann aura une dette colossale envers moi.

– Il est réconfortant de savoir que je ne peux pas échouer, mon général, dis-je.

– Que les choses soient bien claires, Gunther : l'Obersalzberg est le domaine de Martin Bormann. Il contrôle tout là-bas, sur la montagne de Hitler. Mais en tant qu'inspecteur ayant autorité pour poser des questions, saisissez cette occasion pour soulever quelques pierres et voir ce qui grouille dessous. Et pour moi, vous aurez échoué si vous ne revenez pas avec de sales ragots sur Martin Bormann. C'est bien compris ?

– Compris. Je dispose de combien de temps ?

– Apparemment, Hitler a l'intention de se rendre au Berghof au moment de son anniversaire, répondit Nebe. Donc, il n'y a pas une minute à perdre.

– Rafraîchissez-moi la mémoire. C'est quand ? Je ne suis pas très doué pour retenir les dates d'anniversaire.

– Le 20 avril.

– Et la police locale dans tout ça ? La Gestapo ? Devrai-je travailler avec eux ? Si oui, qui commandera ? Moi ou eux ?

– Les manteaux de cuir n'ont pas été informés. Pour des raisons évidentes, Bormann ne veut pas que cette affaire se retrouve dans les journaux. Vous serez l'unique responsable de l'enquête. Et vous rendrez des comptes directement à Bormann. En principe, du moins.

– Je vois.

– Méfiez-vous de lui, dit Heydrich. Il n'est pas aussi idiot qu'il en a l'air. Au Berghof, ne faites pas confiance au téléphone. On ne va pas là-bas pour monter sur des poneys nains. Il est fort probable que les hommes de Bormann écoutent tout ce qui se dit. Je le sais car ce sont mes hommes qui ont caché des micros dans plusieurs pièces et dans toutes les dépendances. Vous pouvez utiliser le télex sans risque, les télégrammes aussi, mais pas le téléphone. Neumann, ici présent, vous accompagnera jusqu'à Munich. En chemin, il vous expliquera précisément comment vous pourrez rester en contact avec moi. Mais j'ai déjà un espion dans le RSD à l'Obersalzberg : Hermann Kaspel. Un type bien. Mais pas très doué, malheureusement, pour apprendre des secrets. Contrairement à vous. Quoi qu'il en soit, je vous fournirai une lettre d'introduction signée de ma main. Elle l'informe qu'il doit vous aider autant qu'il le peut.

Je connaissais Hermann Kaspel. En 1932, j'avais participé à son renvoi de la police, ayant découvert qu'il commandait une troupe de SA en dehors de ses heures de service, cela après qu'un sergent nommé Friedrich Kuhfeld avait été assassiné par des brutes nazies. Depuis, nous n'échangions plus de cartes de vœux à Noël.

« J'ai entendu parler du SD, mon général. Mais je ne suis pas certain de savoir ce qu'est le RSD[1].

– La garde personnelle du Führer. Affilée au SD, mais pas sous mon commandement. Ils sont placés sous les ordres directs de Himmler.

– J'aimerais emmener mon propre adjoint à l'Alex, mon général. Friedrich Korsch. Un homme bien. Vous vous souvenez peut-être qu'il s'est montré précieux dans l'affaire Weisthor en novembre dernier. S'il est urgent d'élucider cette histoire de meurtre, comme vous l'affirmez, j'aurais probablement besoin d'un bon assistant. Et d'une personne digne de confiance. Hermann Kaspel et moi avons

1. Reichssicherheitsdienst (RSD) : Service de sécurité du Reich.

quelques fâcheux antécédents qui datent de l'époque où il était schupo, avant le gouvernement de von Papen. En 1932, il dirigeait une cellule nazie au Poste 87, ici même à Berlin, et nos opinions divergeaient sur ce point.

– Pourquoi ne suis-je pas étonné ? répondit Heydrich. Mais soyez rassuré : quels que soient les sentiments d'antipathie qui existent entre vous, Kaspel suivra mes instructions à la lettre.

– N'empêche, Korsch est un véritable enquêteur. Un malabar avec une tête bien faite sur les épaules. Et deux têtes valent mieux qu'une dans un cas urgent comme celui-ci. »

Heydrich se tourna vers Nebe, qui acquiesça.

« Je connais Korsch, dit Nebe. Il a un petit côté malfrat, mais il est membre du Parti. Il pourrait devenir inspecteur un jour. En revanche, il ne sera jamais *Kommissar*.

– Bormann ne sera pas content, dit Heydrich. Et vous serez peut-être obligé de persuader le chef de cabinet du Führer de garder votre homme. Mais allez-y, emmenez-le.

– Une dernière chose, mon général. L'argent. Il m'en faudrait un peu. Je sais que la peur est une méthode qui a fait ses preuves à la Gestapo. Mais d'après mon expérience, quelques billets sont plus efficaces que la chaise de torture d'Offenbourg. Leur odeur délie les langues. Surtout quand on essaye d'agir dans la discrétion. En outre, c'est plus facile à transporter que des instruments de torture.

– Soit, dit le général, mais je veux des reçus. Un tas de reçus. Et des noms. Si vous soudoyez quelqu'un, je veux savoir qui, pour pouvoir l'utiliser de nouveau.

– Bien entendu. »

Heydrich se tourna vers Nebe.

« Y a-t-il autre chose qu'il ait besoin de savoir, Arthur ?

– Oui. Kaltenbrunner.

– Oh, oui. Ernst Kaltenbrunner. Il ne faut surtout pas l'oublier. »

Je secouai la tête. Encore un nom que je n'avais jamais entendu.

« Officiellement, il dirige la SS et la police en Autriche, expliqua Nebe. Il est également membre du Reichstag. Il possède, semble-t-il, une résidence secondaire à Berchtesgaden, au pied de l'Obersalzberg. Neumann vous fournira l'adresse.

– Ce n'est rien d'autre qu'une tentative grossière pour pénétrer dans le cercle intime du Führer, ajouta Heydrich. Quoi qu'il en soit, j'aimerais en savoir plus sur ce que mijote ce gros lard de subalterne. Laissez-moi vous expliquer. Récemment, Kaltenbrunner et d'autres ont essayé de créer un îlot autonome en Autriche. Ce qui est totalement inacceptable. L'Autriche en tant que concept politique est amenée à disparaître très prochainement. Concrètement, tous les secteurs clés de la police ont déjà été placés sous le contrôle de ce bureau. Deux hommes que je sais loyaux – Franz Huber et Friedrich Polte – ont été nommés chefs de la Gestapo et du SD à Vienne, mais nous ignorons si Kaltenbrunner a accepté cette nouvelle réalité administrative. En fait, je suis quasiment persuadé que non. Son influence en Autriche nécessite qu'il fasse l'objet d'une surveillance constante. Même quand il se trouve en Allemagne.

– Je crois avoir saisi. Vous voulez des ragots compromettants sur lui aussi. S'il y en a.

– Il y en a, dit Heydrich. Sans aucun doute.

– Kaltenbrunner a une femme, expliqua Nebe. Elisabeth.

– Ça n'a rien de compromettant.

– Il s'offre également les faveurs de deux représentantes de l'aristocratie autrichienne.

– Ah.

– L'une d'elles est Gisela von Westarp, précisa Heydrich. Nous ne savons pas si la maison de Berchtesgaden abrite leur liaison, mais si tel est le cas, nul doute que le Führer verrait cela d'un très mauvais œil. Voilà pourquoi je veux en savoir plus. Hitler fait grand cas des valeurs familiales et du sens moral des dirigeants du Parti. Essayez de savoir si cette Gisela von Westarp réside parfois à Berchtesgaden. Et si d'autres femmes s'y rendent elles aussi. Je veux leurs noms. Cela devrait être dans vos cordes. C'est ainsi que vous gagniez votre vie autrefois, n'est-ce pas ? En tant que détective privé, un de ces petits êtres minables qui furètent dans les couloirs d'hôtel et regardent par le trou de la serrure pour trouver des preuves d'adultère.

– Rétrospectivement, je ne trouve pas ça si minable, rétorquai-je. À vrai dire, je prenais beaucoup de plaisir à fureter dans les couloirs d'hôtel. Surtout les bons hôtels comme l'Adlon, où les tapis sont épais. Pour les pieds, c'est plus agréable que de défiler au pas de l'oie sur une place d'armes. Et puis, il y a toujours un bar à proximité.

– Dans ce cas, ce sera un jeu d'enfant pour vous. Vous pouvez disposer maintenant. »

Je souris en me levant.

« Quelque chose vous amuse ? demanda Heydrich.

– Je repensais à une chose qu'a dite Goethe. Tout est difficile avant de devenir facile. » Je marchai vers la porte, mais avant de sortir, je me tournai vers Paul Werner. « Je n'ai peut-être pas de doctorat, un vrai, mais je lis, Paul. Je lis. »

8

Avril 1939

Il y a sept cent cinquante kilomètres entre Berlin et Berchtesgaden, mais assis à l'arrière de la voiture de Heydrich, une Mercedes 770K d'un noir éclatant, une couverture en cachemire au monogramme SS drapée sur les genoux, je remarquai à peine la distance et le froid. La voiture était aussi grande qu'un sous-marin, et presque aussi puissante. Le moteur huit cylindres palpitait comme Potsdamer Platz à l'heure de pointe, et malgré la neige, la Mercedes avalait l'autoroute ; j'avais l'impression de pénétrer dans l'au-delà du Walhalla accompagné par un chœur de Valkyries, mais avec plus de raffinement. Je ne suis pas sûr que Mercedes ait fabriqué une meilleure voiture. Aucune, en tout cas, aussi imposante et confortable. Quelques heures passées à bord de cette limousine et je me sentais prêt à diriger l'Allemagne tout seul. Au volant était assis le chauffeur de Heydrich, semblable à une statue de l'île de Pâques, et à côté de lui se trouvait Friedrich Korsch, mon adjoint de l'Alex. Près de moi avait pris place Hans-Hendrik Neumann, l'adjudant de Heydrich, avec son visage pointu. La banquette arrière vous donnait l'impression d'être affalé dans les fauteuils en cuir du Herrenklub, et je somnolai

pendant une partie du trajet. Nous atteignîmes Schkeu-
ditz, à l'ouest de Leipzig, en moins de deux heures – une
prouesse à mes yeux – et Bayreuth en moins de quatre,
mais la nuit tombait et comme il nous restait encore quatre
cents kilomètres à parcourir, nous dûmes nous arrêter pour
faire le plein à Pegnitz, au nord de Nuremberg. Remplir
les réservoirs du KMS *Bismarck* aurait été plus rapide et
moins coûteux…

1956

J'aurais bien eu besoin d'une grosse et puissante
Mercedes 770K pour fuir à travers la France. Et j'aurais
bien aimé dormir un peu. La Citroën était une Traction
avant 11 CV, ce qui signifie, en français : un tas de rouille
qui manque de puissance. Le « 11 » indiquait sans doute le
nombre de chevaux. C'était une voiture inconfortable, lente,
qui nécessitait mon entière concentration. Après six heures
au volant, j'étais épuisé, j'avais le cou et les yeux en feu
et une migraine plus douloureuse que la craniotomie sabo-
tée de Ptolémée. J'avais seulement atteint Mâcon, mais je
savais que j'allais devoir m'arrêter pour me reposer, et qu'il
était préférable de rester en dehors des radars en évitant les
hôtels et même les pensions. Je pénétrai sur un terrain de
camping à l'aspect joyeux. Il y avait deux millions de cam-
peurs en France, dont un grand nombre d'automobilistes.
Je n'avais ni tente ni caravane, mais a priori cela n'avait
aucune importance puisque j'avais l'intention de dormir
dans ma voiture et de profiter, au matin, des douches et
de la cafétéria, dans cet ordre. Que n'aurais-je donné pour
un bain chaud et un dîner au Ruhl. Mais quand je tendis
à l'individu qui se trouvait à la réception – un homme
aux paupières lourdes et au nez délicat de parfumeur –

les cinquante francs pour la location d'un emplacement, il demanda à voir mon permis de camping, et je dus avouer, à contrecœur, que j'ignorais l'existence d'un tel permis.

« C'est obligatoire, monsieur.

– Je ne peux pas camper ici sans ce permis ?

– Vous ne pourrez camper nulle part, monsieur. Pas en France, du moins. Ce permis a été créé dans le but d'offrir aux gens une assurance en cas de dommages causés à un tiers, quel qu'il soit. Jusqu'à vingt-cinq millions en cas d'incendie, et cinq millions pour des dommages dus à un accident.

– Attendez. Je n'ai pas besoin d'assurance pour conduire en France, mais il m'en faut une pour planter une tente ?

– C'est exact. Mais vous pouvez facilement obtenir une licence de camping dans n'importe quel automobile club. »

Je jetai un coup d'œil à ma montre.

« Il est un peu tard pour ça, vous ne croyez pas ? »

Il haussa les épaules, indifférent à mon sort. Je pense qu'il n'avait pas très envie d'accueillir sur son terrain un individu louche dans mon genre ; un homme au fort accent étranger, affublé d'une écharpe en octobre et de lunettes de soleil à la nuit tombée, ne ressemble pas à un sympathique campeur qui puisse inspirer confiance à quelqu'un qui a connu l'Occupation. Cary Grant lui-même n'aurait pas réussi.

Alors je quittai le terrain de camping et roulai encore pendant quelques kilomètres, jusqu'à une route de campagne tranquille, sous de grands peupliers, puis un champ où je pus enfin fermer les yeux. Pas facile toutefois de trouver le sommeil en sachant que Friedrich Korsch et la Stasi étaient à mes trousses. Ils avaient certainement loué une voiture au bureau Europcar situé près de la gare de Marseille et n'étaient qu'à deux ou trois heures derrière moi sur la N7. Je finis quand même par m'endormir sur le siège arrière de la Citroën, mais ne pus éviter que Korsch fasse irruption dans un rêve qui se déroulait quelque part derrière cette double torture qu'étaient devenus mes yeux.

C'était étrange la façon dont il était revenu dans mon monde après toutes ces années, mais peut-être pas tant que ça finalement. Si vous vivez assez longtemps, vous vous apercevez que tout ce qui vous arrive est toujours la même illusion, la même merde, la même plaisanterie céleste. Les choses ne finissent jamais réellement, elles s'arrêtent quelque temps, puis elles recommencent, comme un mauvais disque. Il n'y a pas de nouveaux chapitres dans votre livre, uniquement un seul et long conte de fées, la même histoire débile que vous vous racontez et que, à tort, nous appelons la vie. Rien n'est vraiment fini qu'après notre mort. Et que pouvait bien faire un homme qui avait travaillé pour la sécurité du Reich, à part le faire encore pour le même service pourri sous les communistes ? Friedrich Korsch était policier par nature. Une telle continuité faisait sens pour les communistes : les nazis avaient su faire respecter la loi. Et avec un nouveau livre – Marx au lieu de Hitler –, un uniforme légèrement différent et un nouvel hymne national, « Ressuscitée des ruines », tout pouvait continuer comme avant. Hitler, Staline, Ulbricht, Khrouchtchev… ils étaient tous les mêmes, des monstres nés des abîmes neurologiques que nous appelons notre subconscient. Schopenhauer et moi. Parfois, le fait d'être allemand semble s'accompagner de graves inconvénients.

J'entendais presque la voix de Friedrich Korsch, assis à l'avant de la Mercedes 770K, mentionner, alors que nous atteignions la périphérie de Nuremberg – capitale du nazisme, en réalité –, le nom d'un bon hôtel, où j'aurais tant aimé me trouver à cet instant, dans un lit confortable, un bain chaud, devant un bon dîner, avec des gouttes pour les yeux...

1939

« Le Deutscher Hof, dit Korsch. Vous vous en souvenez ?

– Évidemment.

– C'est un bon hôtel. Le meilleur où j'ai logé en tout cas. Il me rappelle un peu l'Adlon. »

Korsch et moi avions séjourné au Deutscher Hof – l'hôtel préféré de Hitler, disait-on –, au cours d'un voyage à Nuremberg au mois de septembre, lorsque nous enquêtions sur une piste possible dans une affaire de meurtres en série. À une époque, nous avions soupçonné Julius Streicher, le leader politique de la Franconie, et nous nous étions rendus à Nuremberg pour interroger le chef de la police locale, Benno Martin. Streicher était le principal pourfendeur de juifs en Allemagne, et l'éditeur de *Der Stürmer,* un magazine si grossièrement antisémite que même une majorité de nazis le fuyaient.

Je croisai le regard de Korsch dans le rétroviseur latéral fixé sur l'énorme roue de secours à côté de sa portière, et hochai la tête.

« Comment pourrais-je oublier ? dis-je. C'est ce soir-là que nous avons posé les yeux sur Streicher pour la première fois. Bien que totalement ivre, il continuait à picoler avec deux jeunes filles subjuguées, comme s'il était l'empereur du Saint Empire romain germanique en personne. Pendant un bon moment, j'aurais parié que c'était lui. Le meurtrier.

81

– Difficile d'imaginer qu'un type pareil est toujours gauleiter.

– Beaucoup de choses sont difficiles à imaginer de nos jours », murmurai-je en songeant à la guerre qui se profilait avec certitude car avant longtemps les Français et les Britanniques verraient clair dans le jeu de Hitler et ils mobiliseraient leurs armées. D'après la rumeur, sur la liste de Hitler, la Pologne serait le prochain pays à annexer, ou quel que soit le mot diplomatique en vigueur depuis Munich pour parler d'un pays qui en envahit un autre.

« Plus pour longtemps, déclara Neumann. De vous à moi, Streicher fait l'objet d'une enquête depuis le mois de novembre. On l'accuse d'avoir volé des biens juifs saisis après la Nuit de cristal, et donc propriété de l'État. Sans parler du fait qu'il a diffamé la fille de Göring, Edda.

– Diffamé ? dit Korsch.

– Il a écrit dans son journal qu'elle avait été conçue par insémination artificielle. »

Je ris. « En effet, je comprends que cela ait mis Göring en rogne. Comme n'importe quel autre homme.

– Le général Heydrich estime qu'il sera destitué de toutes ses fonctions au sein du Parti avant la fin de l'année.

– C'est un soulagement, dis-je. D'où êtes-vous, Neumann ?

– De Barmen. » Il secoua la tête. « Ne vous inquiétez pas. La Franconie est un mystère pour moi aussi.

– C'est un pays de sorcellerie. Ne vous éloignez pas du chemin, répètent-ils sans cesse. N'allez pas dans les bois. Et ne parlez pas aux inconnus.

– Exact », dit Korsch.

Après un moment de silence, je repris : « "De vous à moi", disiez-vous. Ça signifie, je suppose, que l'histoire va se régler en douce et on va tout balayer sous le tapis, comme dans l'affaire Weisthor.

– Je crois que Streicher bénéficie toujours de la protection de Hitler, répondit Neumann. Alors, oui, vous avez probablement raison, *Kommissar* Gunther. Mais rien n'est parfait dans ce monde, n'est-ce pas ?

– Vous avez remarqué vous aussi ?

– En parlant de secrets, reprit Neumann. Nous devrions discuter de la manière dont vous allez tenir le général informé de vos faits et gestes quand vous serez dans l'Obersalzberg, et cela sans alerter Martin Bormann.

– Je me suis posé la question.

– Lors de votre séjour là-bas, je serai basé à quelques kilomètres, de l'autre côté de la frontière, à Salzbourg. À vrai dire, j'effectue une grande quantité de travail confidentiel pour le compte du général en Autriche. Près de Berchtesgaden, dans une petite localité nommée St. Leonhard, quasiment sur la frontière, il y a une pension discrète, la Schorn Ziegler, qui possède un excellent restaurant. Une véritable cuisine familiale. C'est là que je logerai. Si vous avez des informations à me transmettre, si vous avez besoin que le bureau de Heydrich à Berlin vous fournisse quoi que ce soit, vous m'y trouverez. Sinon, je serai au quartier général de la Gestapo à Salzbourg. Vous ne pouvez pas le louper : cherchez l'ancien monastère franciscain sur la Mozartplatz.

– Je suppose que les moines sont partis. Ou bien ont-ils tous rejoint la SS ?

– Quelle différence ? demanda Korsch.

– Hélas, ils ont été expulsés l'année dernière. » Neumann prit un air penaud. « Après l'annexion, un tas de choses auraient pu se passer différemment. Mieux. » Il haussa les épaules. « Mais je ne suis qu'un ingénieur électricien. Je laisse la politique aux politiciens.

– C'est ça le problème, dis-je. J'ai la terrible impression que les politiciens sont encore pires que nous pour gérer les questions politiques.

– Un petit verre ?»

Neumann leva l'accoudoir central pour faire apparaître un minibar.

« Non, répondis-je en agrippant la courroie en cuir rouge fixée sur le dossier du siège devant moi, comme si cela pouvait m'aider à m'accrocher à cette bonne résolution. Je crois que j'aurai besoin d'avoir les idées claires en arrivant sur l'Obersalzberg.

– Permettez que je me serve, dit-il en sortant une petite carafe en cristal de son cocon doublé de velours violet. Le général a toujours un excellent cognac dans sa voiture. Presque aussi âgé que moi, je crois.

– Allez-y. J'ai hâte d'avoir les commentaires du dégustateur.»

J'entrouvris ma vitre d'un centimètre et allumai une cigarette. Ne serait-ce que pour chasser l'odeur vaguement enivrante d'huile bouillante, de caoutchouc chaud, d'alcool de luxe et de transpiration masculine qui emplissait l'intérieur élégant de la grosse Mercedes. Le brouillard givrant qui tapissait la route devant nous dissolvait les phares et les feux arrière des autres voitures comme une substance qui fond dans un verre. Des petites villes oubliées apparaissaient, puis disparaissaient en un éclair tandis que la voiture de l'ange déchu poursuivait son chemin grondant vers le sud, à travers l'obscurité incertaine. Bâillant et clignant des yeux, je m'enfonçai encore un peu plus dans le siège et écoutai le vent aux dents aiguisées pousser ses hurlements de banshee mélancolique derrière le verre glacial de la vitre.

Rien de tel qu'un long trajet de nuit pour voler quelques pensées dans votre passé, et dans votre avenir, pour vous faire croire que venir c'est la même chose que partir, et vous persuader que la fin d'un long voyage tant attendu n'est qu'un foutu commencement de plus.

9

Avril 1939

Il était presque minuit quand nous atteignîmes Berchtesgaden, dans le sud-est de la Bavière. La nuit, l'endroit
ressemblait à une vallée alpine typique avec ses grands
clochers, un château haut perché et de nombreuses fresques
murales, même si celles-ci, récentes et illustrant une dévotion enfantine envers une seule et unique personne, frôlaient
l'idolâtrie. Vivant dans la capitale allemande, j'aurais dû
être habitué, je suppose, à une certaine dose de flatterie et
de servilité, mais pour les Berlinois, un héros a toujours
une tache sur son beau gilet blanc, et je doute que mes
concitoyens auraient décoré leur mur extérieur avec autre
chose qu'une plaque portant le nom de leur maison ou le
numéro de la rue. Je n'aurais su dire pourquoi Hitler avait
choisi une charmante petite ville touristique comme capitale
officieuse – car il s'agissait bien de cela –, toujours est-il
qu'il venait ici depuis 1932, et l'été, impossible d'ouvrir
un journal allemand sans tomber sur plusieurs photos de
notre Führer avunculaire en compagnie d'enfants du coin,
et plus ils ressemblaient à des Allemands, mieux c'était. On
le voyait les tenant par la main, comme si quelqu'un (Goebbels probablement) avait décidé que ce spectacle adoucirait

son image de monstre belliqueux. En ce qui me concerne, l'impression inverse avait toujours prévalu. Toute personne ayant lu les contes des frères Grimm aurait pu vous dire que les grands méchants loups, les vilaines sorcières et les géants voraces raffolaient des tourtes chaudes fourrées à la succulente chair des petits garçons et des petites filles assez bêtes pour les suivre. Sincèrement, je m'interrogeais sur le sort des fillettes en *Dirndl*[1] et aux cheveux tressés que l'on emmenait voir Hitler pour leur anniversaire.

Dès notre arrivée à Berchtesgaden, la Mercedes bifurqua vers l'est pour franchir un pont au-dessus de l'Ache et emprunter une route sinueuse, enneigée, qui conduisait à l'Obersalzberg. Devant nous, au clair de lune, se dressait le Hoher Göll, qui dépasse les deux mille mètres et chevauche la frontière avec l'Autriche, semblable à un énorme nuage d'orage. Quelques minutes plus tard, nous atteignîmes le premier poste de contrôle et bien qu'attendus, nous dûmes patienter pendant que le garde SS, à moitié gelé, téléphonait à son quartier général pour nous autoriser à poursuivre notre route. Après l'atmosphère malsaine de Berlin, l'air froid qui entrait par la vitre ouverte de la voiture me paraissait aussi pur qu'une eau de glacier. Je me sentais déjà revigoré. C'était peut-être pour cette raison que Hitler aimait tant cet endroit : il rêvait de vie éternelle. Ayant obtenu la permission de continuer, nous roulâmes encore quelques kilomètres jusqu'à ce que, arrivés à proximité d'une autre guérite qui marquait l'entrée de la zone dite interdite, nous nous arrêtâmes devant l'allée qui menait à la Villa Bechstein, un chalet de deux étages, à côté d'une autre Mercedes-Benz géante.

1. Robe typique – corset lacé et manches bouffantes – des paysannes des Alpes.

« C'est ici que vous logerez avec votre assistant, me dit Neumann. En ce qui nous concerne, nous ne pouvons aller plus loin, *Herr Kommissar*. À partir de maintenant, vous êtes entre les mains du RSD. On va vous conduire auprès du secrétaire particulier. »

En descendant de voiture, nous fûmes aussitôt entourés par cinq officiers du RSD tirés à quatre épingles qui examinèrent avec soin nos papiers et m'invitèrent ensuite, moi et non Korsch, à monter à bord de la seconde Mercedes. Le vent se levait et la forte odeur de feu de bois qui s'échappait des cheminées du chalet me donnait envie d'une bonne flambée et d'une tasse de café chaud, proposée par une personne chaleureuse.

« Si cela ne vous ennuie pas, messieurs, dis-je, je voudrais prendre quelques minutes pour me laver les mains. Et défaire ma valise.

– Nous n'avons pas le temps, déclara un des officiers du RSD. Le patron n'aime pas qu'on le fasse attendre. Et il a déjà attendu votre arrivée toute la soirée à la Kehlsteinhaus.

– Le patron ? »

L'espace d'un instant, je me demandai qui j'allais rencontrer.

« Martin Bormann, dit un autre officier.

– Et qu'est-ce que la Kehlsteinhaus ?

– Le sommet le plus au nord du Göll est la Kehlstein. Mais pas le plus élevé. Quant à la maison… vous verrez. »

Un des officiers avait ouvert la portière de la Mercedes pendant qu'un autre prenait mon bagage pour l'emporter dans le chalet. Quelques minutes plus tard, je gravissais la montagne magique en compagnie de trois membres du RSD.

« Capitaine Kaspel, c'est bien cela ? demandai-je.

– Oui », répondit l'homme qui avait pris place à côté de moi. Il montra son collègue assis à l'avant avec mon nouveau chauffeur. « Et voici mon supérieur, le major Högl. Le major Högl est le chef adjoint du RSD à Obersalzberg.

– Bonsoir, major. »

Nous nous arrêtâmes pour franchir un autre poste de contrôle, après quoi Högl se tourna enfin vers moi.

« Nous voici maintenant dans la zone interdite, plus connue sous le nom de Territoire du Führer par toutes les personnes qui travaillent ici. Le niveau de sécurité FG1 est activé seulement lorsque le Führer est là, mais compte tenu des circonstances exceptionnelles, nous avons jugé préférable de l'instaurer, temporairement du moins.

– Quelles circonstances exceptionnelles, major ?

– Le meurtre, évidemment. Vous êtes ici pour ça, non ? Pour enquêter sur un homicide ? C'est votre spécialité, m'a dit le général Heydrich.

– Il se trompe rarement, répondis-je. Vous voulez bien me faire un petit topo sur ce qui s'est passé ?

– Ce serait déplacé, dit Högl d'un ton sec. Cela incombe au secrétaire particulier.

– Au fait, qui est le chef d'état-major ici ? Avec tous ces titres, on a parfois un peu de mal à savoir qui est qui dans l'Allemagne nazie.

– Le bras droit du Führer. Rudolf Hess. D'ailleurs, il logera à la Villa Bechstein lui aussi lorsqu'il arrivera de Munich après-demain. Si vous le croisez, vous pouvez l'appeler monsieur ou général.

– Vous m'en voyez soulagé. Bras droit du Führer, je trouve ça un peu long. »

J'allumai une cigarette et bâillai. C'était moins risqué que de faire une plaisanterie.

« Mais à toutes fins utiles, c'est Martin Bormann qui commande ici », précisa Kaspel.

Je croisai les bras et tirai longuement sur ma cigarette, ce qui sembla incommoder Högl. Il agita la main pour renvoyer la fumée dans ma direction.

« Pour votre gouverne, il est interdit de fumer partout sur la Kehlstein, dit-il. Le Führer est très sensible à l'odeur de tabac et il ne l'aime pas du tout.

– Même quand il n'est pas là ?

– Même quand il n'est pas là.

– Voilà ce que j'appelle avoir un sacré odorat. »

Nous atteignîmes enfin le sommet de la route, où une vue impressionnante m'attendait. Au pied d'une paroi montagneuse presque abrupte, nichée dans un imposant portique de pierre, deux battants en bronze, voûtés, aussi gros que des éléphants d'Afrique, s'ouvrirent à notre approche. Évidemment, comme tous les Allemands, je connaissais la légende selon laquelle l'empereur Frédéric Barberousse (mais certains disaient que c'était Charlemagne) dormait au cœur de ces montagnes, dans l'attente de la grande bataille qui annoncerait la fin du monde, mais je ne m'étais jamais posé la question de savoir s'il pensait recevoir de la visite. Encore une plaisanterie que je gardai pour moi. Je ne me serais pas senti plus intimidé si on m'avait conduit auprès du roi des elfes pour évoquer le triste sort de sa fille.

Les portes ouvraient sur un long tunnel, parfaitement droit, qui aurait pu aisément laisser passer la grosse Mercedes, mais on me demanda de descendre pour continuer à pied.

« Seul le Führer a le droit d'aller en voiture jusqu'au bout de ce tunnel, expliqua Högl. Les autres doivent user leurs semelles.

– Je suis content de pouvoir me dégourdir les jambes, dis-je courageusement. Berlin est à dix heures de route. Et puis, tous les pèlerinages doivent se finir à pied, n'est-ce pas ? »

Je me dépêchai de finir ma cigarette, la jetai par terre, puis suivis Högl et son adjoint dans le tunnel de marbre brillamment éclairé. Je fis glisser ma main sur le mur, les yeux levés vers les appliques en fer forgé : tout était neuf et d'une propreté immaculée. Même la station de métro de Friedrichstrasse n'était pas aussi neuve et bien réalisée. « Le Führer vit ici ?

– Non, c'est le chemin qui mène à la maison de thé.

– La maison de thé ? J'ai hâte de voir à quoi ressemble la salle de bal. Sans parler du bar à cocktails et de la chambre principale.

– Le Führer ne boit pas », dit Kaspel.

Cette information suffit à me redonner foi dans deux de mes mauvaises habitudes, au moins. Peut-être que les mauvaises habitudes n'existaient pas, finalement ?

Quand nous arrivâmes au bout du tunnel, Högl leva la tête.

« La maison de thé se trouve à cent trente mètres au-dessus de nous », m'informa-t-il et il annonça notre présence en parlant dans un micro incrusté dans le mur.

Nous étions dans une vaste salle ronde et voûtée, le genre d'endroit où vous vous attendiez à tomber sur un sarcophage d'une valeur inestimable, ou bien un trésor appartenant à quarante voleurs. Au lieu de cela, il y avait une porte d'ascenseur, qui aurait pu être en or tant elle étincelait, mais alors que je m'assurais qu'elle était plus probablement en cuivre, je fus saisi par un sentiment de malaise que je n'avais encore jamais ressenti. C'était peut-être la première fois que je prenais conscience de la véritable étendue du caractère en apparence divin d'Adolf Hitler : si j'avais devant les yeux un exemple représentatif de la manière dont vivait notre chancelier, l'Allemagne était beaucoup plus en danger que je ne l'avais imaginé. La porte de l'ascenseur s'ouvrit pour laisser voir une cabine aux murs recouverts de miroirs, avec une banquette en cuir et son propre liftier, un officier du RSD. Nous y pénétrâmes et la porte en cuivre se referma.

« Il est alimenté par deux moteurs, dit Högl. Dont un électrique. L'autre est un moteur diesel de secours, récupéré sur un U-boat.

– Pratique en cas d'inondation.

– Je vous en prie, dit Högl, évitez les bons mots. Le chef d'état-major adjoint n'a pas le sens de l'humour.

– Pardon. »

Je souris nerveusement, tandis que la cabine s'élevait. Jamais je n'avais effectué un trajet en ascenseur aussi doux, même si j'avais le sentiment que j'aurais mieux fait de l'emprunter en sens inverse. La porte s'ouvrit, on me fit avancer dans ce qui ressemblait à une salle à manger et, après avoir descendu quelques marches, je me retrouvai en présence de Martin Bormann.

10

Avril 1939

Il n'était pas très grand et tout d'abord, je ne le vis pas. J'étais trop occupé à regarder d'un air ébahi le hall de la Kehlsteinhaus, où tout le monde m'attendait. C'était une vaste pièce ronde de granit rose aux proportions parfaites, coiffée d'un plafond à caissons, avec une cheminée qui avait les dimensions et la couleur rouge d'un train de la S-Bahn. Au-dessus de la cheminée, une tapisserie des Gobelins représentait un couple d'amoureux bucoliques et sur le sol était étendu un tapis persan dans les tons pourpres. Devant la cheminée se trouvait une table ronde autour de laquelle étaient disposés de confortables fauteuils en cuir, et rien qu'à les regarder je me sentis fatigué. Nul rideau ne masquait les grandes fenêtres carrées qui offraient une vue dégagée, du haut de la montagne, sur une nuit sombre et orageuse. Le vent faisait claquer, tel un tintement de clochette, le filin d'une hampe de drapeau. Une nuit qui donnait envie de rester à l'intérieur, surtout à cette altitude. Une bûche de la taille des Sudètes fumait dans l'âtre, et plusieurs candélabres électriques semblaient avoir été placés sur les murs par le fidèle domestique d'un savant fou. Il y avait aussi un piano à queue en acajou, une petite table rectangulaire, quelques chaises, et, dans l'encadrement d'une porte, un homme vêtu d'une vareuse blanche de SS tenant un plateau en argent sous son bras. Il flottait là le genre d'atmosphère raréfiée dans laquelle certains hommes pouvaient croire qu'ils décidaient du sort du monde, mais mes oreilles me donnaient l'impression que quelqu'un avait ôté un bouchon de mon crâne. Peut-être était-ce simplement dû à la présence d'une bouteille de Grassl ouverte, qui me faisait prendre subitement conscience que j'avais besoin de boire quelque chose qui ne soit pas du thé. Des cinq hommes assis autour de la table, un seul était en uniforme, mais je savais que ça ne pouvait pas être Bormann, car il n'avait que des feuilles de chou-fleur de colonel de la SS sur ses insignes de col ; il fut également le seul à se lever pour me rendre poliment mon salut hitlérien. Les autres, y compris le type à la tête de boxeur qui prenait maintenant les choses en main dans la maison de thé, et dont je devinais qu'il devait s'agir de Martin Bormann, restèrent fermement assis. Je ne leur en voulais pas de ne pas se lever pour m'accueillir : à cette altitude, des mouvements trop brusques pouvaient provoquer des saignements de nez. De plus, les fauteuils avaient vraiment l'air très confortables et, après tout, je n'étais qu'un simple flic de Berlin.

« *Kommissar* Gunther, je présume ? demanda Bormann.

– Enchanté, monsieur.

– Vous voilà enfin. Nous aurions dû vous faire venir en avion, mais aucun n'était disponible. Bref, asseyez-vous, asseyez-vous. Vous avez fait un long trajet. Vous devez être fatigué. Désolé, on ne pouvait pas faire autrement. Vous avez faim ? Oui, forcément. » Il faisait déjà claquer ses doigts – des doigts épais et puissants, totalement incongrus dans un décor aussi raffiné – pour appeler l'homme à la vareuse blanche. « Apportez quelque chose à manger à notre invité. Qu'est-ce qui vous ferait plaisir, *Herr Kommissar* ? Un sandwich ? Du café ?»

Je ne parvenais pas à situer son accent. Saxon, peut-être. En tout cas, il n'avait pas l'élocution d'un homme instruit. Mais il avait raison : j'étais affamé comme un ogre. Högl et Kaspel s'étaient assis autour de la table eux aussi, mais Bormann ne leur proposa rien. Je m'aperçus très vite qu'il avait tendance à traiter ceux qui travaillaient pour lui avec mépris et brutalité.

«Peut-être une tranche de pain avec de la moutarde et une saucisse, monsieur. Et une tasse de café.»

Bormann adressa un signe de tête au serveur, qui réagit avec empressement.

«Avant toute chose, savez-vous qui je suis ?

– Vous êtes Martin Bormann.

– Et que savez-vous sur moi ?

– D'après ce que j'ai entendu dire, vous êtes le chef de cabinet du Führer, ici dans les Alpes.

– C'est tout ?» Il émit un rire méprisant. «Je croyais que vous étiez détective.

– Ça ne suffit pas ? Hitler n'est pas n'importe quel chef.

– Ce n'est pas seulement ici dans les Alpes, figurez-vous. Je suis son chef de cabinet partout en Allemagne. Tous ceux dont on a pu dire qu'ils étaient proches du Führer – Göring, Himmler, Goebbels, Hess... –, croyez-moi, ce sont des petites merdes de rien du tout quand je suis là. La vérité, c'est que s'ils veulent voir Hitler, ils doivent passer par moi. Alors quand je dis quelque chose, c'est comme si le Führer était là, à cet instant, pour vous dire ce que vous devez faire. C'est clair ?

– Très clair.

– Bien.» D'un mouvement de tête, il montra la bouteille de schnaps sur la table. «Vous voulez boire un verre ?

– Non, monsieur. Pas pendant le service

– C'est moi qui juge si vous êtes en service, *Herr Kommissar*. Je n'ai pas encore décidé si vous faisiez l'affaire ou pas. En attendant, buvez un verre. Détendez-vous. Cet endroit est fait pour ça. Il est tout neuf. Le Führer lui-même ne l'a pas encore vu, vous êtes donc un privilégié. Nous sommes réunis ici ce soir pour tester ces installations, pour être sûrs que tout fonctionne bien avant son arrivée. Voilà pourquoi vous ne pouvez pas fumer, j'en ai peur. Le Führer sait toujours si on a fumé, même en cachette. Je n'ai jamais rencontré quelqu'un qui possède des sens aussi développés.» Il haussa les épaules. «Mais je ne devrais pas m'en étonner car c'est l'homme le plus extraordinaire que j'aie jamais rencontré.

– Si je peux me permettre, monsieur... pourquoi un salon de thé ?»

Bormann me servit un verre de schnaps et me le tendit de ses gros doigts. J'en bus une toute petite gorgée. Il titrait cinquante degrés, cela impliquait d'y aller avec prudence, exactement comme avec l'homme qui l'avait versé. Il avait une grande cicatrice au-dessus de l'œil droit et ses jodhpurs et sa grosse veste en tweed lui donnaient un air de fermier prospère qui n'hésitait pas à filer des coups de pied à son cochon primé. Pas obèse, mais un poids moyen baraqué qui se laissait aller, doté d'un véritable double menton et d'un nez semblable à un navet blanchi.

«Parce que le Führer aime le thé, évidemment. Question stupide. Il possède déjà un salon de thé de l'autre côté de la vallée, en face du Berghof, le Mooslahnerkopf. Il aime bien s'y rendre à pied. Mais on a pensé que quelque chose de plus spectaculaire conviendrait mieux à un tel visionnaire. De jour, on a une vue à couper le souffle d'ici. On pourrait presque dire que cette maison de thé est conçue pour l'aider à trouver l'inspiration.

– J'imagine.

– Vous aimez les Alpes, *Herr* Gunther ?

– Elles sont un peu trop éloignées du plancher des vaches pour que je m'y sente à l'aise. Je suis plutôt citadin. Le grand flandrin... autrement dit la tour de la radio de Berlin... est suffisamment haut pour moi.»

Il eut un sourire patient.

«Parlez-moi de vous.»

Je bus une autre gorgée de schnaps et me renversai dans mon fauteuil. Je mourais d'envie d'allumer une cigarette et deux ou trois fois, je tendis la main vers mon étui, avant de me rappeler que tout le monde ici était soucieux de sa santé. En observant toutefois les autres chevaliers assis autour de cette table ronde, je sentis que je n'étais peut-être pas le seul à avoir besoin d'une cigarette.

«Je suis un Berlinois pur jus, ce qui veut dire que j'ai naturellement des avis très arrêtés. Mais pas toujours appréciés. J'ai mon *Abitur,* et s'il n'y avait pas eu la guerre j'aurais pu aller à l'université. Ce que j'ai vu dans les tranchées m'a convaincu que j'aimais encore moins la boue que la neige. Je me suis engagé dans la police juste après l'armistice. Je suis passé inspecteur et suis entré à la police criminelle. J'ai résolu quelques affaires. J'ai travaillé seul pendant un moment, en tant que détective privé, et je me débrouillais plutôt pas mal, je gagnais bien ma vie, jusqu'à ce que le général Heydrich me persuade de revenir à la Kripo.

– Heydrich affirme que vous êtes son meilleur enquêteur. C'est la vérité ? Ou bien n'êtes-vous qu'un Fritz qu'il a envoyé ici pour m'espionner ?

– Je sais mener une enquête dans les règles quand cela est nécessaire.

– Et de quelles règles s'agit-il ?

– Le Code général des États prussiens de 1794. La loi de l'administration policière de 1931.

– Oh, ce genre de règles. Le genre ancien.

– Le genre légal.

– Heydrich fait encore attention à ces choses-là ? Aux lois d'avant les nazis ?

– Plus souvent qu'on pourrait le penser.

– Mais vous n'aimez pas travailler pour Heydrich, n'est-ce pas ? À l'en croire, du moins.

– Il y a des côtés intéressants. Il me garde auprès de lui car le travail est pour moi la meilleure des vestes. Je n'aime pas l'enlever tant qu'elle n'est pas usée, et encore. La ténacité et une solide propension à l'obstination sont des qualités que le général semble apprécier chez un enquêteur.

– Il m'a dit également que vous ne manquiez pas de culot.

– Ce n'est certainement pas volontaire, monsieur. Aux yeux de la plupart des Allemands, nous autres Berlinois donnons parfois l'impression d'être insolents sans l'être pour autant. Il y a une centaine d'années, nous avons compris qu'il ne servait à rien d'être sympathiques et polis si personne ne savait l'apprécier. Personne à Berlin, s'entend. Alors maintenant nous faisons comme bon nous semble. »

Bormann haussa les épaules.

« J'apprécie votre franchise. Mais je ne suis toujours pas convaincu que vous soyez l'homme de la situation, Gunther.

– Sauf votre respect, monsieur, moi non plus. Habituellement, quand j'enquête sur un meurtre, on ne me demande pas de passer une audition. Dans l'ensemble, les morts se

98

fichent pas mal de savoir qui leur fait leur dernière manucure. Et je ne vais pas convaincre un homme de votre importance, je crois que je n'oserais même pas essayer. Le Fritz capable de forcer la main à quelqu'un, ce n'est pas moi. De nos jours, il n'y a plus beaucoup de débouchés pour ce que l'on pourrait appeler en riant ma personnalité. Et je n'ai pas apporté ma musique préférée pour la jouer sur votre joli Bechstein.

– Mais vous avez amené votre pianiste, n'est-ce pas ?

– Korsch ? C'est mon assistant. À Berlin. Et un homme bien. Nous faisons du bon travail ensemble.

– Vous n'aurez pas besoin de lui ici. Mes hommes vous assureront toute l'aide que vous jugerez nécessaire. Moins il y a de gens qui savent ce qui s'est passé, mieux c'est.

– Sauf votre respect, encore une fois, c'est un bon flic. Et parfois, c'est utile de pouvoir emprunter un autre cerveau, histoire d'avoir quelques neurones en plus si je dois réfléchir longuement. Même les meilleurs ont besoin d'un bon adjoint, un individu digne de confiance sur lequel ils peuvent compter, et qui ne les laissera pas tomber. Cela me semble aussi vrai que n'importe où ailleurs. »

Cela voulait être un compliment, et j'espérais que Bormann le prendrait ainsi, mais il avait la mâchoire la plus pugnace que j'aie jamais vue en dehors d'un ring. Je sentais qu'à tout moment il pouvait me sauter à la gorge, ou me faire jeter du haut des remparts, si un salon de thé situé au sommet d'une montagne avait des remparts. C'était la première fois d'ailleurs que je voyais un salon de thé propre à tenir en respect l'Armée rouge. Du reste, peut-être avait-il été construit dans ce but, et je ne doutais pas que la montagne de Hitler recelait d'autres secrets dont je préférais ignorer l'existence. Cette seule idée m'incita à finir mon verre de schnaps un peu plus vite que je n'aurais dû.

Bormann massait d'un air songeur son menton à la barbe naissante et râpeuse.

« Soit, gardez ce salopard. Mais il reste à la Villa Bechstein. En dehors du Territoire du Führer. C'est bien compris ? Si vous voulez lui demander son avis, vous ferez ça là-bas. »

11

Avril 1939

Bormann se pencha en avant pour me servir un autre verre.

« J'aurais préféré un Bavarois. Le Führer pense que les Bavarois comprennent mieux comment les choses se passent sur cette montagne. Pour moi, vous n'êtes sans doute qu'un de ces salopards de Prussiens, mais un genre de salopard qui me plaît. J'aime les types qui ont du sang dans les veines. Vous n'êtes pas comme ces albinos de la Gestapo que Heydrich et Himmler cultivent dans des boîtes de Petri dans un putain de labo. Ça veut dire que le boulot est à vous. Je vous accorde tous les pouvoirs pour agir. Jusqu'à ce que vous merdiez, du moins. »

Je tins mon verre droit pendant qu'il le remplissait à ras bord (c'est comme ça que j'aime qu'on serve le schnaps) en essayant de donner l'impression que je recevais un compliment.

« Quoi qu'il arrive, reprit-il, une fois que tout sera terminé et que vous aurez coincé cette ordure, il ne se sera jamais rien passé, c'est bien compris ? Je ne veux surtout pas que les gens pensent que la sécurité est tellement relâchée ici que n'importe qui peut venir de Berchtesgaden, gravir la montagne et tirer à l'aveuglette du pas de sa porte sur notre Führer bien-aimé. Alors, vous allez signer un accord de confidentialité sans rechigner.»

Bormann adressa un signe de tête à l'homme assis à côté de lui, qui sortit un document imprimé et le déposa devant moi avec un stylo. Je le parcourus.

« C'est quoi, ça ? demandai-je. Parent proche ?

– Ça veut bien dire ce que ça veut dire.

– Je n'ai pas de parent proche.

– Pas de femme ?

– Plus maintenant.

– Mettez votre petite amie, alors, rétorqua Bormann avec un sourire mauvais. Ou le nom et l'adresse d'une personne à laquelle vous tenez vraiment, si jamais vous merdez ou si vous décidez d'ouvrir votre grande gueule et qu'on est obligés de vous menacer de s'en prendre à quelqu'un d'autre.»

À l'entendre, tout cela était parfaitement sensé ; c'était ainsi que l'État devait traiter un policier qui ne parvenait pas à arrêter un meurtrier. Après un moment de réflexion, je notai le nom de Hildegard Steiner et son adresse à Berlin, dans Lepsiustrasse. Elle avait été ma petite amie il y a six mois de cela et ça ne m'avait pas plu d'apprendre qu'elle fréquentait quelqu'un d'autre, un reluisant major de la SS. Pas plu du tout même, alors Bormann pouvait bien lui faire payer mes erreurs, je m'en foutais. C'était mesquin, voire vindicatif, et je n'étais pas fier de moi. Mais j'inscrivis son nom malgré tout. Parfois, l'amour véritable s'accompagne d'un ruban noir autour de la boîte.

« Assez tourné autour du pot, reprit Bormann, venons-en à la raison pour laquelle on vous a fait venir depuis Berlin.

– Je suis tout ouïe, monsieur.»

Le serveur SS revint à cet instant avec, sur un plateau, un sandwich et du café, ce dont je lui fus extrêmement reconnaissant car le fauteuil était très confortable.

« Ce matin, à huit heures, un petit déjeuner de travail a eu lieu au Berghof, la maison du Führer. Elle est située près de la mienne, quelques mètres en aval. Les personnes présentes étaient essentiellement des architectes, des ingénieurs et des fonctionnaires, réunis afin d'envisager quelles nouvelles améliorations pouvaient être apportées au Berghof et à l'Obersalzberg pour le confort, le plaisir et la sécurité de notre Führer. Il devait y avoir, je dirais, entre dix et quinze personnes. Peut-être même un peu plus. Après le petit déjeuner, autour de neuf heures, ces messieurs sont sortis sur la terrasse qui domine la vallée. À neuf heures quinze, l'un d'eux, le Dr Karl Flex, s'est écroulé, blessé à la tête. Il saignait abondamment. Il venait d'être abattu, sans doute avec un fusil, et il est mort sur le coup. Personne d'autre n'a été touché et, curieusement, nul n'a rien entendu, semble-t-il. Dès qu'il a été établi que cet homme avait été assassiné, le RSD a fait évacuer la maison et fouillé immédiatement les bois et les montagnes sur lesquels donne la terrasse du Berghof. Mais jusqu'à présent ils n'ont retrouvé aucune trace du meurtrier. Vous imaginez un peu ? Tous ces SS, le RSD, et pas un seul indice ! »

Je hochai la tête et continuai à manger ma saucisse, qui était délicieuse.

« Je n'ai pas besoin de souligner la gravité de la situation, poursuivit Bormann. Cela étant dit, je ne pense pas que ce soit lié au Führer, dont les déplacements, hier et aujourd'hui, étaient largement signalés dans la presse. Mais tant que l'assassin n'aura pas été arrêté, impossible pour Hitler d'approcher de cette terrasse. Comme vous le savez certainement, il va fêter ses cinquante ans le 20 avril. Or, il vient toujours ici, à l'Obersalzberg, pour son anniversaire ou juste après. Cette année ne fera pas exception. Ce qui signifie que vous avez sept jours pour élucider ce crime. Vous avez bien entendu ? Il est impératif que ce meurtrier soit arrêté avant le 20 avril car je ne veux pas être celui qui annoncera au Führer qu'il ne peut pas sortir parce qu'un tueur est en liberté. »

Je posai ma saucisse, essuyai la moutarde autour de ma bouche et acquiesçai.

« Je ferai de mon mieux, monsieur, déclarai-je avec conviction. Vous pouvez en être sûr.

– Ce n'est pas suffisant ! s'écria Bormann. Je veux que vous fassiez plus que ça. Faire de votre mieux, je ne sais pas ce que c'est. Sûrement pas grand-chose. Vous n'êtes plus à Berlin. Votre mieux, ça suffit peut-être à ce juif de Heydrich, mais vous travaillez pour moi maintenant, et c'est comme si vous travailliez pour Adolf Hitler. C'est clair ? Je veux que la tête de ce type tombe sous une hache avant la fin du mois.

– Bien, monsieur. » J'acquiesçai une fois de plus. Avec Bormann, hocher la tête sans rien dire constituait sans doute la meilleure réponse. « Vous avez ma parole que je ferai tout mon possible. Et soyez certain, monsieur, que j'arrêterai cet homme.

– J'aime mieux ça, dit Bormann.

– Je m'y mettrai dès demain matin à la première heure, déclarai-je en étouffant un bâillement.

– Mon cul ! » brailla Bormann en abattant son poing sur la table. Ma tasse en porcelaine blanche tressauta sur la soucoupe bleue ornée d'un monogramme comme si une avalanche avait déboulé sur la Kehlstein. « Vous allez vous y mettre tout de suite. Vous êtes ici pour ça. Chaque heure qui passe alors que ce porc est toujours en liberté est une heure perdue. » Bormann chercha le serveur du regard, puis s'adressa à un des hommes assis autour de la table. « Apportez-lui encore du café. Non, mieux, donnez-lui de la pervitine. Ça devrait l'aider à tenir debout. »

L'homme à qui s'adressait cet ordre sortit de la poche de sa veste un petit tube métallique bleu, blanc et rouge, qu'il me tendit. J'y jetai un rapide coup d'œil, mais ne vis que le nom du fabricant : Temmler, un laboratoire pharmaceutique de Berlin.

« Qu'est-ce que c'est ? demandai-je.

– Ici, on appelle ça la potion magique de Hermann Temmler, dit Bormann. Le Coca-Cola allemand. C'est ce qui permet aux ouvriers de l'Obersalzberg de respecter le planning des travaux. Ils ont le droit de travailler seulement quand Hitler n'est pas là, pour ne pas le déranger, ça veut dire que quand il est ailleurs, ils doivent mettre les bouchées doubles. Et ce truc les aide. Göring envisage d'en fournir aux équipages de bombardiers pour les empêcher de dormir. Prenez-en deux avec votre café. Ça donnera un peu de ressort à votre salut hitlérien. Il est pourri. Je sais que vous avez fait un long voyage et que vous êtes fatigué mais ici, ça ne passe pas, Gunther. La prochaine fois, je vous botte le cul personnellement. »

J'avalai difficilement deux comprimés et m'excusai. Mais il avait raison, bien sûr : mon salut hitlérien manquait d'enthousiasme. C'est le problème quand on n'est pas un nazi.

« Y a-t-il déjà eu des incidents de ce genre au Berghof ? » demandai-je.

Bormann se tourna vers l'homme qui portait un uniforme de colonel SS.

« Racontez-lui l'histoire, Rattenhuber. »

Le colonel s'exécuta.

« Un incident s'est produit il y a environ six mois. Un Suisse nommé Maurice Bavaud est venu ici avec l'intention de tuer le Führer. Mais il a renoncé au dernier moment et il s'est enfui. Il a finalement été arrêté par la police française, qui nous l'a remis. Il se trouve maintenant dans une prison de Berlin, où il attend son procès et son exécution. » Bormann secouait la tête.

« Ce n'était pas une tentative sérieuse, lâcha-t-il avec mépris en me regardant. Le colonel Rattenhuber est le chef du RSD, chargé d'assurer la sécurité du Führer, où qu'il soit. En théorie, du moins. En fait, Bavaud était armé seulement d'un pistolet. Il avait prévu d'abattre Hitler au moment où il descendait au bout de son allée pour saluer des sympathisants. Mais Bavaud s'est dégonflé. Par conséquent, *Herr* Gunther, je pense que la réponse à votre question est : non. C'est la première fois qu'un individu tire sur quelqu'un par ici. Une telle chose ne s'est jamais produite. C'est une communauté harmonieuse. Nous ne sommes pas à Berlin. Ni à Hambourg. Berchtesgaden et Obersalzberg forment une idylle rurale paisible, où règnent les valeurs familiales et un grand sens moral. Voilà pourquoi le Führer aime tant venir ici.

– Je vois. Parlez-moi un peu de l'homme qui a été tué. Sait-on s'il avait des ennemis ?

– Flex ? » Bormann secoua la tête. « Il travaillait pour Bruno Schenk, une des personnes en qui j'ai le plus confiance ici. L'un et l'autre étaient employés par Polensky & Zöllner, une société berlinoise qui assure presque tous les chantiers de l'Obersalzberg et de Berchtesgaden. Karl Flex n'était pas du RSD et il ne faisait pas de politique, c'était un ingénieur civil. Un serviteur appliqué et admiré qui vivait ici depuis plusieurs années.

– On peut penser que quelqu'un l'admirait moins que vous, monsieur. » Le temps que Bormann encaisse mon jab, j'enchaînai avec deux directs au corps. «Celui qui lui a tiré dessus en l'occurrence. Mais il se pourrait que d'autres personnes soient impliquées. Pour franchir tous les contrôles de sécurité, il faut une bonne dose de préparation et d'organisation. Autrement dit, nous sommes peut-être en présence d'un complot.»

Pour une fois, le secrétaire particulier de Hitler demeura muet, pendant qu'il réfléchissait à cette hypothèse. Quant à moi, j'espérais avoir gâché son doux concept de maison de thé avec sa vaisselle monogrammée et sa coûteuse tapisserie des Gobelins. Combien avait coûté cette folie nazie ? Des millions probablement. De l'argent qui aurait pu être dépensé pour des choses plus importantes que le confort du fou qui à présent dirigeait l'Allemagne.

«Les témoignages des témoins ont été enregistrés ?

– Je vous les ai ronéotypés, dit Högl. Les originaux ont déjà été envoyés à Berlin. À l'attention du Reichsführer de la SS. Il suit personnellement cette affaire.

– Je les lirai tous. Où est le corps ? J'aimerais y jeter un coup d'œil.

– À l'hôpital de Berchtesgaden.

– Il faudra pratiquer une autopsie, bien évidemment, ajoutai-je. Et prendre des photos. Le plus tôt sera le mieux.

– Cet homme a été abattu, dit Bormann. C'est une évidence. Qu'espérez-vous apprendre de plus avec une autopsie ?

– Une chose évidente peut demeurer inconnue. Ou bien, pour le dire autrement : rien n'échappe plus facilement à notre attention qu'une chose considérée comme acquise. C'est de la philosophie, monsieur. Rien n'est évident avant d'être évident. Et donc, si je dois faire mon travail correctement, j'insiste pour obtenir une autopsie. Y a-t-il dans cet hôpital un médecin capable d'exécuter une telle procédure ?

– Cela m'étonnerait, répondit Rattenhuber. L'hôpital Dietrich Eckart est conçu pour s'occuper des vivants, pas des morts.

– Peu importe, dis-je. Je vous suggère de faire venir le Dr Waldemar Weimann de Berlin. Franchement, c'est le meilleur. Et d'après ce que vous m'avez dit, je devine que nous voulons ce qu'il y a de mieux pour cette enquête.

– C'est totalement impossible, répondit Bormann. Je vous le répète : je veux étouffer l'affaire. Je me méfie des médecins de Berlin. Je demanderai à un des médecins personnels du Führer de pratiquer l'autopsie. Le Dr Karl Brandt. Nul doute qu'il sera à la hauteur de la tâche. Si vous estimez que c'est absolument nécessaire.

– Oui. Évidemment, il faudra que je sois présent.»

Je restai silencieux un instant, perdu dans mes pensées en apparence, alors qu'en vérité j'évaluais les effets de la pervitine. Je me sentais déjà plus alerte, plus énergique, plus téméraire aussi, au point de prendre les choses en main et de formuler des exigences. Bormann n'était pas le seul qui pouvait donner l'impression de savoir ce qu'il voulait.

«J'aimerais également inspecter la terrasse dès ce soir. Installez des projecteurs et procurez-moi un mètre ruban. Je veux parler à toutes les personnes qui se trouvaient sur place ce matin. Dès que possible. Par ailleurs, il me faudra une pièce avec un bureau et deux téléphones. Un meuble de rangement qui ferme à clé. Une voiture avec chauffeur. De quoi faire du café. Une grande carte de la région. Des chevilles en bois, les plus longues possible. Un appareil photo. Un Leica IIIA avec un objectif Summarit 50 mm f/2 fera très bien l'affaire. Et plusieurs rouleaux de film noir et blanc, à vitesse lente de préférence. Pas de couleur. C'est trop long à développer.

– Pourquoi avez-vous besoin d'un appareil photo ?
demanda Bormann.

– S'il y a plus d'une douzaine de témoins, cela m'aidera
à mettre un visage sur les noms. »

Je sentais l'excitation de la chasse monter en moi. Soudain, j'avais très envie d'identifier et d'arrêter le tueur du
Berghof, et peut-être même de lui arracher la tête.
« Enfin, il me faudra beaucoup de cigarettes. Je ne peux
pas travailler sans. Les cigarettes m'aident à réfléchir. J'ai
bien compris qu'il était interdit de fumer dans tous les
endroits où pourrait se trouver le Führer, alors bien sûr
je fumerai dehors. Quoi d'autre ?... Ah, oui, des bottes
d'hiver. Je n'ai que mes chaussures de ville et il se peut que
je sois obligé de marcher dans la neige. Pointure quarante-
trois, s'il vous plaît. Et un manteau aussi. Je gèle.

– Très bien, dit Bormann. Mais vous me laisserez tous
les tirages et les négatifs en partant.

– Bien entendu.

– Allez voir Arthur Kannenberg au Berghof, dit Bormann à l'homme assis à côté de lui. Dites-lui que le
Kommissar Gunther va installer son bureau dans une des
chambres d'amis. Zander ? Högl ? Veillez à ce qu'on lui
procure tout ce qu'il demande. Kaspel ? Montrez-lui la
terrasse. »

Le secrétaire particulier se leva, et tout le monde fit
de même. Sauf moi. Je restai longuement assis dans mon
fauteuil, comme si j'étais encore dans mes pensées, mais
évidemment, ce n'était rien d'autre qu'une marque d'insolence idiote pour lui faire payer ses mauvaises manières.
Je détestais déjà Martin Bormann, autant que je détestais
tous les nazis, y compris Heydrich et Goebbels. Le mal est
présent chez les meilleurs d'entre nous, sans conteste, mais
peut-être encore un peu plus chez les pires d'entre nous.

12

Avril 1939

Autrefois, le Berghof, ou la Haus Wachenfeld, comme on l'appelait alors, était une simple ferme d'un étage avec un long toit pentu en surplomb et un porche en bois, qui dominait Berchtesgaden et l'Untersberg dans un panorama de carte postale. De nos jours, c'était une construction beaucoup plus étendue et beaucoup moins douillette, dotée d'une grande baie vitrée, de garages, d'une terrasse et d'une récente extension de plain-pied côté est, qui lui donnait des airs de caserne. J'ignorais qui logeait dans cette aile, mais certainement pas des militaires, car l'important contingent de SS occupait déjà une ancienne auberge, la Türkenhäusel, à moins de cinquante mètres à l'est du Berghof, juste sous la maison de Bormann, qui semblait mieux située que celle de Hitler.

La terrasse aménagée sur le devant avait les dimensions d'un court de tennis. Entourée d'un muret, elle venait buter contre une seconde terrasse, plus grande encore, qui bordait une pelouse à l'ouest. Derrière cette seconde terrasse se dressaient d'autres habitations construites dans le style local, qui ressemblaient à un alignement de coucous suisses. Sur mes ordres, plusieurs SS étaient en train d'installer des projecteurs sur la première terrasse afin que je puisse inspecter la scène de crime, même si le seul indice qui subsistait était la silhouette d'un corps tracée à la craie sur le sol, derrière le muret. Bormann avait ordonné que le sang de Flex soit nettoyé. Le capitaine Kaspel, enveloppé dans son pardessus noir de la SS, joua la victime en prenant position sur la terrasse pour m'aider à comprendre où se trouvait Flex au moment où il avait été abattu. Le vent et les flocons de neige n'incitaient pas à demeurer sur place et il tapait du pied afin de se réchauffer, en imaginant sans doute que c'était mon visage que ses bottes piétinaient de cette façon. Pas très grand, le crâne rasé, un nez crochu et une bouche large, Kaspel était un Benito Mussolini plus mince, plus sensible et plus beau.

« Flex se tenait à peu près à cet endroit, expliqua-t-il. D'après les témoins, il était en compagnie de trois ou quatre personnes qui, pour la plupart, regardaient le Reiter Alm à l'ouest. Plusieurs témoins sont convaincus que le coup de feu a été tiré d'un groupe d'arbres à flanc de montagne, derrière cette maison, là-bas à l'ouest. »

Dans la lumière d'un des projecteurs, je survolai les dépositions.

« Sauf que personne n'a rien entendu, soulignai-je. Ils ont compris ce qui venait de se passer quand la victime s'est écroulée sur la terrasse, la tête en sang. »

Kaspel haussa les épaules.

« Ne me posez pas la question, Gunther. C'est vous le grand inspecteur. »

Je ne m'étais pas encore retrouvé seul avec Kaspel, je n'avais donc pas eu l'occasion de lui remettre la lettre de Heydrich dans laquelle il lui ordonnait de se placer sous mes ordres, et il continuait à me traiter avec un mépris compréhensible. De toute évidence, il n'avait pas oublié, ni pardonné, qu'en 1932 j'avais participé à son renvoi de la police berlinoise.

« Quel temps faisait-il quand Flex a été tué ?

– Clair et ensoleillé. » Kaspel souffla dans ses mains.

« Pas comme ce soir. »

Sans doute aurais-je ressenti le froid moi aussi sans ces cachets que j'avais avalés et qui semblaient avoir un effet sur la température de mon corps. J'avais aussi chaud que si j'étais encore assis dans la Mercedes.

« L'un de ces hommes portait-il un uniforme ?

– Non. C'étaient tous des civils, je crois.

– Dans ce cas, je me demande comment le tueur a choisi sa cible.

– Avec une lunette ? Des jumelles ? C'est peut-être un chasseur.

– Peut-être.

– Ou alors, il a une très bonne vue. Je ne sais pas.

– Il semblerait qu'une minute ou deux se soient écoulées avant que les personnes présentes prennent conscience que Flex avait été assassiné. Et à ce moment-là, elles se sont réfugiées à l'intérieur. »

Je m'allongeai sur les dalles glacées de la terrasse, à côté du dessin à la craie.

« Connaissiez-vous la victime ? Flex ?

– De vue.

– Il était grand, apparemment. » Je me relevai et frottai mon manteau pour ôter la neige. « Je mesure 1,88 m, mais j'ai l'impression que Flex faisait sept ou huit centimètres de plus que moi.

– Possible.

– Avez-vous déjà utilisé un fusil à lunette ?

– J'avoue que non.

– Même la plus performante lunette Ajack ne grossit que quatre fois votre cible. Alors, peut-être que la taille de la victime a aidé le tueur. Il s'est peut-être dit qu'il lui suffisait de viser le plus grand. Mais nous aurons une meilleure idée de ce qui s'est passé quand il fera jour.» Jetant un coup d'œil à ma montre, je constatai qu'il était deux heures, et que je n'étais pas du tout fatigué. « C'est-à-dire dans cinq ou six heures maintenant.»

Je sortis le tube de pervitine de ma poche et le regardai d'un air incrédule.

« La vache, c'est quoi ce machin ? Je dois reconnaître que c'est assez extraordinaire. J'aurais bien aimé en avoir à l'époque où je faisais mes patrouilles.

– De la méthamphétamine. C'est costaud, hein ? Mais de vous à moi, j'ai appris à me méfier de la potion magique locale. Au bout d'un moment, il y a des effets secondaires.

– Lesquels ?

– Vous le découvrirez bien assez tôt.

– Allez-y, faites-moi peur, Hermann. Je peux encaisser.

– Tout d'abord, ça crée une accoutumance. Beaucoup de gens ici, sur cette montagne, ne peuvent plus se passer de la pervitine. Et si vous prenez ce truc pendant deux ou trois jours d'affilée, vous risquez d'avoir des sautes d'humeur brutales. Des palpitations. Et même de faire une crise cardiaque.

– Dans ce cas, je n'ai plus qu'à croiser les doigts. Maintenant que Bormann m'a mis le couteau sous la gorge, je ne vois pas d'autre façon de travailler vingt-quatre heures sur vingt-quatre, et vous ?

– Non, répondit Kaspel avec un grand sourire. Heydrich vous a foutu dans une sacrée merde en vous refilant cette affaire. Et je vais prendre plaisir à vous voir vous enfoncer, Gunther. Jusqu'à votre sale gueule. Ou pire. Mais ne comptez pas sur moi pour vous donner le baiser de la mort. Mme Kaspel n'aime pas que j'embrasse d'autres personnes qu'elle. »

Un peu plus haut sur la montagne, me sembla-t-il, j'entendis un bruit qui ressemblait à une explosion. En me voyant tourner la tête, Kaspel dit : « Des ouvriers sur l'autre versant de la Kehlstein. À mon avis, ils creusent un nouveau tunnel dans la montagne. »

Un téléphone sonna quelque part et une poignée de secondes plus tard, un SS sortit sur la terrasse, salua de manière élégante, me tendit le Leica et plusieurs pellicules, et annonça que le Dr Brandt nous attendait à l'hôpital de Berchtesgaden.

« Ne faisons pas attendre le docteur, dis-je. Et espérons qu'il a pris des cachets lui aussi. Je déteste les autopsies bâclées. Vous voulez bien m'y conduire, s'il vous plaît ? »

Nous descendîmes les marches de la terrasse du Berghof jusqu'au garage devant lequel Kaspel avait laissé sa voiture. J'envisageai de lui demander de s'arrêter à la Villa Bechstein pour prendre Korsch au passage, puis me ravisai. S'il avait un peu de jugeote, il était dans son lit. Le mien me semblait encore très loin.

« Et ne comptez pas sur moi non plus pour tenir le haricot, dit Kaspel. Je n'aime pas voir du sang avant de me coucher. Ça m'empêche de dormir.

– Dans ce cas, vous avez choisi le mauvais parti, non ?

– Moi ? dit-il en riant. Venant d'un salopard de votre espèce, c'est un peu fort, Gunther. Comment est-ce qu'un ancien social-démocrate comme vous devient un officier de police aux ordres d'un homme comme Heydrich ? Je croyais que vous aviez été viré en 1932.

– Je vous raconterai ça un jour.

– Racontez-moi maintenant.

114

– Non. Mais je vais vous dire une chose. Qui vous concerne directement, Hermann.»

Il y avait environ dix minutes de voiture jusqu'à Berchtesgaden et, me retrouvant enfin seul avec Kaspel, je lui remis la lettre de Heydrich en lui expliquant que, malgré notre passé commun, le général comptait sur sa coopération entière et totale dans le cadre de ma mission. Il empocha la lettre sans la lire et demeura muet.

«Écoutez, Hermann, je sais que vous me haïssez. Et vous avez toutes les raisons pour cela. Mais vous me haïrez encore plus si je suis obligé de dire à Heydrich que vous m'avez mis des bâtons dans les roues. Vous savez combien il déteste être déçu par les personnes qui travaillent pour lui. Alors, à votre place, j'oublierais ma haine et je me rangerais temporairement de mon côté.

– Je me disais exactement la même chose, *Herr Kommissar.*

– Et ce n'est pas tout. Vous vous souvenez certainement, depuis l'époque de Berlin, que je suis frappé d'une malédiction : je suis un flic honnête. Tirer toute la couverture à moi, ce n'est pas mon genre. Alors, si vous m'aidez, je vous promets de faire en sorte que Heydrich le sache. Personnellement, je me contrefiche d'obtenir de l'avancement à la fin de cette enquête. Mais peut-être que vous devriez songer à votre carrière ?

– Soit. Mais vous voulez la vérité ? Je n'ai rien à voir avec ce qui s'est passé à l'époque. J'étais peut-être un nazi, et un pivot des SA, mais je ne suis pas un meurtrier.

– Je veux bien vous croire. Alors ? On décide de s'entraider ? Il ne s'agit pas d'être amis. Non. Il y a trop de rancœur. Mais peut-être… peut-être que nous pouvons être deux *Bolle* de Berlin. Ça vous va ?»

115

Bolle était un terme berlinois pour désigner le copain que vous vous faisiez en état d'ivresse lors d'une virée d'un jour au parc Schönholzer Heide à Pankow, le genre de copain qui avait inspiré une dizaine de chansons folkloriques dont les paroles se moquaient de tous les Franz Biberkopf de cette terre, qui ne connaissaient aucune limite quand il s'agissait de boire, de s'amuser, de se battre, ou les trois à la fois. Voilà ce que j'appelais une vision du monde. « D'accord », dit Kaspel. Il arrêta la voiture sur le bascôté de la route sinueuse et me tendit la main. Je la serrai. « Des *Bolle* de Berlin, dit-il. Dans ce cas, d'un *Bolle* à un autre, laissez-moi vous parler de notre ami le Dr Karl Brandt. C'est le médecin personnel de Hitler, ici dans l'Obersalzberg. Cela signifie qu'il fait partie du cercle intime du Führer. Hitler et les Göring étaient les principaux invités à son mariage, en 1934. Cela signifie également qu'on ne peut pas trouver plus arrogant. Étant donné que Bormann lui a demandé de pratiquer cette autopsie, il n'a pas le choix, mais il ne sera pas très content de devoir opérer en pleine nuit. Alors, je vous conseille d'y aller avec des pincettes. »

Il sortit un paquet de cigarettes, m'en offrit une, alluma les deux et redémarra. Arrivés au pied de la montagne, nous traversâmes la rivière et entrâmes dans Berchtesgaden, déserte comme on pouvait s'y attendre.

« Il est à la hauteur ? demandai-je. Brandt ?

– Vous voulez savoir s'il est compétent ?

– Sur le plan chirurgical.

– C'était un spécialiste de la tête et des blessures à la colonne vertébrale, alors je répondrais oui, probablement, étant donné que Karl Flex a reçu une balle dans la tête. En revanche, j'ai plus de doutes sur l'hôpital. En fait, c'est une simple clinique. Ils sont en train de construire un tout nouvel hôpital SS à Stanggass, c'est comme ça qu'ils appellent la Chancellerie du Reich, mais il n'ouvrira pas avant un an.

– Pourquoi dites-vous la Chancellerie du Reich ? »

Kaspel me regarda et éclata de rire.

« Ce n'est pas grave. J'étais comme vous quand je suis arrivé. Un Berlinois typique. Voilà pourquoi cet endroit est tenu par une mafia bavaroise. Hitler ne fait confiance à personne d'autre. Et surtout pas aux Berlinois tels que vous et moi, qu'il suspecte systématiquement de pencher à gauche. Écoutez... Il y a une chose que vous devez comprendre d'emblée, Gunther. Berlin n'est pas la capitale de l'Allemagne. Plus maintenant. Je vous assure, je suis tout à fait sérieux. Berlin n'est qu'une vitrine diplomatique, un outil de propagande, un décor grandiose pour les défilés et les discours. Cette petite ville miteuse de Bavière est devenue la véritable capitale administrative de l'Allemagne. Parfaitement. Tout se décide à Berchtesgaden. Si vous ne l'avez pas encore compris après avoir vu la Kehlsteinhaus – qui a coûté des millions, soit dit en passant –, permettez-moi de vous mettre les points sur les *i*. Il y a actuellement plus de chantiers de construction ici que dans toute l'Allemagne. Si vous n'y croyez pas, lisez les dépositions des témoins et vous verrez qui se trouvait sur la terrasse ce matin. Tous les principaux ingénieurs civils du pays. »

Hermann Kaspel se gara devant l'unique bâtiment de Berchtesgaden encore éclairé et coupa le moteur. Si quelqu'un doutait qu'il s'agissait d'un hôpital, il n'avait qu'à regarder la peinture murale représentant une femme vêtue d'une blouse d'infirmière devant un aigle noir.

« Nous y sommes. »

Il sortit son étui à cigarettes, l'ouvrit, puis il trouva un billet de banque qu'il roula.

« Donnez-moi un de ces cachets magiques, dit-il. Il est temps de se mettre au travail.

– Vous entrez ?

– Je pensais que ça pourrait vous aider.

– Je croyais que vous étiez sensible à la vue du sang.

– Moi ? D'où vous vient cette idée ? Et puis, on est des *Bolle,* non ?

– Exact.

– Un peu de sang, ça fait partie du programme quand on va prendre une bonne cuite à Pankow, pas vrai ? »

Je hochai la tête et lui tendis un cachet de pervitine. Mais au lieu de l'avaler, il le broya sur son étui à cigarettes en métal avec la clé de la voiture et sépara ensuite la poudre en deux petites lignes parallèles.

« C'est un pilote de la Luftwaffe, basé à l'aéroport du coin, qui m'a appris ça, expliqua-t-il. Quand ils doivent effectuer un vol de nuit et sont obligés de rester éveillés ou de dessoûler en quatrième vitesse, la meilleure solution, et la plus rapide, c'est le rail.

– Vous êtes un homme plein de surprises, vous le savez ? »

Kaspel approcha l'extrémité du billet de banque roulé de la poudre et l'inhala bruyamment, une narine après l'autre. Secoué de frissons, il poussa une série de jurons, battit furieusement des paupières et martela le volant du plat de la main.

« Allez tous vous faire foutre ! brailla-t-il. Allez tous vous faire foutre ! J'ai le feu. J'ai le feu. Ah, putain, voilà ce que j'appelle décoller. »

Il secoua la tête et poussa un grand cri de joie qui provoqua en moi une vive inquiétude et m'incita à me demander quelles conséquences aurait la potion magique de Hermann Temmler sur mon propre corps.

« Allons voir le docteur », déclara Kaspel et il entra dans l'hôpital d'un pas décidé.

13

Avril 1939

Karl Brandt, qui nous attendait dans une chambre froide au sous-sol de l'hôpital, était déjà habillé pour opérer, mais sous sa blouse blanche intacte, il portait l'uniforme noir d'un major de la SS, ce qui représentait une sorte de contradiction. C'était un homme d'environ trente-cinq ans, grand, à l'air sévère, mais d'une beauté saisissante, avec des pommettes saillantes, des cheveux châtain clair séparés par une raie impeccable, qu'il touchait régulièrement du tranchant de la main, comme s'il pouvait y avoir dans cet hôpital un courant d'air qui nécessiterait l'utilisation immédiate d'un peigne. Il avait presque un visage de chef, un visage qui aurait pu lui valoir le premier rôle dans un des films du Dr Goebbels, mais quelque chose manquait dans ses yeux sombres et froids. Difficile de croire que c'était le visage d'un homme qui guérissait les gens. Plutôt celui d'un fanatique capable de prophétiser un déluge ou l'arrivée d'un nouveau Cyrus venu du Nord pour réformer l'Église, ou bien annoncer la naissance d'une religion. Deux ans plus tard, à Prague, je verrais réapparaître son nom, lié au meurtre du général Heydrich, mais à cet instant, je n'avais encore jamais entendu parler de lui. Il me regardait avec un léger mépris tandis que je pataugeais dans un flot d'excuses, d'abord pour l'avoir fait attendre, puis à cause de l'heure tardive.

« Nous sommes venus dès que nous avons appris que vous étiez là, docteur. Pardonnez-moi de vous avoir fait attendre. Si cela n'avait tenu qu'à moi, l'autopsie aurait été pratiquée demain à la première heure, mais le secrétaire particulier du Führer a insisté pour qu'elle ait lieu le plus tôt possible. Évidemment, plus vite nous saurons ce qui est arrivé exactement au Dr Flex, plus vite j'espère arrêter le coupable ; ainsi tout le monde retrouvera sa tranquillité d'esprit et le Führer pourra regagner sa belle demeure. J'ignore, docteur, si vous connaissiez la victime, mais si tel est le cas, permettez-moi de vous adresser mes condoléances et de vous remercier d'avoir accepté d'accomplir cette tâche qui pourrait se révéler éprouvante. Et si vous ne connaissiez pas cet homme, je vous remercie quand même. Je crois savoir que la médecine légale n'est pas votre spécialité, et malgré cela...

– Je suppose que vous avez déjà assisté à des autopsies en votre qualité d'inspecteur à la police criminelle, me coupa-t-il avec un geste d'impatience. À Berlin, n'est-ce pas ?

– Oui, monsieur. En trop grand nombre à mon goût.

– Il y a plus de dix ans que j'ai terminé mes études et que je n'ai pas véritablement fait d'anatomie pathologique, alors j'aurai peut-être besoin de vos souvenirs dans ce domaine. Et peut-être aussi de votre aide, pour déplacer le corps. Je peux compter sur vous, *Herr Kommissar* ?

– Oui, docteur.

– Bien. Et puisque vous avez évoqué le sujet, je connaissais la victime. Mais cela ne m'empêchera en aucune manière d'effectuer cette autopsie. Comme tout le monde, j'ai hâte d'apporter une conclusion satisfaisante à cette tragique affaire. Au nom de mon ami, cela va sans dire. Mais également pour la tranquillité d'esprit du Führer, comme vous l'avez souligné. Mettons-nous au travail. Je n'ai pas toute la nuit. Suivez-moi. Nous ne disposons pas de salle d'autopsie dans cet hôpital. Les cas de mort brutale sont rares à Berchtesgaden et quand cela arrive les cadavres sont expédiés à Salzbourg. Le corps se trouve dans ce qui passe pour un bloc opératoire ici, un endroit qui en vaut bien un autre pour réaliser une autopsie.»

Brandt pivota sur les talons de ses bottes étincelantes et nous conduisit dans une salle violemment éclairée, où un homme très grand, mince, avec une petite barbe et portant encore son épais costume de tweed était allongé sur une table. La cause de la mort apparaissait de manière évidente : un gros morceau de crâne de plusieurs centimètres carrés, encore attaché au cuir chevelu, pendait sur le côté de sa tête couverte de sang séché telle une trappe ouverte, et la moitié du cerveau semblait s'être répandue sur la table et le sol, pareille à un tas de viande hachée dans une boucherie. Karl Flex contemplait le plafond d'un air ébahi, ses grands yeux bleus fixaient la lumière vive, comme s'il avait eu la vision magnifique de l'ange de la mort venant le chercher pour l'emmener dans un autre monde. C'était un spectacle choquant, même pour un vétéran de la police criminelle comme moi. Parfois, le corps humain m'apparaît plus fragile que ce à quoi on pourrait s'attendre raisonnablement.

« Bordel de merde, murmura Kaspel en plaquant sa main sur sa bouche. Voilà ce que j'appelle une putain de blessure à la tête.

– Si vous pouviez éviter les jurons, messieurs, dit froidement Brandt en enfilant une paire de gants en caoutchouc.

– Désolé, docteur, mais… putain de merde.

– Fumez si cela peut vous empêcher de parler, capitaine. Ça ne me gêne pas. Je préfère la douce odeur du tabac à celle de l'antiseptique. Et à vos jurons. Du moment que vous ne tournez pas de l'œil. »

Kaspel ne se fit pas prier. Il alluma immédiatement une cigarette, mais je secouai la tête quand il me tendit son étui ouvert. Je ne voulais pas que quoi que ce soit vienne perturber ma compréhension des circonstances de la mort de Karl Flex. En outre, j'avais commencé à photographier le mort avec mon nouveau jouet coûteux et j'avais besoin de mes deux mains pour manier l'appareil photo.

« Est-ce absolument nécessaire ? se plaignit Brandt.

– Oui, absolument, répondis-je en me concentrant sur le crâne détruit qui ressemblait beaucoup à l'œuf à la coque que j'avais mangé au petit déjeuner. Chaque photo raconte une histoire.

– Je suppose que les effets personnels de la victime ont été retirés de ses poches ? demanda Brandt à Kaspel.

– Oui, docteur. Ils sont dans un sac, juste à côté, à la pharmacie. Ils attendent que le *Kommissar* les examine.

– Très bien. Dans ce cas, nous pouvons ôter les vêtements sans prendre trop de précautions. » Il me tendit une paire de ciseaux aiguisés, puis alla en chercher une seconde et entreprit de découper une jambe du pantalon du mort, en m'invitant à en faire autant avec l'autre. « C'est quand même dommage. Regardez ça… » Il ouvrit la veste de Flex pour me montrer l'étiquette. « Hermann Scherrer de Munich. Si ce costume n'était pas couvert de sang, on aurait pu essayer de le récupérer. »

Je posai le Leica pour prendre les ciseaux et m'apprêtais à découper le pantalon quand une abeille endormie sortit du revers.

« Si on récupérait cette bestiole, plutôt ?

– C'est juste une abeille, non ? dit Brandt.

– J'ai besoin d'un sac, dis-je en laissant l'insecte ramper sur ma main. Ou d'un tube de pilules vide.

– Vous en trouverez à la pharmacie. »

L'abeille toujours accrochée au dos de ma main, j'allai chercher un petit flacon. Pendant que j'attendais patiemment qu'elle pénètre à l'intérieur, je regardai autour de moi, surpris de découvrir que la pharmacie était si bien fournie en losantin et en natron.

« Pourquoi vous ne la prenez pas en photo ? me lança Brandt par la porte ouverte.

– Peut-être, si j'arrive à la faire sourire. »

Une fois l'abeille à l'intérieur du flacon, je retournai dans la salle d'opération et m'empressai de rattraper Brandt dont les ciseaux aiguisés étaient déjà remontés jusqu'à la ceinture. Pendant ce temps, il avait chargé Kaspel d'ôter les chaussures du mort, ses grosses chaussettes et sa cravate.

« Avec une cravate Raxon, vous serez toujours élégant, dit Kaspel, citant le célèbre slogan publicitaire de la marque. À moins qu'elle ne soit couverte de sang comme celle-ci.

– Outre le fait évident qu'il a reçu une balle dans la tête, que cherchons-nous au juste ? demanda Brandt en découpant la chemise du mort, puis le maillot de corps en dessous, tel un tailleur impatient. Je ne sais pas trop. Je pourrais ouvrir le sternum et essayer de déceler des traces de poison si vous le souhaitez. Mais…

– Quand j'étais dans les tranchées, un de mes amis a reçu une balle dans le cou, dis-je. J'ai appuyé sur la plaie avec ma main pour arrêter l'hémorragie, comme on est censé le faire. Finalement, je me suis aperçu que c'était une deuxième balle, dans la poitrine, que je n'avais même pas vue, qui l'avait tué. La vie est pleine de surprises de ce genre. Et la mort encore plus.

– Cet homme n'a reçu qu'une seule balle, dit Brandt. Et c'est ce qui l'a tué. Je suis prêt à miser ma réputation.

– C'est facile, maintenant que vous avez ouvert sa chemise, docteur », dit Kaspel. Il avait ôté les chaussures de Flex et examinait la marque à l'intérieur. « Cet homme était un bon Allemand. Et un vrai nazi, je parie. »

Son bavardage incessant était dû à la drogue, évidemment. Moi-même, je me sentais d'humeur causante.

« Qu'est-ce qui vous fait dire ça ? demandai-je.

– Chaussures Lingel. »

Les chaussures Lingel, fabriquées à Erfurt, aimaient mettre en avant leur pureté aryenne, laissant entendre que certains concurrents – Salamander, par exemple – étaient racialement impurs. Toutes sortes de fabricants allemands essayaient de faire ce coup-là depuis la promulgation des lois de Nuremberg en 1935.

Je découpai le caleçon du mort (pour une raison quelconque, Brandt n'y avait pas touché) et exposai ses parties génitales.

« Ça vous paraît normal ? demandai-je.

– Vous voulez une règle ?

– Non, je pensais plutôt à la couleur. Son sexe m'a l'air un peu rouge. »

Brandt observa les parties génitales de Flex et haussa les épaules.

« Je ne saurais dire. »

N'empêche, quelque chose m'incita à reprendre mon appareil photo. Brandt grimaça et secoua la tête.

« Vous êtes vraiment sans cœur tous les deux, lâcha-t-il.

– Je ne pense pas qu'il soit gêné, docteur, répondis-je en photographiant le sexe de la victime. Et je n'ai nullement l'intention de faire paraître ces photos dans le journal local. »

Je posai le Leica et me retournai vers la table sur laquelle les vêtements du mort pendaient maintenant autour de lui comme une seconde peau. Nous en étions arrivés aux ruines sanguinolentes de la tête.

« Cette fois, on cherche une balle, dis-je en fouillant parmi les cheveux blonds emmêlés. Parfois, on en trouve une collée au cuir chevelu. Ou sous le col. Ou même par terre. »

Avec mon index, je remuai le tas de cervelle sur la table et sur le sol, sans rien sentir de métallique, j'en étais certain. Je me redressai et me rapprochai de la tête. Brand contemplait le trou comme un enfant à l'extrémité d'un plongeoir.

« Nous cherchons également le trou fait par la balle, dis-je.

– On l'a trouvé. Il est là, aussi gros que la grotte Atta.

– Ça ressemble plus au point de sortie. Je cherche un trou plus petit. Le point d'entrée. » Je palpai le crâne pendant un moment. Mes mains étaient à présent couvertes de sang collant. Apparemment, il n'y avait qu'une seule paire de gants en caoutchouc dans cette salle d'opération. « Le voici ! Quelques centimètres sous le point de sortie.

– Montrez-moi », dit Brandt.

Il me laissa guider son index à l'intérieur d'un trou de la taille d'un pfennig.

« Bon sang, vous avez raison. C'est bien un trou. Fascinant. Juste sur l'os occipital. La balle est entrée à cet endroit, à gauche de la suture lambdoïde, pour ressortir quelques centimètres plus haut, dans une explosion d'os temporal et de cervelle. Les gens qui étaient à côté de lui ont dû être aspergés de sang.

– C'est ce que j'espère, dis-je.

– Parfois, on oublie les dégâts que peut provoquer une balle.

– Parce que vous n'étiez pas dans les tranchées. Pour les gens comme moi et le capitaine Kaspel, c'était un spectacle quasi quotidien. C'est notre excuse si vous nous trouvez sans cœur.

– Hum. Je vois. Désolé, *Herr Kommissar*.

– J'aimerais prendre une autre photo, docteur. Vous pourriez peut-être indiquer l'emplacement du trou avec un stylo ou un crayon ?

– Vous voulez que je l'enfonce dedans ?

– Oui, si possible. Ce sera plus parlant sur la photo. Et ça donnera une idée de la taille du trou. »

Je me lavai les mains avant de reprendre le Leica. Et quand Brandt fut en position avec son crayon à papier, je pris plusieurs clichés du point d'entrée de la balle.

« Je suppose, dit-il, que vous voulez que j'inspecte la cavité crânienne pour trouver d'éventuels fragments de projectile ?

– Si ça ne vous ennuie pas. »

Brandt introduisit sa main à l'intérieur de la tête de Flex et se mit à palper ce qui restait du cerveau. On aurait dit quelqu'un qui creuse une citrouille pour la Saint-Martin.

« Compte tenu de l'état du crâne, il y a peu de chances que l'on trouve quelque chose, dit-il. Il est fort probable que les fragments de la balle seront restés sur la terrasse du Berghof.

– Tout à fait d'accord. Et c'est bien dommage qu'un idiot ait eu l'idée de nettoyer le sang.

– Autant vérifier malgré tout », dit Brandt. Mais au bout d'un moment, il secoua la tête. « Non. Rien.

– Merci quand même.

– Nous ferions bien de le retourner, maintenant que j'ai vu le point d'entrée de la balle. Juste pour être sûrs, comme vous le disiez. »

Nous finîmes de découper les vêtements de Flex, après quoi nous le retournâmes, à la recherche d'une autre blessure par balle. Son corps maigre et blanc était intact, mais je pris une photo malgré tout, par acquit de conscience. J'étais désormais frappé par la similitude entre Karl Flex et la représentation d'un Christ mort. À cause de la barbe sans doute, ou des yeux bleus très clairs. À moins que tous les hommes ne ressemblent un peu au Christ avant d'être enterrés. C'était peut-être la morale de l'histoire, justement. En tout cas, j'étais certain d'une chose : avec une pareille blessure à la tête, il faudrait plus de trois jours à Karl Flex pour ressusciter avec les justes et les injustes.

« Ça vous fera un sacré album quand vous aurez fini, fit remarquer Kaspel.

– *Kommissar,* reprit Brandt, si vous en êtes d'accord, je vais conclure que la mort est due à une blessure par balle à la tête.

– Je suis d'accord.

– Dans ce cas, je pense que nous avons terminé, non ? À moins que vous n'ayez autre chose à me demander ?

– Non, docteur. Et je vous remercie. Je vous suis très reconnaissant pour tout. »

Brandt tira un drap sur le corps et poussa de sa botte les lambeaux de vêtements en un petit tas bien net sous la table.

« Je demanderai à une aide-soignante de venir enlever tout ça demain matin, dit-il. Quant au corps, que dois-je en faire ? »

Brandt alla se laver les mains, je le suivis jusqu'au lavabo.

« La décision revient à Martin Bormann, dis-je. J'ai cru comprendre que la prudence était de mise. Il faut éviter d'alarmer le Führer avec ce déplorable incident.

– Oui, bien sûr. Dans ce cas, je vous laisse le soin de demander à Bormann ce qu'il faut faire du corps ? »

Je hochai la tête.

« Juste une chose, docteur. Vous disiez connaître cet homme. Voyez-vous quelqu'un qui aurait pu vouloir le tuer ?

– Non. Karl Flex vivait dans la région depuis plusieurs années, et même s'il n'était pas d'ici – il venait de Munich –, il était très apprécié par tout le monde à Obersalzberg. Du moins, c'était mon impression. Nous étions voisins, ou presque. Ma femme, Anni, et moi vivons à Buchenhohe, dans la montagne, un peu plus à l'est que le Territoire du Führer. Beaucoup de personnes qui travaillent à Obersalzberg habitent là.

– Quels étaient ses centres d'intérêt ?

– La lecture. La musique. Les sports d'hiver. Les voitures.

– Il avait des petites amies ?

– Non. Pas à ma connaissance.

– Mais il aimait les filles ?

– Je ne saurais dire. Je suppose. Il ne m'a jamais parlé de quelqu'un en particulier. Pourquoi cette question ?

– J'essaye de dresser un portrait de cet homme et de comprendre pourquoi on l'a tué. Un mari jaloux peut-être. Ou le père mécontent d'une malheureuse jeune fille du coin. Parfois, les mobiles les plus évidents se révèlent être les bons.

– Non. Il n'y avait rien de tel. J'en suis sûr. Maintenant, si vous voulez bien m'excuser, *Herr Kommissar,* il faut vraiment que j'aille retrouver ma femme. Elle n'est pas bien du tout. »

Brandt ôta sa blouse d'un mouvement brusque et sortit sans un mot de plus. Je ne pouvais pas dire que c'était un excellent médecin, mais on comprenait facilement pourquoi Hitler le gardait près de lui. Raide comme un piquet, l'air aussi grave qu'un séminariste, il avait fière allure dans son uniforme noir et s'il ne semblait pas capable de soigner grand-chose, il aurait pu sans aucun doute flanquer la frousse à un rhume. En tout cas, il me faisait peur.

14

Avril 1939

« On ne peut pas dire qu'il nous a beaucoup aidés, se plaignit Kaspel. Ce branleur. »

Il était trois heures et demie du matin et nous étions dans la pharmacie de l'hôpital de Berchtesgaden, en train de passer en revue les objets personnels de Flex, que j'avais déjà photographiés plusieurs fois dans leur ensemble. La veille, Kaspel avait dressé une liste de toutes les possessions du défunt, que je tenais maintenant dans la main.

« Ce sont les pisse-froid dans son genre qui donnent une mauvaise image des SS, dis-je. Mais il s'avère que le Dr Brandt nous a aidés plus qu'on pourrait le croire.

– Comment ? C'est vous qui avez trouvé le point d'entrée de la balle, non ?

– L'important, ce n'est pas ce qu'il nous a dit, mais peut-être ce qu'il ne nous a pas dit. Par exemple, Flex avait une vilaine blennorragie. Brandt ne l'a pas mentionnée, et pourtant, si je l'ai remarquée, lui aussi, forcément.

– Ah, c'est pour ça que vous avez photographié sa bite. Je croyais que vous vouliez compléter votre collection de photos porno.

– Celles avec votre femme et votre sœur ?

– C'est donc vous, le Fritz, qui les avez prises.

– Une bonne chaude-pisse expliquerait la présence du flacon de protargol sur la liste des effets personnels de Flex. Sauf que ce flacon n'est plus là. Apparemment, quelqu'un l'a fait disparaître. Tout comme la pervitine, qui figure également sur votre liste. En revanche, la pince à billets contenant une jolie somme, plusieurs centaines de marks, est toujours là. Avec tous les autres objets de valeur.

– Oui, vous avez raison. Les médicaments ont disparu. Dommage. J'avais l'intention de rafler la pervitine.

– À mon avis, c'est Brandt qui les a subtilisés. Il a eu largement le temps en attendant notre arrivée. Manifestement, il ignorait que, comme tout bon flic, vous aviez déjà dressé cette liste.» Je pris une des cigarettes de Kaspel et le laissai l'allumer avec le briquet de Flex. «Concernant le protargol, son ami voulait peut-être seulement lui éviter la honte qu'on découvre qu'il prenait du protéinate d'argent à cause d'une maladie vénérienne. Je peux le comprendre. Plus ou moins. J'aurais pu faire la même chose avec quelqu'un que je connaissais. S'il était marié.

– On peut expliquer la disparition de la méth, dit Kaspel. Avant, la potion magique abondait par ici. Ils en filaient aux ouvriers de chez P&Z afin qu'ils finissent les chantiers dans les temps. Mais, depuis un moment, on dirait que les réserves se sont taries. Du moins, pour tous ceux qui ne portent pas d'uniforme. Il paraît qu'un tas de civils à Berchtesgaden sont en manque. Comme je le disais, la pervitine crée une forte accoutumance.

– Pourquoi la source s'est-elle tarie ?

– Officieusement, on raconte autour de la montagne de Hitler qu'ils font des stocks destinés à nos forces armées, au cas où il y aurait la guerre. Les soldats allemands auront besoin de méthamphétamine s'ils veulent rester éveillés assez longtemps pour battre les Polonais. Et sans doute aussi les Ruskoffs, s'ils se rangent du côté des Polacks.» J'acquiesçai. «Ce qui expliquerait également la présence du losantin et du natron dans cette pharmacie.» Je montrai les étagères. Voyant l'air perplexe de Kaspel, je précisai : «Le losantin sert à soigner les brûlures causées par les gaz de combat. Le natron sert à neutraliser les effets du chlore. Quand j'étais dans les tranchées, en tout cas. Quelqu'un se prépare au pire, on dirait, même ici à Berchtesgaden.

– Il y a autre chose qui a disparu, dit Kaspel. D'après la liste que j'ai établie hier matin avec le major Högl. Il y avait un carnet bleu et une petite clé sur une chaîne en or qu'il portait autour du cou. Volatilisés eux aussi.

– Vous vous souvenez de ce qu'il y avait dans ce carnet ?

– Des chiffres. Rien d'autre il me semble.

– Voyons ce qui reste. Un paquet de Türkisch 8...

– Tout le monde en fume sur le Territoire du Führer. Moi y compris.

– Un jeu de clés, de la petite monnaie, un peigne en écaille de tortue, des lunettes de lecture, un certificat de travail, un permis de conduire civil, un permis de port d'arme, une carte d'identité du NSDAP, un certificat d'aryanité, un insigne du Parti, des cartes de visite, une chevalière en or, un briquet Imco en or, une petite flasque en or, une montre-bracelet en or – une Jaeger-LeCoultre, soit dit en passant, très très chère –, des boutons de manchettes en or, un stylo-plume Pelikan en or...

– Karl Flex avait un faible pour l'or, visiblement. Même la pince à billets, c'est du dix-huit carats.»

Kaspel dévissa le bouchon de la flasque et en renifla le contenu.

« Et puis, il y a ce Ortgies automatique calibre 32, dis-je. Où était-il ? Dans sa ceinture ? Sa chaussette ? Autour de son cou au bout d'une chaîne en or ?

– Dans la poche de sa veste. »

J'éjectai le chargeur.

« Il est chargé. Il semblerait que notre ami géant ne se soit pas senti tranquille. Quand on trimballe ce genre de joujou, c'est qu'on pense en avoir besoin.

– Surtout par ici. S'il avait été pris avec cette arme sur lui au Berghof, il aurait été arrêté malgré son permis. Ordres de Bormann. Seuls les RSD ont le droit de porter une arme sur le Territoire du Führer. Et jamais à l'intérieur du Berghof ou sur la Kehlstein, où seul Bormann a ce privilège. Vous pouvez vérifier. Il y a toujours une bosse dans la poche droite de sa veste. »

Je montrai la flasque. « C'est quoi comme poison ? »

Kaspel but une gorgée et sourit.

« Du bon. Comme ce que boit Bormann. »

Je goûtai à mon tour et en eus le souffle coupé. Le Grassl produit cet effet. Par-dessus la méthamphétamine, j'avais l'impression qu'une décharge électrique me traversait les entrailles.

« On fait quand même un chouette boulot quand on peut boire le meilleur schnaps en service. »

Kaspel rit et empocha la flasque.

« Il faut éviter que ça tombe entre de mauvaises mains.

– Costume Hermann Scherrer, chaussures Lingel, chaussettes en cachemire, sous-vêtements en soie, montre de ploutocrate et plus d'or sur lui que dans le temple du roi Salomon… il vivait plutôt bien, hein ? Pour un ingénieur civil. D'ailleurs, ça fait quoi, un ingénieur civil ?

– Ça fait son beurre. » Kaspel grimaça. « Jusqu'à ce qu'il reçoive une balle à l'arrière du crâne. C'est bien ça, hein ? Il a été tué par-derrière, et non par-devant, comme tout le monde le croyait. Ce qui signifie que le tireur pouvait être dans les bois, derrière le Berghof, effectivement. » Il secoua la tête. « Je n'arrive pas à croire qu'on n'ait rien trouvé.

– Vous y êtes allé ? Dans les bois ?

– J'ai conduit les recherches. Rattenhuber et Högl n'étaient pas disposés à salir leurs bottes. J'y suis allé avec mes hommes.

– Je retourne là-haut. Maintenant que j'ai vu le corps, je veux lire toutes les dépositions dans mon nouveau bureau, en supposant que j'en ai un, et examiner de plus près cette terrasse.

– Je ne sais pas ce que vous espérez découvrir. Mais je vous accompagne.

– Vous ne voulez pas rentrer chez vous ? Il est quatre heures du matin.

– Si. Mais je plane depuis que j'ai reniflé la potion magique. Comme si je volais dans un ME 109. Je vais mettre des plombes à fermer les yeux, et je n'arriverai pas à dormir. Et puis, on est des *Bolle,* non ? En virée à Pankow. On continue jusqu'à ce que l'un de nous deux s'écroule ou se retrouve derrière les barreaux. C'est comme ça que ça se passe maintenant. Je vais vous ramener au Berghof et en chemin, je vous livrerai quelques vérités pas piquées des vers sur cet endroit. »

15

Avril 1939

Il ne neigeait plus et la nuit semblait retenir son souffle. Le mien formait un nuage de vapeur devant mon visage, qui paraissait flotter au-dessus des montagnes. Même de nuit, l'endroit était magnifique, magique, mais comme dans toutes les histoires allemandes où il était question de magie, j'avais toujours l'impression que quelqu'un avait mis mes poumons et mon foie à son menu, que derrière les rideaux de dentelle de ces pittoresques maisonnettes de bois, un chasseur était en train d'aiguiser sa hache et se préparait à exécuter l'ordre qu'on lui avait donné de me liquider discrètement. Je frissonnai et, sans lâcher le Leica, je relevai le col de mon manteau, regrettant de ne pas avoir demandé également une paire de gants fourrés. Je décidai de les ajouter sur la liste de mes exigences. Bormann, le seigneur de l'Obersalzberg, ainsi que le surnommait Kaspel, semblait prêt à m'accorder tout ce que je voulais. Kaspel m'ouvrit poliment la portière. Son attitude n'était plus du tout celle de l'homme que j'avais rencontré une ou deux heures plus tôt. De toute évidence, il avait beaucoup changé depuis qu'il avait quitté la police de Berlin. Les nazis pouvaient

135

produire cet effet sur un homme, même un nazi comme eux. Je commençais presque à l'apprécier.

« Il est comment, Heydrich ? me demanda-t-il.

– Vous ne l'avez jamais rencontré ?

– Brièvement. Mais je ne le connais pas. Je rends des comptes directement à Neumann.

– J'ai vu plusieurs fois le général. C'est un homme intelligent et dangereux. Je travaille pour lui parce que je n'ai pas le choix. Je pense que même Himmler a peur de lui. Moi en tout cas, j'en ai peur. C'est pour ça que je suis toujours en vie.

– C'est pareil partout. Et peut-être encore pire ici qu'à Berlin.

– Racontez-moi comment ça se passe. »

Il grimaça.

« Euh… Je ne sais pas trop, Gunther. On est des *Bolle* de Pankow et tout ça, d'accord. Et je veux vous aider, le général et vous. Mais nous savons tous les deux qu'il y a certaines choses dont on ne doit pas parler. C'est pour ça que je suis toujours en vie moi aussi. Il n'y a pas que les ouvriers de chez P&Z qui peuvent avoir un accident. Et si ça ne marche pas, le camp de concentration de Dachau est à moins de deux cents kilomètres d'ici.

– Vous faites bien de parler de Dachau, Hermann. Il y a trois ans, Heydrich m'a envoyé là-bas pour retrouver un condamné, un dénommé Kurt Mutschmann, cela voulait dire que j'ai dû me faire passer pour un prisonnier moi aussi. Mais au bout de quelques semaines, ça ne ressemblait plus à de la comédie. J'ai réussi à sortir de là, mais pas avant d'avoir retrouvé Mutschmann. Heydrich trouvait cela très amusant. Pas moi. Écoutez… Vous savez, je pense, que je ne suis pas nazi. Je suis utile à Heydrich car je ne fais pas passer la politique avant le bon sens, c'est tout. Parce que je suis doué dans mon domaine, même si je le regrette.

– Soit. Je comprends. » Kaspel fit démarrer la voiture.

« Disons alors que l'idylle rurale et harmonieuse que vous a décrite Martin Bormann n'existe pas. Et le Führer n'est pas très apprécié par ici, malgré tous ces drapeaux nazis et les peintures murales. Loin de là. Dans son ensemble, la montagne de Hitler est truffée de tunnels abandonnés et d'anciennes mines de sel. C'est de là qu'elle tire son nom, évidemment. Du sel. Et la géologie locale offre une excellente métaphore de la réalité de l'Obersalzberg et de Berchtesgaden. Rien ne ressemble à ce qu'on voit à la surface. Rien. Et dessous... ce n'est pas beau à voir. »

Kaspel franchit la rivière et attaqua la route en lacets éclairée par la lune pour regagner le Berghof. Très vite, nous tombâmes sur une équipe d'ouvriers de chez P&Z en train d'élargir la chaussée pour faciliter l'accès aux personnes qui rendaient visite au Führer. La plupart portaient des chapeaux tyroliens et des vestes épaisses. Un ou deux firent le salut hitlérien sur notre passage. Kaspel le leur rendit, mais ils affichaient des airs revêches et méfiants.

« L'été, par ici, on compte jusqu'à trois ou quatre mille ouvriers comme ceux-là, expliqua Kaspel. Mais en ce moment, je suppose qu'il n'y en a que la moitié. La majorité d'entre eux logent dans des camps de travailleurs à Alpenglühen, Teugelbrunn et Remerfeld. Mais ne commettez pas l'erreur de penser que ces hommes effectuent des travaux forcés. Ce n'est pas le cas, croyez-moi. Il est vrai qu'au début on a obligé les agences pour l'emploi autrichiennes à envoyer ici tous les travailleurs disponibles. Mais ces hommes – des employés d'hôtel, des coiffeurs ou des artistes – se montraient incapables de travailler dans les Alpes. Beaucoup sont tombés malades, et depuis, ils ne prennent que des Bavarois, des gens habitués à la montagne. Malgré cela, on a eu un tas d'ennuis dans les camps. L'alcool, la drogue, le jeu. Des bagarres pour des histoires d'argent. La section SS locale a du pain sur la planche pour faire respecter l'ordre. Pourtant, le recrutement des ouvriers se fait sans aucune difficulté. Ils sont tous très bien payés. En fait, ils sont payés triple. Et ce n'est pas leur seule motivation. La construction dans ce secteur a été déclarée "activité réservée" par Bormann. Autrement dit, si vous travaillez sur la montagne de Hitler, vous êtes dispensé de servir dans l'armée. C'est devenu particulièrement attractif maintenant que tout le monde est persuadé qu'il va y avoir une nouvelle guerre. Vous imaginez donc que les volontaires ne manquent pas. Néanmoins, ces chantiers sont très dangereux. Même en été. Des explosions y sont déclenchées, comme celle que vous avez entendue tout à l'heure, pour creuser des tunnels dans la montagne et il y a eu de nombreux accidents. Mortels. Des hommes ensevelis ou qui chutent dans le vide. Pas plus tard qu'il y a trois jours, une grosse avalanche en a tué plusieurs. Et puis il y a les retards permanents causés par la présence régulière de Hitler dans le coin : il aime faire la grasse matinée et n'apprécie pas le bruit des travaux. Par conséquent, les ouvriers, quand ils peuvent travailler, doivent le faire nuit et jour. Dieu seul sait combien de personnes sont mortes pour construire cette putain de maison de thé sur la Kehlstein ; il a fallu prendre des risques considérables afin que tout soit terminé à temps pour son cinquantième anniversaire. Résultat, on compte beaucoup plus de veuves par ici qu'il ne devrait y en avoir. Ça a entraîné un fort ressentiment parmi la population, à Berchtesgaden et dans les environs. Bref, Flex travaillait pour P&Z. Et par ici, cela pouvait suffire à donner des envies de meurtre à quelqu'un.

» Mais il existe un autre mobile. Presque toutes les maisons et les fermes que vous voyez sur cette montagne ont été massivement achetées par le gouvernement. La maison de Göring. Celle de son adjudant. La maison de Bormann. La Türkenhäusel. La maison de Speer. La ferme de Bormann. Vous n'avez que l'embarras du choix. En 1933, toutes ces habitations appartenaient à des particuliers. Aujourd'hui, elles sont quasiment toutes la propriété de l'État allemand. C'est ce qu'on pourrait appeler du fascisme immobilier, et ça se passe de la façon suivante. Un membre du gouvernement ayant les faveurs de Hitler cherche une jolie demeure pour être près du Führer. Bormann propose alors au propriétaire de cette maison de la lui acheter, et comme vous pouvez l'imaginer, du fait qu'il reste peu de maisons à vendre, la demande est supérieure à l'offre et le propriétaire devrait obtenir un très bon prix. Or pas du tout. Bormann propose chaque fois un prix bien inférieur à celui du marché, mais surtout ne vous avisez pas de refuser son offre. Sinon les SS débarquent sans crier gare, condamnent votre allée et enlèvent votre toit. Je n'exagère pas. Et si vous refusez toujours de vendre, vous risquez fort de vous retrouver à Dachau, pour un motif inventé de toutes pièces, jusqu'à ce que du moins vous changiez d'avis.

» Prenez l'exemple de la Villa Bechstein, où vous logez. Avant, elle appartenait à une fervente admiratrice de Hitler. Elle lui a offert une voiture neuve quand il est sorti de la prison de Landsberg, sans parler du beau piano pour sa maison, et sans doute un peu d'argent par-dessus le marché. Mais pour le seigneur de l'Obersalzberg, tout cela ne comptait plus le jour où il a voulu s'approprier sa villa pour loger des dignitaires nazis. Elle a été obligée de vendre, comme tout le monde. Et à bas prix. Voilà comment le Führer récompense ses amis. Même scénario pour la

Türkenhäusel. La réalité, c'est que la ville de Berchtesga-den est pleine de petites maisons occupées par des Bavarois qui possédaient autrefois de grandes propriétés situées sur la montagne de Hitler. Et ces gens haïssent Bormann. Afin d'échapper à ce ressentiment, Bormann envoie ainsi parfois un dénommé Bruno Schenk effectuer les expropriations à sa place. Ou plus fréquemment l'homme à tout faire de Schenk, j'ai nommé Karl Flex. Vous cherchez un mobile pour un meurtre ? En voici un. Excellent. Bruno Schenk et Karl Flex étaient deux des hommes les plus détestés dans la région. Si quelqu'un méritait de recevoir une balle dans la tête, c'est l'un d'eux. Ou bien l'aide de camp de Bormann, Wilhelm Zander, que vous avez rencontré sur la Kehlstein. Ce qui signifie que vous allez avoir beaucoup de mal à résoudre cette affaire sans empiéter sur les plates-bandes de Bormann. Selon moi, le niveau de corruption qui règne ici est d'ailleurs bien supérieur encore. Il remonte peut-être jusqu'en haut de la montagne, si vous voyez ce que je veux dire. Peut-être jusqu'à Hitler lui-même. Je ne serais pas étonné d'apprendre que le Führer perçoit dix pour cent de tout, car Bormann, lui, ne s'en prive pas. Même à la boutique de la Türken où les SS achètent leurs clopes et leurs cartes postales. Sans rire. Bormann reçoit toujours ses ordres de Hitler, et je suis prêt à parier que c'est Hitler qui lui a refilé cette combine pour se faire du fric.

» Ce n'est pas une hypothèse farfelue. Laissez-moi vous raconter une histoire peu connue au sujet de la maison ache-tée par Hitler. La Haus Wachenfeld, baptisée aujourd'hui le Berghof, et pour laquelle un grand nombre de millions ont été dépensés. Il vient ici depuis 1923, après le putsch, à une époque où il pouvait à peine se permettre de louer une chambre à la Haus Wachenfeld. Mais en 1928, quand sa situation s'est améliorée, il a pu louer toute la maison à sa propriétaire, une veuve de Hambourg nommée Margarete Winter. En 1932, quand il est devenu riche grâce aux ventes de son livre, il a décidé de faire une proposition d'achat à la veuve. Comme elle vivait à Hambourg, il pouvait difficilement faire pression sur elle, et elle ne voulait absolument pas vendre. Mais elle était à court d'argent. Son mari avait presque tout perdu dans le krach de 1929 et ils avaient dû se séparer de leur tannerie. Des juifs du coin l'avaient achetée pour une bouchée de pain. Winter haïssait ces juifs, encore plus que l'idée d'être obligée de céder sa maison de l'Obersalzberg à Hitler. Alors, elle lui a proposé un marché. Elle lui vendrait sa maison pour cent soixante-quinze mille reichsmarks si en échange il lui rendait un service. Le lendemain, la tannerie a été frappée par la foudre et totalement détruite. Il est probable que le coupable ne soit pas Dame Nature, mais plutôt quelques membres des SA locales. Sur ordre de Hitler. C'est une histoire vraie, Gunther. Comme vous pouvez le constater, il obtient toujours ce qu'il veut, par n'importe quel moyen. Idem pour Martin Bormann.

– Si je vous comprends bien, Hermann, la moitié des gens que je vais interroger ne me diront rien car ils ont peur de Bormann. Et les autres ne me diront rien non plus car ils espèrent que le meurtrier va s'en sortir. Parce qu'ils estiment que Karl Flex a eu ce qu'il méritait. »

Kaspel sourit.

« Voilà qui résume assez bien la nature de votre mission, en effet. Vous allez devoir tenir vos cartes serrées contre vous pour ne pas les montrer. Pas facile alors de savoir de quelle couleur elles sont.

– Heydrich m'a demandé de dénicher des ragots compromettants sur Bormann. Ça ressemble à ce qu'il cherche. Lui avez-vous parlé de tout ça ?

– Non. Mais il ne sera pas surpris. C'est Bormann qui a aidé Himmler à acheter sa maison. Elle ne se trouve pas sur l'Obersalzberg, mais à Schönau, à environ un quart d'heure d'ici. Schneewinkellehen. Elle a appartenu à Sigmund Freud autrefois. Allez comprendre. Bref, Heydrich ne va certainement pas reprocher à Bormann de faire une chose que son propre patron a faite.

– Bien vu. Il m'a également chargé de vérifier le bien-fondé d'une rumeur selon laquelle Bormann serait victime d'un chantage de la part de son frère. Je suppose que Heydrich veut découvrir ce qu'Albert sait sur son frère, pour pouvoir faire chanter Bormann à son tour.

– J'ignore de quoi il peut s'agir. Je sais juste qu'Albert Bormann a l'autre oreille d'Adolf Hitler, ce qui veut dire qu'ici il est presque aussi puissant que son frère. Il faut reconnaître ce talent au Führer : diviser pour régner, ça le connaît.»

Nous nous arrêtâmes à un poste de contrôle et montrâmes nos papiers au SS transi de froid. Le projecteur qui illuminait notre voiture me permit de découvrir les dimensions du grillage.

«Pas facile à escalader, dis-je. Surtout avec un fusil dans la main.

– Ce grillage court sur dix kilomètres, expliqua Kaspel. Et il y a trente points de passage, tous fermés par des serrures Zeiss Ikon. Mais le grillage est souvent endommagé par les éboulis ou des avalanches. Et même intact, il ne sert pas à grand-chose. Certes, il fait de l'effet, il protège assez bien la route et j'imagine qu'il aide Hitler à se sentir en sécurité, mais tout le monde au RSD sait que grâce aux tunnels et aux anciennes mines de sel, un tas de gens du coin peuvent aller et venir à leur guise. Et, surtout, ils ne s'en privent pas. Cette montagne ressemble à un morceau de gruyère, Gunther. Hitler a interdit la chasse à l'intérieur du périmètre de sécurité car il adore les petites bêtes à poil, mais cela n'empêche pas les gens de chasser où ils veulent en toute impunité. C'est sur le Territoire du Führer qu'on trouve le plus beau gibier et il y a de fortes chances que votre tueur soit un paysan des environs qui a emprunté les galeries d'une mine de sel comme le fait sa famille de demeurés consanguins depuis des centaines d'années. Il cherchait à tuer quelques lapins ou un cerf, et finalement il a choisi un rat.

– Merci de m'avoir raconté tout ça, Hermann. J'apprécie votre franchise.» Je le gratifiai d'un grand sourire. «Un magnifique décor, un cadavre, un tas de mensonges et un abruti de flic. Je crois qu'il ne manque plus qu'une jolie fille et un gros lard et on aura tous les ingrédients d'une comédie à la Mack Sennett. C'est pour ça, je pense, que je suis ici, sur l'Obersalzberg. Parce que le Tout-Puissant aime rire. Je sais de quoi je parle, croyez-moi. On dit que la grâce et le pardon existent en ce bas monde, mais je ne les vois pas, car ma vie merdique, foireuse et bidon, amuse mon cher Père qui est aux cieux depuis janvier 1933. Pour être franc, j'en viens à espérer qu'il s'étrangle de rire.»

Kaspel fit une bouche en cul-de-poule et secoua la tête. «Vous savez quoi, Gunther ? Je me creusais la cervelle pour essayer de comprendre pourquoi Heydrich vous avait envoyé ici. Et peut-être que je commence à entrevoir la réponse. Je me dis que vous possédez une âme encore plus sombre que n'importe lequel d'entre nous.

– Vous avez quitté Berlin depuis trop longtemps, Hermann. Vous vous êtes déjà demandé pourquoi il y a un ours noir sur nos armoiries ? Parce que c'est un animal mal léché. Voilà pourquoi. À Berlin, tout le monde me ressemble. C'est pour ça que les autres Allemands aiment tant cette ville.»

16

Avril 1939

En arrivant par le côté nord du Berghof, nous fûmes accueillis dans l'escalier qui menait à la terrasse par un homme que j'avais connu bien des années plus tôt. Arthur Kannenberg possédait autrefois un restaurant avec jardin à Berlin-Westend, près de la Case de l'Oncle Tom, baptisé Pfuhl's Weinund. Mais l'établissement avait fait faillite lors du krach et aux dernières nouvelles, Kannenberg avait quitté Berlin pour aller travailler à Munich, où il dirigeait le mess des officiers au QG du parti nazi. C'était un petit homme rond au teint pâle et aux lèvres très roses atteint d'exophtalmie, et vêtu d'une veste traditionnelle grise. Il me salua chaleureusement.

« Bernie, dit-il en me serrant la main. Ça me fait plaisir de vous revoir.

– Arthur ! En voilà une surprise. Qu'est-ce que vous fichez ici, nom d'un chien ?

– Je suis régisseur du Berghof. *Herr* Bormann m'a chargé de vous attendre. Alors, me voici, à votre service.

– Merci, Arthur. Désolé de vous avoir obligé à veiller si tard.

– J'ai l'habitude. Le Führer est un oiseau de nuit, il faut l'avouer. Par conséquent, je dois l'être aussi. Et puis je voulais m'assurer que tout avait été préparé selon vos désirs. Nous vous avons installé un bureau dans une des pièces inoccupées du premier étage.» Kaspel s'éclipsa tandis que je suivais Kannenberg sous un passage couvert pour franchir une épaisse porte en chêne et pénétrer dans un vestibule.

«Vous jouez toujours de l'accordéon, Arthur?

– Parfois. Quand le Führer me le demande.»

Avec son plafond bas, son éclairage tamisé, ses colonnes de marbre rouge et ses arches voûtées, le hall ressemblait à la crypte d'une église. Pas très accueillant. Kannenberg me conduisit au premier étage et nous empruntâmes un couloir d'une largeur impressionnante, bordé de photos. Il me fit entrer dans une pièce paisible qui abritait un poêle en faïence couleur crème, décoré de motifs verts. Les murs étaient lambrissés de sapin poncé et une banquette en bois encastrée dans un coin se trouvait derrière une table rectangulaire. Sur le sol étaient disposés plusieurs tapis et un panier en fer forgé rempli de bûches pour le poêle. Il y avait deux téléphones, un classeur à tiroirs, et tout ce que j'avais réclamé, y compris une paire de bottes Hanwag fourrées. Je m'assis pour les enfiler immédiatement; j'avais les pieds gelés.

«Ça ira très bien», dis-je en me levant pour arpenter la pièce afin de tester mes nouvelles bottes.

Kannenberg alluma la lampe posée sur la table, se pencha vers moi et dit tout bas : «Vous pouvez me demander tout ce que vous voulez durant votre séjour. N'importe quoi, d'accord? Mais ne vous adressez pas aux officiers SS. Si vous leur posez une question, ils vont demander la réponse à quelqu'un d'autre. Venez me voir, je vous arrangerai ça. Comme dans le temps, à Berlin. Café, alcool, pilules, quelque chose à manger, cigarettes. Par contre, pour l'amour du ciel, ne fumez pas dans la maison. La petite amie du Führer, elle fume dans sa chambre avec la fenêtre ouverte et elle croit qu'il ne le sent pas, mais il le sent et ça le rend fou. Elle est ici en ce moment, et puisqu'il est absent, elle croit que personne ne s'en aperçoit. Mais moi, je sens bien l'odeur du tabac le matin. Vous êtes juste en face du bureau du Führer, alors je vous en supplie, Bernie, si vous avez envie de fumer, allez dehors. Et ramassez bien vos mégots. Je vous ferai visiter la maison demain matin. Mais en attendant, je vais vous montrer que vous êtes tout près de lui. Rapport aux cigarettes. »

Nous nous étions avancés sur le seuil de la pièce et Kannenberg ouvrit la porte d'en face. Il alluma pour que je puisse jeter un coup d'œil à l'intérieur du bureau du Führer. Il était spacieux, avec des portes-fenêtres, une moquette verte, de nombreuses étagères de livres, une grande table de travail et une cheminée. Sur la table, il y avait un exerciseur et accroché au-dessus de la cheminée, un portrait de Frédéric le Grand jeune homme, sans doute quand il était encore prince héritier. Il portait une veste bleue et tenait une épée, ainsi qu'un télescope, comme s'il espérait admirer la vue offerte par les portes-fenêtres. C'était mon cas.

« Vous voyez ? Vous êtes juste en face. »

Kannenberg prit l'exerciseur et le rangea dans un tiroir du bureau.

« Il a besoin de cet appareil parce que c'est son bras droit qui fait tout, expliqua-t-il, un peu honteux. Du coup, son bras gauche est trop faible.

– Je connais ça.

– C'est un grand homme, Bernie. » Il balaya la pièce du regard, comme s'il se trouvait dans un lieu saint. « Un jour, ce bureau sera un lieu de pèlerinage. Déjà, des milliers de personnes viennent l'été dans l'espoir d'entrapercevoir le Führer. C'est pour ça qu'ils ont dû acheter la Türkenhäusel, pour qu'il puisse avoir la paix et la tranquillité. C'est la raison d'être de cet endroit. La paix et la tranquillité. Jusqu'au drame d'hier matin, du moins. Espérons que vous pourrez très vite restaurer le calme d'avant. »

Kannenberg éteignit la lumière et recula dans le couloir.

« Vous étiez présent, Arthur ? Quand Karl Flex a été abattu ?

– Oui. J'ai tout vu. Weber et les autres s'apprêtaient à se rendre au nouvel hôtel Platterhof pour voir l'avancée des travaux quand c'est arrivé.

– Weber ?

– Hans Weber, l'ingénieur en chef de chez P&Z. J'étais à environ un mètre du Dr Flex. Mais il m'a fallu une seconde ou deux pour comprendre ce qui venait de se passer. À cause du chapeau.

– Il portait un chapeau ? Je ne l'ai pas vu.

– Un petit chapeau tyrolien en feutre vert, avec une plume. Comme ceux des paysans du coin. C'est seulement quand il a perdu son chapeau que tout le monde a pris conscience de la gravité de sa blessure. On aurait dit que sa tête avait implosé, Bernie. Comme un œuf qui éclate dans l'eau bouillante. Quelqu'un a dû jeter le chapeau parce qu'il était trempé de sang.

– Vous croyez que vous pourriez le retrouver ?

– Je peux au moins essayer.

– S'il vous plaît. Quelqu'un d'autre portait un chapeau ?

– Je ne pense pas. Pas ce genre-là, en tout cas. Ce n'était pas ce qu'on pourrait appeler un couvre-chef de gentleman. À mon avis, Flex croyait que ça lui donnait l'air de quelqu'un d'ici. Ou de la personnalité.

– Et ça marchait ?

– Je ne saurais dire. »

Kannenberg croisa mon regard et, posant son index sur ses lèvres, il secoua la tête de manière significative.

« Je sais qu'il est très tard, Arthur, mais je vous serais très reconnaissant si vous pouviez m'accompagner sur la terrasse, juste un instant, pour m'expliquer exactement ce qui s'est passé. Afin que je puisse me représenter la scène. »

Nous descendîmes.

« Par ici. De l'autre côté du Grand Hall.

– Et votre épouse, Freda ? Elle est ici, avec vous ?

– Oui. Et demain matin, elle vous préparera un solide petit déjeuner à la berlinoise. Avec tout ce que vous voulez, quand vous voulez. »

Le Grand Hall était une pièce rectangulaire démesurée, sur deux niveaux, au sol recouvert d'une moquette rouge : une version agrandie de la salle située au sommet de la montagne. D'un côté, une cheminée de marbre rouge et de l'autre, au nord, une gigantesque baie vitrée. Le genre de pièce où un roi de l'époque médiévale aurait pu donner des banquets et rendre une justice sommaire. Et même jeter un condamné par cette fenêtre qu'actionnait un moteur électrique, d'après Kannenberg, comme un écran de cinéma. Là aussi il y avait un piano à queue, une immense tapisserie représentant encore Frédéric le Grand, et près de la fenêtre, une table à plateau de marbre sur lequel trônait une énorme mappemonde, ce qui n'était pas fait pour apaiser mes craintes concernant les ambitions territoriales des nazis. La dévotion de Hitler pour Frédéric II me persuadait qu'il devait souvent se tenir devant cette mappemonde, en se demandant dans quel pays il allait envoyer ses armées par la suite. Nous traversâmes le niveau supérieur et sortîmes du Berghof par le jardin d'hiver qui, si on le comparait au Grand Hall, ressemblait au salon de feu ma grand-mère. Dehors, sur la terrasse glaciale, les projecteurs éclairaient d'une lumière éclatante plusieurs hommes du RSD, parmi lesquels Kaspel, qui m'attendaient.

Kannenberg se dirigea directement vers le muret qui bordait la terrasse.

« Le Dr Flex se tenait là, il me semble. À côté de Brückner. Un des aides de camp de Hitler.

– Brückner portait un uniforme ?

– Non. Tout le monde regardait l'Untersberg, la montagne que l'on aperçoit de l'autre côté de la vallée. Tout le monde sauf le Dr Flex. Lui était tourné dans la direction opposée. Face au Hoher Göll. Comme moi maintenant.

– Vous en êtes sûr, Arthur ?

– Absolument. Je le sais parce qu'il me regardait. Je ne participais pas à la discussion. Je traînais en attendant que Huber ou Dimroth, l'ingénieur en chef de Sager & Woerner, m'annoncent qu'ils avaient fini leur petit déjeuner. Ou qu'ils étaient prêts à se rendre au Platterhof. Mais c'est peut-être bien Flex qui me l'a dit. En tout cas, au moment où il est tombé, je le regardais, comme s'il allait me parler.

– Il était plus grand que tout le monde, n'est-ce pas ?

– Oui.

– Et il portait un petit chapeau tyrolien vert.

– Exact.

– Et il vous faisait face, au lieu de regarder la vallée.

– Parfaitement.

– Et vous, où étiez-vous ? »

Kannenberg traversa la terrasse et vint se poster devant la fenêtre du jardin d'hiver.

« Juste là.

– Merci, Arthur. On n'a plus besoin de vous. Allez vous coucher comme un gentil garçon. Nous nous verrons tout à l'heure.

– Et si vous en avez le temps, vous pourrez me parler de Berlin. Ça me manque parfois.

– Oh, Arthur… essayez de me trouver une paire de gants. J'ai les mains gelées. »

Je retournai chercher mon appareil photo que j'avais laissé dans mon bureau au premier étage, puis redescendis sur la terrasse, où Kaspel était maintenant en train de fumer une cigarette. En me voyant, il l'éteignit très soigneusement contre le muret et déposa le mégot dans la poche de son manteau. Je souris et secouai la tête. Si avant de venir ici, je ne pensais pas que Hitler était fou, à présent j'en étais convaincu. Quelques misérables cigarettes, qu'est-ce que ça pouvait bien faire ? Je fis un petit tour sur la terrasse, puis revins vers Kaspel.

« Je viens de penser à un truc, me dit-il. S'il faisait face à la montagne et si la balle est entrée par l'arrière du crâne…

– Exactement. » Je montrai l'obscurité qui s'étendait au-delà de la terrasse, au nord, vers Berchtesgaden, au pied de la montagne. « Le tireur était caché quelque part par là. Pas dans les bois, ni là-haut. Pas étonnant que vous n'ayez rien trouvé à cet endroit. Le tireur n'y a pas mis les pieds. »

Regardant la terrasse autour de moi, j'avisai dans un coin quelques longues chevilles en bois soigneusement empilées. J'allai en chercher une et retournai vers le muret. « La question est : Où était-il posté exactement ? Où un homme armé d'un fusil a-t-il pu se cacher pour avoir le temps de viser cette terrasse sans se faire repérer ? »

Je tendis la cheville à Kaspel.

« Flex était plus grand que moi, dis-je. Il avait à peu près la même taille que cet homme là-bas. » Je montrai un des SS à moitié endormis qui attendaient nos ordres. « Hé, toi. Approche. Allez, allez, Allemagne réveille-toi ! »

Le SS accourut.

« Comment tu t'appelles, fiston ?

– Dornberger, monsieur. Walter Dornberger.

– Walter, je veux que tu enlèves ton casque et que tu tournes le dos à la vallée. Tu vas jouer le rôle de l'homme qui a été abattu. Si ça ne t'ennuie pas, je vais t'emprunter ta tête un instant. Hermann ? Tenez la cheville à côté de sa tête, là où je vous le dirai.

– Tout de suite », dit Kaspel.

J'appuyai mon index à la base du crâne du SS.

« La balle est entrée à peu près à cet endroit. Et elle est ressortie entre six et huit centimètres plus haut. Peut-être davantage. Difficile d'être plus précis, compte tenu de l'état du crâne. Évidemment, si nous avions le chapeau de Flex, nous saurions où exactement est sortie la balle et nous pourrions calculer sa trajectoire. »

C'est à ce moment-là que Kannenberg revint en brandissant un chapeau de loden vert avec un bord de cinq centimètres, orné d'une tresse en corde et d'une mouche de pêcheur épinglée, maculé de sang. Surtout l'intérieur, qui donnait l'impression que quelqu'un l'avait utilisé comme saucière. Mais il était quasiment sec et un petit trou était nettement visible dans la forme, là où était ressortie la balle tirée par l'assassin.

« Le chapeau ! s'exclama-t-il. Je l'ai trouvé par terre près de l'incinérateur.

– Bravo, Arthur. On avance ! »

Intrigué, Kannenberg attendit de voir ce que j'allais faire avec le SS, la cheville et le chapeau de lutin que je tenais dans la main. J'introduisis la cheville dans le trou

151

du chapeau, puis demandai au SS de bien vouloir le mettre sur sa tête.

« Maintenant, dis-je à Kaspel, abaissez l'extrémité de la cheville de quelques centimètres, jusqu'à l'endroit où, pense-t-on, la balle est entrée dans le crâne de Flex... Voilà. »

Très vite, je pris quelques photos, puis examinai les deux extrémités de la cheville, celle qui pointait vers le balcon de bois surplombant la terrasse, et l'autre dirigée vers la vallée, par-dessus le muret.

Après quelques secondes, j'ôtai le chapeau vert qui couvrait les cheveux blonds du jeune SS et le posai par terre.

« Arthur ? Je veux que vous montriez à Walter où vous avez trouvé le chapeau. Walter ? Je veux que tu te mettes à quatre pattes devant l'incinérateur pour voir s'il n'y aurait pas une balle. Autre chose, Arthur : il me faudra une échelle pour aller jeter un coup d'œil sur ce balcon.

– Tout de suite, Bernie.

– On va voir si on ne retrouve pas la balle perdue quelque part dans le bois du balcon. Une unique balle en argent.

– Pourquoi en argent ? » demanda Kaspel.

Je ne répondis pas, mais la vérité c'était que je ne voyais pas l'intérêt de tirer avec un fusil sur la terrasse de la résidence privée de Hitler, à moins que la balle ne fût faite avec l'argent fondu d'un crucifix.

17

Avril 1939

Nous ne trouvâmes pas une unique balle logée dans le balcon du premier étage du Berghof ; au lever du jour, nous en avions découvert quatre. Avant de les retirer à l'aide de mon couteau Böker, je marquai leurs emplacements avec du ruban adhésif Lohmann et les pris en photo. Je commençais à regretter de ne pas avoir demandé un photographe en plus du Leica, mais la vérité, c'était que j'espérais bien empocher l'appareil une fois l'enquête terminée pour le revendre à Berlin. Quand vous côtoyez principalement des voleurs et des meurtriers, ça finit par déteindre sur vous. Du balcon du premier étage du Berghof, on comprenait tout de suite pourquoi Hitler avait choisi de vivre dans cet endroit. Le panorama était époustouflant. Impossible de contempler cette vue de Berchtesgaden et de l'Untersberg en arrière-plan sans entendre un cor des Alpes ou une simple cloche de vache. Mais pas du Wagner. Pas pour moi, du moins. Je préfère le son des alpages au grand prêtre du germanisme. En outre, une cloche de vache ne produit qu'un seul son, ce qui est beaucoup moins pénible pour les fesses que cinq heures passées au Palais des festivals de Bayreuth. À vrai dire, je restai très peu de temps à admirer le paysage de carte postale : plus vite je quitterais ce décor pour retrouver l'atmosphère bleutée et polluée de Berlin, mieux ça vaudrait.

Et donc, alors que Hermann Kaspel tenait une extrémité du mètre ruban, en haut de l'échelle, je reculai jusqu'au muret de la terrasse là où Flex avait été abattu. Je positionnai la cheville comme un fusil, selon le même angle descendant.

« Êtes-vous d'accord, demandai-je à Kaspel, pour dire que l'extrémité de cette cheville pointe vers ces lumières, là-bas à l'ouest ?

– Oui.

– Quel est ce bâtiment ?

– La Villa Bechstein probablement. Là où vous logez avec votre assistant.

– Oh, j'avais oublié Korsch. J'espère qu'il a mieux dormi que moi. »

Je jetai un coup d'œil à ma montre. Il était presque sept heures. Cela faisait donc sept heures que j'étais là, sur l'Obersalzberg, mais j'avais l'impression que sept minutes s'étaient écoulées. La méthamphétamine sans doute. Et je savais, bien évidemment, que j'allais devoir en reprendre. Et vite.

« On sera bientôt fixés, dis-je. Car c'est là que nous allons nous rendre, dès que nous aurons pris notre petit déjeuner. Direction la Villa Bechstein. Je demanderai à Korsch de dénicher un expert en balistique pour qu'il examine ces balles et nous en dise un peu plus pendant que je déferai ma valise et me laverai les dents. Et que je ferai peut-être développer ce film. »

Kaspel descendit de l'échelle et me suivit dans le jardin d'hiver et le Grand Hall jusqu'à la salle à manger entièrement tapissée de lambris en bois noueux, où une vitrine encastrée dans un mur abritait diverses pièces en

154

porcelaine raffinées, ornées de dragons. J'espérais qu'ils crachaient le feu car en dépit de ses velléités de grandeur, cette salle était glaciale. Il y avait deux tables : une ronde, installée dans une fenêtre en saillie, dressée pour six personnes, et une plus grande, rectangulaire, qui pouvait accueillir seize convives. Kaspel et moi choisîmes la plus petite et après avoir ôté nos manteaux, nous approchâmes deux fauteuils en cuir couleur terracotta dans lesquels nous nous laissâmes tomber. Sans réfléchir, je lançai mon paquet de cigarettes sur la nappe. Je sentais passer une odeur de café.

« Vous êtes sérieux ? demanda Kaspel.

– Désolé. J'avais oublié les ordres. »

Je m'empressai de ranger mes cigarettes, quelques secondes avant qu'apparaisse un serveur en gants blancs comme surgi d'une lampe en cuivre pour exaucer trois de nos vœux. Mais j'en avais beaucoup plus que trois.

« Café, demandai-je. Beaucoup de café bien chaud. Et des fromages, plein de fromages. De la viande aussi. Des œufs à la coque, du poisson fumé, des fruits, du miel, beaucoup de pain et encore du café brûlant. Vous, Hermann, je ne sais pas, mais moi, je meurs de faim. »

Le serveur s'inclina poliment et alla chercher notre petit déjeuner allemand. Je plaçais de grands espoirs dans la cuisine du Berghof car s'il n'était pas possible de manger un bon petit déjeuner dans la maison du Führer, ça voulait dire que tout était perdu.

« Non, non, dit Kaspel. Je vous demandais si vous étiez sérieux en disant que vous vouliez enquêter à la Villa Bechstein. C'est là que logent tous les VIP du parti nazi.

– Je compte parmi eux, alors ? Intéressant. Je ne me voyais pas dans ce rôle.

– Ils vous ont mis là car c'est l'endroit le plus proche du Berghof qui ne soit pas la demeure de quelqu'un. Pour que vous n'ayez pas loin où aller.

– Trop aimable.

– Mais je pense que Bormann n'a jamais imaginé que vous chercheriez un tueur à la Villa Bechstein. L'adjoint du Führer, Rudolf Hess en personne, doit arriver d'un moment à l'autre.

– Il n'a pas de maison ?

– Pas encore. Et en vérité, Hess ne se plaît pas ici. Il apporte même sa nourriture. Alors, il ne vient pas souvent. Mais quand il vient, il loge à la villa, avec ses chiens.

– Je ne suis pas difficile sur le choix de mes colocataires. Ou de ce que je mange, du moment que c'est copieux.»

Je regardai autour de moi. Je détestais cette salle à manger presque autant que j'avais détesté le Grand Hall. J'avais l'impression d'être à l'intérieur d'une noix.

«Je suppose que nous sommes dans la partie neuve, dis-je.

– Bormann ne sera pas content.

– On s'occupera de ça le moment venu.

– Sincèrement, Bernie. Les relations entre Bormann et Hess sont déjà déplorables. Si on commence à fureter à la Villa Bechstein, Hess y verra certainement une tentative de miner son autorité.

– Bormann sera encore moins content si je n'attrape pas ce meurtrier, et vite. Allons, Hermann, vous avez vu où étaient ces balles. On doit tenir compte des angles de tir. Comme au billard. Peut-être qu'une personne qui travaille là-bas n'aimait pas Flex. Peut-être que le majordome s'ennuyait, et qu'il s'est mis à la fenêtre avec un fusil pour voir qui il pouvait atteindre sur la terrasse. Quand il y a un meurtre, je mise toujours sur le majordome. Généralement, ils ont beaucoup de choses à cacher. »

Le café fut servi et je sortis une nouvelle fois mes cigarettes, avant de les ranger de même. C'est seulement quand un geste répété agace quelqu'un d'autre que vous prenez conscience qu'il est devenu une sacrée habitude. Aussi, j'avalai deux comprimés de pervitine avec le café et me mordis la lèvre.

« Qu'arrive-t-il aux gens qui fument dans cette putain de maison ? demandai-je. Sérieusement. On les envoie à Dachau ? Ou bien est-ce que les locaux défoncés aux amphétamines les balancent du haut de la roche Tarpéienne ?

– Donnez-moi quelques cachets, dit Kaspel. Je commence à ralentir. Et je sens que je vais devoir continuer à avancer pendant encore un bon moment.

– Possible. » Je déposai les quatre balles déformées sur la nappe. On aurait dit des dents provenant de la besace d'un sorcier. Qui sait ? Peut-être me permettraient-elles de deviner, par magie, le nom du meurtrier de Flex. J'avais vu des phénomènes plus étranges dans les laboratoires de balistique de l'Alex. « Un chargeur de fusil standard contient cinq balles, dis-je. Cela veut dire que notre meurtrier a tiré quatre fois sur Karl Flex sans l'atteindre, ou bien qu'il a tenté d'abattre plusieurs personnes sur la terrasse. Pourquoi n'a-t-on rien entendu ? Si les tirs provenaient d'un endroit aussi proche que la Villa Bechstein, quelqu'un a forcément entendu les détonations. Même le majordome. Cette zone est censée être sécurisée.

– Vous avez entendu l'explosion, dit Kaspel. Celle qui a été déclenchée par les ouvriers du chantier. Par ailleurs, on tire souvent des coups de feu, en général tôt le matin, pour provoquer de petites avalanches sur le Hoher Göll, afin d'en éviter de plus grosses. Alors il est possible que les

157

gens aient associé le coup de feu à un départ d'avalanche. De même, il y a à Berchtesgaden un tas de clubs d'amateurs d'armes anciennes qui se réunissent les jours fériés pour tirer avec des tromblons et des pistolets de dragons. Nous avons essayé d'y mettre fin, mais ça ne sert à rien. Ils s'en fichent.»

Le serveur revint chargé d'un gigantesque plateau sur lequel reposait un gros rayon de miel, encore attaché au caisson de bois sorti de la ruche. Je ne pus retenir un petit cri d'excitation enfantine. Cela faisait bien longtemps que personne n'avait vu du miel à Berlin.

« Bon sang, voilà ce que j'appelle le luxe, dis-je. Depuis que je suis gamin, je n'ai jamais pu résister à un rayon de miel.»

Avant même que le serveur ait fini de tout déposer sur la table, j'en avais arraché un morceau, raclé la pellicule de cire avec mon couteau et commencé à aspirer le miel goulûment.

« Il est local?» demandai-je. Je regardai l'étiquette sur le bord du caisson de bois. « Il vient du rucher personnel du Führer dans le Landerwald. Où est-ce?

– De l'autre côté de la Kehlstein, dit Kaspel. *Herr* Bormann est un expert en agriculture. Il vient de là. Il a fait des études pour devenir intendant d'un domaine. Le Gusthof est une ferme qui produit toutes sortes de fruits et légumes pour le Berghof. Et aussi du miel. Quand on monte par la route, la ferme principale se trouve sur notre gauche. Quatre-vingts hectares de terres cultivables. Tout autour de la montagne.

– Je commence à comprendre pourquoi le Führer aime tant cet endroit. Il va falloir que je discute avec quelqu'un de ce rucher.

– J'en parlerai à Kannenberg. Il arrangera ça avec Hayer, un ornithologue qui est responsable de tout au Landerwald. Mais pour quelle raison ?

– Disons qu'une abeille m'a piqué. »

Nous venions de terminer notre petit déjeuner quand plusieurs des hommes qui se trouvaient sur la terrasse au moment de la mort de Flex arrivèrent. Freda Kannenberg vint m'annoncer que « les ingénieurs » m'attendaient dans le Grand Hall.

« Combien sont-ils ?

– Huit.

– Quelqu'un d'autre est-il susceptible de venir petit-déjeuner ici ?

– Non. *Frau* Braun le prend généralement dans ses appartements à l'étage, avec son amie. Et *Frau* Troost ne prend pas de petit déjeuner.

– Très bien, dis-je à Freda. Je vais les recevoir ici, alors. Un par un. »

Freda hocha la tête.

« Je vais demander au serveur de vous apporter du café frais. »

18

Avril 1939

Le premier que j'interrogeai fut l'ingénieur August Michahelles. C'était un bel homme en uniforme militaire, qui s'inclina poliment devant la table du petit déjeuner. Je me levai, serrai sa main molle, le priai de s'asseoir et lui proposai de se servir un café. J'ouvris le dossier des dépositions des témoins et trouvai la liste compilée par Högl.

« Vous dirigez le bureau d'études de la Deutsche Alpenstrasse, c'est bien cela ?

– Exact.

– Je pensais que vous seriez plus nombreux à vous présenter. D'après ma liste, il y avait douze personnes sur la terrasse hier matin. En comptant la victime. Et pourtant, vous n'êtes que huit aujourd'hui.

– Le professeur Fich, l'architecte, a dû se rendre à Munich, je crois, pour rencontrer le Dr Todt et le Dr Bouhler. Tout comme le professeur Michaelis.

– Comment se fait-il que ces personnes estiment pouvoir se soustraire si rapidement à une enquête sur un meurtre ?

– Il faudra leur poser la question. Mais si vous me permettez cette remarque, je ne vois pas très bien ce que je peux ajouter à la déclaration que j'ai faite au capitaine Kaspel hier.»

Malgré son uniforme, il paraissait peu sûr de lui. Il n'avait même pas pris de café.

«Pas grand-chose, sans doute, dis-je. Mais votre témoignage concerne ce qui s'est passé. Ce que vous avez vu. Je m'intéresse davantage à la nature de cette réunion. Martin Bormann est demeuré assez vague à ce sujet. Tous ces éminents ingénieurs qui se retrouvent au Berghof... Je suis sûr que c'est une question de la plus haute importance qui vous a réunis. En outre, j'aimerais en savoir un peu plus sur le Dr Flex.»

L'ingénieur parut songeur. Il triturait nerveusement le lobe couvert de croûtes d'une de ses oreilles, qu'à l'évidence il avait déjà martyrisé.

«Alors, quel était le but de cette réunion?

– Il s'agit d'une réunion qui a lieu une fois par mois.

– Et tout le monde est au courant?

– Elle n'a rien de secret. Pour transformer l'Obersalzberg conformément aux souhaits de *Herr* Bormann, nous devons nous réunir de temps en temps afin d'examiner l'avancée des travaux. Ainsi, la construction du nouvel hôtel Platterhof nous a obligés à détruire presque cinquante vieilles maisons. En outre, nous devons réaliser de nouvelles installations techniques, comme cette station d'alimentation électrique. Le courant fourni par Berchtesgaden s'est révélé insuffisant. Actuellement, nous installons de nouveaux câbles électriques et téléphoniques dans la région, nous élargissons les routes et nous creusons de nouveaux tunnels d'accès. Ce qui nécessite des ouvriers qualifiés, évidemment...

– J'aimerais bien voir ce chantier.

– Il faudra demander à Bormann, déclara Michahelles. Certains de ces travaux concernent la sécurité du Führer et sont donc secrets. Pour accéder à une requête de ce genre, j'aurai besoin d'un document écrit et signé de sa main.

– C'est militaire, donc ?

– Je n'ai pas dit ça.

– Très bien. Je comprends. Je m'adresserai donc à Bormann. Parlez-moi plutôt du Dr Flex. Vous le connaissiez bien ?

– Non, pas très bien.

– Voyez-vous pour quelle raison on aurait voulu le tuer ?

– Sincèrement, non.

– Vraiment ? »

L'ingénieur secoua la tête.

« Je trouve ça étrange, *Herr* Michahelles. Car je suis ici depuis moins de dix heures, et pourtant, j'ai déjà appris que Karl Flex était un des hommes les plus impopulaires des Alpes bavaroises.

– Je l'ignorais. Vous vous adressez à la mauvaise personne.

– À qui devrais-je m'adresser, alors ? Ludwig Gross ? Otto Staub ? Walter Dimroth ? Hans Haupner ? Bruno Schenk ? Hanussen le voyant ? Qui ? Aidez-moi. Je suis censé élucider un meurtre. Si toutes les personnes qui sont sur cette foutue liste ne m'en apprennent pas plus que vous, ça risque de prendre du temps. Or, pour des raisons évidentes, j'aimerais être parti avant l'été.

– N'y voyez aucune mauvaise volonté de ma part, *Kommissar* Gunther. Les deux hommes qui travaillaient en étroite collaboration avec Flex et qui le connaissaient le mieux étaient Hans Haupner et Bruno Schenk. En tant que premier administrateur, Schenk travaillait main dans la main avec Flex. Je suis sûr qu'il pourra vous en dire plus que moi.

– Ce ne sera pas difficile.» Michahelles haussa les épaules et, soudain, j'eus le plus grand mal à me contenir. Sans doute la potion magique qui se faisait sentir de nouveau. Déjà, mon cœur s'agitait comme s'il était payé triple.

«Il est très occupé, n'est-ce pas ? Ce Dr Schenk ?

– Oui, en effet. Il tient le rôle du pompier de service dans toutes les situations délicates qui impliquent des chantiers de construction.

– Parlons de vous, *Herr* Michahelles. Est-ce qu'on vous apprécie à Berchtesgaden ?

– Je n'en ai aucune idée.

– Est-il possible que quelqu'un veuille vous tuer vous aussi ? À part moi, s'entend. Quelqu'un qui possédait une de ces cinquante maisons dont vous me parliez. Celles qui ont été démolies ?

– Non, je ne pense pas.

– Quelqu'un vous a-t-il menacé ? Et même promis de vous tuer ?

– Non.»

J'étalai les quatre balles sur la nappe, comme un misérable pourboire.

«Vous voyez ça ? Ce sont des projectiles que nous avons découverts dans le balcon qui surplombe la terrasse. Il est donc possible que le tireur ait tenté de vous atteindre vous aussi. Une ou plusieurs fois. Mais il vous a manqué. Alors ?

– Non. Je suis sûr que personne ne m'en veut.

– J'espère que vous avez raison, August. Vous êtes un type intelligent, ça se voit. Et je n'aimerais pas que toute cette matière grise finisse par terre, comme celle de Karl

Flex, uniquement parce que vous n'avez pas osé me dire que quelqu'un voulait vous tuer. Si le meurtrier a tenté de vous abattre, il peut recommencer vous savez.

– Ce sera tout ?

– Oui, c'est tout. Oh, demandez au Dr Schenk de bien vouloir venir prendre votre place, je vous prie. »

Bruno Schenk était un homme d'une quarantaine d'années avec un grand front et une distinction tout aussi grande. Il portait un costume gris, une chemise blanche impeccable et une cravate sur laquelle était épinglé un insigne du Parti. Il était à peine plus haut que sa canne, mais il était chef de section chez Polensky & Zöllner et responsable à ce titre, comme il s'empressa de me le faire savoir, de la construction de toutes les routes entre la Kehlstein et Berchtesgaden, ce qui je suppose lui donnait l'impression d'être plus grand.

« J'espère que ça ne sera pas trop long, ajouta-t-il à cette présentation pompeuse. Je suis un homme très occupé.

– Oh, je sais. Et je vous suis reconnaissant d'être là pour m'aider à trouver des réponses à mes questions.

– Que voulez-vous savoir, *Herr Kommissar* ?

– P&Z. Ce doit être une société très riche maintenant avec tous ces chantiers. Financés par l'État, je crois.

– P&Z. Sager & Woerner, Danneberg & Quandt. Umstaetter. Les Frères Reck. Höchtl & Sauer. Hochtief. Philipp Holzmann. Vous n'avez pas idée du nombre de sociétés qui ont été engagées par l'Administration de l'Obersalzberg pour travailler ici, *Herr Kommissar*. Et il y a plus de travail que n'importe qui pourrait l'imaginer. »

Je sentais que j'aurais dû être impressionné. Je ne l'étais pas.

« En tant que premier administrateur, vous devez être un homme important.

– Je bénéficie de la confiance du secrétaire particulier du Führer pour tout ce qui concerne les travaux d'aménagement de la montagne, en effet. Seul l'administrateur en chef, le Dr Reinhardt, possède plus de responsabilités. » L'élocution et la syntaxe de Schenk n'étaient pas moins impeccables que son apparence, et la plupart du temps il parlait sans me regarder, à croire que je n'étais pas digne de son attention. Au lieu de cela, il faisait tourner sa tasse dans sa soucoupe, dans un sens puis dans l'autre, comme s'il se demandait de quel côté orienter l'anse – vers lui ou vers moi –, tel un serpent qui ne sait pas où ranger sa queue. Il l'ignorait, mais il allait recevoir une claque.

« Parlez-moi de votre travail, dis-je. Ça m'intéresse.

– Une autre fois, peut-être. Aujourd'hui, c'est mon anniversaire. J'ai un certain nombre de rendez-vous avant un déjeuner important. Avec ma femme.

– Félicitations. Quel âge avez-vous, au fait ?

– Quarante ans.

– Vous paraissez plus âgé, si je peux me permettre. » Schenk fit grise mine, mais s'efforça de masquer son agacement, comme je masquais le mien. On me menait en bateau et je commençais à en avoir assez. Mon enquête avait beau bénéficier du soutien total de Martin Bormann, à quoi bon si tout le monde au Berghof s'en fichait ? Je me disais que j'allais devoir hausser le ton – plus que je ne l'avais fait avec August Michahelles – si je voulais progresser. Bruno Schenk semblait être le client idéal pour une petite démonstration de force. Comme je dis toujours : si vous devez bousculer quelqu'un, autant y prendre du plaisir.

« Évidemment, repris-je, toutes ces responsabilités qui pèsent sur vos épaules, ça laisserait des traces chez n'importe qui.

– En effet. Nous avons dû accomplir des tâches colossales en un temps record. La maison de thé de la Kehlstein, par exemple. À cause de cet exploit technique, l'ancien aide de camp de Herr Bormann, le capitaine Sellmer, a succombé à une crise cardiaque. Et dès qu'un chantier se termine, un autre commence. La route menant au Platterhof a dû être entièrement réaménagée car il a fallu construire un pont. Et songez, *Herr Kommissar,* que tout cela doit être réalisé sans endommager un seul arbre. Le Führer insiste énormément sur ce point : il faut à tout prix préserver les arbres.

– Voilà qui est rassurant... pour les arbres. On en a grandement besoin en Allemagne. Qu'est-ce que le Platterhof, au juste ?

– Un hôtel. L'ancienne pension Moritz. Il est construit uniquement avec les meilleurs matériaux, afin d'accueillir les nombreux visiteurs qui brûlent d'envie de voir le Führer quand il réside ici. Actuellement, il s'agit d'un des plus gros projets de l'Obersalzberg. Une fois terminé, ce sera un des plus beaux hôtels d'Europe. »

Je me demandais combien de personnes y séjourneraient lorsque toute l'Europe serait en guerre. Quelques-unes peut-être, désireuses de voir la tête de Hitler au bout d'une pique. Ou aucune. Schenk regarda sa montre, ce qui me rappela qu'il était temps de le placer sur la sellette. Ou du moins d'essayer car il se montrait fuyant.

« Je ne vous retiendrai pas longtemps, monsieur. Je sais que vous êtes très occupé. Je voulais juste vous demander pourquoi, selon vous, votre assistant Karl Flex faisait partie des hommes les plus détestés de la région. Et si vous pensez que quelqu'un d'ici aurait pu l'abattre pour se venger du zèle avec lequel il appliquait vos instructions. En expulsant pour une bouchée de pain les anciens propriétaires de la pension Moritz, par exemple. Ou en exigeant des ouvriers une quantité de travail au-delà du raisonnable. Je crois savoir que des hommes ont trouvé la mort. À cause de risques inutiles, peut-être. Ce genre de choses peut aisément faire naître des envies de meurtre.

– Ne me demandez pas de spéculer sur une chose aussi répugnante. En outre, loin de moi l'idée de vous apprendre votre métier, *Herr Kommissar,* mais vous ne devriez pas me poser cette question. C'est vous l'enquêteur, pas moi.

– Et je me réjouis de voir que vous en êtes conscient. Car je subis une certaine pression moi aussi. De la part du même homme que vous, j'imagine. Alors, je vous en prie, n'allez pas croire que je prends mon travail moins au sérieux que vous le vôtre. Ou qu'il est moins important. Voyez-vous, lorsque je me suis entretenu avec Martin Bormann la nuit dernière, il m'a dit deux choses. La première, je le cite, c'est : "Quand je dis quelque chose, c'est comme si le Führer était là, à cet instant, pour vous dire ce que vous devez faire." Et la seconde chose qu'il m'a dite, c'est qu'il me conférait tous les pouvoirs afin d'arrêter cet assassin avant l'anniversaire du Führer. Qui a lieu dans une semaine, je suis sûr que je n'ai pas besoin de vous le rappeler, docteur Schenk. Tous les pouvoirs. N'est-ce pas, Hermann ?

– En effet. Ce sont ses paroles exactes. Tous les pouvoirs. »

À mon tour de taper du poing sur la table. Ce que je fis. Et j'eus le plaisir de voir la tasse de café de Schenk tressauter dans sa soucoupe. Alors je recommençai et me levai pour en rajouter. J'aurais peut-être pu briser la tasse ou la soucoupe sur la tête soigneusement peignée de l'ingénieur, mais le monogramme AH me retint. Les amphétamines coulaient dans mes veines et Kaspel lui-même semblait surpris.

« Tous les pouvoirs ! m'écriai-je. Vous entendez ? Alors, réfléchissez, et vite, docteur Schenk. J'exige d'autres réponses que "Une autre fois, c'est mon anniversaire" ou "Ne me demandez pas de spéculer", "C'est vous l'enquêteur, pas moi". Pourquoi me faites-vous perdre mon temps ? Je suis policier, et *Kommissar* par-dessus le marché, pas un vulgaire paysan édenté avec une pioche dans la main et l'air idiot. J'essaye d'élucider un meurtre, commis dans la demeure du Führer, pas une grille de mots croisés dans le journal. Si Hitler ne peut pas venir ici la semaine prochaine parce que je n'ai pas réussi à arrêter ce fou, il n'y aura pas que *mes* boyaux qui se retrouveront accrochés à la grille de la propriété, les vôtres aussi et ceux de tous les salopards qui se font appeler ingénieurs et refusent de coopérer. En tant que premier administrateur, vous devriez faire en sorte qu'ils le sachent. Vous avez compris ? »

Je jouais la comédie, évidemment, mais Schenk ne le savait pas.

« Vous êtes d'un tempérament plutôt violent », dit-il.

Son visage prit la même couleur rouge que la chaise sur laquelle il était assis, et quand il voulut se lever, je posai ma main sur son épaule pour l'obliger à se rasseoir. Je peux jouer les brutes épaisses moi aussi, quand je m'y mets ; simplement, je n'aurais jamais cru que je m'y essaierais dans la salle à manger d'Adolf Hitler. J'appréciais de plus en plus la potion du Dr Temmler. Et Kaspel aussi, apparemment. Il souriait comme s'il partageait mon envie de rudoyer Schenk.

« Violent et très déplaisant.

– Vous n'avez encore rien vu. Et quand j'en aurai fini avec vous, je vous le dirai, docteur Schenk. Je veux une

168

liste de noms. Des gens que vous vous êtes mis à dos. Peut-être que certains d'entre eux vous ont menacés, Flex ou vous. Vous vous êtes fait pas mal d'ennemis tous les deux, n'est-ce pas ? »

Schenk déglutit, mal à l'aise, puis il haussa la voix à son tour.

« Tout ce que j'ai fait, c'est avec l'accord de *Herr* Bormann en personne, et auprès de qui j'irai me plaindre de votre comportement monstrueux.

– Faites donc, Bruno. De mon côté, j'appellerai le général Heydrich à Berlin et je vous ferai arrêter par la Gestapo, afin d'assurer votre protection, évidemment. Le QG de la Gestapo est à Salzbourg, n'est-ce pas, Hermann ?

– Exact. Dans un ancien monastère franciscain, sur la Mozartplatz. Un endroit horrible, monsieur. Même les esprits des saints marchent sur la pointe des pieds quand ils passent devant. On peut l'expédier là-bas en une demi-heure.

– Vous avez entendu, Bruno ? Après plusieurs jours dans une cellule glacée, au pain sec et à l'eau, nous nous reparlerons et nous verrons alors ce que vous pensez de mon comportement.

– Vous n'avez aucune idée des problèmes que nous avons dû affronter, gémit-il. Par exemple, il y avait du côté sud de la Haus Wachenfeld un chemin pour les vaches, que les curieux du coin ont commencé à emprunter afin d'entrapercevoir le Führer, certains venaient même avec des jumelles. Cette situation était devenue inacceptable, la sécurité du Führer était menacée, et en 1935, nous avons décidé d'acheter des propriétés dans les environs, une par une. Mais comme dans les premiers temps Hitler nous interdisait de faire pression sur les propriétaires, nous étions obligés de payer des sommes faramineuses. Des fermiers, dont beaucoup étaient endettés jusqu'au cou, faisaient fortune en nous vendant leurs petites mines d'or. Il fallait que ça cesse, et ça a fini par cesser. Afin d'aménager l'Obersalzberg comme le souhaitait le Führer, nous avons dû démolir plus de cinquante maisons, et il est vrai que certaines personnes n'étaient pas satisfaites de la somme perçue, comparée au prix qu'elles réclamaient. Alors, je vous en prie, *Herr Kommissar*, inutile de mêler Himmler ou Heydrich à tout ça. N'est-ce pas ?

— C'est déjà fait, rétorquai-je d'un ton mauvais. À votre avis, qui a exigé que je vienne ici ? Allez donc discuter avec vos collègues qui attendent dans le Grand Hall, et quand je reviendrai, je veux une liste de noms. Les ouvriers rancuniers, les propriétaires furieux, les fils de veuves lésées, quiconque a des raisons d'en vouloir à Flex, à vous ou même à Bormann. Compris ?

— Oui, oui. Je ferai ce que vous me demandez. Immédiatement.»

Je pris mon manteau et quittai la pièce. Je m'étais régalé, mais j'avais trop mangé. À moins que ce ne fût ma conversation avec un nazi comme Schenk qui me donnait des aigreurs d'estomac.

« Je ne sais pas où tout cela va nous conduire, dit Kaspel en me suivant à l'extérieur du Berghof et dans l'escalier aux marches verglacées qui menait à la voiture. Mais j'aime bien travailler avec vous. »

19

Avril 1939

La Villa Bechstein était située, à cinq minutes en voiture, au pied de la colline du Berghof, au-delà d'un poste
de garde SS en pierre qui occupait toute la largeur de la
route. Kaspel me raconta qu'après qu'Helene Bechstein
fut obligée de vendre sa maison à Bormann, Albert Speer
y avait vécu, pendant qu'il faisait bâtir selon ses propres
plans sa maison à lui – et un atelier – beaucoup plus à
l'ouest. Ayant vu quelques exemples du talent d'architecte
de Speer à Berlin, je ne pensais pas qu'il aurait pu faire
beaucoup mieux que la Villa Bechstein, nichée dans une
étendue de neige profonde telle une luxueuse construction
en pain d'épice. C'était une imposante villa de deux étages,
entourée de balcons en bois, coiffée d'un toit haut et man-
sardé, percé d'un chien-assis et surmonté d'un clocher en
pâte d'amande et chocolat. Le genre de maison que vous
pouviez vous offrir si vous vous appeliez Martin Bormann
ou si vous aviez vendu beaucoup de pianos à beaucoup
d'Allemands.

Je descendis de voiture promptement et me retournai
pour lever les yeux vers le Berghof, mais plusieurs arbres
se dressaient dans mon champ de vision. Un majordome

était apparu dans l'encadrement de la porte ; il attendait en silence sur le seuil, semblable à une libellule noir et blanc. Il s'inclina avec gravité et me précéda dans l'escalier massif en bois jusqu'au premier étage. Si la maison était ancienne, elle avait été récemment rénovée et tout était de la meilleure qualité : un style de décoration intérieure qui semble toujours satisfaire les goûts des gens riches et puissants.

« *Herr* Hess est arrivé ? demandai-je au majordome qui répondait (avec un fort accent) au nom de Winkelhof.

– Pas encore. Nous l'attendons dans la matinée, monsieur. Il occupera ses appartements au dernier étage comme d'habitude. Vous vous croiserez à peine. »

J'en doutais. Les hauts dignitaires nazis n'avaient pas la réputation d'être timides et effacés. En haut de l'escalier se dressaient côte à côte une horloge de parquet surmontée d'un aigle nazi et la statue en bronze grandeur nature d'une femme nue et perplexe qui donnait l'impression de chercher les toilettes. Winkelhof me fit entrer dans une grande chambre tout en chintz, meublée d'un canapé Biedermeier vert et d'un lit à une place, qu'ornait un petit portrait du Führer. Ma valise m'attendait déjà sur le lit et bien qu'il y eût des bûches dans la cheminée, le feu n'était pas allumé et la pièce était froide. Je regrettais déjà d'avoir confié mon manteau. Le majordome s'excusa pour la température et entreprit immédiatement de faire une flambée, mais la trappe de la cheminée semblait coincée, ce qui provoqua chez lui un certain agacement.

« Toutes mes excuses, monsieur. Il vaudrait peut-être mieux que je vous montre une autre chambre. »

Nous en trouvâmes donc une autre… avec un autre portrait de Hitler : un simple visage sur fond noir, qui me parut un peu plus agréable car le Führer semblait avoir été décapité, conformément à mes espoirs et à mes rêves anciens. Une grande porte-fenêtre s'ouvrait sur un balcon en bois et la cheminée fonctionnait. Je sortis sur le balcon enneigé pour inspecter la vue, qui n'en était pas vraiment une, en ce sens que je voyais uniquement les mêmes arbres que j'avais vus du plancher des vaches.

« Cette chambre est orientée à l'est, n'est-ce pas ? demandai-je au majordome.

– C'est exact, monsieur.

– Donc, le Berghof se trouve derrière ces arbres.

– Oui, monsieur.

– Avant l'arrivée du bras droit du Führer, j'aimerais jeter un coup d'œil par la fenêtre située juste au-dessus de cette chambre. Et aussi depuis le chien-assis sur le toit.

– Certainement, monsieur. Mais puis-je en connaître la raison ?

– Simplement pour satisfaire ma curiosité. »

Nous montâmes. Comme on pouvait s'y attendre, la chambre de Hess était opulente et accueillait plusieurs objets égyptiens, mais sa plus grande fenêtre n'offrait pas une meilleure vue que la mienne. En revanche, le chien-assis, sous les combles, répondit à mes attentes : il bénéficiait d'une vue totalement dégagée sur la terrasse du Berghof, à une centaine de mètres au sud-est de la Villa Bechstein. J'observai le majordome en essayant de l'imaginer dans la peau du meurtrier et il me suffit d'une minute pour comprendre qu'il n'avait rien à voir avec cette histoire. Après vingt ans de métier, vous possédiez une sorte de flair pour ce genre de choses. Surtout, les verres de ses lunettes à monture d'écaille étaient aussi épais que la coque d'un bateau à fond de verre. Il ne ressemblait pas à un tireur d'élite. J'ouvris la lucarne – ce qui me prit un certain temps à cause de la glace – et penchai la tête audehors un court instant.

« Winkelhof, est-ce que quelqu'un occupe cette chambre en ce moment ?

– Non, monsieur.

– Y avait-il quelqu'un hier matin ?

– Non, monsieur.

– Quelqu'un pourrait-il accéder à cette chambre sans que vous le sachiez ?

– Non, monsieur. Et vous m'avez vu déverrouiller la porte.

– Toutes les chambres de la villa sont fermées à clé comme celle-ci ?

– Oui, monsieur. C'est la règle à la Villa Bechstein. Certains de nos hôtes détiennent des documents sensibles et ils préfèrent avoir des serrures sur les portes de leurs chambres et de leurs appartements.

– Étiez-vous en service hier matin vers neuf heures ?

– Oui, monsieur.

– Avez-vous entendu un bruit ressemblant à un coup de feu ? Ou à une pétarade de voiture ? Une charge explosive pour provoquer une avalanche ? Une porte qui claque ?

– Non, monsieur. Rien. »

Je redescendis et entamai une rapide promenade autour de la maison en empruntant un chemin récemment déneigé. Le rez-de-chaussée en pierre brute de la Villa Bechstein était doté d'une terrasse couverte, où je découvris un bataillon de pelles et un tas de bûches suffisant pour affronter une courte période glaciaire. En voyant cela, je songeai que le vœu pieux du Führer de respecter les arbres de la région n'était peut-être pas la première des priorités. Il ne me fallut pas longtemps pour trouver ce que je cherchais : du côté est de la maison se dressait, entre neuf et douze mètres au-dessus du sol, un échafaudage qui montait jusqu'à l'avant-toit, d'où pendaient des stalactites de glace. À côté,

174

je remarquai une ziggourat de tuiles parfaitement empilées, un seau et quelques cordes. La plaque d'une entreprise de couverture locale était accrochée à l'échafaudage, mais il n'y avait aucune échelle qui aurait permis à quelqu'un de se hisser jusqu'au toit. Exercice de toute façon risqué en plein hiver, mais peut-être moins que de grimper là-haut avec un fusil pour tirer sur la terrasse de Hitler. Je sus que j'avais raison en découvrant sur le sol, juste sous le chien-assis, une douille en cuivre. Je passai un quart d'heure à en chercher d'autres, en vain.

De retour dans le vestibule de la villa, j'appelai Winkelhof pour l'interroger au sujet du couvreur.

« Müller ? Il est venu réparer des tuiles et une cheminée endommagée par un récent orage. Mais apparemment, on lui a volé ses échelles. Soyez tranquille, monsieur, le bruit ne vous dérangera pas, j'en suis sûr.

– Volé ? Quand ça ?

– Je ne sais pas trop, monsieur. Il a signalé leur disparition il y a environ une heure, quand il est arrivé ce matin. Mais hier, il n'est pas venu. Alors, impossible de dire depuis quand les échelles ont disparu. Surtout, ne vous inquiétez pas pour ça. Ce n'est pas grave. »

Pourtant, quelque chose me disait qu'il fallait agir au sujet de ce vol et je décrochai le téléphone pour prier l'opératrice de l'Obersalzberg de me passer le Berghof. Quelques minutes plus tard, le mystère des échelles disparues était élucidé. Arthur Kannenberg avait demandé au RSD de me dénicher une échelle à mettre sur la terrasse du Berghof, et sans rien dire à personne ils avaient emprunté celle du couvreur, à la Villa Bechstein. Si seulement toutes les enquêtes étaient aussi faciles.

« Ils vont rapporter les échelles, annonçai-je au majordome. Appelez *Herr* Müller et dites-lui que j'aimerais lui parler dès qu'il sera arrivé. Le plus tôt sera le mieux, Winkelhof.

» En entrant dans le salon, je trouvai Friedrich Korsch qui se réchauffait devant un grand feu, en lisant le journal et en écoutant la radio. À Berlin, le pacte militaire signé entre les Britanniques et la Pologne soulevait une vive indignation, sans que je puisse dire si c'était une bonne ou une mauvaise nouvelle, si cela allait dissuader Hitler d'envahir la Pologne ou provoquer une déclaration de guerre immédiate des Tommies s'il le faisait.

« Je commençais à croire qu'il vous était arrivé quelque chose, dit Korsch. J'avais peur d'être obligé de faire le pied de grue ici toute la journée.»

Je balayai le salon du regard et hochai la tête d'un air approbateur. Faire le pied de grue dans ce décor ne me paraissait pas si affreux. Même les poissons tropicaux semblaient être au chaud et au sec dans leur aquarium. En revanche, filer des coups de pied au cul était une activité plus risquée et, selon toute vraisemblance, Bormann serait furieux en apprenant de quelle manière j'avais traité son premier administrateur.

« Figurez-vous que vous avez de la chance, Friedrich. Vous êtes au cœur de l'affaire. Cette villa est une scène de crime désormais.

– Vraiment ? On ne dirait pas. J'ai dormi comme un loir cette nuit.

– Veinard.» Je lui répétai ce que j'avais appris sur Karl Flex. Puis je lui montrai la douille. « Je l'ai trouvée dehors, sur le chemin. Oh, au fait, je vous présente le capitaine Kaspel. Je crois que vous vous êtes déjà brièvement rencontrés.»

Les deux hommes se saluèrent d'un hochement de tête. Korsch leva la douille dans la lumière du feu.

« Ça ressemble à une cartouche de huit millimètres à épaulement standard.

– Je suis prêt à parier qu'on en trouvera d'autres sur le toit. Dès que le RSD aura rapporté les échelles.»

Je leur parlai de l'échafaudage, avant de remettre à Korsch les balles que nous avions extraites du balcon du Berghof.

« Faites-les examiner par quelqu'un. Vous devrez peut-être vous adresser au Präsidium de Salzbourg. Il me faut également un fusil à lunette. Par ailleurs, je voudrais faire développer ces films. Discrètement. Bormann tient à ce que tout se fasse dans le plus grand secret. Dites bien à celui qui s'occupera des tirages qu'ils sont réservés à un public averti.

– Il y a à Berchtesgaden un photographe qui pourra s'en charger, dit Kaspel. Johann Brandner. Dans Maximilianstrasse, juste derrière la gare. Je vais vous trouver une voiture. Même si, maintenant que j'y pense, je ne suis pas absolument certain qu'il soit encore là.

– Je me débrouillerai, dit Korsch et il empocha les films. Il y a bien un habitant du coin qui pourra développer vos photos cochonnes. Vous avez été très actif, monsieur.

– Pas autant que Karl Flex, répondis-je. Au fait, Hermann. Où doit se rendre un homme qui cherche une compagnie féminine dans cette ville ?

– C'est un des effets secondaires indésirables de la potion magique, dit Kaspel. Ça donne la trique.

– Ce n'est pas pour moi, Hermann. Karl Flex avait la chaude-pisse. Vous vous souvenez du protargol ? La question est : D'où ça vient ? Je parle de la chaude-pisse. Et accessoirement, comment s'est-il procuré le protargol ?

177

– Il y a un endroit pour ça, dit Kaspel. La Caserne-P. Mais elle est censée être sous la surveillance médicale d'un médecin de Salzbourg.

– Une caserne ? Vous voulez dire qu'elle est sous le contrôle de l'Administration de l'Obersalzberg ? »

Kaspel se dirigea vers la porte du salon et la ferma en douceur.

« Non, pas exactement. Certes, ce sont les ouvriers de P&Z qui vont à la Caserne-P. Mais je vois mal quelqu'un comme Hans Weber ou le professeur Fich gérer un groupe de putes, et vous ?

– Qui ça, alors ? »

Kaspel secoua la tête.

« Continuez, dis-je. Ça devient intéressant.

– C'est à environ six kilomètres d'ici, au Gartenauer Insel, à Unterau, sur la rive nord de l'Ache. Une vingtaine de filles travaillent là. Mais c'est uniquement pour les ouvriers et interdit à toute personne portant un uniforme. J'ignore si cela concernait également Karl Flex. Je n'y suis jamais allé personnellement, mais je connais quelques SS de Berchtesgaden qui l'ont fait, ne serait-ce que parce qu'il y a sans cesse des histoires là-bas.

– Quel genre ?

– Les ouvriers se saoulent en attendant une fille précise. Puis ils se battent à cause de cette fille et les SS doivent intervenir pour rétablir l'ordre. Il y a toujours du monde, nuit et jour.

– Si ce bordel rapporte deux cents marks par heure, seize heures par jour, calcula Korsch, ça fait trois mille marks par jour. Plus de vingt mille par semaine.

– En supposant que Bormann en prélève au moins la moitié… enchaînai-je.

– Je n'ai pas dit ça, protesta Kaspel.

– Êtes-vous en train de laisser entendre qu'il n'est pas au courant ?

– Non, non. D'après ce que je sais, l'idée vient de lui.

D'installer cet endroit. Mais...

– Alors, c'était peut-être Karl Flex qui collectait l'argent rapporté par ces filles, pour son maître, le seigneur de l'Obersalzberg. En s'offrant un aperçu des spécialités de la maison. Ce qui peut constituer un mobile pour le meurtre. Des souteneurs sont fréquemment assassinés. Je pense à Horst Wessel, par exemple. Un maquereau des SA, assassiné par un bon ami de la logeuse de sa prostituée. »

Kaspel paraissait un peu nauséeux.

« C'est une histoire vraie, ajoutai-je. Ça s'est passé dans mon secteur, à Alexanderplatz. J'ai aidé mon boss de l'époque, l'inspecteur-chef Teichmann, à résoudre cette affaire. Oublions ça. Il s'agissait d'une vulgaire dispute à cause d'une gamine de dix-huit ans. Wessel n'était guère plus âgé. Nous avons trouvé notre prochaine destination : la Caserne-P à Unterau. » Je me retournai en entendant dehors les hommes du RSD qui rapportaient les échelles. « Dès que nous serons allés inspecter le toit de la Villa Bechstein.

– Ma parole, vous allez me faire tuer, Gunther.

– Tout ira bien, répondis-je. Faites attention où vous mettez les pieds, voilà tout. Ça m'a l'air glissant là-haut. »

20

Avril 1939

Rolf Müller, le couvreur local, était un individu jovial et simple, au dos voûté, dont l'épaisse chevelure rousse semblait teinte mais ne l'était certainement pas, et qui portait des lunettes aux verres presque opaques tellement ils étaient sales. Son air distrait trahissait celui qui passait sa vie seul sur un toit. En outre, il avait une forte tendance à entretenir avec lui-même des conversations dont il ne voyait aucune raison d'exclure les personnes présentes ; en ce sens il ressemblait à ces personnages des pièces de Heinrich von Kleist, inadaptés et éloignés de la réalité, qui tissent la trame de la comédie. Dans un film, il aurait été interprété par Emil Jannings. Ses mains et son visage étaient couverts de furoncles. On aurait dit un apiculteur négligent.

« Pas de malentendu, me dit-il quand je le trouvai en train de fixer sur l'échafaudage une des échelles qu'on venait de lui rapporter. Ils ne sont pas méchants, pas du tout. Simplement, ils ne pensent pas aux autres une seule seconde. Sinon, ils n'auraient jamais fait ça. Ça vient de l'uniforme, à mon avis. Même si je n'étais pas comme eux quand j'en portais un. C'est cet uniforme particulier. Et l'insigne sur la casquette. La tête de mort. C'est comme ces rois prussiens et ces cavaliers qui les protégeaient. Pour eux, rien ne comptait, à part la personne de l'empereur. Ils semblent croire que l'être humain qui est en vous n'a plus d'importance, alors que si. Il en a beaucoup.»

Je finis par comprendre qu'il parlait des hommes du RSD qui avaient emprunté son échelle et je lui présentai mes excuses pour le dérangement, accompagnées de quelques billets prélevés sur l'argent de Heydrich et d'une cigarette.

« J'ignorais que l'échelle empruntée était la vôtre. Tenez, voilà cinq reichsmarks. Et je suis désolé pour ce qui s'est passé ce matin, *Herr* Müller.

– Merci, monsieur, c'est gentil. Mais à choisir, je préférerais pas avoir tout ce boulot supplémentaire ni les soucis. Et je fume pas. Je sais bien que pour un homme comme vous, c'est que des échelles, mais sans elles, je suis coincé. Et imaginons que j'étais sur le toit quand ils les ont prises ? Je serais où maintenant ?

– Toujours sur le toit ?

– Exactement. En train de me geler.» Cette perspective le fit grimacer. «Et au chômage. À jamais. Dans ce métier, c'est le froid qui vous tue. J'ai les genoux bousillés. Mais dans leur esprit, je pourrais sûrement travailler pour P&Z et gagner trois fois plus qu'en réparant les toits.»

Désireux de le faire taire, je lui montrai mon insigne en cuivre, ce qui, rétrospectivement, était une erreur car Rolf Müller en conclut immédiatement que la disparition des échelles était considérée comme un vol par un inspecteur de police, alors qu'il était évident, pour lui et moi, que rien n'avait été volé.

« Pas besoin de faire appel à la police, dit-il. Les échelles sont revenues. Je veux pas causer d'ennuis à qui que ce soit. Surtout avec vous, monsieur. Je suis sûr qu'ils pensaient pas à mal.

– Je comprends. Mais j'ai besoin de monter sur le toit pour vérifier quelque chose. »

Le couvreur regarda d'un air méfiant le fusil que je portais sur l'épaule.

« Ne vous inquiétez pas, dis-je. Je n'ai pas l'intention de tuer quelqu'un. Pas aujourd'hui.

– Sinon, ce serait le fusil idéal pour ça. Ce vieux G98, le meilleur fusil à verrou jamais fabriqué. Il m'a sauvé la vie plus d'une fois.

– À moi aussi. Alors, les échelles ?

– Tout de suite. Toujours heureux de rendre service à un représentant de la loi. Je suis un bon Allemand. D'ailleurs, comme vous j'ai failli devenir policier. C'était à Rosenheim, y a des années de ça. Et je suis bien content de pas l'avoir fait, à cause du maire Gmelch. Je l'ai jamais porté dans mon cœur. Avec Hermann Göring, c'est autre chose. Il est de Rosenheim. On était dans le même régiment d'infanterie, lui et moi. Évidemment, j'étais un simple tankiste, mais…

– Les échelles, le coupai-je. Vous pourriez finir de les fixer sur l'échafaudage pour que je monte jeter un coup d'œil ?

– J'ai pas encore réparé le toit. Ni la cheminée. C'est ce vent épouvantable de l'autre nuit qui a fait tomber l'ancienne.

– Fixez les échelles, c'est tout, insista Kaspel. Nous sommes pressés. »

Dix minutes plus tard, nous étions sur le toit de la Villa Bechstein et nous rampions prudemment sur l'échelle horizontale installée au préalable, qui menait au chien-assis situé sur le côté est. Un bout de vieux tapis avait été étendu sur plusieurs barreaux, vers l'extrémité de l'échelle, et à en juger par le nombre de mégots de cigarette éparpillés dans la neige, on devinait que le tireur était resté allongé là un long moment. J'en déposai quelques-uns dans un petit sac, juste pour impressionner Kaspel. Puis j'aperçus une autre douille de 8 mm. Dans le sac elle aussi. Même sans jumelles, je voyais distinctement la terrasse du Berghof. Je calai la crosse du fusil contre mon épaule et collai mon œil à la lunette. Je fixai la mire sur la tête du SS qui m'avait servi de mannequin. Je n'ai jamais été très doué avec un fusil, mais grâce à cette lunette montée sur un G98, et cinq balles dans le chargeur, même moi j'aurais pu atteindre ma cible. Ça me faisait toujours bizarre d'avoir la tête d'un homme dans le collimateur. Je ne pourrais pas presser la détente comme ça, pour tuer quelqu'un. Même un Tommy. Ça ressemblait trop à un meurtre. D'ailleurs, je n'étais pas le seul à le penser. Dans les tranchées, les tireurs d'élite et les opérateurs de lance-flammes avaient droit à un traitement spécial quand ils se faisaient capturer.

« Vous avez prévenu tout le monde ? demandai-je à Kaspel.

– Oui.

– Très bien. »

J'ouvris la culasse du Mauser, appuyai sur la lame chargeur avec le pouce comme je l'avais fait un millier de fois et introduisis une balle dans la chambre. Sur ce, je pointai le fusil vers le ciel bleu de la Bavière et pressai cinq fois la détente. Le Mauser Gewehr 98 était une belle arme, qui se manipulait en douceur, et précise, mais pas silencieuse, surtout quand une chaîne de montagnes venait amplifier la détonation. Autant essayer d'ignorer le coup de tonnerre du destin.

« Difficile de ne pas entendre le bruit, commenta Kaspel.

– Exact. »

Nous redescendîmes du toit, enjoués à l'idée d'interroger de nouveau Rolf Müller. Nous le trouvâmes en train de parler tout seul, comme si notre conversation précédente n'avait pas cessé. « Johann. Johann Lochner. C'était comme ça qu'il s'appelait. Je cherchais son nom. Il a reçu une balle dans les poumons. Ce pote à moi, dans les tranchées. Avec un Gewehr. Ils disent qu'une autre guerre se prépare, mais je crois que les gens seraient beaucoup moins partants s'ils voyaient ce que peut faire sur un homme une balle qui arrive à la vitesse du son. Les dégâts que ça cause. Ils devraient voir un homme se noyer dans son sang, tous ces politiciens, avant d'en déclencher une nouvelle. »

Difficile de le contredire, alors je hochai la tête tristement et le laissai continuer sur sa lancée pendant encore une minute avant de le ramener vers les événements de la veille.

« Pourquoi n'êtes-vous pas venu travailler hier ?

– J'avais prévenu *Herr* Winkelhof. C'est pas comme s'il était pas au courant. Il savait. Demandez-lui.

– Répondez à la question, s'il vous plaît, dit Kaspel.

– J'avais rendez-vous chez le médecin. Rapport à mon dos. Et à ces foutus genoux. Après une vie passée sur des chantiers. Bref, je voulais que le médecin me donne des médicaments. Contre la douleur.

– Qui d'autre aviez-vous prévenu de votre absence ?

– *Herr* Winkelhof. Il savait que je viendrais pas. Je le lui ai dit.

– Oui, d'accord, dis-je, patient. Mais à qui d'autre ? Votre épouse peut-être ?

– Je suis pas marié. J'ai jamais trouvé la bonne. Ou la mauvaise, en fonction du point de vue où on se place.

– Alors, vous êtes allé à la taverne, dis-je.

– Oui, monsieur. Comment vous le savez ?

– J'ai deviné, répondis-je en regardant son ventre impressionnant. Quelle auberge, *Herr* Müller ?

– La Hofbräuhaus, monsieur. Dans Bräuhaustrasse. Un bel endroit. Très chaleureux. Vous devriez y faire un tour pendant que vous êtes de passage ici.

– Il y avait du monde ?

– Oh, oui, monsieur. La bière Berchtesgadener est la meilleure de toute la Bavière. Vous pouvez demander à n'importe qui.

– Donc, quelqu'un a pu vous entendre dire que vous n'alliez pas travailler le lendemain ?

– Oui, facilement. Sans même essayer d'écouter ce que je disais. Je suis pas ce qu'on pourrait appeler un taiseux. Surtout quand j'ai une chope de bière dans la main. J'adore parler.

– J'avais remarqué. »

J'hésitai à poser la question suivante, puis la posai quand même. Leçon numéro un du célèbre ouvrage de Liebermann von Sonnenberg pour devenir un bon inspecteur : apprendre la patience. D'ailleurs, il fallait être très patient pour terminer son livre sans le lui balancer au visage. C'était certainement l'avis des nazis, voilà pourquoi il occupait aujourd'hui un poste obscur à la Gestapo.

« Parmi ces gens, y en a-t-il selon vous qui savent se servir d'un fusil ?

– Par ici, tout le monde aime bien chasser de temps en temps. Le bouquetin, le chamois, le cerf, le chevreuil, la marmotte, le grand tétras, le sanglier. Y a de quoi remplir la marmite dans la région. Même si c'est plus trop autorisé de nos jours. Le meilleur endroit pour chasser, c'est ici.

– Oublions la chasse. Connaissez-vous des gens qui aient exprimé le désir de tirer sur quelqu'un ?»

185

Müller détourna le regard comme un chien qui a fait une bêtise. Il garda les yeux fixés sur le sol, puis secoua la tête. Ce qui me surprit, ce ne fut pas sa réponse, mais son silence.

« Vous savez ce que je veux dire, insistai-je. J'aimerais bien descendre ce Fritz, ou je voudrais que quelqu'un lui tire une balle dans la tête à ce type. Des paroles qui ressemblent à des menaces en l'air après plusieurs bières et que personne ne prend au sérieux, jusqu'au jour où quelqu'un arrête de déblatérer pour agir. »

Müller haussa les épaules et de nouveau secoua la tête. De la part d'un homme qui aimait parler tout seul (quand vous êtes un couvreur indépendant, qui va vous répondre ?) et qui avait déjà beaucoup palabré, ce silence était la chose la plus éloquente de toute la matinée. Voilà le genre de détail que von Sonnenberg aurait mis dans son livre, le genre de détail que flairaient les inspecteurs. S'il ne savait pas précisément qui avait tiré sur Flex, il connaissait un tas de gens qui auraient aimé le faire.

« Bien, dis-je. Ce sera tout. Merci pour votre aide, *Herr* Müller.

– Au fait, intervint Kaspel, le médecin a réglé votre problème ? De dos, de genoux ou je ne sais quoi ?

– Oui, monsieur. Le Dr Brandt est un bon médecin. »

Je regardai Kaspel. Brandt était un nom très répandu en Allemagne. Néanmoins, je me sentais obligé de poser une question évidente. Parfois, ce sont les meilleures.

« Vous ne parlez pas du Dr Karl Brandt, si ?

– Je connais pas son prénom, monsieur. Un jeune gars. Beau avec ça. Marié à une championne de natation. Même si c'est pas facile de nager par ici en hiver. En été, y a la Königssee. Un chouette endroit pour nager. Mais l'eau

186

est froide. Y compris en août. Normal, c'est de l'eau de glacier. C'est comme nager à l'âge de glace.

– Vous parlez du Dr Brandt qui fait partie de la SS ? demanda Kaspel.

– Lui-même. Le médecin du Führer. Quand le Führer n'est pas là, le Dr Brandt dirige une petite clinique à Antenberg. Pour pas perdre la main, qu'il dit. C'est sa façon de remercier la communauté pour son hospitalité. Il est très apprécié parmi les gens du coin. Et sa femme aussi. Même s'ils ne sont pas d'ici. Il vient de Mulhouse, je crois, autant dire qu'il est français. Mais c'est pas moi qui lui en tiendrais rigueur car on voit bien qu'il est totalement et complètement allemand, jusqu'au bout des ongles.»

Kaspel et moi retournâmes à l'entrée de la Villa Bechstein.

«Intéressant, dis-je. Au sujet de Brandt.

– Oui, je pense aussi. Mais je l'imagine mal rampant sur ce toit enneigé. Et vous ?»

Après avoir déposé le fusil dans le vestibule, nous regagnâmes la voiture au moment où un jardinier, qui venait d'arriver, déchargeait des outils de sa camionnette. Je fermai les yeux et tendis l'oreille dans l'air froid. Je n'entendais que le calme ininterrompu de la montagne, un silence persistant et sonore, semblable au halètement inaudible d'un millier de minuscules tumultes et vacarmes alpins.

«Tout est tellement silencieux ici, dis-je. Tellement calme après Berlin. Vous ne trouvez pas ? Je crois que je suis vraiment un gars de la ville, pur jus. J'aime entendre la cloche d'un tram ou le moteur d'un taxi de temps en temps. Ça me rappelle que je suis vivant. Ici, sur la montagne de Hitler… on pourrait facilement oublier une chose aussi capitale.

– On finit par s'habituer. Mais c'est pour cette raison, je suppose, que le Führer se plaît tant ici.

– Avec tout ce calme, c'est étrange que personne n'ait entendu cinq coups de feu tirés par un G98. Je ne comprends pas. »

Pendant ce temps, le jardinier avait déposé une énorme bûche sur un chevalet, près de l'échafaudage, et il versait de l'essence dans le réservoir d'une tronçonneuse.

« C'est vous le jardinier ici ? lui demandai-je avant qu'il fasse démarrer son engin.

– Un des jardiniers. Le chef, c'est *Herr* Bühler.

– Vous sciez des bûches tous les matins avec ça ?

– Obligé. Ils brûlent énormément de bois dans cette maison. Entre quinze et vingt paniers par jour.

– Tant que ça ?

– À cette époque de l'année, je coupe des bûches presque chaque jour.

– Et toujours avec ça ?

– La Festo ? Oui. Pour moi, les Allemands n'ont jamais rien inventé de mieux. Sans cette tronçonneuse, je serais perdu.

– Et vous faites ça ici ? Toujours au même endroit ? »

Il montra les empilements de bûches. « Tout le bois est là.

– Rolf Müller, le couvreur. Vous le connaissez bien ? » demandai-je.

Le jardinier sourit d'un air honteux. « Suffisamment bien pour faire démarrer ma tronçonneuse quand je le vois arriver. Je ne suis pas très causant, personnellement. Mais Rolf… il aime bien parler. Sauf que des fois, on a du mal à comprendre ce qu'il raconte.

– Exact. Avez-vous déjà vu quelqu'un d'autre que Rolf Müller sur ce toit ?

– Non, monsieur. Jamais. »

Nous regardâmes le jardinier mettre en marche la tronçonneuse. Elle faisait exactement le même bruit que la moto Alba 200 que j'avais eue juste après mon mariage. Et sans doute était-elle tout aussi dangereuse.

« Il y a peut-être une raison pour expliquer que personne n'ait rien entendu, là-haut ! cria Kaspel.

– Oui, peut-être », dis-je et je pris une profonde inspiration.

J'avais l'impression qu'une tronçonneuse vrombissait d'impatience dans ma poitrine. C'étaient les amphétamines. Plus facile d'ignorer le froid sec de la montagne.

21

Octobre 1956

Après une mauvaise nuit, je me réveillai à côté d'une garde silencieuse de peupliers ondulants, affamé, avec la tête qui tournait. Aussi glacé et coincé qu'une princesse anglaise persuadée de pouvoir tomber follement amoureuse d'une autre personne qu'elle-même. Je fis quelques étirements au niveau des épaules mais ne parvins qu'à ranimer la douleur de mon cou à moitié étranglé. J'aurais probablement dû ressentir un peu plus d'optimisme en voyant le soleil se lever sur les champs embrumés, mais non. Au contraire. À cette heure très matinale, je faisais partie des morts-vivants, des bannis, des damnés. Et je ne pouvais m'en prendre qu'à moi-même. Sans doute serais-je maintenant en Angleterre si j'avais suivi le plan de Mielke. Je fis démarrer la Citroën et roulai pendant environ une heure, jusqu'à ce que j'atteigne une petite ville baptisée Tournus, où j'avisai un café et un tabac qui ouvraient. Je m'arrêtai devant des toilettes publiques malodorantes, où je me débarbouillai et me rasai, puis j'entrai au bureau de tabac pour acheter quelques journaux et un paquet de Camel, avant de pousser la porte d'à côté pour boire un café, manger un croissant et fumer une cigarette. Jamais je n'aurais cru que je deviendrais aussi français. La matinée étant ensoleillée, personne ne me prêtait attention avec mes lunettes noires et ma chemise crasseuse. Après tout, c'était la province française, où les chemises crasseuses constituent le style dominant. Malgré cela, j'étais déjà en page trois du journal. J'en déduisis qu'ils manquaient d'histoires croustillantes sur les amours tumultueuses de Brigitte Bardot et Roger Vadim. Si Dieu avait créé la femme, M. Vadim avait simplement fait de son mieux pour la rendre heureuse. J'aurais pu lui dire de ne pas se donner cette peine. Les hommes préfèrent les blondes, mais les blondes ne savent pas ce qu'elles préfèrent, jusqu'à ce qu'elles comprennent qu'elles ne l'obtiendront jamais. Alors, la nouvelle la plus intéressante, après les convulsions conjugales de Bardot et Vadim, concernait un double meurtre à bord du Train bleu, entre Nice et Marseille. C'était moi. Je devais tirer mon chapeau à Friedrich Korsch. Mon ancien adjoint avait été inspiré de tuer le contrôleur *en plus* de Gene Kelly. Je ne l'avais pas vu venir. À présent, la police française avait une raison majeure de me courir après, bien meilleure que la mort d'un touriste allemand appelé Holm Runge (ce qui semblait être le véritable nom de l'agent de la Stasi), l'homme que j'avais frappé à la tête. En général, les policiers français préfèrent enquêter sur des meurtres qui impliquent leurs concitoyens, ils aiment prendre les choses à cœur. D'après le journal, ils étaient impatients d'interroger un certain Walter Wolf, en lien avec ces meurtres. Ancien concierge d'hôtel, il était également connu sous le nom de Bertolt Gründgens, qui était celui, évidemment, qui figurait sur mon passeport tout neuf. On pensait qu'il était armé et dangereux, et allemand. Cela aussi, ça ferait sûrement plaisir à la police.

Elle fournissait un signalement assez précis, jusqu'aux lunettes noires. Aucune mention, en revanche, de Bernie Gunther. Mais Bernie Gunther ne possédait pas de papiers, il y avait donc peu de chances que j'utilise ce patronyme. S'il n'y avait pas de photo de moi pour accompagner l'article, on indiquait le numéro d'immatriculation de ma voiture, ce qui voulait dire que j'allais devoir me débarrasser de la Citroën, et vite. Si je pouvais atteindre une ville de la taille de Dijon, à une centaine de kilomètres au nord, je pourrais trouver un car ou un train qui allait vers le nord-est, peut-être même en Allemagne. À cette heure, j'avais de bonnes raisons d'espérer que dans ce coin endormi de la France, les policiers buvaient un café en fumant une cigarette eux aussi. Néanmoins, il me semblait plus prudent d'éviter la N7 et d'emprunter la D974, plus pittoresque, qui me conduirait à Dijon en passant par Chagny et Beaune. C'était le cœur de la Bourgogne, région qui produisait certains des meilleurs vins du monde, et aussi les plus chers. Erich Mielke les avait appréciés au Ruhl de Nice. Je n'avais pas prévu de m'arrêter avant Dijon, mais à Nuits-Saint-Georges, je vis une pharmacie et fis une halte pour acheter du collyre car mes yeux me faisaient souffrir. Une bouteille de bourgogne rouge m'aurait sans doute fait plus de bien ; en tout cas, elle aurait été assortie à la couleur de mes yeux.

De retour dans ma voiture, j'appliquai les gouttes et m'apprêtais à repartir au moment où je vis le gendarme dans mon rétroviseur. Il marchait lentement vers la Citroën et il ne faisait aucun doute qu'il allait s'adresser à moi. J'attendis. La pire chose aurait été de démarrer en trombe. Les flics n'aiment pas les crissements de pneus, ils ont l'impression que vous avez quelque chose à cacher, et le pistolet dans la boîte à gants ne faisait pas partie des options non plus. Je restai donc assis, le plus calme possible, compte tenu du fait que j'étais désormais un homme recherché. Quand il arriva à ma hauteur, j'abaissai ma vitre et levai les yeux autant que je le pouvais, tandis que, de son côté, il se penchait en avant.

« Vous voyez ce panneau ?

– Euh, non. J'avais quelque chose dans l'œil et je me suis arrêté dans cette pharmacie pour acheter des gouttes. » Je montrai le flacon de collyre pour corroborer mon histoire.

« Si vous aviez lu ce qui est écrit sur ce panneau, monsieur, vous sauriez que cette rue fait moins de dix mètres de large. Par conséquent, puisque votre plaque d'immatriculation possède un numéro impair, vous n'avez le droit de vous garer ici que les jours impairs. Aujourd'hui, on est le 18 octobre. Un jour pair. »

En tant que policier, j'avais été obligé à mon époque de faire respecter des lois stupides et arbitraires. En Allemagne, vous n'aviez absolument pas le droit d'interdire l'accès de votre maison à un ramoneur et vous risquiez d'être arrêté si vous accordiez votre piano la nuit. Mais ce système de stationnement paraissait tellement absurde que je faillis éclater de rire au nez du flic. Au lieu de cela, je m'excusai en prenant mon plus bel accent français et lui expliquai que j'allais de toute façon déplacer ma voiture. Sur ce, je repartis, conscient que mon français n'était pas aussi bon que je le croyais, et qu'avant longtemps ce gendarme allait établir un rapprochement entre mes yeux rougis et l'Allemand en fuite qui avait commis un double meurtre à bord du célèbre Train bleu. Quand elle le veut, la police française sait se montrer superbement organisée ; il faut reconnaître qu'ils sont nombreux. Parfois, on dirait que la République française compte plus de policiers que de nobles et de titres nobiliaires. Et je ne sous-estimais pas leur capacité à attraper un fugitif allemand, ce qui en revanche n'était pas leur fort quant aux criminels de guerre de Vichy recherchés. En supposant évidemment que ces hommes, et ces femmes, aient existé. J'effectuai ensuite un demi-tour et, sous les yeux du gendarme, je quittai Nuits-Saint-Georges en direction du sud, avant de bifurquer un peu plus loin pour repartir vers le nord.

Après une dizaine de kilomètres, à Gevrey-Chambertin, je vis un panneau indiquant la gare de chemin de fer et j'abandonnai finalement la Citroën à l'intérieur d'un petit bosquet de bouleaux dans la rue Aquatique, étrangement nommée. Cette route s'étendait sur au moins un kilomètre à travers un vignoble très sec et elle n'aurait pas paru moins aquatique si elle avait traversé le désert du Ténéré. J'aurais pu m'arrêter devant la gare, mais je ne voulais pas aider la police à me filer. Mon sac à la main, je suivis ainsi la direction indiquée par le panneau, vers l'ouest, au-delà d'un autre vignoble. Ce paysage était étrangement déprimant. Difficile de croire qu'un tel lieu pouvait donner naissance à une telle opulence liquide. Gevrey-Chambertin n'était qu'une succession de vignes à perte de vue, à l'image de cette étendue de nuages et de ciel bleu, parfois ponctuée par le gribouillis d'un oiseau. Cela ne me donnait pas envie de planter mon chevalet pour peindre une représentation de ma place dans le monde, mais plutôt de me flinguer.

Le soleil disparut derrière les nuages et une pluie fine se mit à tomber. J'achetai un billet pour Dijon et allai m'asseoir sur le quai désert. La gare semblait ne pas avoir changé depuis l'époque de la Ire République. Même le linge suspendu sur un fil devant la porte de la cuisine donnait l'impression d'être là depuis un moment. Au moins, les trains fonctionnaient. Plusieurs traversèrent la petite gare dans un grondement d'enfer, sans même ralentir, puis il y en eut un qui s'arrêta et je montai à bord. C'est alors seulement que je pris conscience du handicap que représentait mon apparence, dont j'examinai d'un œil sévère le reflet dans la vitre du compartiment. S'il y a une chose que la nature déteste encore plus que le vide, c'est quelqu'un qui porte des lunettes de soleil à l'intérieur alors qu'il pleut. Si je gardais les miennes, je ressemblais à l'homme invisible, en passant un peu moins inaperçu. Si je les ôtais, je ressemblais à la créature du lagon noir, après une très mauvaise nuit. Déjà, les autres passagers me jetaient ces regards furtifs que l'on réservait aux personnes récemment endeuillées ou aux voisins de Hermann Göring sur le banc des accusés dans le tribunal de Nuremberg. Au bout d'un moment, je décidai de les retirer. Peut-être qu'un peu de lumière ferait du bien au blanc de mes yeux ; en tout cas, ça ne pouvait pas être pire. J'allumai une cigarette et laissai le tabac apaiser mes nerfs à vif. Je crois que j'essayai même de sourire à la femme corpulente assise dans la rangée opposée, accompagnée d'un gosse au nez morveux. Elle ne me rendit pas mon sourire, mais si j'avais eu un enfant qui ressemblait au sien, je n'aurais pas beaucoup souri moi non plus. On dit que vos enfants sont votre véritable avenir ; dans ce cas, je ne donnais pas cher des chances de cette femme.

Désireux de voir le bon côté des choses, je me dis que le fait de ne plus conduire offrirait une pause bien méritée à mon cou et à mes épaules, peut-être que je retrouverais des sensations normales et que je pourrais reposer mes yeux. Je les fermai, et pour une fois, ils cessèrent de me faire souffrir. Je parvins même à somnoler durant la demi-heure qu'il nous fallut pour atteindre Dijon à une allure d'escargot. En me réveillant, je me sentais presque revigoré.

Du moins, je ne m'étais pas senti aussi bien depuis que j'avais sauté du train à Saint-Raphaël. Hélas, ce sentiment ne dura pas. En descendant du wagon et en entrant dans le hall, j'aperçus plusieurs policiers, plus nombreux qu'en temps normal semblait-il, même en France, et je me réjouis d'avoir ôté mes lunettes de soleil qui, à l'abri de la verrière sale, m'auraient certainement désigné comme un individu louche. Mais les flics ne s'intéressaient pas aux voyageurs sortant des trains locaux ; ils s'étaient regroupés autour des quais qui accueillaient les trains en provenance de Lyon ou à destination de Strasbourg. Sans doute aurais-je pris une décision identique si j'avais appartenu à la police française. Strasbourg n'était qu'à deux ou trois heures, et à quelques kilomètres seulement de la frontière allemande – peut-être même moins avec la signature prévue du traité de Rome –, et représentait l'objectif idéal pour un fugitif allemand se trouvant à Dijon.

Comme il ne pleuvait plus, je sortis de la gare et allai m'asseoir dans le square en face, le temps de réfléchir à la suite. Un clochard affalé sur un banc voisin me rappela, si besoin était, qu'afin d'évoluer librement parmi les bons citoyens, je devais avant toute chose avoir l'air d'un bon citoyen. Cela voulait dire que mes yeux devaient ressembler aux yeux d'une personne respectable. J'enfilai alors ma seule chemise propre et marchai un moment dans la rue Nodot, jusqu'à ce que je trouve un opticien. Après un instant de réflexion, je retournai voir le clochard et lui offris deux cents francs en échange de son aide. Sur ce, je remis mes lunettes noires et repartis en direction de la rue Nodot.

L'opticien était un homme souriant, affable, dont les bras étaient trop courts pour sa blouse immaculée. Il portait sur le bout du nez des lunettes sans monture, quasiment invisibles, totalement à l'opposé de l'effet que je recherchais. Il flottait dans l'atmosphère une légère odeur d'antiseptique, que la jacinthe fatiguée posée sur le dessus en marbre de la cheminée tentait de chasser.

« J'ai perdu mes lunettes, expliquai-je. Et j'ai besoin d'une paire de remplacement le plus vite possible. Je n'ai plus que ces lunettes de soleil correctrices, sans lesquelles je ne vois rien. Mais je ne peux pas continuer à me promener comme ça, avec ce temps.» Je souris. « Peut-être que vous pourriez me présenter quelques montures ?

– Oui, certainement. Quel style recherchez-vous, monsieur ?

– Je préfère les montures épaisses. Dans le genre de mes lunettes de soleil. En écaille de tortue ou noires, si vous en avez.»

L'opticien, M. Tilden, sourit à son tour et ouvrit plusieurs tiroirs remplis de montures noires. On avait l'impression de contempler la table de chevet de Groucho Marx.

« Ce sont mes montures les plus épaisses, dit-il en choisissant une paire de lunettes qu'il essuya prestement avec un chiffon vert avant de me les tendre. Essayez celles-ci.»

Elles étaient exactement comme mes lunettes noires, à cette différence près que les verres étaient blancs et neutres, et donc adaptés à l'usage que je comptais en faire. Je me tournai vers le miroir et les troquai contre mes lunettes de soleil, en veillant à ce que M. Tilden ne voie pas mes yeux injectés de sang. Parfait. Je n'avais plus qu'à les voler. C'est à cet instant que mon complice franchit à point nommé la porte de la boutique en titubant.

« Je crois que j'ai besoin de lunettes, déclara-t-il avec véhémence. Mes yeux sont plus ce qu'ils étaient. Je vois de traviole. Du moins, quand je suis à jeun.» Il contempla le tableau de Snellen pendant un moment comme s'il était rédigé dans une langue qu'il parlait couramment, puis il rota tout bas. Une forte odeur de cidre, et peut-être d'autre chose, envahit la boutique et la jacinthe elle-même parut sur le point de reconnaître sa défaite. « J'aime bien lire le journal, moi. Pour me tenir informé de tout ce qui se passe dans ce foutu monde. »

Le pauvre opticien devinait que le clochard n'était pas un client potentiel, mais le temps qu'il le persuade de s'en aller, j'avais échangé la monture choisie contre mes lunettes de soleil, refermé le tiroir d'où elle provenait et pris congé, après m'être excusé, comme chassé par la forte odeur du clochard. Je regagnai le square où, quelques minutes plus tard, le clochard me rejoignit pour recevoir la seconde moitié de ses honoraires, et mes remerciements.

Dans une autre boutique, j'achetai un béret afin de masquer mes cheveux blonds de plus en plus dégarnis. En quelques minutes, j'avais réussi à prendre l'apparence d'un authentique Franzi. Il ne me restait plus qu'à obtenir une médaille pour une guerre à laquelle je n'avais pas participé.

De retour dans la gare, j'observai à distance respectueuse le quai du train à destination de Strasbourg. La police vérifiait l'identité de chaque passager, et même avec mon béret et mes lunettes, j'avais peu de chances de franchir un tel cordon. Nul doute que les mêmes mesures de sécurité avaient été mises en place à Strasbourg. Mais il me suffit d'une minute ou deux pour trouver le moyen d'éviter le barrage : à mon grand étonnement, les trains pour Chaumont, situé au nord à une heure de trajet, ne faisaient l'objet d'aucun contrôle. Pourquoi ne pas y aller ? pensai-je. Et prendre un autre train pour Nancy, d'où je pourrais faire du stop jusqu'à la frontière allemande, dans les environs de Sarrebruck ? Je suppose qu'il n'a pas fallu beaucoup plus de temps à Hitler en 1940 pour comprendre qu'il serait beaucoup plus simple de contourner la ligne Maginot que de la traverser. Cela paraît évident aujourd'hui. Mais franchement, ça l'était déjà à l'époque. C'est ça, les Français. Adorables. Je me dirigeai vers le guichet et achetai un billet pour le prochain train à destination de Chaumont.

22

Avril 1939

« En supposant que le jardinier coupait du bois avec cette tronçonneuse, dis-je, et que le bruit ait couvert celui des détonations, le tireur aurait-il pris le risque d'être vu avec un fusil à la main en redescendant du toit de la Villa Bechstein ? »

Kaspel nous conduisait à la Caserne-P à Unterau, sur Gartenauer Insel. Il secoua la tête.

« Ce n'est pas le genre d'accessoire qui passe inaperçu, admit-il. De même, si quelqu'un d'autre que Rolf Müller était descendu de ce toit, le jardinier l'aurait remarqué. C'est ce qu'il a dit. À moins qu'ils ne soient de mèche.

– Non. Je n'y crois pas.

– Vous semblez bien sûr de vous. Pourquoi ?

– Ce sont des choses que l'on sent, Hermann. Aucun de ces hommes n'avait l'air particulièrement nerveux quand ils ont répondu à nos questions. Avec la plupart des témoins que j'ai interrogés, j'ai toujours su en quelques secondes s'ils me cachaient quelque chose. Pas vous ?

– C'est vous le *Kommissar*, pas moi.

– Un homme peut passer de témoin innocent à suspect numéro un en un clin d'œil. Même le Dr Jekyll ne pouvait se transformer aussi rapidement.» Je secouai la tête. «Personnellement, j'aurais laissé le fusil sur le toit. Et j'aurais fichu le camp. Si ça se trouve, le tueur est déjà de l'autre côté de la frontière à cette heure et il se cache quelque part en Autriche. En outre, vous disiez que le RSD avait fouillé quasiment tout le monde dans le secteur juste après le meurtre. S'ils étaient tombés sur un individu en possession d'un fusil, ils l'auraient arrêté et je ne serais pas en train de profiter du bon air de la montagne.

– Mais s'il avait laissé le fusil sur le toit de la Villa Bechstein, on l'aurait découvert. Or il n'y avait que les douilles.

– Peut-être alors qu'il l'a balancé du toit dans les bois. Et qu'il l'a récupéré plus tard. Ou il l'a enterré dans une congère. Ou bien... Je ne sais pas.

– Dans ce cas, on devrait faire fouiller les environs de la Villa Bechstein. Je m'en occuperai dès que nous serons rentrés d'Unterau.» Après un silence, Kaspel demanda : « Au fait, qu'est-ce qu'on va faire à la Caserne-P ? Toutes ces filles sont françaises ou italiennes. Et surtout, ce sont des putes. Elles ne nous diront rien.

– Peut-être que oui, peut-être que non. Mais laissez-nous poser les questions, moi et l'argent de Heydrich. J'aime bien discuter avec les putes. La plupart possèdent le genre de diplôme qu'on ne peut pas obtenir à l'université Humboldt de Berlin.»

Arrivés au pied de la montagne, nous tournâmes à droite en direction de la frontière autrichienne et de Salzbourg, et nous suivîmes une route plane qui ne s'éloignait jamais du cours de l'Ache et serpentait à travers un gigantesque paysage conçu par Dieu pour que les hommes – certains d'entre eux, du moins – se sentent petits et insignifiants. Voilà peut-être pourquoi ils ont bâti des églises. Dieu devait paraître un peu plus amical et plus enclin à écouter leurs prières dans la chaleur d'une jolie église qu'au sommet d'une montagne glacée et dentelée. Il flottait dans l'air un curieux mélange de feu de bois et de houblon qui s'échappait par la cheminée de la Hofbräuhaus, que nous laissâmes rapidement sur notre gauche. Un ensemble de grands bâtiments jaunes aux volets verts, ornés de fiers drapeaux rouge et bleu – mais aucun drapeau nazi –, qui ressemblait davantage au quartier général de quelque parti politique qu'à une brasserie, bien qu'en Allemagne la bière ne fût pas une simple affaire de politique. C'était une religion. Une religion à mon goût, en tout cas.

« Autre chose, dis-je. Rolf Müller. À mon avis, dans cette taverne, il a entendu des gens souhaiter la mort de Bormann et de ses sbires à plusieurs reprises. Mais il n'a pas voulu nous dire qui. Des gens qui l'ont peut-être entendu parler de son rendez-vous chez le médecin.

– Dans ce cas, il a eu de la chance d'être interrogé par vous et non par Rattenhuber ou Högl, ils seraient en train de lui arracher des noms de force dans les cellules installées sous la Türkenhäusel.

– Vous parlez de l'ancien hôtel situé entre la maison de Hitler et celle de Bormann, où est cantonné le RSD local ?

– Exact. J'ai un bureau là-bas. Mais je préfère garder le plus possible mes distances avec Bormann.

– Ils seraient capables de faire ça ? De le frapper pour l'obliger à avouer ?

– Au nom de la sécurité du Führer ? Ils feraient n'importe quoi. » Il haussa les épaules. « On gagnerait peut-être du temps si on lui mettait un peu la pression. Si Bruno Schenk dégote quelques noms de son côté, on pourrait demander à Müller de passer la liste en revue, histoire de la réduire à l'essentiel. On ne sait jamais.

– Je ne suis pas partisan de la manière forte, dis-je.
Même au nom d'une bonne cause. Comme la sacro-sainte
sécurité du Führer.

– Vous ne semblez pas convaincu en disant cela.

– Moi ? Qu'est-ce qui vous le fait croire, Hermann ?
Que Dieu bénisse et garde le Führer, voilà ce que je dis. »
Je souris car pour une fois je m'abstins d'ajouter, tout
bas, la coda qui concluait généralement cette phrase dans
les milieux de gauche de Berlin, mais qu'il valait mieux
ne pas prononcer à Berchtesgaden : Que Dieu bénisse et
garde le Führer... loin de nous.

« Écoutez, Gunther. J'ai peut-être perdu un peu de mon
optimisme naïf au sujet des nazis et des choses dont ils sont
capables, mais je crois encore en la nouvelle Allemagne.
Je veux que vous le sachiez.

– D'après ce que vous m'avez raconté, j'avais pourtant
l'impression que la nouvelle Allemagne était aussi corrompue que l'ancienne.

– À une énorme différence près. Plus personne ne nous
maltraite. Surtout pas les Français. Ou les Tommies. Être
allemand, ça veut de nouveau dire quelque chose.

– Très bientôt, ça voudra dire que nous avons déclenché
une nouvelle guerre en Europe. Voilà ce que ça veut dire.
Et Hitler le sait. Selon moi, il veut une autre guerre. Il en
a besoin.»

Comme Kaspel ne répondait pas, je changeai de sujet.

« Nous sommes sur la route de St. Leonhard, non ?

– Oui. Pourquoi ?

– Il y a à St. Leonhard une pension, la Schorn Ziegler,
où je suis censé rencontrer l'homme de Heydrich, Neumann, si j'ai des choses intéressantes à lui dire. Pour qu'il
puisse faire un rapport au général sur ce qui se passe ici,
sans que Martin Bormann le sache.

– Je connais cette pension. C'est à sept ou huit kilomètres après Unterau. Un endroit familial. On y mange bien. » Après un silence, il demanda : « Et qu'allez-vous lui dire ?

– Tout dépend de mon état. » Je consultai ma montre et poussai un soupir. « Je ne me suis pas couché depuis trente heures. Mais j'ai l'impression que mon sang a été remplacé par du plasma lumineux. Chaque fois que je vais pisser, je m'attends à voir le feu de Saint-Elme. Mais ce soir, je serai peut-être un cauchemar ambulant, capable de raconter toutes sortes de choses qu'il vaut mieux ne pas dire en Allemagne. Ces amphétamines, ça rend bavard, hein ? Et il faut faire attention avec un homme comme Heydrich, ou ses elfes noirs. Vous l'avez dit : le plus grand mystère sur cette montagne magique c'est de savoir comment je vais résoudre cette affaire sans en payer les pots cassés. »

Un vaste bras mort sur l'Ache au courant puissant avait créé Gartenauer Insel, une île composée essentiellement d'arbres et d'un bâtiment de granit gris, monastique, situé immédiatement sur la rive ; à l'ouest s'étendait une forêt dense à laquelle on accédait par un petit pont de pierre. De l'autre côté de ce pont, après avoir parcouru quelques centaines de mètres sur un étroit chemin, on découvrait, presque totalement caché par les arbres, un long bâtiment de plain-pied, en bois sale, avec des volets bleus. La neige camouflait parfaitement la Caserne-P, et c'était sans doute ainsi que la préférait Bormann. Il n'y avait pas de filles peintes sur les murs, pas d'enseigne, pas de musique, pas même une ampoule électrique colorée : rien qui indique ce qui se passait à l'intérieur. C'était le bordel le plus anonyme que j'aie jamais vu. Nous nous arrêtâmes sur un petit parking et descendîmes de voiture. Au moment où nous allions entrer, une camionnette arriva, dans une gerbe de graviers, et un groupe de quatre ouvriers apparut. Deux d'entre eux tenaient des thermos, mais à en juger par l'odeur qu'ils dégageaient, ils avaient bu quelque chose de plus fort que du café.

« Ils viennent ici ? dis-je. Bon sang, ce n'est même pas l'heure du déjeuner.

– Les ouvriers de P&Z finissent leur travail à n'importe quelle heure. Ceux-là ont sans doute travaillé toute la nuit.

– J'ai besoin de réponses à quelques questions, mais je n'ai pas l'intention de patienter derrière un Heinrich local et sa trique. » Je sortis et brandis mon insigne. « Police ! m'écriai-je. Revenez dans une heure, les gars. Je dois interroger ces dames et je n'ai pas envie de supporter votre odeur de soupe de poisson.

– À votre place, je ne ferais pas ça, me glissa Kaspel. Ces types ont décidé de s'offrir un peu de compagnie féminine. Leurs bites aussi. De plus, au cas où vous ne l'auriez pas remarqué, cet endroit est plutôt isolé. On a vu des gens disparaître par ici. »

C'était un conseil sensé et en temps normal je l'aurais sans doute suivi, surtout après avoir précisé que je n'étais pas partisan de la manière forte. Mais les hommes qui étaient descendus de leur camionnette ne semblaient pas du tout résolus à lever le camp. De plus, ils nous regardaient avec mépris, moi et mon insigne. D'ailleurs, je ne pouvais pas leur en vouloir. Peut-être qu'un autre jour, c'est moi qui serais parti pour revenir plus tard, mais pas aujourd'hui. Le plus costaud des ouvriers cracha par terre et essuya son menton hérissé de poils naissants avec le dos de sa main épaisse.

« On reste ici, déclara-t-il. On vient de se taper quinze heures de boulot et maintenant on va prendre un peu de bon temps avec ces dames. Alors, c'est peut-être vous, le flic,

205

qui devriez foutre le camp. Demande à ton petit copain en noir. Même la SS s'immisce pas entre nous et notre plaisir.

– Je comprends, répondis-je. Et c'est une chance pour vous que je comprenne également que c'est le schnaps et la bière qui parlent en vous. C'est une langue que je peux manier assez bien moi aussi. Et puis, je n'ai pas besoin d'autre ami que celui-ci pour bavarder avec toi, Fritz. » Je dégainai mon Walther, armai le chien et tirai la balle qui se trouvait déjà dans la culasse. Le pistolet automatique tressauta dans ma main comme une créature vivante. Qui a besoin d'un clebs quand vous avez un Walther PPK ?

« Alors, remontez dans votre camionnette et attendez votre tour avant de vous retrouver avec un trou dans la tête. Et n'allez pas croire que j'hésiterai. Je n'ai pas dormi depuis hier matin et je suis encore moins lucide que le Kaiser en ce moment. Ça va faire six mois que je n'ai pas tiré sur quelqu'un. Mais si je vous bute, je ne crois pas que ça m'empêchera de dormir.»

Les ouvriers firent demi-tour en grommelant et remontèrent dans leur camionnette. L'un d'eux alluma sa pipe, ce qui est toujours bon signe quand vous êtes flic. Ce sont les hommes réfléchis qui fument la pipe. Je crois que je n'ai jamais échangé un seul coup de poing avec un type qui avait une bouffarde dans la bouche.

Mon tir de semonce avait fait sortir deux putes sur le pas de la porte. Du moins, elles ressemblaient à des putes. L'une d'elles avait à peine plus de vingt ans ; elle portait un manteau en astrakan gris, des chaussures à talons hauts et presque rien d'autre. Sous son manteau, le short noir de l'équipe d'Allemagne de football apportait une touche intéressante : sans doute voulait-elle afficher sa loyauté à l'égard de son pays d'adoption. L'autre fille, plus âgée, était vêtue d'un pardessus d'officier de la Croix-Rouge, mais les bas bleus, le porte-jarretelles et le rouge à lèvres écarlate, suffisant pour maquiller tout le Cirque d'État de Moscou, me convainquirent qu'elle n'était certainement pas médecin. Incapable de masquer son dégoût, Kaspel passa devant elles en les bousculant légèrement et je le suivis à l'intérieur après avoir tapé mes bottes pour ôter la neige. Le vestibule accueillait quelques fauteuils en cuir usés, un piano droit, un tapis élimé posé sur un sol en linoléum et un buffet délabré contenant un assortiment de bouteilles d'alcool. Il y avait également plusieurs douches pour les clients et je remarquai quelques petits morceaux de savon sur le carrelage vert de moisissure. Il régnait une forte odeur de cigarettes et de parfum bon marché. Un énorme poêle à bois trônait au milieu des fauteuils. Au moins, il faisait chaud. Une chaleur que l'on ne retrouvait pas chez la femme peu avenante qui tenait cette maison. Elle ne ressemblait pas à l'idée que l'on se faisait d'une mère maquerelle, mais ses clients étaient des rustres qui ne savaient pas plus que l'archevêque de Munich ce qu'était un bordel digne de ce nom. Contrairement à ses filles, elle portait une épaisse jupe de laine, une chemise blanche sans col, le traditionnel gilet de velours vert et un épais châle beige. Mais si j'étais certain qu'elle dirigeait cette maison, c'était grâce à la boîte de biscuits Tet qu'elle tenait sous le bras et que je devinais remplie non pas de biscuits mais de billets. Elle avait des yeux vifs de rapace et je sus, en la voyant, qu'elle détenait toutes les réponses à mes questions. Malgré cela, je m'abstins de les lui poser immédiatement. Parfois, si vous êtes malin, vous savez qu'il est préférable d'écouter les réponses aux questions qui ne vous seraient jamais venues à l'esprit. Peut-être que Platon n'apprécierait pas ce genre de dialogue, mais à l'Alex, ça marchait à tous les coups.

23

Avril 1939

« Comment vous vous appelez, beau gosse ? demanda-t-elle.

– Gunther. Bernhard Gunther. Et voici le capitaine Kaspel, du RSD.

– Me voilà soulagée. J'ai cru que c'était un cow-boy. C'était quoi ce coup de feu ?

– Je suis envoyé par Martin Bormann, dis-je. Vos clients étaient très impatients de profiter de votre compagnie et semblaient ne pas comprendre que je n'ai pas l'habitude de faire la queue. J'ai estimé que je n'avais pas d'autre explication à leur donner.» Je haussai les épaules. «Ils sont dehors, dans leur camionnette. Je leur ai dit de patienter une heure.

– C'est très aimable de votre part.» Elle alluma une cigarette et souffla une partie de la fumée vers moi, ce que je trouvai généreux. «Ils sont un peu à cran depuis que les stocks de pervitine sont à sec. C'est la drogue numéro un par ici. La cocaïne du pauvre, si vous voulez mon avis.

– Oui, il paraît.

– Si vous venez de la part de Martin Bormann, j'en déduis que Flex ne passera pas. D'ailleurs, habituellement, il est déjà là à cette heure-ci pour récolter la part de monseigneur.

– Le Dr Flex ne passera plus, pour la bonne raison qu'il est mort. Quelqu'un l'a assassiné. D'une balle dans la tête.

– Vous voulez rire ?

– Non. J'ai vu son corps. Et croyez-moi, ce n'était pas drôle du tout. La moitié du crâne avait disparu et il y avait de la cervelle par terre.

– Je vois. »

La mère maquerelle ne s'attarda pas sur la mort de Flex et son visage demeura de marbre. Apparemment, elle ne regretterait pas sa disparition. Elle non plus.

« Vous êtes grand, dites donc. Presque aussi grand que Flex.

– J'étais beaucoup plus petit jusqu'à ce que je travaille pour Bormann. Il y a quinze jours, je portais encore une pioche, je veillais sur mes six frères et on m'appelait Grincheux.

– C'est fréquent par ici. Mais vous confondez avec Prof, non ? Grincheux faisait tout le temps la tête et il ne s'occupait pas des autres.

– Prof ? Je ne suis pas aussi intelligent. Je suis celui qui a le plus gros nez et le plus mauvais caractère.

– J'ai connu pire. Comme vous avez pu le constater, certains des nains d'ici aiment jouer les durs. Mais généralement, j'arrive à les calmer. » Elle souleva son gilet de quelques centimètres pour me permettre d'entrapercevoir le petit automatique qu'elle gardait au chaud en dessous. « Vous voyez ? Je joue très bien les méchantes belles-mères quand cela s'impose.

– J'en suis sûr, dit Kaspel.

– Il n'est pas aussi gentil que vous, me dit-elle. Ça doit être l'uniforme.

– Le capitaine Kaspel ? Il dit toujours la vérité, j'en ai peur. Comme l'esclave du miroir magique. Alors, attention à ce que vous lui demanderez. La réponse pourrait vous déplaire, majesté.

– C'est vous que je suis censée arroser à partir de maintenant ?

– Je ne suis pas ici pour discuter des nouveaux arrangements, Frau...

– Lola. On m'appelle Lola la coquine. Comme Marlene Dietrich, vous savez ?»

Là s'arrêtait la ressemblance. Je hochai la tête malgré tout car je ne voulais pas la fâcher en lui riant au visage, qui ressemblait à une orange de cire tellement elle était maquillée. La chasse aux informations laissait quand même un peu de place pour la courtoisie et les bonnes manières, d'autant plus que j'avais ouvert le feu devant ses clients et exhibé le nom de Bormann comme un pompeux officiel du Parti. Au milieu de tant d'efficacité brutale, au nom du Führer, il incombait à une personne dans mon genre de rétablir l'équilibre. Peut-être. Je regardai Kaspel, en espérant étouffer son mépris. Lola n'était peut-être pas la plus belle de toutes, mais elle demeurait la reine de céans, et j'avais besoin qu'elle parle.

« Bien sûr, répondis-je. *L'Ange bleu* est un de mes films préférés.

– Alors, vous êtes bien tombé, *Herr* Gunther. Si vous êtes un gentil garçon, peut-être que je viendrai m'asseoir sur vos genoux pour vous chanter une chanson.»

Je parvins à ne pas éclater de rire, mais Kaspel avait plus de mal à conserver un air impassible. Je devais me débarrasser de lui, et vite, avant qu'il ne l'indispose. Je remarquai, à travers la fenêtre sale, qu'il neigeait de nouveau. Nullement découragés, les quatre ouvriers attendaient toujours notre départ. J'avais de la peine en songeant à ces filles, prisonnières de cette épouvantable cabane de l'amour en pleine forêt. Au moins, Blanche-Neige n'était pas obligée de coucher avec les sept nains. Dans la version que j'avais lue en tout cas.

« Peut-on s'entretenir en privé ? demandai-je.

– Venez dans mon bureau alors.

– Capitaine Kaspel, vous voulez bien aller surveiller la voiture ? Ces salopards dans leur camionnette seraient bien capables de crever nos pneus.

– Ils n'oseraient pas.

– S'il vous plaît. »

Il fronça les sourcils. Sans doute envisagea-t-il un instant de protester, puis il repensa à la réputation d'inflexibilité de l'homme qui au départ m'avait envoyé ici, à Berchtesgaden.

« Très bien », dit-il et il sortit.

Lola m'entraîna dans une pièce dotée d'un lit, d'une douche et d'un w-c. Elle ferma la porte. Des reproductions d'œuvres religieuses ornaient les murs et, compte tenu de son accent, j'en conclus qu'elle était peut-être italienne. Sur la table de chevet, un bol était rempli de capotes et je supposai qu'elle n'hésitait pas à s'occuper elle-même des clients lorsqu'il y avait du monde. Je m'assis sur l'unique chaise, elle sur le lit et elle finit sa cigarette. Une table et un classeur métalliques près de la fenêtre constituaient sans doute le coin « bureau ». Il y avait même un vieux téléphone chandelier. Pendant ce temps, Kaspel regagnait la voiture.

« Excusez-le, dis-je. Ce n'est pas von Ribbentrop.

– Si vous voulez dire qu'il n'est pas diplomate, vous avez raison. Mais Ribbentrop n'est pas un grand diplomate non plus. Vous, vous êtes différent. Disons qu'on aurait eu bien besoin de vous en septembre lorsque Chamberlain est

211

venu bouffer la merde de Hitler. Peut-être que les choses auraient pris une autre tournure. Mais bon, je suis italienne. On aime voir tout le monde heureux. C'est pour ça qu'on a Mussolini. Lui au moins, il semble apprécier le fascisme, pas comme vous, les Allemands.

– Vous êtes ici depuis longtemps, alors.

– Un an environ. Mais ça me paraît beaucoup plus long, surtout quand il neige. On est obligés de garder la moitié de ce qu'on a sur le dos. Flex nous prenait le reste, pour le gîte et le couvert, disait-il. Dans ce taudis. J'espère que vous n'êtes pas venu pour renégocier les tarifs.

– Non, je ne viens rien négocier. Écoutez, Lola. Je n'ai pas été tout à fait honnête avec vous. Je suis un *Kommissar* de Berlin. Un inspecteur. Je suis ici pour enquêter sur le meurtre du Dr Flex. Et je supposais que vous pourriez m'aider.

– Je ne sais pas quoi vous dire, *Herr Kommissar,* à part que je me réjouis qu'il soit mort. Karl était un véritable enfant de salaud et il a mérité cette balle dans la tête. J'espère seulement qu'il n'a pas souffert… moins de plusieurs heures.

– Ce sont des paroles violentes, Lola. Et si vous voulez un conseil, il vaudrait mieux les modérer, quand on sait pour qui il travaillait.

– Je m'en fous. J'en ai marre d'être ici. Vous pouvez m'arrêter et me jeter dans une cellule, je dirai la même chose. Mais bien entendu, vous ne le ferez pas, car personne ne veut entendre ce que j'ai à dire. Au début, lorsque Bormann a fait construire cet endroit, on ne reversait que vingt-cinq pour cent. Mais il y a trois mois environ, Flex nous a annoncé que désormais c'était cinquante. Comme je protestais, il nous a dit de nous plaindre à Bormann si ça ne nous plaisait pas. Ce qui est impossible. On ne peut même pas aller à Berchtesgaden. On a essayé une fois, les gens ont failli nous lapider. Évidemment, aucune de nous n'est allemande, on est donc plus faciles à repérer. Et à contrôler. Flex savait très bien qu'on n'avait pas le choix, on était obligées de faire absolument tout ce qu'il nous demandait. Je dis bien absolument tout.

– Vous voulez dire que… il profitait des faveurs de certaines filles ?

– Une seule, en fait. Renata Prodi.

– J'aimerais lui parler, si c'est possible.

– Non. Elle est partie. Le médecin l'a renvoyée chez elle à Milan. Pour la bonne raison que Flex lui a refilé une blennorragie. Moi-même, je sauterais dans un train si j'en avais les moyens. Mais je ne les ai pas.

– C'est lui qui la lui a transmise ? La chaude-pisse ?

– Presque à coup sûr.

– Quand ?

– Il y a quelques jours. On a failli mettre la clé sous la porte. Le médecin nous a toutes obligées à prendre du protéinate d'argent.» Elle se pencha en avant pour ouvrir le tiroir de la table de chevet, lequel contenait le même flacon de protargol qui figurait sur la liste des affaires personnelles de Flex, le médicament que Karl Brandt avait pris soin de faire disparaître. «Mais ce n'était pas nécessaire. Seule Renata était infectée. Et elle utilisait des capotes avec tous ses clients. Tous sauf Flex. Il insistait pour ne pas mettre de chapeau. Impossible de discuter avec un homme tel que lui. Il était vraiment malfaisant. Pas comme vous.

– Je fais partie de la même équipe de foot pourrie.

– Pas dans votre cœur. Je sais juger les hommes en un clin d'œil, *Herr Kommissar*. Il y a de la bonté dans vos yeux, c'est pour ça qu'ils sont toujours plissés et que vous les cachez sous le bord de votre chapeau. Pour que personne ne remarque que vous n'êtes pas comme les autres nains. Vous êtes Humbert le chasseur. Je le sens. Si la méchante reine vous ordonnait d'emmener Blanche-Neige dans les bois et de lui arracher le cœur, vous la laisseriez partir et vous rentreriez avec un cœur de porc dans une jolie boîte fermée par un ruban. Le cœur de Flex, probablement. En supposant qu'il en ait eu un.

– C'était toujours Flex qui venait chercher l'argent ?

– Non. Une fois ou deux, on a vu arriver un autre Fridolin. Un dénommé Schenk. Un sale type froid. Presque aussi mauvais que Flex. J'imagine qu'on aura affaire à lui maintenant. Encore une chose qui ne me réjouit pas.

– Qui perçoit l'argent de cette petite maison close ? Bormann ?

– Sans doute. Sa Seigneurie est au courant de tout ce qui se passe par ici. Et il prélève une jolie part sur tout. D'après ce que me disent les hommes qui construisent ses hôtels, ses routes et ses tunnels, il doit être riche à millions. Mais il est aussi haï que l'était Flex. J'ai l'impression que vous avez du pain sur la planche, *Herr* Gunther.

– C'est aussi ce que je me dis. J'aimerais parler à vos filles, si possible.

– Pourquoi ? Vous pensez que c'est l'une d'elles qui l'a tué ? Quelle drôle d'idée.

– Non. Mais elles ont peut-être couché avec l'homme qui l'a tué. Logique, non ?

– Je vous assure que ce serait une perte de temps. Tout d'abord, elles ne sont pas comme moi. Ce sont des gamines. Elles ont trop peur pour raconter quoi que ce soit. Et puis il n'y en a que deux qui parlent bien l'allemand.

– Hein ? Il n'y a aucune Allemande ?

– Non. Pas une seule. Nous avons une Tchèque des Sudètes et une Autrichienne, Maria. Hitler deviendrait fou s'il apprenait l'existence de cette maison, d'après ce que j'ai cru comprendre. Mais ce serait encore pire si on découvrait que des Allemandes travaillent ici. À croire que ce sont des saintes.

– Vous ne savez pas ? Nos femmes sont censées engendrer une race supérieure, et non retomber amoureuses, comme Lola-Lola, ou tenir la vedette au cabaret du coin en haut-de-forme, bas et porte-jarretelles.

– Cela étant dit, nous avons vu débarquer quelques filles de la région qui souhaitaient se faire un peu d'argent de poche. Mais j'ai été obligée de les renvoyer chez elles. Flex n'aurait peut-être pas remarqué qu'il y avait quelques demoiselles en plus. Mais le Dr Brandt, si. C'est lui qui les examine pour vérifier qu'elles n'ont pas de maladie. Une fois par semaine, avec la régularité d'une montre suisse.»

Voilà un nom que je ne pensais pas entendre prononcer au bordel du coin.

«Brandt ? Je croyais que c'était un toubib de Salzbourg qui s'occupait de vous.

– Oui, avant. Mais il a décidé que ce n'était pas son truc et il a arrêté de venir. Alors, Brandt l'a remplacé. On le surnomme le Dr Infernal. Un jour, il est venu avec son uniforme sous sa blouse. Certaines filles ont trouvé ça sexy.

– Intéressant.

– Eh bien, ouvrez grand vos oreilles, *Herr Kommissar,* car il ne se contente pas d'examiner les filles.

– Il aime s'offrir des petits à-côtés ?

– Non, pas lui. Il serait sans doute renvoyé de la SS pour avoir commis une faute aussi humaine. Ce que je veux vous dire, c'est qu'il a pratiqué au moins trois avortements clandestins depuis que je le connais. Pour de l'argent, évidemment. Aucun de ces types ne fait rien gratuitement. Mais il s'y entend plutôt, je dois l'avouer. D'après la rumeur, avant d'arriver ici, il faisait des curetages sur des femmes handicapées mentales, ou des juives qui avaient fauté avec de gentils garçons allemands. On dit que c'est le médecin personnel de Hitler. Mais je serais curieuse de savoir ce que dirait le Führer s'il apprenait tout ça.

– Je me le demande, dis-je, sans me le demander vraiment. Ces avortements, vous vous souvenez sur qui il les a pratiqués ?

– Oui, mais je ne pense pas que je devrais vous le dire.

– Renata Prodi faisait partie du lot ?

– Maintenant que vous me posez la question, je crois bien, oui.

– Il se peut, alors, que Karl Flex ait été le père.

– Possible. »

Je soupirai. J'aimais de moins en moins cette affaire. Il n'est pas rare qu'un inspecteur déteste une enquête qu'on lui a confiée, mais il est plus rare – en ce qui me concerne du moins – qu'il se déteste parce qu'il la mène. Cela me donnait envie de faire une bonne action.

« D'où venez-vous, Lola ?

– De Milan. Vous connaissez ?

– Non, hélas.

– C'est magnifique. Surtout la cathédrale. C'est ce qui me manque le plus. » Elle sortit un mouchoir pour s'essuyer les yeux. « J'aimerais tant y retourner, mais je crains d'être coincée dans ce trou perdu, pour le moment en tout cas. Tout l'argent que j'ai gagné, je l'ai envoyé chez moi. Il me faudra au moins encore un mois pour économiser le prix du voyage. J'aurais dû partir à Noël, quand j'en avais l'occasion, mais la Befana n'est pas venue l'année dernière. C'est la version italienne du père Noël. Ça n'a rien de surprenant dans un endroit pareil. On n'a même pas de vraie cheminée. La Befana ne pourrait pas passer. »

216

Nous restâmes muets l'un et l'autre, tandis que mes pensées bourdonnaient dans ma tête puis s'envolaient vers le toit. J'étais bien content de les voir s'échapper. Je n'avais pas perdu mon temps comme je le craignais.

« Que deviendront les filles si vous partez ?

– Tout ira bien. Aneta prendra la suite. Elle est tchèque, mais elle parle un allemand excellent, et elle est compétente. Au début de l'été, ils vont faire venir de nouvelles filles pour remplacer celles qui travaillent ici en ce moment. Surtout, j'aimerais partir avant que quelqu'un comme le Dr Infernal découvre la vérité à mon sujet.

– Ne me dites rien, Lola. La vérité n'est pas une chose que l'on peut partager avec qui que ce soit dans l'Allemagne d'aujourd'hui. Ça ne se voit pas, mais j'aimais bien parler dans le temps. Dernièrement, je suis devenu muet, comme si l'ange Gabriel m'avait annoncé que j'allais engendrer un fils prénommé Jean. C'est moins dangereux.

– Je vous le répète : la bonté se lit dans vos yeux. Et ne vous laissez pas abuser par toutes ces images de saints. C'est pour donner le change. La vérité, c'est que je suis juive.

– Dans ce cas, vous devriez filer dès que possible. Combien vous faut-il pour rentrer chez vous ?

– Cent reichsmarks devraient suffire. Mais ne vous inquiétez pas pour moi. Je me débrouillerai. J'espère juste pouvoir partir avant que la guerre éclate. »

« La pitié » et ses nombreux synonymes ne figuraient pas dans le dictionnaire diabolique de Heydrich. Je savais qu'il me prenait déjà pour un imbécile romantique. Et il avait peut-être raison. Car je décidai subitement de me montrer à la hauteur de la mauvaise opinion que le général avait de moi en donnant à Lola une partie de l'argent que je lui avais réclamé pour acheter des informations.

Évidemment, je savais bien qu'en donnant de l'argent à une putain juive, je faisais exactement l'inverse de ce qu'il aurait souhaité. Par conséquent, mon geste était moins un acte de générosité qu'un acte de résistance. Et en tendant les cent marks à Lola, je voyais moins le plaisir et le soulagement sur son visage clownesque que l'indignation qui déformerait les traits chevalins de Heydrich s'il assistait à cette scène.

« Avec les compliments du SD, dis-je. Et si quelqu'un vous pose la question, je fais ça parce que je déteste les juifs et je veux qu'ils quittent tous ce pays le plus vite possible. »

Lola me sourit et glissa l'argent dans une petite poche sous son gilet, à côté du pistolet automatique.

« Je savais que je ne m'étais pas trompée à votre sujet, Humbert. Je regrette juste de ne pas pouvoir vous aider davantage.

– Vous m'avez beaucoup aidé.

– Je ne vois pas comment.

– Moi, si. Parfois, ce métier se résume à une seule chose : voir ce qui se trouve sous notre nez depuis le début. »

24

Avril 1939

Je remontai sur le toit de la Villa Bechstein pour contempler une nouvelle fois les environs. Le panorama ressemblait à un décor d'opéra. J'aurais pu me trouver face aux murs imprenables d'Ásgard ; les nuages eux-mêmes évoquaient la barbe d'Odin. C'était un ciel dédié à un homme qui se faisait une idée de sa destinée. Une idée trompeuse peut-être. Rolf Müller vint me demander s'il pouvait m'aider. À mon tour de me montrer énigmatique et horripilant.

« La cheminée, dis-je en désignant l'étrange clocher.

– Eh bien ?

– Il y a largement de quoi laisser passer le père Noël et un gros sac plein de cadeaux, vous ne pensez pas ?

– Le père Noël ?

– Ne me dites pas que vous n'y croyez pas, *Herr* Müller.

– On est en avril. C'est trop tard pour le père Noël.

– Mieux vaut tard que jamais, non ?»

Je souris, mais en réalité, il m'avait semblé voir le père Noël traverser le ciel au-dessus de l'Obersalzberg dans un traîneau tiré par un escadron de valkyries. C'étaient les amphétamines. J'avais toujours l'impression d'être branché sur une centrale électrique, et c'était bon, même si, disait-on, les hallucinations nuisaient à vos capacités d'observation, du moins d'après le manuel du parfait inspecteur de police rédigé par Bernhard Weiss. Passer à côté de choses que vous auriez dû voir, c'était grave ; commencer à voir des choses dont vous saviez qu'elles n'existaient pas, c'était totalement inexcusable. Même si cela n'avait jamais empêché quelqu'un, à l'Alex, de planquer une bouteille dans le tiroir de son bureau, et si deux ou trois verres ne suffisaient pas à me ralentir. Néanmoins, l'arrivée à la Villa Bechstein d'un cortège de limousines noires arborant des petits drapeaux frappés de la croix gammée me persuada que j'allais devoir consentir un sérieux effort pour me ressaisir et me comporter comme un vrai nazi.

Je redescendis par l'échafaudage, accrochai un sourire idiot à ma face et saluai élégamment, mais pas aussi élégamment que Hermann Kaspel. Il était assez doué pour nous deux, du moins l'espérais-je. Le chef de la Chancellerie du Parti venait d'arriver avec ses dalmatiens, et dès que les lourdes portières s'ouvrirent, les deux chiens filèrent dans les bois derrière la maison. Puis Hess descendit à son tour, s'étira un peu, regarda vers le toit et me rendit mon salut d'un air distrait, en agitant sa badine. C'était un individu peu engageant. La plupart des gens que je connaissais pensaient que Hitler aimait l'avoir près de lui afin de paraître un peu plus normal. Mais Lon Chaney lui-même aurait eu l'air normal à côté de Rudolf Hess et son monosourcil, ses yeux de fantôme de l'Opéra, son crâne digne de la créature de Frankenstein. J'attendis qu'il ait disparu à l'intérieur de la villa avec son entourage servile de chemises brunes et montai discrètement au premier étage, dans la première chambre que m'avait montrée Winkelhof, le majordome. Je m'agenouillai devant la cheminée et tentai de soulever la trappe, mais elle était toujours coincée, non pas à cause de la suie ou de quelques gravats, on aurait plutôt dit qu'un objet pesant appuyait sur le dessus.

Je croyais deviner de quoi il s'agissait, et dès que Winkelhof eut fini d'installer Hess dans ses appartements, et vint me proposer une aide quelconque, je lui réclamai une masse.

« Puis-je savoir ce que vous comptez faire avec une masse, monsieur ? demanda-t-il d'un ton où perçait une désapprobation polie.

– J'ai l'intention de supprimer cette cheminée défectueuse dès que possible.

– Vous vous sentez bien, monsieur ?

– Oui, très bien, merci. »

Il ôta ses lunettes et se mit à les essuyer furieusement, comme s'il cherchait à me chasser de sa vue.

« Puis-je vous rappeler, monsieur, que la cheminée de votre chambre fonctionne parfaitement ?

– Oui, je sais. Mais quelque chose bloque la trappe de celle-ci et je crois que cette chose est un fusil. »

Winkelhof grimaça. « Un fusil ? Vous êtes sûr ?

– Plus ou moins. Je pense que quelqu'un l'a laissé tomber dans ce conduit avant de prendre la fuite.

– Et si vous vous trompez ? Ce que je veux dire… Je crains que le chef de la Chancellerie ne soit pas très heureux de vous entendre frapper contre le mur avec une masse juste sous ses appartements. Il a fait un long et fatigant voyage et il vient de m'informer qu'il souhaitait se reposer. Au calme. Je ne dois pas le déranger jusqu'à l'heure du dîner, sous aucun prétexte. Peut-être que nous pourrions faire ramoner la cheminée demain… »

J'essayai de ne pas sourire à l'idée de gâcher le sommeil du chef de la Chancellerie, mais cela se révéla impossible. Toujours les amphétamines, supposais-je. J'étais prêt à lui tenir tête si nécessaire, quitte à prendre de gros risques, tout cela au nom d'une enquête sur la mort d'un homme que personne n'aimait.

« Je ne peux pas faire autrement, j'en ai peur. Je dois élucider cette affaire le plus vite possible. J'ai des ordres, Winkelhof. Des ordres de Bormann.

– Et moi, j'en ai d'autres.

– Je comprends votre dilemme. Vous vous efforcez de diriger au mieux cette maison, en majordome digne de ce nom. Et moi, je m'efforce d'enquêter sur un meurtre. Aussi, je vais me débrouiller pour trouver des outils. Et si le chef de la Chancellerie veut me tailler les oreilles en pointe, j'en assumerai l'entière responsabilité. »

Je m'interrogeais. Dans un concours de quéquettes entre Martin Bormann et Rudolf Hess, j'ignorais lequel sortirait la plus grosse *Bratwurst*. Mais j'allais peut-être bientôt le découvrir.

Kaspel et Friedrich Korsch m'attendaient dans le salon. Korsch avait reçu mes tirages de l'autopsie et de la scène de crime.

« Vous aviez raison au sujet de ce photographe local, dit-il à Kaspel. Un certain Johann Brandner. Mais il était installé là-haut sur l'Obersalzberg, pas à Berchtesgaden. Et devinez où il est maintenant. À Dachau. Apparemment, il bombardait Hitler de lettres pour que sa petite boutique échappe à la vague d'expropriations. Bormann en a eu assez et il l'a envoyé dans un village de vacances derrière des barbelés. J'ai eu un mal de chien à trouver quelqu'un qui avoue avoir seulement entendu parler de ce pauvre vieux.

– Appelez le SD à Munich, dis-je à Kaspel. Voyez s'il est toujours là-bas. Friedrich, j'aurai besoin d'une masse. Demandez à ces ouvriers qu'on a vus sur la route. Peut-être qu'ils vous en prêteront une. »

Sur ce, je montai dans ma chambre, m'allongeai sur le lit dur comme de la pierre, fermai les yeux et respirai par le nez, profondément, en espérant que ces voix que j'entendais allaient bientôt s'évanouir. Elles me disaient que je devrais emprunter une voiture, traverser l'Autriche jusqu'en Italie le plus vite possible – Sesto n'était qu'à deux cents kilomètres –, me dégoter une jolie fille et oublier le métier de flic avant que les nazis me jettent dans un camp de concentration, pour de bon cette fois. Un juste conseil, sans doute, mais claironné un peu trop fort à mon goût, et en l'écoutant j'avais la chair de poule, comme si je me trouvais sur le chemin d'une armée de fourmis voraces. Rester éveillé durant un jour et demi était le meilleur moyen, je m'en apercevais maintenant, de recevoir un message personnel des dieux, comme dans une scène de la Bible. Une demi-heure s'écoula. Je ne dormis pas une minute. Mes yeux sautillaient sous mes paupières tels des chiots excités. Et les voix persistaient : si je ne quittais pas l'Obersalzberg rapidement, j'allais me retrouver ficelé à l'intérieur d'un sac de toile avec un groupe d'ouvriers priapiques et balancé du haut de la terrasse de la maison de thé de Hitler. Je me levai et descendis avant de me mettre à leur répondre.

Friedrich ne ressemblait guère à Thor, le dieu du Tonnerre. Premièrement, il avait l'air trop roublard et sa fine moustache faisait trop citadin. En revanche, la masse qu'il portait avec enthousiasme sur son épaule donnait l'impression qu'il partait concasser une montagne ou deux. Nul doute que si je lui avais ordonné de démolir la cheminée, il se serait fait un plaisir d'obéir, mais compte tenu des circonstances, je jugeais préférable de le faire moi-même. Si quelqu'un devait encourir la fureur de Rudolf Hess, mieux valait que ce soit moi. Alors je lui pris la masse et remontai dans la chambre du premier. Kaspel et Korsch me suivirent, impatients de voir les dégâts que j'allais infliger à la précieuse villa dans laquelle Hitler accueillait ses hôtes.

J'ôtai ma veste, retroussai mes manches, crachai dans mes mains, saisis fermement le manche de la masse et me préparai au combat.

« Vous êtes sûr, patron ? demanda Korsch.

– Non. Je ne suis plus sûr de rien depuis que j'ai goûté à la potion magique locale. »

Pendant que Kaspel expliquait à Korsch les bienfaits de la pervitine, je m'attaquai à la cheminée. Le premier coup de masse me procura un vif plaisir, comme si je l'avais abattue sur le front ridiculement haut de Hess.

« Mais je suis prêt à parier cinq marks que le fusil est caché derrière ce mur. »

Un deuxième coup de masse fit voler en éclats le carrelage du manteau et quelques briques derrière. Korsch grimaça et leva les yeux vers le plafond comme s'il s'attendait à voir Hess tendre le bras à travers le plancher pour m'étrangler.

« Pari tenu, répondit Kaspel, et il alluma une cigarette. À mon avis, le tireur l'a plutôt balancé dans les bois, là où il pourrait le récupérer plus tard. D'ailleurs, je ne comprends pas pourquoi vous ne m'avez pas laissé organiser des recherches dans les environs avant de transformer cette chambre en tas de gravats.

– Parce que le couvreur, Rolf Müller, ne fume pas, dis-je. Or, à côté de la cheminée, sur le toit, on a trouvé des mégots de cigarette et des empreintes de pas. Parce que ce n'est pas l'époque du père Noël. Parce qu'il y a trop d'arbres aux alentours : s'il lançait le fusil, celui-ci risquait de rebondir et de retomber sur le chemin, ce qui aurait alerté le jardinier. Le plus sûr, c'était de le déposer dans le conduit de la cheminée. Personnellement, c'est ce que j'aurais fait. Et parce qu'il y a quelque chose qui bloque la trappe de cette cheminée et l'empêche de fonctionner.» J'abattis la masse de nouveau, et cette fois je fis un trou de la taille d'un poing dans le mur. Au même moment, Korsch et Kaspel se raidirent comme si le diable venait d'apparaître.

«À quoi vous jouez, *Kommissar* Gunther ?»

Pivotant, je découvris Martin Bormann dans l'encadrement de la porte, accompagné de Zander, Högl et Winkelhof, qui se tenaient juste derrière. Je me retournai vers la cheminée. J'estimai qu'un dernier coup de masse suffirait. C'était une de ces situations typiquement germaniques dans lesquelles les actes ont plus de poids que les paroles. Je cognai donc encore une fois, et ce faisant je parvins à déplacer la cheminée elle-même. Désormais, il semblait possible de tout arracher à la main. Ce que j'aurais sans doute fait si un pistolet Walther n'avait surgi dans le poing potelé de Bormann.

«Si vous donnez encore un coup de masse, un seul, je vous abats», dit-il et il actionna la culasse pour montrer qu'il ne plaisantait pas, avant de pointer le PPK sur ma tête.

Je lâchai l'outil et, arrachant la cigarette que Kaspel tenait entre ses doigts, je tirai dessus en gardant un œil sur le visage de Bormann et l'autre sur le pistolet. Pour le moment, je ne dis rien. C'est bien plus facile de ne rien dire quand vous avez une cigarette à la main.

«Expliquez-vous», ordonna Bormann. Il baissa son arme, mais autant que je pouvais en juger, le chien était toujours armé et j'étais convaincu que si j'avais ramassé la masse, il n'aurait pas hésité à me descendre. «Qu'est-ce qui vous prend de détruire cette chambre ?

– Je cherche à arrêter l'homme qui a assassiné Karl Flex. Corrigez-moi si je me trompe, mais c'est ce que vous m'avez demandé. Pour cela, je dois retrouver l'arme du crime.

– Vous êtes en train de me dire que le meurtrier a tiré d'ici ? De cette chambre ?

– Non, pas de cette chambre. Du toit.

– Le toit de la Villa Bechstein ? Arrêtez vos conneries ! Je n'en crois pas un mot. Ce salopard n'était pas planqué dans les bois au-dessus du Berghof ?

– Le toit est jonché de cartouches vides. Et j'ai mesuré l'angle de tir depuis la terrasse. Je peux affirmer que le tireur était bien sur ce toit. Selon moi, après avoir tué Flex, il a balancé son fusil dans le conduit de cheminée et il a filé. Cette cheminée. J'ai remarqué que la trappe était coincée. Alors, j'ai voulu en avoir le cœur net. Lors de notre conversation hier soir, *Herr* Bormann, j'ai eu le sentiment qu'une certaine urgence s'imposait. Ainsi qu'une bonne dose de discrétion. Je vous ai pris au mot, je le crains. Sinon, j'aurais pu faire ramoner la cheminée par quelqu'un du coin et prendre le risque que toute la ville sache ce qui s'était passé ici hier matin.

– Eh bien, il est là ? Le fusil ?

– Sincèrement, je l'ignore, monsieur. En fait, j'ai suivi mon intuition. Je pourrais déplacer cette cheminée et nous serions fixés, mais j'ai l'étrange sentiment que vous pourriez me tirer une balle dans la tête avec ce pistolet que vous tenez dans la main. »

Bormann remit le cran de sûreté du Walther et le fourra dans la poche de sa veste. Armé de cet automatique, il avait encore plus l'air d'un gangster.

« Voilà, dit-il. Vous ne risquez rien, pour l'instant. »

Entre-temps, Rudolf Hess était apparu derrière son épaule et me regardait fixement, avec ces yeux bleus pénétrants qui devaient parfois rendre nerveux Hitler lui-même.

La vague de cheveux bruns sur le dessus de son crâne carré montait si haut qu'elle semblait cacher une paire de cornes, à moins qu'il ne se soit trop approché du paratonnerre dans le laboratoire du Dr Frankenstein.

« Qu'est-ce qui se passe ici, bordel ? demanda-t-il à Bormann.

– Apparemment, le *Kommissar* Gunther espère trouver l'arme du meurtrier derrière cette cheminée.» Il s'adressa à moi. « Allez-y, continuez. Mais vous avez intérêt à avoir raison, Gunther, sinon, vous allez prendre le prochain train pour Berlin.

– L'arme du meurtrier ? s'exclama Hess. Qui a été tué ? C'est quoi, cette histoire, *Herr Kommissar* ?»

Bormann ignora la question, et ce n'était certainement pas à moi de raconter qui était mort et pourquoi. Au lieu de cela, je m'agenouillai devant la cheminée, en regrettant presque de ne pas être déjà dans le train pour Berlin. En tirant de toutes mes forces sur le manteau, je délogeai un objet qui dégringola sur le sol dans un nuage de suie et de graviers. Seulement, il ne s'agissait pas d'un fusil mais d'un étui à jumelles en cuir, couvert de suie. Je le déposai sur le dessus-de-lit, ce qui ne fit rien pour m'attirer les bonnes grâces de Winkelhof.

« Ça ne ressemble pas à un fusil, dit Bormann.

– Non, monsieur, mais des jumelles peuvent vous aider à repérer votre cible. En supposant que vous ne cherchez pas à abattre n'importe qui.»

Cinq balles ayant été tirées sur la terrasse du Berghof, je n'étais pas encore sûr à cent pour cent que le meurtrier visait uniquement Karl Flex. Je m'agenouillai de nouveau et introduisis le bras dans le conduit de la cheminée. Quelques secondes plus tard, tout le monde put admirer le fusil que je tenais dans les mains. Un Mannlicher M95, un fusil à canon court fabriqué pour l'armée autrichienne, muni d'une lunette légèrement décalée sur la gauche afin de pouvoir fixer une lame chargeur.

« Eh bien, vous semblez connaître votre métier, finalement, *Herr Kommissar* », dit Bormann.

J'actionnai la culasse et une cartouche vide jaillit du fusil. Je la ramassai : elle était identique à celles que j'avais trouvées précédemment.

« Pardonnez-moi, dit-il, mais c'est quoi ce machin au bout du canon ? » Bormann s'approcha pour regarder de plus près. « On dirait un filtre à huile.

– C'est une petite astuce que j'ai déjà vue, expliqua Kaspel. Les braconniers du coin mettent ça sur leurs fusils. Il faut faire un filetage au bout du canon, mais c'est à la portée de toute personne qui possède un atelier. Un filtre à huile fait un excellent silencieux. Comme une sourdine sur une trompette. C'est l'idéal quand vous traquez un cerf sur le Territoire du Führer et que vous ne voulez pas vous faire arrêter par le RSD. »

Bormann tiqua. « Quels braconniers ? Je croyais que cette putain de clôture avait réglé le problème.

– Inutile de parler de ça maintenant, dis-je. Voilà qui explique pourquoi personne n'a entendu les coups de feu. » Voyant les sourcils de Bormann s'élever sur son front, j'ajoutai : « C'est exact, monsieur. Il y a eu plusieurs coups de feu. Nous avons découvert quatre balles dans le balcon du premier étage, au-dessus de la terrasse du Berghof.

– Quatre ? Vous êtes sûr ?

– Oui. Évidemment, nous n'avons toujours pas retrouvé la cinquième, celle qui a tué Karl Flex. Selon moi, monsieur, elle a été perdue à tout jamais quand vos hommes ont nettoyé la terrasse.

– J'exige que quelqu'un m'explique ce qui se passe »,
dit Hess. Il joignit les mains devant la boucle de sa ceinture,
puis croisa de nouveau les bras ; il semblait nerveux.
On aurait dit qu'il allait se lancer dans son discours de grand
prêtre, récité d'une voix stridente, au Berliner Sportpalast.
« Immédiatement, je vous prie.» Il frappa le sol avec ses
bottes, l'une après l'autre, pour marquer son impatience et,
pendant un instant, je crus qu'il allait se mettre à hurler et
même jeter son épingle de cravate du Parti.

Bormann se tourna vers Hess et lui raconta, à contrecœur, ce qui était arrivé à Karl Flex.

« Mais c'est affreux, dit le chef de la Chancellerie. Hitler
est au courant ?

– Non. Je ne pense pas que ce soit une bonne idée de
l'informer. Pour le moment. Tant que le coupable n'a pas
été arrêté.

– Pourquoi ?»

Bormann grimaça. Visiblement, il n'était pas habitué à
être interrogé de cette manière, même par son supérieur. Je
profitai de cet échange pour examiner de nouveau le fusil,
en faisant comme si de rien n'était. Mais a priori j'allais
bientôt connaître le vainqueur du concours de *Bratwurst*.

« Car je pense que cela l'empêcherait de savourer ses
futurs séjours au Berghof. Voilà pourquoi.

– J'insiste pour qu'il soit mis au courant le plus vite possible, dit Hess. Je suis certain qu'il voudrait être informé.
Le Führer prend ce genre de choses très au sérieux.

– Et vous croyez que ce n'est pas mon cas ?» Le visage
aussi rouge qu'une tête de cochon dans la vitrine d'un charcutier, Bormann me montra du doigt. « D'après le général
Heydrich, cet homme, Gunther, est le meilleur *Kommissar*
de la police criminelle de Berlin. Je n'ai aucune raison
d'en douter. Il a été envoyé ici pour élucider cette affaire

dans les plus prompts délais. Tout ce qui peut être fait dans l'immédiat est fait. Je vous en prie, mon cher Hess, prenez une minute pour réfléchir. En dehors du fait que vous risquez de gâcher son anniversaire à Hitler en lui annonçant la mort de Flex, il pourrait décider de ne plus venir dans l'Obersalzberg. Dans ce... son endroit préféré au monde. En tant que Bavarois, vous ne pouvez pas souhaiter qu'une telle chose se produise. En outre, ce n'est pas comme si nous avions découvert que quelqu'un avait tenté d'assassiner Hitler lui-même. Je suis certain que cette affaire n'a aucun rapport avec le Führer. Vous n'êtes pas d'accord, *Herr Kommissar* ?

– Si, monsieur. D'après les éléments que j'ai récoltés jusqu'à présent, je pense, en effet, qu'il n'y a aucun lien avec Hitler. »

Je posai le fusil sur le dessus-de-lit, à côté de l'étui à jumelles. Lui aussi était couvert de suie et il y avait peu de chances qu'il nous livre des empreintes. Je m'intéressais davantage au numéro de série. Et au filtre à huile. Compte tenu de la remarque de Kaspel, il s'agissait de quelqu'un qui possédait ou avait accès à un tour. Discrètement, je priai Korsch d'aller chercher l'appareil photo dans ma chambre, afin d'ajouter quelques clichés du fusil à mon album.

Un rictus de colère raidit la bouche pincée de Hess, comme un écolier qui se voit puni injustement. « Avec tout le respect que je vous dois, *Herr Kommissar,* cette affaire ne concerne pas la Kripo mais la Gestapo. Nous sommes peut-être en présence d'un complot. Il y a quelques mois à peine, ce ressortissant suisse, Maurice Bavaud, est venu ici dans le but d'assassiner le Führer. Il y a peut-être un lien. Peut-être même que le meurtrier a cru tirer sur Hitler, auquel cas, s'étant aperçu de son erreur, il va récidiver. Au moment où Hitler sera ici pour de bon. Au minimum, la zone interdite devrait être étendue jusqu'au pied de la Salzbergstrasse, là où elle croise la rivière Ache.

– Ça ne rime à rien, dit Bormann. Je vous assure, cher Hess, qu'il n'y a aucune espèce de complot. De plus, nous aurons certainement arrêté le coupable avant l'anniversaire du Führer. N'est-ce pas, Gunther ? »

Je n'avais aucune envie de contredire Bormann, d'autant que Hess commençait à ressembler à une girouette. Si je devais m'allier à un dirigeant nazi, le choix de Bormann me paraissait plus sûr. « Oui, monsieur », dis-je. Mais Hess n'était pas décidé à abandonner. Sa dévotion à Adolf Hitler était totale et il semblait incapable de consentir à lui cacher quoi que ce soit, aussi Bormann fut-il contraint de l'accompagner dans ses appartements à l'étage du dessus afin de poursuivre en privé cette discussion. Néanmoins, tous les occupants de la Villa Bechstein les entendirent.

C'était tout ce que j'aimais : deux nazis de premier plan qui s'écharpent au sujet de leur place dans l'immonde hiérarchie du gouvernement. On ne pouvait rêver mieux sur la montagne de Hitler.

25

Octobre 1956

Je descendis à la gare de Chaumont et montai dans un autre train, à destination de Nancy au nord, une ville située à plus de cent kilomètres de la frontière allemande, même si, je m'en apercevais maintenant, je ne savais plus trop où passait précisément celle-ci. Je connaissais le tracé de l'ancienne frontière franco-allemande, mais pas celui de la nouvelle, depuis la guerre. Après la défaite de l'Allemagne en 1945, la France a considéré la Sarre comme un protectorat et un important gisement de ressources financières. Mais lors du référendum d'octobre 1955, les Sarrois, majoritairement allemands, rejetèrent sans ambiguïté l'idée d'une Sarre indépendante (ce qui aurait convenu aux Français). Un résultat généralement interprété comme la volonté, forte, de tourner le dos à la France et de rejoindre la République fédérale d'Allemagne. J'ignorais cependant si la France avait reconnu ce résultat, auquel cas elle aurait fini par céder le contrôle de la Sarre à la RFA. Connaissant les Français et l'importance historique que nos deux pays attachaient à ce territoire très disputé, il me semblait peu probable qu'ils l'abandonnent si facilement. Et compte tenu de la violence de la guerre entre la France et l'Algérie, et du refus de la France d'accorder son indépendance à l'Afrique du Nord, j'avais du mal à imaginer les Franzis quitter une région aussi importante sur le plan industriel que la Sarre. En vérité, alors même que j'approchais de Sarrebruck, j'ignorais si je serais plus à l'abri d'une arrestation une fois là-bas. Il y aurait encore un tas de policiers français pour rendre hasardeuse ma vie de fugitif. Je pouvais juste espérer passer relativement inaperçu en tant qu'Allemand parlant le français. Suffisamment pour atteindre l'actuelle RFA. Hélas, même Nancy me parut soudain très loin lorsque, au moment où le train quittait la petite ville pittoresque de Neufchâteau, à mi-chemin de ma destination, plusieurs policiers français en uniforme commencèrent à contrôler les papiers.

Je marchai lentement vers l'autre extrémité du train, où j'allumai une Camel et passai en revue mes différentes options. Je disposais de quelques minutes avant qu'ils parviennent jusqu'à moi, et à ce moment-là, je serais probablement arrêté et envoyé en prison à Dijon. Où je me retrouverais sans tarder à la merci d'un empoisonneur de la Stasi. Évidemment, la police cherchait peut-être quelqu'un d'autre, mais mon flair d'inspecteur me disait que c'était peu probable. Pour la police, rien ne vaut une chasse à l'homme au niveau national. Ça excite tout le monde et ça offre aux flics de province un prétexte pour négliger la paperasse afin d'essayer de damer le pion à leurs collègues de la capitale. Je n'avais plus qu'un seul espoir : que le train s'arrête ou ralentisse suffisamment pour que je puisse sauter en marche. Un simple coup d'œil par la fenêtre me suffit malheureusement pour constater que si cette région se prêtait à la culture de la vigne, ce n'était pas l'endroit idéal pour jouer à cache-cache. Sur les rives de la Meuse, le paysage était monotone et aussi plat que la courbe de l'économie française. J'aurais été plus verni en Allemagne, pays plus attaché aux promenades et aux randonnées dans la campagne. Les Français n'aiment pas marcher, sauf pour aller à la boulangerie ou au tabac du coin. En lançant des chiens à mes trousses, la police me rattraperait avant la nuit. Quelques minutes de réflexion me convainquirent que ma meilleure chance – si j'avais les nerfs assez solides – était de me cacher au vu et au su de la police. Ce n'était pas un plan formidable, mais parfois, un mauvais plan semble être un choix plus valable qu'un bon plan, de même que l'on peut faire un bon feu avec des branches tordues. Nous avons un mot pour ça en allemand, mais il est très long et la plupart des gens s'essoufflent avant d'arriver au bout. Pour ma part, j'étais déjà essoufflé.

J'attendis ainsi que le train approche d'un bosquet et, rassemblant tout mon courage, je levai la main et tirai le signal d'alarme. Tandis que le train s'arrêtait par à-coups dans un fracas strident, j'ouvris bruyamment la porte d'un compartiment, puis me cachai dans les toilettes voisines. Je restai là plusieurs minutes, comme un vrai *Sitzpinkler*[1], jusqu'à ce que des cris sur la voie ferrée indiquent que les policiers étaient convaincus qu'un passager, effrayé par leur présence, avait sauté du train. Alors je ressortis des toilettes et revins sans me presser vers les compartiments où j'avais vu la police contrôler les identités. Aucun des voyageurs ne fit attention à moi ; ils étaient trop occupés à regarder par la fenêtre les flics courir le long de la rame ou inspecter le dessous des wagons à la recherche d'un criminel en fuite. Je m'arrêtai à plusieurs reprises pour regarder dehors moi aussi et demander aux gens ce qui se passait. L'un d'eux m'informa que la police traquait un

1. Littéralement : celui qui urine assis.

234

terroriste algérien du FLN, un autre m'assura qu'ils étaient aux trousses d'un homme qui avait assassiné sa femme, et sourit quand je fis semblant de m'étonner que ce soit encore considéré comme un crime en France. Personne n'évoqua le meurtrier du Train bleu, ce qui me permit d'espérer : je pourrais peut-être traverser cette région sans être inquiété. Arrivé au bout du train, je m'assis et commençai à lire la première édition de *France-Soir* que j'avais achetée à la gare de Chaumont. Le temps que le conducteur redémarre et que la police ait fini de fouiller les environs, je me disais que j'aurais peut-être recouvré mon calme. Mais en page cinq, je tombai sur ce gros titre qui mit à mal ma confiance : MEURTRE DANS LE TRAIN BLEU. En le lisant, je sentais presque la corde se resserrer autour de mon cou, d'autant plus que le souvenir du nœud coulant était encore vivace. La Citroën du suspect avait été retrouvée à Gevrey-Chambertin et on supposait qu'il était en fuite quelque part en Bourgogne. Malgré cela, mes nerfs étaient prêts à craquer quand deux ou trois policiers remontèrent dans le train. Apparemment, leurs collègues avaient décidé de retourner à Neufchâteau pour lancer une opération de recherches. À mon grand soulagement, les autres policiers avaient renoncé à contrôler les identités. Quand le train repartit à faible allure, ils collèrent le nez aux fenêtres dans l'espoir de voir leur homme cavaler à travers champs. Au bout d'un moment, l'un d'eux vint même s'asseoir à côté de moi et me demanda du feu. Je lui tendis ma boîte d'allumettes et le laissai allumer sa cigarette avant de m'enquérir de la cause de toute cette agitation. Il m'expliqua qu'ils recherchaient le meurtrier du Train bleu et, dès qu'ils seraient arrivés à Nancy, demanderaient à la police locale d'organiser une vaste chasse à l'homme dans toute la région de Chaumont.

« Comment savez-vous qu'il est par ici ?

– On a appris qu'il était passé à Dijon, après que sa voiture a été retrouvée au sud de la ville. Et un homme correspondant à son signalement a été vu près de la gare. Il voyageait certainement dans ce train. Mais il nous a vus monter à bord et il a décidé de filer. De toute façon, on ne va pas tarder à le rattraper. C'est un Allemand. Et un Allemand n'a aucune chance de se cacher en France. Depuis la guerre. Quelqu'un va le dénoncer tôt ou tard. Personne n'aime les Allemands. »

Je hochai la tête avec conviction comme s'il s'agissait d'une vérité irréfutable.

Arrivé à Nancy, je m'éloignai à grands pas de la gare, habité par cette certitude : je ne remonterais pas dans un train français avant un bon moment. Sans que je sache pourquoi – la fatigue physique et l'épuisement mental peut-être (j'aurais volontiers avalé quelques comprimés de pervitine) –, je sentais mon cœur cogner dans ma poitrine. Pour la première fois depuis bien longtemps je pensai à ma mère décédée, ce qui nécessita une courte halte dans une cabine téléphonique où je m'instillai quelques gouttes de collyre dans les yeux. Après cela, je marchai pendant un moment dans des rues paisibles, jusqu'à une église baroque impressionnante, baptisée Saint-Sébastien, où je pus enfin me détendre. Je réussis même à somnoler quelques instants. Personne ne s'intéresse à un homme assis dans une église les yeux fermés, ni les fidèles qui prient, ni les religieuses qui font le ménage, ni le prêtre qui reçoit les confessions ; Dieu lui-même vous fiche la paix. Surtout lui, peut-être.

Je demeurai une bonne heure dans l'église Saint-Sébastien avant de retrouver suffisamment d'assurance pour retourner dehors. C'était la fin de l'après-midi. J'avais envisagé de prendre un car, mais cela me paraissait aussi risqué que le train, et je ne ferais que retarder le moment où je serais certainement obligé de trouver un moyen de transport plus individuel. Une voiture exigeait trop de paperasses et je penchais plutôt pour une moto de petite cylindrée ou un scooter, mais dans la rue des Quatre-Églises, j'avisai une boutique de vélos d'occasion. La bicyclette était assurément le mode de locomotion le moins suspect. Après tout, les enfants, les professeurs, les prêtres, et même les policiers, roulaient à bicyclette. Un vélo, cela voulait dire que vous n'étiez pas pressé et rien n'attire moins l'attention qu'une personne qui n'est pas pressée. J'achetai donc un vieux Lapierre vert muni de bons pneus, de lumières et d'un porte-bagages sur lequel je sanglai mon sac. Je ne sais depuis quand je n'avais pas fait de bicyclette – sans doute l'époque où je faisais mes rondes –, et malgré le vieux dicton qui veut que ça ne s'oublie pas, je faillis m'étaler devant un livreur, ce qui me valut un cours particulier sur les trésors cachés de la langue française. Après avoir retrouvé mon équilibre, j'enfourchai de nouveau ma bécane et m'apprêtais à pédaler afin de quitter enfin Nancy quand j'aperçus un marché couvert non loin du marchand de cycles, ce qui me donna une idée pour passer encore plus inaperçu. J'entrai, et quelques minutes plus tard, j'avais fait l'acquisition de plusieurs tresses d'oignons, sous le regard dubitatif du vendeur qui semblait me demander : *Qu'est-ce que vous allez faire avec tout ça ?* Même en France, la réponse « Une soupe à l'oignon » paraissait insuffisante, alors je ne dis rien, je me contentai de tendre mon argent, ce qui, aux yeux d'un Français, constitue une explication suffisante, surtout au bout d'une longue journée de travail. Les tresses d'oignons accrochées au guidon, je repartis en direction de l'est et traversai la Meurthe vers la campagne de la Moselle, tel un véritable Onion Johnny[1]. Si un flic m'arrêtait, je me disais que ces oignons pourraient au moins servir à expliquer mes yeux rouges.

Je pédalai jusqu'à la nuit, mais n'étant guère habitué à cet effort, je ne dépassais pas les quinze kilomètres à l'heure. Je ne me souvenais pas d'avoir autant peiné quand j'étais écolier, mais Berlin est une ville très plate, ne l'oublions pas, un endroit parfait pour faire du vélo, même dans les alentours. Avant la guerre, vous pouviez parcourir des kilomètres sans rencontrer ne serait-ce qu'une bosse sur la route.

Sur les coups de vingt et une heures, l'obscurité m'empêcha de continuer, et dans un bourg paumé baptisé Château-Salins, je dus céder à la fatigue et m'arrêter afin de reposer mes yeux et mon dos. Je contemplai avec envie la façade rose de l'hôtel à côté de la mairie, dans la rue de Nancy, imaginant l'excellent dîner et le lit moelleux que j'aurais pu m'offrir dans cet établissement, mais j'aurais été obligé de montrer une pièce d'identité, or je voulais éviter de laisser derrière moi des traces écrites que la police français, et la Stasi, par extension, pourraient suivre. Poussant le Lapierre de plus en plus lourd à travers les rues jusqu'à la périphérie de la ville, j'atteignis finalement un champ parsemé de balles de foin dans la lueur de la lune, où je constatai qu'ils avaient un lit pour la nuit, gratuit, et pas la peine de montrer patte blanche. Allongé dans le foin qui avait conservé la chaleur de la journée, avec juste quelques insectes pour me tenir compagnie, je mangeai le pain et le fromage que j'avais achetés à Dijon (et même un oignon cru), bus une bouteille de bière et fumai ma dernière Camel,

---

1. Nom donné en Grande-Bretagne aux paysans qui vendent leurs oignons en faisant du porte-à-porte.

après quoi je dormis aussi bien que n'importe quel homme qui n'a pas de travail, pas de maison, pas d'amis, pas de femme et sans doute pas d'avenir. *Plus ça change, plus c'est la même chose*[1].

1. En français dans le texte.

26

Avril 1939

De retour au Berghof, après avoir quitté la Villa
Bechstein, je fus témoin d'une autre dispute sonore, entre
Arthur Kannenberg, le régisseur de la maison, et un homme
que Kaspel identifia rapidement comme étant l'aide de
camp de Hitler sur place : Wilhelm Brückner. Ils se trouvaient dans le Grand Hall, mais la porte principale était
ouverte et de là où nous étions, dans l'escalier juste au-
dessus, nous entendions presque chaque parole cinglante.
Le haut plafond du Grand Hall y veillait. Cette pièce aurait
pu accueillir un récital de piano et même un petit opéra
de Wagner, si tant est que cela existe, mais ce à quoi
nous assistions était déjà un sacré spectacle. Apparemment,
Brückner était un homme à femmes et Kannenberg, qui
possédait un physique peu engageant dirons-nous, suspec-
tait le bel officier de faire des avances à son épouse, Freda,
dans le jardin d'hiver, ce qui semblait peu probable à toute
personne ayant déjà vu Freda, et encore moins dans le
jardin d'hiver où on gelait.
« Ne vous approchez pas d'elle, c'est bien compris ?
– Je ne sais pas de quoi vous parlez.

– Si vous avez des questions concernant la gestion de cette maison, venez me trouver, pas elle. Elle ne supporte plus vos remarques obscènes.

– Par exemple ? Qu'aurais-je dit, d'après elle ?

– Vous le savez très bien, Brückner. Vous vous êtes plaint d'être insatisfait de votre chambre à coucher.

– Je ne suis pas obligé de répondre à vos accusations ignobles ! s'écria Brückner. En outre, personne ne tire profit de cette maison autant que vous, Kannenberg. Tout le monde sait que vous prélevez de jolis pots-de-vin sur toute la nourriture et les boissons qui entrent ici.

– C'est un infâme mensonge !

– Vous êtes un petit escroc minable. Ça aussi tout le monde le sait. Y compris le Führer. Vous croyez qu'il ne remarque rien ? Il connaît toutes vos combines. Il sait que vous faites payer ses invités s'ils réclament quelque chose dans leur chambre le soir. Ou un paquet de cigarettes de contrebande. Hitler ferme les yeux pour le moment. Mais ça ne durera pas.

– C'est un peu fort venant de quelqu'un dont la petite amie a reçu un dédommagement de quarante mille reichsmarks, rien que ça, de la part du Führer lui-même parce que vous avez refusé de l'épouser. Et comme si ça ne suffisait pas, tout le monde sait que vous avez fait pression sur cette pauvre Sophie pour qu'elle vous reverse la moitié de cette somme afin d'éponger une partie de vos dettes.

– Cet argent était le prix d'un service en céramique qu'elle a peint à la main. Un cadeau pour Eva.

– Quarante mille, c'est beaucoup pour un service à café et quelques carreaux de faïence.

– Pour un crétin inculte comme vous, peut-être. Ces articles étaient une commande de Hitler lui-même. Sophie m'a donné un peu d'argent ensuite, mais c'était pour rembourser une ancienne dette qui datait de l'accident de voiture, quand j'ai payé tous les frais médicaux.

– Accident qui ne se serait pas produit si vous n'aviez pas été ivre. Et soyez certain que le Führer le sait, ça aussi.

– Je devine que c'est vous qui le lui avez dit.

– En fait, non. Je pense que c'est Sophie Stork elle-même. Elle ne vous porte pas dans son cœur depuis qu'elle sait que vous essayiez de baiser la sœur du maire. Sans parler de la femme du garde-chasse, Mme Geiger. Et Mme Högl. Je suis sûr que toutes les femmes des environs ont des histoires intéressantes à raconter sur vos mains baladeuses.

– Toutes les femmes sauf la vôtre. Cela devrait vous faire réfléchir, espèce de gros porc.

– Vous savez quoi ? Je ne serais pas étonné que l'on découvre que c'était *vous,* en réalité, que visait celui qui a tué Karl Flex. Flex se trouvait à côté de vous, Brückner. Nul doute que beaucoup d'hommes à Berchtesgaden paieraient cher pour vous voir mort. Moi y compris.

– Mais il n'y a qu'une seule femme qui aimerait *vous* voir mort, Kannenberg.

– Intéressant, me glissa Kaspel. Juste au moment où on pensait avoir trouvé un bon mobile.

– Les morts sont généralement mieux lotis que les pauvres gens qu'ils laissent derrière eux, dis-je. Dans tout homicide, il n'y a pas seulement une victime. Beaucoup de réputations se font assassiner elles aussi.

– Ne vous approchez pas de Freda ! s'emporta Kannenberg. Si vous savez où est votre intérêt.

– Ça ressemble à une menace.

– C'est notre boulot, Hermann, ajoutai-je. D'assassiner les réputations. De tout renverser. Sans nous soucier des dégâts que nous provoquons du moment que nous arrêtons

242

le meurtrier. Dans le temps, c'était la seule chose qui comptait. De nos jours, très souvent, ça n'a pas vraiment d'importance.

– Si je vous vois encore tourner autour d'elle, Brückner, je raconterai à votre petite copine du moment le genre de films que vous réalisiez dans votre école de cinéma à Munich.

– Vous savez, Hermann, je serais riche si on m'avait donné cinq marks chaque fois qu'à la fin d'une enquête, j'étais parvenu à la conclusion que le mort l'avait bien cherché et que le meurtrier était en fait un chic type. Et je devine que ce sera encore le cas ici.

– Vous n'êtes qu'un porc, dit Brückner. Je plains Freda. Être obligée d'épouser un connard dans votre genre. Une chance que vous jouiez de l'accordéon, car ce n'est pas dans votre chambre que vous pouvez la distraire.

– Vos jours en tant qu'aide de camp sont comptés. Et même si vous étiez aux côtés de Hitler au début...

– C'est exact, Kannenberg. Avant le putsch de Munich. Pouvez-vous en dire autant ? Souvenez-vous de ce dicton : "Celui qui est proche du Führer ne peut pas être quelqu'un de mauvais."

– Certes. Mais il vous considère désormais comme un handicap. Je serais très étonné que vous passiez un été de plus ici. D'autant que nous ne manquons pas d'aides de camp de la SS.

– Si je dois partir, soyez sûr que je vous entraînerai avec moi, Kannenberg. Ça en vaudrait presque la peine, rien que pour voir votre sale tronche.»

Pour une raison inexpliquée, la dispute prit fin sur cette remarque. Peut-être s'étaient-ils souvenus qu'il y avait des micros cachés. Aux bruits de pas dans le vestibule, nous nous empressâmes de disparaître, en constatant au passage

243

que nous n'étions pas les seuls à avoir effrontément écouté aux portes. Mais nous avions probablement une meilleure excuse : les flics sont payés pour fourrer leur nez partout. Pour les autres, c'était une petite distraction, car dans la vie il n'y a rien de plus distrayant que le malheur de son prochain.

Nous entrâmes dans mon bureau au premier étage en prenant soin de refermer la porte. Si l'un de ces deux hommes venait nous chercher, nous pourrions faire croire que nous n'avions rien entendu. Je mis des bûches dans le poêle en céramique pour me chauffer les mains. Je me sentais glacé après ce violent échange entre Brückner et Kannenberg.

« Ils ne peuvent pas se supporter, dit Kaspel.

– Non. Mais j'ai l'impression que c'est monnaie courante dans cette maison. »

Je marchai vers la table pour prendre une des deux enveloppes qui m'étaient adressées, en sortis la feuille pliée à l'intérieur et lus ce qui était écrit à la main.

Pendant que Kaspel disait : « Cinq balles tirées et quatre à côté. Peut-être que le tireur visait en effet Wilhelm Brückner. Je suis sûr que le filtre à huile en guise de silencieux n'améliore pas la précision.

– Et si ce n'était pas Brückner, c'était peut-être encore quelqu'un d'autre qui était visé. Pourquoi pas ? Je doute que Bruno Schenk, par exemple, puisse remporter un concours de popularité. Pas plus qu'aucun de ses collègues, d'ailleurs. Peut-être que le tireur se fichait de savoir qui il allait tuer, du moment qu'il tuait *quelqu'un* sur cette terrasse. Vous avez pensé à ça ? J'ai entre les mains la liste que j'ai réclamée à Schenk ce matin au petit déjeuner. Celle de tous les gens que les larbins empotés de Bormann ont réussi à exaspérer depuis que le Führer a fait de l'Obersalzberg sa résidence alpine. Il y a là plus de trente noms, accompagnés de diverses causes de rancune.» Mes yeux se posèrent sur un nom en particulier. «Dont celui de Rolf Müller, notre couvreur idiot de la Villa Bechstein.

– Vous plaisantez.»

Je tendis la feuille à Kaspel.

«Hélas, non. Apparemment, il possédait un petit chalet derrière ce qui est aujourd'hui la maison de l'aide de camp de Göring, et il n'était pas très heureux de devoir le vendre, à un prix inférieur à celui du marché qui plus est. Il a même proféré quelques menaces. Franchement, je suis un peu étonné que Schenk ait compris ce qu'il disait.

– Müller était sans doute bien placé pour agir, dit Kaspel. Mais j'ai du mal à l'imaginer en meurtrier.

– Parfois, c'est l'occasion qui transforme un homme en assassin. Le fait de se retrouver au bon endroit, au bon moment, avec une arme. C'est sans doute pour ça que Bormann interdit les armes au Berghof, du moins quand Hitler est là.»

Le téléphone sonna et pendant que Kaspel répondait, j'entrepris de fouiller la chambre en chintz. Je regardai derrière les rideaux en chintz, sous les coussins en chintz et les fauteuils tapissés de chintz, et même sur le haut du lustre en fer forgé avec ses abat-jour en chintz. Tout dans cette pièce évoquait le salon d'une vieille dame daltonienne qui ne voyait pas le vert : on avait l'impression d'évoluer à l'intérieur d'une bouteille de Chartreuse. Il me fallut moins de deux minutes pour le découvrir, mais ayant été averti, par Heydrich d'abord puis pas Kaspel, que la maison était truffée de micros, je savais ce que je cherchais. Derrière un petit portrait de Hitler au crayon, sur le mur recouvert de chintz, était caché un micro en métal gris, de la taille d'un micro de téléphone. Je le laissai en place,

245

mais le déconnectai aisément de sa source d'alimentation, le rendant inoffensif. Je poursuivis mes recherches sans en trouver d'autre et j'en conclus qu'un micro par chambre c'était probablement suffisant pour n'importe quelle équipe de surveillance. Surtout une équipe de curieux déjà rendus sourds et aveugles par tout ce chintz.

Tandis que Kaspel raccrochait après plusieurs minutes, il fit cette remarque :

« Vous n'auriez pas dû faire ça. Quand quelqu'un sait qu'il doit faire attention à ce qu'il dit, il ne peut pas commettre d'erreur. Mais si on croit que l'on peut parler librement dans cette pièce, on risque d'en faire autant ailleurs, et alors, où est-ce qu'on va se retrouver ? Je vais vous le dire. En prison.

– Désolé, Hermann, mais je ne peux pas faire autrement. Si notre travail consiste à chercher la vérité, je trouve bizarre que l'on ne puisse pas s'exprimer franchement là où on travaille. C'était qui au téléphone ?

– La Gestapo de Munich. Vous savez, le photographe, Johann Brandner, celui qui avait une boutique ici, sur la montagne ? Le pauvre gars qui s'est retrouvé à Dachau parce qu'il avait protesté contre la vente forcée de son commerce. Il a été libéré il y a quinze jours, il vit maintenant à Salzbourg. Coïncidence ou pas ?

– Son nom figure également sur cette feuille. »

Je lui tendis la liste établie par Schenk.

Kaspel la survola et hocha la tête.

« Apparemment, il avait l'œil, mais il ne s'en est pas toujours servi pour faire des bonnes photos. D'après la Gestapo, avant d'être photographe, c'était un *Jäger* dans un Schützenbataillon de la troisième division d'infanterie bavaroise. Un tireur d'élite, rien de moins.

– Je m'en veux de dire ça, mais on ferait bien de demander à la Gestapo de Salzbourg de vérifier qu'il vit encore à l'adresse indiquée. Je pense que nous venons de trouver notre suspect numéro un, Hermann. Je ne crois pas beaucoup aux coïncidences.

– Bien, chef.» Il pointa le premier nom sur la liste. «Hé, regardez. Schuster-Winkelhof. Ce n'est pas le nom du majordome de la Villa Bechstein? *Herr* Winkelhof?

– Si, dis-je tristement. Franchement, je m'étonne que votre nom ne figure pas sur cette liste.

– Elle me paraît très complète. Trente noms, c'est à peu près la moitié des habitants de l'Obersalzberg qui ont été dépossédés de leurs maisons. Procéder aux interrogatoires, vérifier les alibis... ça va nous prendre une éternité.

– D'où la pervitine. Avec ça, on ira plus vite. Ou alors, ça nous semblera moins long.» Je haussai les épaules. «Et peut-être qu'on aura de la chance. Avec le numéro de série du Mannlicher. Ou les jumelles. Vous les avez examinées? C'est du bon matériel. Dix fois cinquante. Le tireur s'en est certainement servi pour repérer sa cible auparavant. Un bon sniper utilise toujours des jumelles.

– Il y a des empreintes?

– J'ai vérifié. Aucune. Il portait des gants, j'en suis sûr. Pas vous? Il fait froid sur le toit de la villa.»

Kaspel ouvrit l'étui et en sortit les jumelles.

«Numéro de série 121519. Fabriquées par Friedrich Busch, à Rathenow.

– C'est une petite ville à l'ouest de Berlin, célèbre pour ses instruments d'optique. Korsch est en train de se renseigner sur ce numéro, et celui du fusil.

– Vous lui faites confiance? En général, je veux dire. Vous ne pensez pas que c'est un espion?

– Je lui fais confiance. Si tant est que ça veuille dire quelque chose. Friedrich est un gars bien. Mais parlez-moi plutôt du filtre à huile utilisé comme silencieux. Vous disiez en avoir déjà vu un.

– En fait, c'est un certain Johannes Geiger qui m'en a parlé. Il m'a dit qu'il avait déjà vu un fusil trafiqué de cette façon. Dans la forêt sous la Kehlstein. Abandonné à côté d'une carcasse de cerf. Sans doute un braconnier. Mais on n'a jamais réussi à savoir à qui appartenait cette arme.

– Johannes Geiger ?

– C'est le garde-chasse. Il tue surtout les chats du coin. Du moins, ceux qui s'aventurent sur le Territoire du Führer. Hitler déteste les chats, parce qu'ils chassent les oiseaux. Et Hitler adore les oiseaux, évidemment.

– D'où l'ornithologue.

– Exact.

– Hum.

– Ne me dites pas que le nom de Geiger figure aussi sur cette liste.

– Non. Mais les initiales JG sont marquées à l'intérieur du couvercle de l'étui à jumelles.

– En effet.

– Arthur Kannenberg n'a-t-il pas accusé, à l'instant, Brückner d'essayer de baiser la femme du garde-chasse ?

– C'est juste.» Kaspel tenta de réprimer un bâillement. « Rien que de penser à tout ça, je suis fatigué. C'est dans des moments comme celui-ci que je m'aperçois que je n'ai jamais été un véritable enquêteur. Contrairement à vous, Gunther. Je manquais de patience. Je crois que j'ai besoin d'une nouvelle dose de potion magique.»

Je lui lançai mon tube de pervitine. Il prit deux comprimés, les réduisit avec la crosse de son arme en fine poudre blanche, qu'il inhala de la même façon que la veille. Il arpenta bruyamment la chambre durant une minute ou deux en se frottant le nez et en boxant le vide, tout en battant furieusement des paupières.

« Ah, nom de Dieu, je n'arrive pas à croire qu'on est ici. Dans la propre maison de Hitler, dit-il. Le Berghof, bordel. Et son bureau est juste en face, de l'autre côté du couloir. Nom de Dieu, Gunther ! Si c'est pas un lieu saint, ça ! On devrait se déchausser ou je ne sais quoi. »

Ce numéro valait presque celui que nous avions entendu dans le Grand Hall.

« En tant que RSD, j'aurais cru que vous étiez déjà venu ici, Hermann.

– D'où sort cette idée ? Non, il n'y a que Rattenhuber ou Högl qui entrent au Berghof. Ce sont des Bavarois. Et Hitler ne fait confiance qu'aux Bavarois. Rattenhuber est originaire de Munich et Högl de Dingolfing. J'ignore d'où vient Brückner, mais il était dans un régiment d'infanterie de Bavière. Hitler déteste les Berlinois. Il se méfie d'eux. Il pense que ce sont tous des communistes, alors c'est aussi bien qu'il ne vous croise pas, Gunther. Ce sont des gens comme vous qui donnent une mauvaise image des Berlinois. Donc, non, c'est la première fois que je franchis le seuil de cette maison.

– Choisissez un souvenir si quelque chose vous plaît. Cette mocheté d'aquarelle par exemple, là, sur le mur. Je ne dirai rien à personne.

– Vous n'êtes même pas un peu impressionné d'être ici ?

– Si, si. » Je pris le Leica et photographiai Kaspel. « Si j'étais plus impressionné, je décollerais, comme une montgolfière, et ils seraient obligés de m'abattre au-dessus de Paris pour me faire atterrir.

– Vous n'êtes qu'un petit connard sarcastique, en fait.

– Je croyais que vous le saviez déjà. Je suis de Berlin.

– Vous voulez que je vous prenne en photo moi aussi ?

– Non merci. J'espère oublier que j'ai mis les pieds ici un jour. Ça ressemble à un mauvais rêve. Mais comme tout le reste, depuis notre petite virée dans les Sudètes. » Kaspel humecta son doigt pour ôter les restes de pervitine autour de ses narines et le lécha lentement.

« Vous l'inhalez toujours de cette façon ? demandai-je. Comme un Electrolux humain ?

– Au bout d'un moment, vous développez une sorte d'accoutumance à la potion magique. Quand vous la prenez oralement, ça met plus de temps à agir. Si vous recherchez un effet immédiat, il vaut mieux la prendre comme du tabac à priser. »

On frappa à la porte. C'était Arthur Kannenberg. Ses yeux étaient un peu plus exorbités que d'habitude, ce en quoi ils s'accordaient avec son ventre. Si Hitler était un végétarien qui ne buvait pas une goutte d'alcool, Kannenberg, de toute évidence, aimait la saucisse et la bière.

« Comment ça se passe ? s'enquit-il d'un ton aimable.

– Bien, répondis-je.

– Avez-vous besoin de quelque chose, Bernie ?

– Non, rien. Merci.

– J'ai téléphoné à Peter Hayer, l'ornithologue. Comme vous me l'avez demandé. Il est ici, au rucher. Si vous souhaitez lui parler.

– Peter Hayer ? Oui, volontiers. Merci, Arthur.

– Je suppose que vous avez tout entendu. La dispute entre Brückner et moi.

– Je pense que nous ne sommes pas les seuls, Arthur. Mais j'imagine que vous en étiez conscients l'un et l'autre. C'était quoi, le but ? Vous vouliez que vos paroles parviennent aux oreilles du Führer sans que vous soyez obligés de cafter directement ? Mais n'oubliez pas que c'est une arme à double tranchant.»

Kannenberg prit un air penaud. «Vous savez certainement que c'est un meurtrier, j'imagine. Brückner. Il a servi sous les ordres du colonel Epp durant l'insurrection communiste de 1919 en Bavière. Ils ont tué des centaines de personnes. À Munich et à Berlin. J'ai même entendu dire que c'est Brückner lui-même qui commandait les Freikorps qui ont assassiné Rosa Luxemburg et Karl Liebknecht. Voilà évidemment pourquoi il est si proche de Hitler. Ce que je veux dire, c'est qu'un meurtre de plus ou de moins, c'est quoi pour un homme comme lui ? Et je sais qu'il possède un fusil à lunette, chez lui, à Buchenhohe. Vous devriez peut-être aller voir s'il y est toujours.

– Arthur, dis-je patiemment, vous ne pouvez pas jouer sur tous les tableaux. Vous m'avez dit que Flex se tenait à côté de Brückner sur la terrasse au moment où il a été abattu. Vous vous souvenez ? Et puis, ce qui est arrivé à Luxemburg et à Liebknecht ? À Berlin, peut-être que les gens continuent de penser que c'est un assassinat. Mais certainement pas dans d'autres parties de l'Allemagne. Et surtout pas ici.

– Non, sans doute.» Kannenberg esquissa un sourire triste. «Mais vous savez, Brückner et Karl Flex, on ne peut pas dire qu'ils étaient vraiment amis. Brückner a même menacé de le tuer un jour.

– Ah oui ? Qu'a-t-il dit ?

– Je ne me souviens pas de ses paroles exactes. Il faudrait lui poser la question. Par contre, je peux vous dire une chose : son meilleur ami dans le coin, c'était Karl Brandt. C'est Brandt qui a soigné Brückner après son accident de voiture. C'est également pour ça que Brückner l'a recommandé à Hitler. Brandt doit tout à Brückner. Tout. Et il n'y a pas que ça. Brandt est un très bon tireur, au dire de tous. Son père était dans la police de Mülhausen, il lui a appris à manier une arme quand il était enfant.

– Ils *étaient* amis, dites-vous. Ce qui sous-entend que ce n'est plus le cas.

– Brückner s'est fâché avec le Dr Brandt aussi. Je ne sais pas trop pourquoi. Mais je crois que Brandt manigançait quelque chose avec Flex.»

Je hochai la tête, sans me départir de ma patience.

«Merci, Arthur. Je saurai m'en souvenir.

– J'ai pensé que je devais vous en parler.

– J'en ai pris bonne note.»

Kannenberg me sourit et ressortit.

«Qu'est-ce que vous dites de tout ça, chef? demanda Kaspel.

– Sincèrement, je ne suis pas surpris, Hermann. Dans un endroit comme celui-ci, où la vérité est une denrée rare, nous allons entendre un tas de très bonnes histoires. Je suppose que Neville Chamberlain en a entendu une sur les Tchèques, et que l'on est obligé de croire ce qu'on veut croire. Tout le problème est là, voyez-vous. J'ai peur de finir par penser qu'une de ces personnes a vraiment tiré sur Flex. Non pas parce que c'est le cas, mais parce que je commence à croire que quelqu'un dit la vérité.»

Je pris mon manteau, les jumelles, et me dirigeai vers la sortie, suivi de Kaspel. Au milieu de l'escalier, je m'arrêtai une seconde pour lui montrer la liste de noms établie par Bruno Schenk. Le dernier était celui de l'homme que nous allions voir, l'ornithologue du Landerwald, Peter Hayer.

27

Avril 1939

Il neigeait faiblement et un groupe d'ouvriers armés de pelles dégageait la route qui longeait la limite ouest du Territoire du Führer. Ils faisaient grise mine, comme on pouvait s'y attendre, car il y a des choses plus amusantes que de déblayer de la neige alors qu'il neige toujours. « Ralentissez », dis-je, comprenant trop tard que j'aurais dû conduire : Kaspel avait tellement d'amphétamines dans le corps que je craignais qu'il ait une crise cardiaque. Moi-même, j'avais un peu l'impression de planer. Les voix avaient disparu, mais les bourdonnements étaient toujours là, ce qui me semblait approprié à l'endroit où nous nous rendions. « Je sais que je ne suis pas un passager très agréable. Mais je n'ai pas envie de mourir durant mon séjour ici. Heydrich ne vous le pardonnerait pas. »

Kaspel leva un peu le pied et continua à gravir la montagne en direction de la Kehlstein, laissant la Türkenhäusel sur notre droite, puis la maison de Bormann. Il pointait du doigt telle ou telle construction, ce qui n'était pas pour me rassurer. Pendant ce temps, j'ouvris la seconde enveloppe que j'avais trouvée sur mon bureau, ne serait-ce que pour éviter de regarder les méandres de la route. Elle provenait du major Högl.

« Ça, c'est la maternelle… la serre… Hitler… les fruits et les légumes frais… la caserne des SS… On ne la voit pas, mais la maison de Göring est juste là, plus bas, sur la gauche. Naturellement, c'est la plus grosse. Comme lui. » Nous atteignîmes un croisement. « Ça, c'est la poste. Et à côté, il y a les logements des chauffeurs, les garages pour toutes les voitures officielles, et derrière, l'hôtel Platterhof, toujours en construction évidemment.

– On dirait une vraie petite ville.

– Dieu seul sait ce qu'ils fabriquent sous terre. Des fois, on entend les vibrations quand ils creusent des tunnels dans l'Obersalzberg, et c'est comme si vous aviez des nazis dans la tête. Bien entendu, il y a un tas de bâtiments officiels à Berchtesgaden également. Mais c'est plutôt le territoire du frère. Albert Bormann. Il est responsable de la chancellerie privée de Hitler et d'un petit groupe d'aides de camp qui ne reçoivent pas leurs ordres de frère Martin. Il y a même un théâtre là-haut, mais en dehors du Territoire du Führer. Ils organisent toutes sortes de choses pour les gens du coin, dans le but d'améliorer les relations avec la communauté. Il paraît que notre ami Schenk y a donné une fois une conférence. À moins que ce ne soit Wilhelm Zander ? Oui, c'était Zander. Il leur a parlé de *Tom Sawyer* et du roman américain, dit Kaspel en riant. Vous imaginez le succès.

– C'est un grand livre.

– Zander semblait le penser.

– Encore un Bavarois, je suppose.

– Non. Il est de Sarrebruck. »

La voiture dérapa légèrement lorsqu'il se remit à accélérer. Par endroits, la route était raide et étroite, et si nous allions dans le décor, nous n'aurions aucune chance de nous en sortir.

« C'est quoi l'histoire entre Martin et Albert ? demanda-t-il.

– Ils se détestent. Je ne sais pas pourquoi. Heydrich me pousse à enquêter, mais j'avoue que je ne connais toujours pas la raison de cette haine. Un jour, j'ai entendu Martin Bormann parler d'Albert en disant "l'homme qui tient le manteau du Führer". C'est suffisamment parlant.

– Sauf quand vous vous appelez Heydrich.

– Vous découvrirez peut-être quelque chose. Au cas où vous n'en auriez pas conscience, je trouve que vous vous débrouillez très bien.

– J'aimerais partager cet avis. »

Il pointa le pouce derrière lui.

« Bref, tout ça, c'est le Territoire du Führer, strictement interdit à quiconque n'est pas quelqu'un. Mais ce domaine de trois kilomètres est entouré par une gigantesque clôture de onze kilomètres de long qui englobe presque toute la zone autour de la Kehlstein. Un sanctuaire pour le gibier et les oiseaux. C'est là que nous allons. Il y a deux ans environ, quand Bormann a voulu clôturer tout le secteur, Geiger, le garde-chasse, a souligné les conséquences désastreuses que ça aurait pour la vie sauvage locale. Cela étant, la plupart des animaux avaient déjà fichu le camp, à cause du vacarme des travaux. Ils ont été expulsés, comme beaucoup de gens. Attentif à l'amour de Hitler pour la nature, Bormann a créé la forêt de Landerwald, au sud de Riemertiefe, et ils ont réintroduit des chamois, des renards, des cerfs, des lapins, etc. Tout sauf une licorne.

– Pas étonnant que les braconniers adorent cet endroit.

– Ils rendent fou Bormann. Surtout, il a peur que Hitler le découvre et décide d'agir de manière radicale. Je pense que le Führer aime plus les petits animaux à fourrure que les gens.

– Sans aucun doute, dis-je.

– Qu'est-ce que vous lisez ?

– Le major Högl m'a dressé la liste de toutes les victimes parmi la main-d'œuvre locale au cours de ces deux dernières années. Dix ouvriers ont trouvé la mort dans une avalanche sur le Hochkalter. Huit autres dans l'effondrement d'un tunnel sous la Kehlstein. Un ouvrier est tombé dans la trémie. Cinq autres ont été tués par un glissement de terrain sous le tunnel Südwest. Trois conducteurs d'engins sont morts parce que leurs véhicules ont quitté la route. Un ouvrier a été poignardé à mort par un collègue au camp d'Ofneralm à cause d'une histoire de dette non honorée. Et enfin, plus bizarre : un employé de P&Z est signalé comme mort, cause inconnue.

– Je ne vois pas ce qu'il y a de bizarre. Des gens meurent pour toutes sortes de raisons, non ? Si le travail ne les tue pas, ce sera la potion magique. Aucun doute. Moi-même, je ferais mieux d'arrêter. J'ai le cœur comme un colibri affamé.

– Arrêtez, alors. Si vous voulez dormir un peu, je n'y vois pas d'inconvénient.

– Ça ira. Dites-moi ce que vous trouvez bizarre dans la mort de cet ouvrier.

– Uniquement son nom pour le moment. R. Prodi.

– Et ?

– Une des filles de la Caserne-P est rentrée au pays parce qu'elle avait attrapé une chaude-pisse. Elle s'appelait Prodi. Renata Prodi. C'était la préférée de Karl Flex. » Je m'interrompis. Comme Kaspel ne disait rien, je libérai quelques pensées dans la voiture. « Mais peut-être qu'elle n'est pas rentrée chez elle. Peut-être que sa présence sur cette liste est une erreur bureaucratique. Au minimum on devrait vérifier si elle est bien arrivée à Milan. Et comment elle s'est retrouvée sur une liste d'ouvriers morts établie par votre chef.»

Quelques minutes plus tard, nous nous arrêtâmes devant un chalet en bois qui mesurait une vingtaine de mètres de long et peut-être la moitié de large. Il y avait une cheminée sur le toit en pente et environ deux cent cinquante petites fenêtres carrées percées dans les quatre murs. Des fenêtres sans vitre car elles n'étaient pas faites pour regarder à travers, pas question même de s'en approcher sans un voile et un enfumoir. J'avais devant les yeux l'hôtel Adlon des ruches.

Quand vous entriez dans le rucher, la première chose que vous remarquiez, c'était une petite ruche en verre où vous pouviez voir, si ça vous intéressait, des abeilles au travail. On dit qu'elles travaillent, mais je ne suis pas sûr que les abeilles emploieraient ce terme. Elles n'ont même pas de syndicat. De toute façon, une seule abeille méritait mon attention, celle qui était au fond de ma poche, dans un flacon, et que j'avais découverte à l'intérieur du revers de pantalon du mort. Si les abeilles me laissaient indifférent, je m'intéressais beaucoup, en revanche, aux trois hommes rassemblés dans le petit bureau du rucher, notamment parce que deux d'entre eux avaient des fusils à lunette et que le troisième se leva en souriant dès qu'il vit ce que je tenais dans la main.

«Vous avez retrouvé mes jumelles, dit-il simplement.

— Vous devez être *Herr* Geiger, le garde-chasse.

— Exact.»

Je le laissai récupérer ses jumelles et lui serrai la main.

«Ce sont bien les vôtres, donc ?»

Il ouvrit l'étui et me montra ce qui était écrit à l'intérieur.

« Ce sont mes initiales : JG. Où les avez-vous trouvées ? »

N'étant pas prêt à lui fournir une explication, je lui montrai mon insigne de cuivre. Généralement, c'était très efficace pour détourner les questions auxquelles je ne voulais pas répondre.

« J'appartiens au Präsidium de la police de Berlin et je suis ici à la demande du chef de cabinet Bormann pour enquêter sur le meurtre de Karl Flex.

– Sale histoire, dit un des deux autres hommes.

– Et vous, vous êtes ?

– Hayer. L'ornithologue de Landerwald.

– Udo Ambros, intervint le troisième, qui fumait la pipe. Un des garde-chasses adjoints. Je suis jamais allé à Berlin. Et je risque pas d'y aller.

– L'un de vous connaissait-il le Dr Flex ?

– Je l'ai croisé, dit Geiger.

– Moi aussi, fit Ambros. Mais je savais pas qu'il était docteur.

– Docteur en ingénierie. Chez P&Z.

– N'empêche, dit Hayer, personne ne mérite ça. D'être assassiné, je veux dire. »

Je ne relevai pas. Jusqu'à présent, tout ce que j'avais vu m'incitait à penser que Flex l'avait bien cherché.

« Vous avez de sacrées installations, dis-je. J'ignorais que des abeilles pouvaient vivre aussi bien en Allemagne.

– Ces abeilles ont une vie bien meilleure que certains juifs, je pense, dit Geiger.

– Oui, mais elles forment un petit clan elles aussi, ajouta Ambros.

258

– Il n'y a pas que les abeilles qui sont dorlotées au Landerwald, dit Geiger. À quelques centaines de mètres d'ici, il y a un autre chalet comme celui-ci où les cerfs peuvent venir chercher du fourrage et des graines. Surtout en hiver, quand ils ont moins à manger dans les bois.

– Sans oublier le sanctuaire des oiseaux de proie, ajouta Hayer. Les aigles, les chouettes. Pour protéger nos nombreuses espèces reproductrices.

– Avec des fenêtres plus grandes, je suppose », dis-je. Personne ne sourit. C'était un peu comme ça sur l'Obersalzberg. Ils riaient de leurs propres plaisanteries, mais celles d'un *Kommissar* de la Kripo de Berlin, ils ne trouvaient pas ça drôle.

« Nous avons environ deux mille boîtes de reproduction numérotées pour toutes les variétés d'oiseaux, dont certaines très rares, déclara fièrement Hayer. Dans tout le Landerwald.

– Mais ce n'est pas un zoo, tint à préciser Geiger. Il n'y a pas d'animaux domestiques ici. Notre travail est dicté par les règles de l'Administration des forêts domaniales de Bavière.»

J'observai de nouveau les trois hommes réunis dans le bureau. Ils affichaient des visages robustes habitués au grand air, à l'image de leurs vêtements : épaisses vestes en tweed, knickerbockers, grosses bottes, chemises en laine couleur crème, cravates de laine vertes et chapeaux de feutre bavarois ornés de plumes grises. Même leur moustache et leurs sourcils fournis semblaient être les articles les plus chauds du magasin. Leurs fusils de fabrication allemande étaient munis de lunettes et bien entretenus : on sentait l'odeur de la graisse. Deux fusils de chasse étaient posés sur un râtelier derrière le bureau. Une importante puissance de feu pour tuer quelques chats.

« Pourquoi avez-vous des fusils ? demandai-je.

– Un chasseur digne de ce nom a toujours un fusil », répondit Ambros.

Il portait au revers de sa veste un badge émaillé représentant une pioche et un maillet, accompagnés de ces mots *Mines de sel de Berchtesgaden* et *Bonne chance*. Un agréable changement par rapport aux svastikas du Parti.

« Certes, mais sur quoi tirez-vous ?

– Les écureuils et les chats sauvages, les corbeaux, les pigeons. Et on fournit de la viande pour la table du Führer quand on nous le demande.

– Ce n'est donc pas une réserve où les animaux sont protégés.

– Si, les animaux sont protégés. De tout le monde, sauf de nous. »

Il afficha un grand sourire et croisa les jambes ; il portait les mêmes bottes Hanwag que moi.

« Notre métier ne consiste pas à tirer sur des gens, si c'est ce que vous insinuez, dit Geiger.

– Quelqu'un a été abattu, répliquai-je. Avec un Mannlicher de fabrication autrichienne, muni d'une lunette. Sans parler de vos jumelles, *Herr* Geiger. Pour répondre à votre question précédente, sachez que je les ai trouvées dans le conduit d'une cheminée de la Villa Bechstein, l'endroit d'où a tiré l'assassin. J'ai également découvert des douilles sur le toit.

– Et vous pensez que je pourrais être impliqué dans ce meurtre ? J'ai perdu ces jumelles il y a quinze jours. Depuis, je les cherche. Elles appartenaient à mon père.

– C'est exact, *Herr Kommissar,* confirma Hayer. Il devenait pénible à force. Moi-même je les ai cherchées pour lui.

– Je n'aurais pas dit qu'elles m'appartenaient si j'avais tué cet homme, si ?

– Le Mannlicher était caché dans le même conduit de cheminée. Et ce n'est pas le père Noël qui l'a déposé là. Ce fusil était muni d'un silencieux. Un filtre à huile fixé au bout du canon.

– Une astuce de braconnier, dit Geiger. Les gens du coin vont et viennent en empruntant les anciennes galeries des mines de sel. L'été dernier, on a découvert deux passages et on les a obstrués. Mais toute cette montagne est un vrai gruyère. Les gens ont exploité les mines de sel pendant des centaines d'années.

– Et les braconniers ? Vous en avez arrêté ?»

Geiger et Ambros secouèrent la tête.

« Il y a un an environ, j'ai découvert un fusil, dit Geiger. Avec un silencieux. Semblable à ce que vous décriviez. Mais malheureusement pas son propriétaire.

– Qu'est devenu ce fusil ?

– Je l'ai remis au major Högl. Du RSD. Le braconnage est un crime, vous savez. Et ici, tous les crimes doivent être signalés au RSD.

– Sauriez-vous, par hasard, qui possède un fusil Mannlicher ?

– C'est une arme assez répandue dans cette partie du monde, dit Ambros en tirant sur sa pipe. J'en ai un à la maison.

– Il n'a pas disparu, j'espère.

– Toutes mes armes sont dans une armoire, *Herr Kommissar*. Fermée à clé.

– Personnellement, je n'ai qu'un fusil de chasse, dit Hayer. Pour tirer sur des corbeaux de temps en temps. Je me demande donc pourquoi *Herr* Kannenberg m'a téléphoné pour m'annoncer que vous souhaitiez me parler. C'est bien cela, *Herr Kommissar* ?

– Si vous êtes l'apiculteur, oui.

– C'est bien moi. »

Je lui montrai l'abeille retrouvée dans le revers du pantalon de Flex.

« C'est une abeille morte », dit Hayer.

Je décelai une certaine insolence dans cette remarque, mais peut-être uniquement parce que c'était une chose que je pratiquais allègrement.

« C'est un indice ? » demanda Ambros.

Encore de l'insolence masquée.

« Elle se trouvait dans les vêtements de la victime. Alors, peut-être que oui. Je ne sais pas encore. De quel genre d'abeille s'agit-il, *Herr* Hayer ?

– C'est un faux bourdon. Une abeille mâle. Le produit d'un œuf non fécondé. Sa principale fonction est de s'accoupler avec une reine fertile. Mais très peu y parviennent. La plupart des faux bourdons vivent environ trois mois et ils sont tous chassés de la ruche à l'automne. Évidemment, impossible de dire depuis quand celui-ci est mort. Mais même privés de miel, certains peuvent survivre longtemps après avoir été évincés.

– Je connais bien ça, commenta Kaspel.

– Si c'est un indice, il ne nous apprend pas grand-chose. Dans cette région, durant les mois d'automne, vous trouverez des faux bourdons morts ou agonisants un peu partout. Derrière les rideaux, par exemple. En général dans les endroits chauds.

– L'autre jour, j'en ai trouvé deux dans mon placard à serviettes, avoua Ambros. À mon avis, ils dormaient là depuis des mois.

– Ils sont parfaitement inoffensifs, évidemment, reprit Hayer. Ils ne peuvent pas vous piquer. Ils n'ont pas de dard, uniquement des organes sexuels. Désolé de ne pas pouvoir vous aider davantage.

– En fait, vous m'avez été très utile.» Je devinais que ce n'était pas ce qu'il voulait entendre, alors j'en remis une couche. « N'est-ce pas, Hermann ?

– Oui, monsieur. Énormément.»

Hayer esquissa un sourire. « Je ne vois pas en quoi.

– Peut-être. Mais c'est mon métier, non ?

– Si vous le dites.

– Connaissiez-vous le Dr Flex, *Herr* Hayer ? Vous ne me l'avez pas dit.

– J'ai eu affaire à lui, répondit sèchement l'ornithologue.

– Puis-je vous demander dans quelles circonstances ?

– Lors de la vente de ma maison au chef de cabinet.

– Puis-je affirmer sans risquer de me tromper que vous ne vouliez pas la vendre ?

– C'est exact.

– Et que s'est-il passé au juste ?

– Ils m'ont fait une proposition et pour finir, j'ai été obligé d'accepter de vendre. Voilà tout. Si ça ne vous ennuie pas, je ne souhaite pas en dire plus, *Herr Kommissar*.

– Allons, *Herr* Hayer. Il est de notoriété publique que vous étiez très mécontent. Karl Flex vous a-t-il menacé ?»

Peter Hayer se renversa dans son fauteuil et fixa son regard sur une étagère remplie de livres consacrés à l'apiculture. À côté, une gravure ancienne représentait des apiculteurs de l'époque médiévale, le visage masqué par une sorte de filet.

« Du moins, c'est ce que j'ai entendu, dis-je. Il aimait bien exercer son pouvoir, paraît-il. Il s'est mis beaucoup de monde à dos. J'ai l'impression que, de l'avis général, il n'a pas volé cette balle. » L'ornithologue contemplait maintenant ses ongles, et son visage était presque aussi impénétrable que celui des apiculteurs médiévaux sur la gravure. « Écoutez, *Herr* Hayer, je suis un citadin. Je n'aime pas trop la montagne. Ni la Bavière. Tout ce que je veux, c'est mettre le grappin sur l'homme qui a abattu Flex afin de pouvoir rentrer à Berlin. Je ne fais pas partie de la Gestapo et je ne vais pas dénoncer les gens qui tiennent des propos déplacés. Moi-même, je suis coutumier du fait. N'est-ce pas, Hermann ?

– Il n'appartient même pas au Parti, dit Kaspel.

– Alors, jouons cartes sur table. Karl Flex était un salopard. Un des salopards utilisés par Bormann pour faire le sale boulot sur l'Obersalzberg. Je me trompe ?

– Il ne s'est pas contenté de me menacer, dit Hayer. Il a ordonné à ses hommes d'arracher les portes de ma maison. En plein hiver. Ma femme était enceinte à l'époque. Alors j'ai été obligé de vendre. La maison valait deux fois plus que le prix qu'il l'a payée. N'importe qui vous le dira. »

Geiger et Ambros confirmèrent en marmonnant.

« Elle a été démolie immédiatement après mon départ. Elle avait été bâtie par mon grand-père. Plusieurs autres maisons se trouvaient sur l'emplacement actuel du théâtre. À Antenberg. La salle qu'ils ont construite pour montrer des films et offrir des distractions aux travailleurs du coin. J'y vais parfois, rien que pour retrouver la vue que j'avais de chez moi. » Il regarda sa montre. « D'ailleurs, on y va tous ce soir.

– Racontez-moi ce qui s'est passé après cette expropriation.

– Il n'y a pas grand-chose à raconter. Le Dr Flex a fait publier un communiqué dans le *Berchtesgadener Anzeiger* pour informer les lecteurs de ce qui m'était arrivé et annoncer que tout individu opposé aux expropriations serait considéré comme un ennemi de l'État et envoyé à Dachau.

– Quand était-ce ?

– En février 1936. Comme vous le voyez, j'ai eu trois ans pour m'habituer à l'idée que je ne vis plus là-haut. Maintenant, j'habite en ville. À Berchtesgaden. Si j'avais voulu tuer Flex, je crois que je l'aurais fait à l'époque, sous le coup de la colère.

– Il faut avoir la tête froide pour bien viser.

– Dans ce cas, me voilà innocenté. Je n'ai jamais été une fine gâchette.

– Je peux le confirmer, *Herr Kommissar,* dit Ambros. Peter est un très mauvais tireur. Il arrive à peine à atteindre la montagne avec son fusil de chasse, alors avec une carabine...

– Et Johann Brandner ? demandai-je. Le photographe qui a eu des ennuis avec Bormann. C'est un bon tireur, lui ?

– Il est à Dachau.

– En fait, non. Il a été libéré il y a une quinzaine de jours et il vit à Salzbourg.

– Bonne idée, dit Geiger. De vivre loin d'ici. Je suppose que les habitants de Berchtesgaden auraient trop peur de lui confier un travail désormais.

– L'un de vous pense-t-il qu'il aurait pu tuer Flex ?

– Personne ne l'a vu, dit Hayer.

– Il était plus doué avec un fusil qu'avec un appareil photo, déclara Ambros. Je n'en dirai pas plus.

– Maintenant que j'y pense, *Herr Kommissar,* dit Geiger, je suis presque certain que le fusil de braconnier que j'ai remis au major Högl était un Mannlicher. Avec une lunette. Peut-être que vous devriez lui en parler. Et même lui demander qui a tué le Dr Flex, par la même occasion.

– Vous découvrirez peut-être qu'ils en pinçaient pour la même pute de la Caserne-P, ajouta Ambros. Mais faites attention à la manière dont vous posez la question. Notre cher major Högl était dans le 16ᵉ régiment d'infanterie de Bavière.

– Et alors ? J'imagine qu'il n'était pas le seul dans la région.

– Il était sous-officier. Sergent. Et d'après ce qu'on raconte, son aide de camp au seizième était un certain Adolf Hitler. »

28

Avril 1939

Après avoir quitté le Landerwald, nous nous arrêtâmes dans le village de Buchenhohe, situé en dehors du Territoire du Führer, pour fouiller la maison de Flex. Comme partout ailleurs sur l'Obersalzberg, je ne vis personne dans les rues. Les habitants étaient sans doute blottis chez eux, au chaud, à écouter la BBC en retenant leur souffle dans l'attente de savoir s'il y aurait la guerre. Personne, y compris moi, ne pouvait croire que les Britanniques et les Français étaient prêts à se battre pour les Polonais, dont le gouvernement de la *Sanacja* n'était guère plus démocratique que celui de l'Allemagne. Toutes les guerres éclatent pour de mauvaises raisons et je ne pensais pas que celle-ci – nul ne doutait que Hitler allait dénoncer le bluff des Britanniques – ferait exception.

La maison, toute de bois et de pierre, s'élevait à côté d'une curieuse petite église grise constituée principalement d'un toit en pente et d'un clocher trapu : on aurait dit une Grosse Bertha, un obusier de 420 mm de diamètre que nous avions utilisé pour détruire les forts de Liège, Namur et Anvers. Elle détonnait dans le décor suranné de Buchenhohe. Mais l'idée de balancer un obus de huit cents kilos sur le Berghof ne manquait pas de charme, et elle était tout à fait dans les cordes d'un obusier géant capable de tirer à douze kilomètres. Une prière à envoyer vers les cieux plusieurs fois par jour.

« La plupart des officiers du RSD employés au Berghof vivent ici ou à Klaushöhe, expliqua Kaspel. De même que moi. Il y a aussi pas mal d'ingénieurs de P&Z. À cette grosse différence près qu'ici les maisons ont été spécialement construites pour abriter ces personnes. Nul n'a été obligé de vendre sa propriété. Du moins, à ma connaissance.

– Comment pouvez-vous supporter de vivre ici après Berlin ? demandai-je. C'est comme être enfermé dans un film de Leni Riefenstahl qui défile sans fin.

– On s'habitue.»

Kaspel se gara dans une allée large comme un timbre-poste, devant une porte en pierre voûtée surplombée d'un lourd balcon en bois peint en noir. Friedrich Korsch était venu nous accueillir. Il avait emprunté une voiture à la Villa Bechstein pour effectuer le long trajet jusqu'à Buchenhohe, par la route principale qui traversait Berchtesgaden, et, le nez collé à la fenêtre, il cherchait à regarder à l'intérieur. Hermann Kaspel avait emporté les clés trouvées dans la poche du mort, mais très vite, il apparut que nous n'en aurions pas besoin.

«Quelqu'un nous a devancés, patron, dit Korsch. À moins que la femme de ménage ne soit pas venue ce matin et qu'ils aient fait une sacrée fiesta hier soir. Apparemment, la maison a été cambriolée.»

Kaspel ouvrit la porte d'entrée, qui n'était plus verrouillée. Je m'arrêtai et regardai une ficelle qui pendait à la boîte aux lettres, avant de suivre le capitaine à l'intérieur. Les livres et les bibelots de Flex étaient éparpillés. La poussière flottait encore dans l'air, comme si un gorille venait d'agiter une boule à neige géante.

« À mon avis, ils sont repartis il y a peu, dis-je en me raclant la gorge afin de chasser la poussière.

– On devrait peut-être attendre les gars des empreintes, suggéra Korsch.

– À quoi bon ? Sur la montagne de Hitler, c'est forcément quelqu'un que connaissait Flex, quelqu'un dont les empreintes étaient déjà là avant que tout soit retourné. » Je remarquai un plateau en argent par terre et sur la table de la cuisine un billet de dix marks.

« En tout cas, ce n'était pas l'argent ou les objets de valeur qui les intéressaient, dis-je. Quoi que ce soit, ils ne l'ont pas trouvé.

– Qu'est-ce qui vous fait dire ça ? demanda Kaspel, alors que nous passions d'une pièce à l'autre.

– Tout ce bazar, répondit Korsch. Généralement, quand quelqu'un a trouvé ce qu'il cherchait, il arrête de tout foutre en l'air.

– Peut-être qu'ils ont mis plus de temps que prévu.

– Quand vous flanquez un tel bordel, c'est encore plus difficile de dégoter quelque chose, poursuivit Korsch. Et une fois que vous avez trouvé votre bonheur, il reste souvent au moins une pièce intacte. Ici, on a l'impression qu'ils étaient aux abois. Et pressés par le temps. Ils sont sans doute repartis les mains vides. Tant mieux pour nous. Cela veut dire qu'on aura peut-être plus de chance qu'eux.

– Pourquoi donc ?

– Parce qu'on est de la police. Si quelqu'un nous voit ici, on s'en fiche. Et parce qu'on n'est pas pressés.

– Ce n'est pas tout, ajoutai-je. Aucun tiroir n'a été ouvert, mais les meubles ont été déplacés brutalement. Et ils ont renversé et cassé des objets. Idem quand ils ont décroché les tableaux. Visiblement, ils cherchaient quelque chose d'assez grand. Que l'on peut cacher derrière une armoire ou un cadre.

– Un coffre peut-être ?»

Korsch prit un humidor en bois de rose verni encore plein de havanes.

«Probablement, dis-je. Sur la liste des objets personnels de Flex figuraient des clés de maison, qui sont en notre possession. Et une clé suspendue à une chaîne en or qu'il portait autour du cou, dont on pense qu'elle a été volée par le Dr Brandt. Une clé de coffre-fort ? Un coffre dont quelqu'un connaissait l'existence ? Quelqu'un qui n'avait pas besoin de s'embêter avec les clés de la maison parce qu'il en détenait déjà un jeu ? Ou qui savait où le trouver. Ce qui expliquerait la ficelle accrochée à la boîte aux lettres. Je parie qu'il y avait une clé au bout. Je suppose, Hermann, que vous n'aviez pas noté la marque de la clé qui a disparu ?

– Je ne l'ai pas notée, mais je suis sûr que c'était une Abus.

– Abus fabrique des serrures, dis-je. Pas des coffres.

– Je l'ignorais, dit Kaspel.

– Notre cambrioleur aussi, j'imagine. Néanmoins, je suis prêt à parier ma pension que c'est un coffre qu'ils cherchaient. Tous les murs, sans exception, ont été examinés. Au fait, où habite le Dr Brandt ?

– Ici. À Buchenhohe. À deux cents mètres. Près de la rivière Larosbach.

– Il pouvait donc agir à sa guise.

– Il a très bien pu venir directement ici après l'autopsie», ajouta Kaspel.

Je retournai dans la cuisine. Dans un coin se trouvait une armoire métallique, une armoire réfrigérée Electrolux, et comme je ne connaissais personne qui en possédait une, je l'ouvris. Elle contenait plusieurs bouteilles de bon vin de Moselle, du champagne, du beurre, des œufs, un litre de lait et une grosse boîte de caviar.

« Flex avait des goûts de luxe. Tous ces colifichets en or dans ses poches. Les cigares. Le caviar. Le champagne. » De son côté, Kaspel avait sorti du buffet une bouteille contenant un liquide jaune vif. « Ça, ça coûte moins cher, commenta-t-il. C'est du Neo-Ballistol.

– Pour prendre soin des pieds et des armes, expliquai-je. Car personne d'autre ne le fera à votre place.

– C'est quoi, le Neo-Ballistol ? demanda Korsch.

– De l'huile, dis-je. Dans les tranchées, on en mettait sur nos pieds *et* sur nos armes. Je ne sais pas pour lesquels c'était meilleur.

– Pas seulement les pieds, précisa Kaspel. Ça servait également de baume pour les lèvres, pour désinfecter, ou en cas de problèmes digestifs. Un remède maison universel. Certaines personnes ne jurent que par cette huile. Mais elle a été interdite dans toute la région depuis qu'en 1934 Hitler a été empoisonné par du Ballistol. Personne ne sait s'il en a délibérément trop pris, ou si quelqu'un lui en a versé une trop forte dose dans son thé. Sa boisson préférée.

– Je m'en souviendrai quand je l'inviterai dans le but de l'empoisonner.

– Quoi qu'il en soit, Brandt a envoyé le Führer à l'hôpital et Bormann a ordonné à tous les habitants de l'Obersalzberg de se débarrasser de leurs stocks de Ballistol, sous peine d'emprisonnement.

– Tous les habitants sauf Karl Flex, souligna Korsch.

– C'est bon aussi pour les palpitations cardiaques ? » Je balayai quelques livres étalés sur le canapé, m'assis et allumai une Türkisch 8, ma panacée personnelle : le tabac et une cuillerée de schnaps sont deux substances ordinaires dont l'abus est quasiment impossible, du moins d'après ma propre pratique de l'automédication. Je jetai un coup d'œil à ma montre et calculai que je n'avais pas dormi dans un lit depuis trente-six heures maintenant. Mes mains tremblaient comme si j'avais la maladie de Parkinson et mon genou tressautait comme si je servais de cobaye à une expérience amusante menée par Luigi Galvani. Je passai la main sur mon visage, attendis en vain que la nicotine apaise mes nerfs, et décidai que j'avais besoin de me raser. Je me rendis dans la salle de bains de Flex et me regardai dans le miroir de l'armoire de toilette. Ma barbe naissante commençait à évoquer une gravure de Dürer. Je dénichai un blaireau, du savon et un bon coupe-chou Dovo que j'aiguisai en le frottant durant une minute contre un épais cuir à rasoir. Après quoi, j'ôtai mon manteau, ma veste et me savonnai le visage.

« Vous allez vous raser ? demanda Korsch. Ici ?

– C'est une salle de bains, non ?

– Maintenant ?

– Oui. Sculpter mon visage avec un rasoir m'aide à réfléchir. C'est l'occasion de voir les choses sous un autre angle. Qui sait ? Peut-être que mes mains arrêteront de trembler. »

Me raser ne m'empêchait pas de parler.

« Pour le moment, on a un grand type à la cervelle explosée que personne n'aimait, hormis Martin Bormann. Ce qui ne veut pas dire grand-chose étant donné que, de toute évidence, Bormann réserve son affection à Adolf Hitler et à *Frau* Bormann. Madame pense certainement que son mari est un homme exceptionnel, mais je crains qu'il y ait tromperie sur la marchandise. D'une manière ou d'une autre, il s'est fait énormément d'ennemis. Tout comme les sous-fifres qu'il a recrutés pour faire le sale boulot à sa place. Un de ces larbins s'appelait Karl Flex, et sans doute qu'un grand nombre de gens souhaitaient sa mort. Comme il était beaucoup moins dangereux de tuer Flex que Martin Bormann, quelqu'un qui était au courant de la réunion d'hier au Berghof a décidé de profiter de la visite de Rolf Müller chez le médecin pour abattre Flex du toit de la Villa Bechstein. C'est peut-être Müller lui-même, mais j'en doute. Ce qui semble évident, c'est que le tireur se serait contenté de n'importe quelle cible sur cette terrasse. Même s'il avait manqué Flex, et nous savons qu'il l'a manqué quatre fois, il était sûr d'atteindre une personne détestée par les gens du coin.

» Vous savez, je n'ai jamais beaucoup aimé les Bavarois, jusqu'à ce que je vienne à Berchtesgaden et découvre qu'un grand nombre d'entre eux détestent les nazis, pour des raisons meilleures que les miennes. Ce qui amuse un vieux social-démocrate comme moi, c'est que les mesures de sécurité sont censées être draconiennes. Mais, en réalité, j'ai l'impression que les gens du coin vont et viennent à leur guise sur le Territoire du Führer, parce qu'ils connaissent toutes les anciennes mines de sel, bien mieux que l'intimité de leurs femmes. Et si certains d'entre eux n'étaient pas déjà suffisamment remontés contre Bormann à cause des expropriations, ils sont devenus encore plus irascibles depuis que les réserves de potion magique sont à sec. Ils en ont besoin pour travailler douze heures par jour. Et si ça se trouve, c'est pour ça qu'ils ont tué un employé de P&Z. Il pourrait s'agir d'un message envoyé par le syndicat des ouvriers du bâtiment.

» Nous savons également que Flex prélevait une part de l'argent des filles de la Caserne-P, en échange de quoi il a refilé la chaude-pisse à l'une d'elles, Renata Prodi, ce qui a obligé tout le monde à prendre du protargol. C'est peut-être de cette façon qu'il finançait son style de vie. En tout cas, la fille a disparu et on peut penser qu'elle est morte. Autre personne liée aux filles de la Caserne-P, le Dr Brandt, qui semble avoir entrepris de protéger la réputation posthume de Flex, car on le soupçonne fortement d'avoir volé plusieurs choses ayant appartenu au défunt : du protargol, de la pervitine, une clé au bout d'une chaîne et un carnet contenant des chiffres. Ce qui fait de lui le suspect numéro un pour ce cambriolage. Selon toute vraisemblance, le Dr Brandt a également pratiqué un avortement sur Renata Prodi, qui portait peut-être l'enfant de Flex. Résultat, je suis face à un dilemme intéressant. Pas facile d'interroger le Dr Brandt sur tous ces sujets étant donné que Hitler et Göring étaient les deux invités d'honneur de son mariage. Si je l'accuse de se tromper en me donnant l'heure, rien que ça, je vais me retrouver dans le prochain car pour Dachau.

» Nous avons un suspect principal : Johann Brandner. Le photographe local qui a été envoyé au camp pour avoir protesté contre la vente forcée de son commerce à Martin Bormann. Nous n'avons que des preuves indirectes, mais les éléments à charge sont les suivants : Salzbourg ne se trouve qu'à quarante minutes de route et c'est un ancien tireur d'élite d'un Schützenbataillon. Il a très bien pu venir à Berchtesgaden, tirer sur la terrasse et rentrer chez lui ni vu ni connu. Qu'en dites-vous, Friedrich ? Des nouvelles de la Gestapo de Salzbourg ?

– Toujours rien, patron. Ils enquêtent également sur les numéros de série du fusil et des jumelles.

– Que dois-je faire au sujet du Mannlicher que Geiger affirme avoir remis au major Högl ? demanda Kaspel.

– Essayez de voir ce qu'il est devenu. C'est peut-être l'arme qu'on a retrouvée dans la cheminée.

– Et s'il n'en sait rien ?

– Encore une question que je n'ai pas hâte de poser. La simple hypothèse que Högl ait pu, à un moment donné, être en possession de l'arme du crime va m'attirer les foudres de Bormann. Alors, je suppose que j'improviserai le moment venu. »

Je fis remonter la lame du coupe-chou le long de ma gorge et l'essuyai avec la serviette en coton d'Égypte de Flex. Tout ce qu'il avait possédé ou utilisé était de la meilleure qualité. Même son papier-toilette brillait. Chez moi, je me servais du *Völkischer Beobachter*.

« Évidemment, dis-je, Geiger s'est peut-être trompé à propos du fusil. Ou bien il a menti. Ces trois hommes que nous venons de voir au rucher ne m'ont pas paru particulièrement coopératifs. Et après ce qu'Arthur Kannenberg m'a dit au sujet de Brückner, au Berghof, j'ai l'impression que tout le monde sur cette montagne prépare du pétrin en espérant que quelqu'un d'autre tombe dedans. Pour l'instant, la seule personne dont je suis absolument certain qu'elle n'a pas commis ce meurtre, c'est Adolf Hitler. Ce qui en dit long sur l'état de l'Allemagne moderne, bien plus que sur mes talents d'enquêteur. »

Je m'essuyai le visage et cherchai de l'eau de Cologne dans l'armoire. Bien entendu, Flex possédait la toute dernière eau de toilette américaine, avec un voilier sur la bouteille, et j'en appliquai un peu sur ma peau. J'aurais pu tout aussi bien la boire.

« Friedrich, je veux que vous restiez là pour voir si vous ne découvrez pas quelque chose d'intéressant. Ne me demandez pas quoi, surtout, car je serais incapable de vous répondre. Je suppose que vous ne trouverez pas de coffre-fort, mais ça ne peut pas faire de mal de chercher un peu. Prenez bien soin de laisser toutes les lumières allumées, s'il vous plaît. Je veux que le Dr Brandt, ou toute personne ayant quelque chose à cacher, et qui vit dans les parages, se dise que nous irons jusqu'au bout de notre enquête. Ça pourrait provoquer une réaction... Peut-être qu'on essaiera de vous tuer. Ça nous serait très utile, je pense. Nous avons besoin d'un sacrifice de ce genre pour élucider cette putain d'affaire.

– Merci, monsieur. Je vais voir ce que je peux faire.

– Si vous trouvez quelque chose, appelez-moi au Berghof. Je vais aller dormir un peu. Hermann ? Rentrez chez vous deux ou trois heures pour en faire autant. Vos yeux commencent à me foutre la trouille. J'ai l'impression de regarder Margarete Schön dans *La Vengeance de Kriemhild*. Si les miens ressemblent aux vôtres, je dois quelques marks au passeur. »

29

Avril 1939

En redescendant de la montagne sur la route sinueuse qui menait au Territoire du Führer, je vis un certain nombre de personnes marcher vers Antenberg et décidai de les suivre, car elles savaient peut-être une chose que j'ignorais. Ce qui n'était pas très difficile. La curiosité était un vilain défaut, notamment dans ces contrées éloignées, mais même dans l'Allemagne nazie, cela restait la spécialité d'un bon enquêteur, spécialité qui pouvait parfois se révéler mortelle. Cependant, je ne voyais pas ce qu'il y avait de mal à se montrer un peu curieux à cet instant, surtout quand il apparut que tous ces gens se rendaient au théâtre qui avait été construit pour distraire les ouvriers et les habitants de Berchtesgaden. Et avait entraîné l'expulsion de l'ornithologue, entre autres. On comprenait aisément pourquoi les nazis avaient acheté ces maisons. L'emplacement était idéal et, pour ceux qui appréciaient ce genre de choses, il offrait de tous côtés une vue magnifique. Personnellement, je ne suis pas très sensible à une jolie vue, sauf à travers la fenêtre d'une salle de bains ou le trou de serrure d'un dortoir de filles. Je n'ai jamais été très porté sur la contemplation des paysages, et encore moins depuis 1933 ;

cela vous distrait d'une tâche plus importante, et essentiellement urbaine : surveiller du coin de l'œil la Gestapo, ce qui, compte tenu de mes opinions politiques, constitue un dilemme permanent.

Le théâtre était une immense bâtisse en bois de la taille d'un dirigeable, orné d'une longue oriflamme représentant l'aigle nazi, histoire d'être sûr que les gens comprennent bien. Mais la construction laissait à désirer et déjà le toit à double pente semblait s'affaisser sous le poids de la neige accumulée. Sans parler des fuites. À l'intérieur, plusieurs seaux avaient été placés à des endroits stratégiques. Il y avait là une centaine de personnes, parmi lesquelles les trois hommes que j'avais rencontrés au rucher. À mon grand étonnement, ces gens étaient venus écouter l'aide de camp de Martin Bormann, Wilhelm Zander, parler de *Tom Sawyer* une nouvelle fois. Du moins le crus-je, jusqu'à ce que je découvre qu'on allait ensuite projeter un film : *Les Anges aux figures sales,* de Michael Curtiz. Je l'avais déjà vu et je l'aimais beaucoup. De manière générale, j'aime tous les films de gangsters car j'espère qu'en les voyant le peuple allemand fera le rapprochement avec les nazis. À la fin, le méchant, Rocky Sullivan, marche vers la chaise électrique en lâche, exactement comme j'ai toujours pensé le faire : mourir en pleurant et en hurlant, pour jouer avec les nerfs du bourreau. Je sais de quoi je parle. J'ai vu dernièrement à Plötzensee quelques représentations qui m'ont coupé l'appétit pendant plusieurs jours.

C'était la première fois que je voyais autant d'habitants du coin. Comme tout bon Berlinois, je regardais les Bavarois qui vivaient dans les Alpes avec la même indifférence que j'accordais à la faune et à la flore allemandes. J'étais moins étonné qu'ils sentent un peu et paraissent ralentis, et même démodés avec leur *Tracht* traditionnel, que de les voir. J'avais croisé si peu de monde depuis mon arrivée que j'avais presque fini par penser qu'il s'agissait d'une ville fantôme. Nombre de locaux étaient venus avec des fusils de chasse et je passai plusieurs minutes à examiner ces armes, ainsi que leurs propriétaires. Certains portaient même des cartouchières et ressemblaient davantage aux membres d'une milice de travailleurs bolcheviques qu'à des Bavarois conservateurs. Si Flex n'avait pas été tué d'un coup de fusil, je ne me serais pas donné cette peine. Non que j'espérais découvrir quoi que ce fût dans une région où les hommes se trimballaient avec des fusils et des skis aussi naturellement que les Berlinois tenaient des mallettes ou faisaient de la bicyclette. L'un d'eux avait même apporté un couple de lapins et je me demandais ce que Hitler, l'amoureux de la nature, aurait dit s'il avait vu ces animaux morts autour du cou de cet homme, tel un col en fourrure. Étaient là également Bruno Schenk et le Dr Brandt, qui proposait des consultations à quiconque souhaitait voir un médecin. Il avait installé une sorte de dispensaire derrière la scène, et la file des personnes ayant besoin de ses services s'étirait jusque dans la salle. Moi-même j'ai déjà été malade par le passé, et, à mon avis, aucun de ceux qui attendaient pour voir le Dr Brandt ne l'était particulièrement. Ils bavardaient entre eux et à en juger par leur teint, j'aurais parié qu'ils étaient en meilleure santé que moi. Ce qui ne voulait pas dire grand-chose. Depuis mon arrivée dans l'Obersalzberg, j'avais l'impression de souffrir de quelque maladie mortelle. Je sentais qu'à tout moment ma vie pouvait s'arrêter. Martin Bormann produisait cet effet. Reinhard Heydrich aussi. J'allai rejoindre la file d'attente.

Bruno Schenk réagit à ma présence inattendue avec le même embarras que si le théâtre d'Antenberg avait accueilli une fête pour les cinquante ans de Joseph Staline. Sans doute aurait-il préféré que je sois mort. Mais le Dr Brandt parut encore moins heureux de me voir attendre parmi ses patients. Il portait toujours son uniforme noir sous sa blouse et son visage était aussi sombre qu'une nuit sans étoiles. J'avais préparé quelques questions à son intention et le moment semblait bien choisi... du moins pour moi. Pour lui, en revanche, à l'évidence ça tombait mal. Mais là encore, ça m'allait parfaitement. Jouer les enquiquineurs, c'est la fonction première d'un policier, et soupçonner des individus au-dessus de tout soupçon, c'était la seule chose qui rendait ce métier amusant dans l'Allemagne nazie.

« Que faites-vous ici ? me demanda-t-il d'un ton méfiant.

– J'espérais vous voir, docteur.

– Vous êtes malade ?

– Depuis mon arrivée, j'ai l'impression de souffrir d'amnésie professionnelle. Les gens me traitent comme si j'avais oublié ce qu'était un bon policier. Mais ce n'est pas pour cette raison que je voulais vous voir. En fait, je souhaitais vous parler de Renata Prodi.

– Qui est-ce ? »

Je lui souris d'un air confus, et me retournai vers les gens qui attendaient pour le voir. Ils m'observaient tous avec la méfiance qu'inspire un chien qui risque de mordre. Pas une mauvaise idée.

« Je pourrais vous le dire, là, maintenant, mais pourquoi courir un tel risque ? Tous ces villageois charmants, ils n'ont pas envie de savoir ce qu'il y a à l'intérieur de mon esprit dépravé. » J'allumai une cigarette et cette fois mon sourire fut plus nonchalant. « C'est ce qu'il y a de pire dans le métier de flic, docteur. Je suis obligé de penser et de dire des choses que la plupart des gens trouvent choquantes.

– Vous feriez mieux de venir dans mon cabinet », dit-il froidement.

Je le suivis dans la pièce voisine et la première chose que je remarquai, ce fut un autre couple de lapins pendu à une patère derrière la porte. Ils saignaient encore. Quelques taches de sang sur le plancher évoquaient une scène d'exécution miniature.

« Je n'aurais jamais cru que vous étiez chasseur, dis-je.

– Je ne chasse pas. Les patients me paient comme ils peuvent. Avec des lapins essentiellement. Ou des faisans. Quelques cerfs. On m'a même donné une carcasse de sanglier.

– Il faudra m'inviter à dîner un de ces soirs, docteur.

Mais mieux vaudra éviter que le Führer soit dans les parages. Je ne pense pas qu'il apprécie de voir toute cette viande. Je suis même sûr que non. »

Brandt esquissa un sourire, l'idée de m'inviter chez lui paraissant inimaginable. « Je peux vous assurer que le gibier qu'on me donne ne provient pas du Territoire du Führer ni du Landerwald.

– Je n'en doute pas. »

Sur le bureau, à côté d'une trousse à instruments chirurgicaux, se trouvait un tube de pervitine. Je m'en emparai, uniquement pour obliger Brandt à me le reprendre, puis je saisis aussitôt un flacon ambré dont je lus l'étiquette. Brandt soupira, comme s'il avait affaire à un enfant turbulent, et me l'arracha également des mains.

« Que voulez-vous au juste ? demanda-t-il. J'ai de véritables patients à voir, alors dites-moi quel est le but de votre visite.

– Ça. » Je montrai d'un mouvement de tête le tube de comprimés qu'il tenait et l'armoire à pharmacie bien approvisionnée derrière lui. « Entre autres choses. Le protargol. Nous savons vous et moi que ce produit sert à soigner les maladies vénériennes. Et en voyant ce médicament, là sur votre bureau, j'en viens à me demander si certains des habitants du coin auraient attrapé la chtouille eux aussi. Comme Karl Flex, je veux dire.

– Ne comptez pas sur un médecin pour faire des commentaires sur un de ses patients, répondit sèchement Brandt. Surtout s'il s'agit d'un sujet aussi sensible.

– Oh, je respecte le secret professionnel, docteur. Mais je ne pense pas qu'il s'applique à une personne décédée. Surtout si cette personne a été assassinée. Et a fait l'objet d'une autopsie. La règle veut qu'un médecin indique à la police tout ce qui lui paraît anormal. Et cela peut aller d'un trou dans la tête à une chaude-pisse. Flex avait attrapé la chtouille, n'est-ce pas ? Mais pour une raison quelconque, vous avez choisi de ne pas le mentionner.

– J'ai estimé que cela n'avait aucun lien avec la cause du décès. Cause qui paraissait évidente. Il avait reçu une balle dans la tête. Écoutez, *Herr Kommissar,* Karl Flex était un ami. Je l'avais invité à mon mariage. Mon honneur m'obligeait à respecter sa vie privée. N'importe quel Allemand honnête en aurait fait autant.

– Félicitations, docteur. Quelle est la devise des SS déjà ? "Sang et honneur" ? Eh bien, tout est là, n'est-ce pas ? Mais croyez-moi sur parole, il n'est plus question de vie privée quand un homme a eu la tête explosée par une balle. Des morceaux de crâne et de cervelle ont tendance à éclabousser le décor. Et quand ce décor est la terrasse du Berghof, sa vie privée devient totalement hors sujet. Vous serez peut-être surpris d'apprendre que je ne suis pas non plus insensible aux questions d'honneur. Mais je ne place pas le sang et l'honneur de Flex aussi haut. Car cet homme n'était rien de plus qu'un maquereau pour les filles de la Caserne-P. Et il a transmis la chaude-pisse à l'une d'elles.

– Qui vous a raconté ça ?

– Peu importe.

– J'aurais plutôt pensé que c'était une de ces sales putains qui avait contaminé Karl.

– Peut-être. Dans un cas comme dans l'autre, c'est vous qui avez le traitement sur votre bureau. Et c'est vous qui surveillez la santé de ces "sales putains". N'est-ce pas ? »

Brandt ne répondit pas, ce qui, supposais-je, était une réaction normale en toutes circonstances sur l'Obersalzberg. Quand vos maîtres se nomment Hitler et Bormann, acquiescer ou en dire le moins possible est toujours la marque de la vraie loyauté.

« Et si je vous posais une question directe, à laquelle vous apporteriez une réponse directe, docteur ? Y a-t-il beaucoup de personnes atteintes de blennorragie dans cette communauté ?

– Pourquoi me demandez-vous ça ?

– Ce n'est pas une réponse directe. Normalement, à ce stade, je devrais chasser quelques pellicules sur vos épaules. Je veux bien vous laisser une nouvelle chance avant de reposer ma question, mais il se peut que cette fois je hausse la voix pour que tout le monde m'entende.

– C'est une affaire extrêmement délicate, *Herr Kommissar*. Vous ne pouvez pas imaginer à quel point.

– Je comprends. Nul n'a envie que le Führer découvre l'existence de la Caserne-P. Il serait furieux, forcément. Les maladies vénériennes sont propagées par les juifs, pas par d'honnêtes Aryens. Alors, combien ?

– Quinze ou vingt personnes peut-être. »

Songeant que j'interrogeais un homme au mariage duquel Hitler et Göring avaient été les invités d'honneur, je posai mes questions suivantes avec une boule dans la gorge.

« Renata Prodi. Elle l'avait elle aussi, hein ?

– Contrairement à Karl Flex, elle est toujours vivante. Je ne suis donc pas obligé de répondre.

– Êtes-vous sûr qu'elle soit toujours vivante ? Quelqu'un m'a dit que ce n'était pas le cas.

– Autant que je sache.

– Ce qui ne veut pas dire grand-chose sur cette montagne.

– Pardon ?

– Je crois savoir que vous avez également pratiqué une opération sur elle. Un avortement. Et qu'il s'agissait de l'enfant de Karl Flex.

– Sur quoi vous fondez-vous pour affirmer cela ? Sur les dires d'une autre putain ? Contre la parole d'un officier allemand ?

– Vous démentez, donc. Logique. Je ne m'attendais pas à autre chose.

– Je ne vois pas en quoi tout cela concerne le meurtre de Karl Flex, *Herr Kommissar.*

– Franchement, moi non plus. Mais ça va venir. Je peux vous l'assurer. Bientôt, je saurai tout. Je suis plutôt du genre tenace.

– Je veux bien le croire.

– Et je ne m'en excuse pas. C'est mon métier de jouer les enquiquineurs. Figurez-vous qu'on a même vu certaines personnes souhaiter ma mort avant que je résolve une affaire.

– Ça aussi je veux bien le croire.

– J'ai suffisamment abusé de votre temps, docteur. Et de celui de tous ces gens. Nous nous reparlerons quand j'aurai plus d'informations. Vous pouvez le parier. À condition qu'on ait le droit de parier sur la montagne de Hitler. C'est déjà moche de ne pas pouvoir fumer.

– Je ne pense pas que le Führer soit contre le jeu.

– Tant mieux. Alors, vous pouvez miser sur le fait que j'éluciderai ce meurtre avant la fin de la semaine. À coup sûr. »

En sortant, je discutai avec plusieurs habitants du coin. La plupart travaillaient pour l'Administration de l'Obersalzberg ou la brasserie locale, mais bien que les nazis aient fermé tous les accès à la montagne, certains continuaient à exploiter leurs mines de sel privées, ce qui me semblait plus rentable que de chercher de l'or, car le sel abondait et il atteignait des prix élevés chez les cuisiniers les plus raffinés de toute l'Europe.

Quand je passai devant eux, ils me demandèrent qui j'étais et d'où je venais, et en entendant ma réponse ils parurent aussi surpris que si j'étais Anita Berber en train de pisser sur leurs chaussures. Je m'aperçus ainsi que malgré tous les efforts des nazis pour changer cette image, ils voyaient encore Berlin comme un cloaque d'iniquité, où régnait la corruption. L'iniquité me manquait, assurément, mais peut-être avaient-ils raison au sujet de la corruption. Quant à savoir ce qu'ils pensaient de la conférence de Zander sur *Tom Sawyer,* je n'en avais aucune idée. Je l'écoutai un instant, puis m'éclipsai avant la fin.

30

Avril 1939

L'atmosphère s'était rafraîchie quand j'arrivai au Berghof. Quelqu'un avait gentiment laissé l'immense fenêtre du Grand Hall ouverte et par conséquent, il faisait plus froid qu'à l'intérieur de l'armoire réfrigérée de Flex. Impossible de rester assis sans manteau. Je me demandais si c'était une volonté de Hitler, s'ils essayaient de faire des économies de fuel ou s'ils pensaient que ce froid glacial aurait pour effet de faire trembler les gens en présence du Führer. Cela faisait peut-être partie de ses secrets diplomatiques. Hermann Kaspel m'avait confié que Hitler n'aimait pas beaucoup la neige, ni le soleil, voilà pourquoi il avait choisi un versant exposé au nord. Je me disais que le froid et l'humidité du Berghof devaient lui rappeler le taudis dans lequel il avait vécu dans sa jeunesse à Vienne. Seul dans ma chambre, en face du bureau du Führer, je fermai la porte et bourrai le poêle de bûches jusqu'à la gueule, puis j'installai une chaise juste à côté. J'avais l'intention de lire quelques dépositions de témoins, en espérant que cela me ferait dormir. J'envisageai de réclamer des saucisses et une bouteille à Arthur Kannenberg, puis songeai que je me passerais volontiers des allégations concernant les activités criminelles de Wilhelm Brückner qui ne manqueraient pas d'accompagner mon plateau-repas. J'allumai distraitement une Türkisch 8, avant d'étouffer un juron en me rappelant où je me trouvais, et aussitôt je jetai ma cigarette dans le poêle. Habiter au Berghof, c'était comme être pensionnaire dans un sanatorium en Suisse, où tout le monde souffrait de tuberculose et où seul l'air pur de la montagne était toléré. Je regardai mon paquet de Türkisch 8, et envisageai de sortir sur la terrasse, mais l'idée d'affronter la nuit glaciale de l'Obersalzberg pour faire une chose aussi inoffensive que fumer une cigarette me parut si absurde que j'éclatai de rire. Quel était ce monde de fous dans lequel un petit plaisir humain ordinaire était aussi sévèrement contrôlé ? Et une pensée me vint : dans l'aversion de Hitler pour le tabac se cachait peut-être la véritable essence du nazisme. J'aurais pu me rendre à la Villa Bechstein pour fumer, mais j'étais certain que Rudolf Hess viendrait me trouver pour me demander ce qui s'était passé exactement au Berghof. Et je n'avais aucune envie de m'interposer dans un affrontement alpin entre deux titans nazis.

Je n'avais allumé qu'une lampe et j'essayais de faire moins de bruit que le bois dans le poêle, aussi fus-je un peu dépité quand on frappa à ma porte. Elle s'ouvrit sur une grande femme d'une trentaine d'années, élégante sans être belle, pas même jolie mais cependant séduisante, dans un genre chevalin. Elle portait un ensemble et un manteau noirs, avec un béret assorti, et elle était aussi maigre qu'une allumette usagée.

« Je pensais bien qu'il y avait quelqu'un. »

Je me levai et montrai mes bottes d'un air penaud.

« J'ai essayé de ne pas faire de bruit, malheureusement j'ai des bottes neuves. Et j'ai encore du mal à m'y habituer, tellement elles sont imposantes. Je suis vraiment désolé de vous avoir dérangée. La prochaine fois, je mettrai des tennis, j'arrêterai de respirer et je placerai une serviette au bas de la porte.

– Oh, je n'ai pas dit que j'avais entendu du bruit. Non. J'ai senti l'odeur du tabac. Vous savez que le Führer déteste que l'on fume, n'est-ce pas ?

– C'est amusant, je crois bien qu'on me l'a dit, en effet. Pendant deux secondes, j'ai oublié où j'étais et j'ai allumé une cigarette. J'imagine que je vais me retrouver devant un peloton d'exécution à l'aube.

– Probablement. Si vous voulez, je peux m'arranger pour que vous ayez une cigarette à la bouche au moment où ils tireront.

– Avec plaisir. Mais pas de bandeau sur les yeux, d'accord ? Surtout, vous pourriez également vous arranger pour que je porte un gilet pare-balles.

– Je verrai ce que je peux faire. Au fait, je m'appelle Gerdy Troost. Et vous, qui êtes-vous ?

– Bernhard Gunther, *Kommissar* de la Kripo de Berlin.

– C'est vous qui enquêtez sur le meurtre de Karl Flex, je suppose.

– Les nouvelles voyagent vite, hein ?

– En quelque sorte. J'allais justement sortir pour fumer une cigarette. Vous pourriez peut-être m'accompagner.

– Il ne peut pas faire plus froid dehors qu'à l'intérieur. »

Je la suivis dans le couloir dont les bruits étaient assourdis par des tapis et nous descendîmes un escalier situé dans le coin le plus à l'est du château de l'ogre. J'avais presque l'impression que nous fichions le camp avec un sac rempli de pièces d'or volées.

« La fenêtre panoramique du Grand Hall est coincée, expliqua-t-elle. Le moteur est en panne. Il y a deux manivelles qui permettent de l'actionner manuellement, mais personne ne les retrouve. C'est la plus grande vitre jamais fabriquée. Huit mètres cinquante de long sur trois mètres cinquante de large. De plus, elle est à l'épreuve des balles et pèse une tonne. Je lui ai dit que c'était trop lourd pour un seul moteur. Trois vitres, ce serait mieux, je lui ai dit. Mais parfois, il est trop ambitieux et il laisse son cœur l'emporter sur sa tête. Quand ça fonctionne, ça vaut le détour. Mais quand ça échoue… vous sentez certainement le parfum de déception qui flotte dans l'air ce soir. »

Je frissonnai à l'intérieur de mon manteau au col relevé et conclus qu'il s'agissait peut-être d'une meilleure définition de la véritable essence du nazisme que l'interdiction de fumer. Arrivés au pied de l'escalier du fond, nous nous retrouvâmes dans un couloir relié aux cuisines. Gerdy Troost franchit une porte et me précéda sur une étroite terrasse située derrière la maison et abritée du vent par un talus presque vertical, surmonté d'un bosquet d'arbres. Elle ouvrit le sac à main en cuir noir qu'elle tenait sous son bras et en sortit un paquet de Türkisch 8. La terrasse était déjà jonchée de mégots.

« Je n'aime pas beaucoup ces cigarettes, dit-elle en allumant la mienne, puis la sienne avec un fin briquet Dunhill en or. Mais j'ai appris à les apprécier car ce sont les seules qu'on peut acheter par ici, et quand tout le monde fume la même marque, c'est plus facile pour les droguées comme moi. J'ai commencé à fumer après un grave accident de voiture en 1926. Je ne sais pas ce qui a été le plus mauvais pour ma santé : l'accident ou le tabac. »

Elle m'entraîna jusqu'à une grille métallique incrustée dans le talus et à travers laquelle passait un courant d'air chaud semblable à un zéphyr céleste. Voyant mon air étonné, elle sourit.

« Je ne devrais pas vous dire ça, mais vous êtes inspecteur et on est censé aider la police, n'est-ce pas ? Ici, au Berghof, tout le monde appelle cet endroit le fumoir. C'est toujours le coin le plus chaud. C'est un petit secret local. Mais je suis sûre que vous aurez besoin de quelques cigarettes pour résoudre cette affaire.

– Quelques-unes ne suffiront pas. Dans notre métier, on appelle ça un problème à vingt paquets.

– Tant que ça ?

– Au minimum. Pas facile d'évoluer entre les ego de toutes ces personnes importantes en marchant sur des œufs.

– Pas des personnes, des *hommes,* rectifia-t-elle. Des hommes importants. Ou du moins, des hommes qui se croient importants. Pour moi, il n'y a qu'un seul homme important ici. À de rares exceptions près, tous les autres ne pensent qu'à leur intérêt personnel. »

Il me semblait vain de le nier.

« Moi-même, je ne suis pas à l'abri de ce reproche. Mais j'appelle ça la survie.

– Un darwiniste social, hein ?

– Sauf que je n'entretiens pas trop de relations sociales. Au fait, d'où vient cet air chaud ? Certainement pas de la maison.

– Il y a sous le Berghof tout un réseau de galeries et de bunkers secrets.

– Des bunkers ? À vous entendre, quelqu'un s'attend à ce qu'il y ait une guerre.

– Il n'y a aucun mal à se tenir prêt.

– Sans doute. À condition que ces préparatifs n'incluent pas l'invasion de la Pologne.

– Vous êtes prussien, n'est-ce pas ? Vous ne croyez pas que c'est un acte légitime ?

– Ne vous méprenez pas, *Frau* Troost, toutes ces histoires autour du corridor de Dantzig me paraissent absurdes. Et rien ne me ferait plus plaisir que de voir cette ville redevenir allemande à part entière. Je pense seulement que le moment n'est peut-être pas bien choisi. Et qu'il existe une solution moins coûteuse qu'une nouvelle guerre en Europe.

– Et si les négociations échouent ?

– Les négociations échouent toujours. Alors, vous recommencez à négocier. Et si ça échoue encore, vous recommencez l'année suivante. Mais quand des gens meurent, c'est pour plus longtemps. J'ai vécu cette expérience au cours de la dernière guerre. Nous aurions dû discuter un peu plus au début. La fin aurait pu être différente.

– Peut-être qu'ils devraient vous laisser mener les négociations.

– Peut-être.

– Et cette affaire… vous pensez que vous allez la résoudre ?

– Quelqu'un a dû le penser, sinon ils ne m'auraient pas payé le voyage depuis Berlin.

– Qui donc ?

– Mes supérieurs.

– Himmler, je suppose.

– Il en fait partie, aux dernières nouvelles du moins.

– Ne jouez pas au plus malin, *Herr Kommissar*. Vous voulez retrouver ce tueur, non ?

– Évidemment.

– Alors, si vous voulez vous prendre pour Hans Castorp[1], vous auriez peut-être intérêt à vous faire quelques alliés sur la montagne magique. Vous ne croyez pas ? »

1. Héros de *La Montagne magique* de Thomas Mann.

J'aimais bien le fait qu'elle m'imagine suffisamment intelligent pour avoir entendu parler de Hans Castorp.

« Nous pouvons peut-être nous entraider, ajouta-t-elle.

– Soit. Un flic a toujours besoin de nouveaux amis. Surtout ce flic-là. Dans l'ensemble, je souffre d'une grande incapacité à communiquer.

– Moi aussi. La plupart des hommes du cercle intime du Führer ont appris à se méfier de moi. Généralement, j'opte pour la franchise.

– Ce n'est pas toujours recommandé.

– Je ne songe pas à mes propres intérêts.

– Ce qui vous rend originale par les temps qui courent.»

Gerdy Troost exprima son impatience par un haussement d'épaules.

« Bref, dis-je, pardonnez-moi si je parais un peu réservé. En fait, ce sont les généraux Heydrich et Nebe qui m'ont envoyé ici. Si j'échoue, ça ne leur fera pas de tort. Je suis une quantité négligeable.

– Je ne comprends pas.

– C'est comme être invité à un mariage, alors que le marié et la mariée se contrefichent que vous veniez ou pas.

– Non, non, ce que je ne comprends pas, *Kommissar* Gunther, c'est comment quelqu'un peut penser ça de quelqu'un comme vous.

– Ce que je veux dire, c'est que le meurtre de Karl Flex est le problème de Martin Bormann. Si j'élucide cette affaire, il sera reconnaissant envers Heydrich et Nebe. Et si je n'y arrive pas, ce sera toujours le problème de Martin Bormann, pas le leur.

– Je comprends mieux votre situation. Mon regretté mari aurait appelé ça "le dilemme du fou".

– Je ne suis pas fou au point de dire non à ces hommes. Pas de manière flagrante du moins. C'est une des choses qui font de moi un inspecteur efficace. En général, je suis la direction qu'on m'indique et je croise les doigts. Et pour l'instant, sans trop savoir comment, j'ai réussi à rester du bon côté des barbelés.

– Il y a une bouteille de schnaps derrière ce tuyau d'écoulement, dit *Frau* Troost. Certains membres de l'état-major la cachent à cet endroit pour pouvoir boire un coup en fumant.

– L'un ne va pas sans l'autre.

– Hitler ne boit pas non plus. »

Je me penchai pour jeter un coup d'œil et je souris. Il y avait même des verres propres. Je me servis une petite dose de schnaps, mais elle n'en voulait pas. Je portai un toast à l'état-major en silence. Pour une fois, je n'avais pas à me plaindre de leurs préparatifs militaires.

« S'il y a une chose glacée que j'aime bien, c'est le schnaps, dis-je. Votre mari était Paul Troost, n'est-ce pas ? L'architecte de Hitler, jusqu'à sa mort il y a a quelques années.

– C'est exact.

– Aujourd'hui, Albert Speer le remplace.

– C'est ce qu'il croit. Cet homme passe son temps à essayer de s'attirer les faveurs de Hitler. Mais en vérité, depuis 1934, je poursuis le travail de Paul. Je suis peut-être même la seule femme qui ait l'oreille du Führer. Sauf en ce qui concerne les fenêtres. Même si j'avais raison à ce sujet, là encore. Dans l'ensemble, je me contente de donner mon avis en matière de construction, d'art et de design. Mon atelier se trouve à Munich. Et quand je n'y suis pas, je suis ici. Actuellement, je travaille sur de nouveaux certificats et des boîtes de présentation pour les médailles militaires et civiles.

– Ce n'est pas ce qui manque dans l'Allemagne nazie.

293

– Je sens de la désapprobation.

– Nullement. Pas même un soupçon. J'ai toujours aimé avoir un ruban autour de mon gâteau.

– Peut-être recevrez-vous une médaille après avoir résolu cette affaire.

– Je ne la réclamerai pas en tout cas. On m'a bien fait comprendre que la plus grande discrétion s'imposait. » Je me servis un autre verre. « Quand j'ai dit que les nouvelles voyageaient vite, au sujet de la mort de Karl Flex, vous avez semblé sceptique. Dois-je en conclure que vous ne la considérez pas comme une mauvaise nouvelle ?

– Ai-je dit cela ?

– Qui joue au plus malin maintenant ? Je suis ici depuis moins de vingt-quatre heures, mais j'ai déjà l'impression que de nombreuses personnes se réjouissent de la mort de Flex.

– Nous pouvons en discuter, dit-elle. Mais avant cela, j'ai un service à vous demander. »

31

Avril 1939

« Allez-y, *Frau* Troost. Je vous écoute. Je ne sais pas pourquoi, mais le schnaps m'a mis d'humeur arrangeante. » La terrasse située derrière le Berghof était beaucoup moins dangereuse que celle de devant ; le seul risque était de fumer trop. Gerdy Troost jeta sa cigarette. Sous le béret noir, ses cheveux châtain clair et fournis étaient attachés en arrière, ce qui semblait faire ressortir ses oreilles. Des oreilles d'elfe, comme son nez. Pourtant, cette femme n'avait rien d'un elfe. Elle devait dépasser Bormann d'une tête. Une tête bien faite, à l'évidence. Contrairement à Bormann. La voix était celle d'une personne cultivée, habituée à ce qu'on l'écoute ; les yeux étaient sombres et pénétrants, le menton pugnace et volontaire, la bouche juste un peu trop pincée. On aurait presque pu la croire juive, n'eût été l'antisémitisme violent de son tristement célèbre protecteur. Mieux valait supposer que c'était une intello, même si ses bas n'étaient pas bleus mais noirs.

« Appelez-moi Gerdy. Le diminutif de Gerhardine. Mes parents m'ont baptisée Sophie, mais je n'ai jamais pu me faire à ce prénom. »

En l'observant, je devinais qu'il y avait pas mal d'autres contraintes qu'elle n'aimait pas dans le fait d'être une fille, pas uniquement ce prénom démodé. Ce sont des choses que l'on sent.

Je levai mon verre à sa santé. « Enchanté, Gerdy.

– La vérité, c'est que je sais qui vous êtes. Surtout, je sais ce que vous êtes. Je ne parle pas de votre métier, mais de votre personnalité. Je pense que vous êtes un homme courageux et intègre.

– Il y a bien longtemps qu'on ne m'a pas accusé de ça. En outre, si j'étais vraiment ce que vous dites, je ne serais pas ici.

– Ne vous dénigrez pas, *Herr* Gunther. Un jour, bientôt, ce pays aura besoin de quelques hommes de valeur. »

Elle se massa le thorax et une grimace inquiète apparut sur son visage, comme si elle souffrait.

« Ça ne va pas ?

– J'ai parfois des angines de poitrine. Quand je suis sous pression. Ça va passer.

– Vous êtes sous pression ?

– Tout le monde ici en subit une forme ou une autre. Même Hitler. Tout le monde sauf Martin Bormann.

– C'est un homme très occupé, n'est-ce pas ? »

Gerdy sourit. « Très occupé à veiller sur ses propres intérêts, assurément.

– C'est monnaie courante.

– Pour certains. Mais écoutez-moi. Vous souvenez-vous d'un dénommé Hugo Brückmann ? »

Je fronçai les sourcils. Puis je regardai le sol et remarquai ses grands pieds, ses chaussures noires avec des lanières autour des chevilles.

« Brückmann… dis-je d'un ton évasif. Attendez que je réfléchisse… Non, je ne crois pas.

– Dans ce cas, laissez-moi vous rafraîchir la mémoire, *Herr Kommissar*. En 1932, Hugo Brückmann et sa femme ont logé à l'hôtel Adlon à Berlin. Il est éditeur et c'était un grand ami de feu mon mari. Marié à la princesse Elsa Cantacuzene de Roumanie. Vous vous souvenez maintenant ?» Je ne les avais pas oubliés, ni l'un ni l'autre. Ça ne risquait pas. Mais comme tout le monde en Allemagne, j'hésitais à admettre que j'avais connu quelqu'un qui avait délibérément contrarié les nazis, surtout devant une intime de Hitler. Car si Hugo Brückmann était un nazi, c'était un homme honnête, et un ami de Bernhard Weiss, l'ancien chef de la Kripo, un juif, que Lorenz Adlon et moi avions aidé à se cacher durant les derniers jours de la République de Weimar. Mais c'étaient Hugo Brückmann et son épouse qui avaient financé la fuite de Weiss et de sa femme, Lotte, à Londres, où l'ancien inspecteur tenait aujourd'hui une imprimerie-papeterie.

« Si ce sont des amis à vous, alors oui, je me souviens d'eux.

– Je veux que cet homme, le jeune inspecteur de l'Alex qui, au nom de ses principes, a aidé Hugo Brückmann à aider Bernhard Weiss à quitter l'Allemagne m'aide à retrouver quelqu'un qui a disparu, à Munich.

– Je ne dis pas que je les ai aidés. Ce serait imprudent. Mais un tas de gens disparaissent ces temps-ci. C'est devenu un des défis de l'existence dans l'Allemagne moderne.

– Cet homme est juif lui aussi.

– Surtout pour eux. Mais je veux bien vous aider, si je le peux. Comment s'appelle-t-il ?

– Wasserstein. Le Dr Karl Wasserstein. Ophtalmologue et chirurgien. C'est lui qui a soigné mon mari. Mais il a perdu sa place et son traitement en 1935, puis sa licence pour exercer la médecine en 1938. J'ai parlé de son cas au

Führer l'année dernière et le Dr Wasserstein a retrouvé sa licence, ce qui lui permet de continuer à pratiquer dans le privé. Mais l'autre jour, quand je suis allé le voir à Munich, il n'était pas là, et personne ne semble savoir ni se soucier de savoir où il est. Il n'a laissé aucune adresse pour faire suivre son courrier, et j'ai pensé que vous pourriez peut-être le retrouver. Je veux juste m'assurer qu'il va bien et qu'il n'est pas à court d'argent. J'ai le sentiment que j'ai déjà posé trop de questions à son sujet. Il y a des limites à ce que je peux faire pour quelqu'un. Surtout si ce quelqu'un est juif.

– Peut-être a-t-il quitté l'Allemagne pour de bon.

– Il vient de récupérer sa licence. Pourquoi partirait-il ?

– Ça arrive aux meilleurs. À l'inverse, beaucoup de juifs ont quitté Munich et Vienne pour aller vivre à Berlin. Ils pensent que c'est plus facile pour eux là-bas.

– Et c'est le cas ?

– Peut-être un peu. Les Berlinois n'ont jamais fait de très bons nazis. C'est une histoire de métropole, à mon avis. Dans les grandes villes, les gens ne font pas attention aux races ni aux religions. La plupart ne croient même pas en Dieu. Pas depuis cet autre fou allemand. Ils sont un peu trop cyniques pour être des partisans totalement enthousiastes.

– Je commence à comprendre pourquoi ils sont prêts à vous sacrifier.

– Donnez-moi l'adresse de Wasserstein, j'essaierai de me renseigner.

– Merci. Sachez, *Kommissar* Gunther, que je suis loyale envers le Führer.

– Comme tout le monde, non ?

– Pas vous.

– En effet.

– Ce n'est pas lui le fautif. Ce sont les gens qui l'entourent. Des gens tels que Martin Bormann. Il est totalement corrompu. Il règne sur cette montagne comme si c'était son fief personnel. Karl Flex n'était qu'un de ses sbires les plus haïssables. Avec Zander et cet homme épouvantable, Bruno Schenk. Ce sont les individus de cette espèce qui donnent une mauvaise image du mouvement. Mais si je décide de vous aider, je dois le faire à ma manière.

– Bien entendu. Libre à vous. Je n'avais pas l'intention de procéder autrement.

– Je ne veux pas entendre de sermons sur la procédure policière et la dissimulation de preuves.

– Tout cela ne veut plus rien dire maintenant.

– Voici ce que je vous propose. Cela fait presque dix ans que je viens ici, et je loge souvent dans cette maison. Parfois seule. Parfois non. Je vois des choses. Et j'en entends aussi. Plus que je ne le devrais sans doute. Au fait, il y a des micros dans tout le Berghof, alors faites très attention à ce que vous dites, et où vous le dites.»

Je me contentai de hocher la tête, ne voulant pas interrompre Gerdy Troost en lui avouant que je connaissais déjà l'existence de ces micros.

«C'est également pour cette raison que cette terrasse – le fumoir – est si prisée. On peut parler sans crainte ici.

– Eh bien, qu'avez-vous à me dire ?

– Rien qui puisse faire du tort à Hitler. C'est un visionnaire. Mais si vous me posez une question, je ferai ce que personne d'autre ne fait sur cette montagne, *Kommissar* Gunther, j'essaierai de vous donner une réponse franche. Vous me direz ce que vous pensez savoir et si je le peux, je confirmerai. C'est clair ?

– Très. Vous serez mon oracle de l'Obersalzberg. À moi d'interpréter ce que vous me direz.

299

– Oui, si vous voulez.

– Bormann avait-il connaissance de tout ou partie des agissements de Flex ?

– Quoi qu'il se passe sur cette montagne, c'est parce que Martin Bormann l'a voulu. Flex ne faisait qu'exécuter les ordres de son maître. Certes, il était ingénieur, avec un tas de titres ronflants, mais en réalité, c'était un simple bouton sur lequel Bormann pouvait appuyer. Une fois pour ceci, deux fois pour cela. Le problème de Bormann, c'est que ce meurtrier doit absolument être arrêté sinon le Führer ne reviendra plus ici, or pour arrêter cet homme, il doit prendre le risque de dévoiler toutes ses combines. Ce qui signifie que vous aviez raison au sujet de la médaille. Si vous élucidez cette affaire, peut-être que vous ne vivrez pas assez longtemps pour l'épingler à votre veston.

– C'est ce que j'avais compris.» J'allumai une autre cigarette. « Et le Dr Brandt ? C'est un des boutons de Bormann lui aussi ?

– Brandt a des dettes. De très grosses dettes. À cause de son train de vie. Avant, il louait une partie de la Villa Bechstein, mais à présent il possède une maison à Buchenhohe. Sans oublier un luxueux appartement à Berlin, dans Altonaer Strasse. Tout cela avec un salaire de médecin de trois cent cinquante reichsmarks par mois. Et comme il a des dettes, il trempe dans les combines de Bormann pour tenter de joindre les deux bouts. Il peut paraître respectable de prime abord. Mais il n'en est rien. Méfiez-vous de lui.

– Il serait capable de couvrir un meurtre selon vous ?

– Pas seulement, dit Gerdy. Il serait capable d'en commettre un. Mais dites-moi… Vous avez déjà soulevé quelques pierres. Vous avez vu ce qui grouille en dessous. Pourquoi a-t-on tué Flex à votre avis ?

– Quelqu'un avait une dent contre lui. À cause d'une expulsion peut-être.

– Peut-être. Mais cela ne représente que cinquante ou soixante individus. Un échantillon très réduit de personnes nourrissant de sérieux griefs. Vous allez devoir ratisser beaucoup plus large si vous voulez comprendre ce qui se passe ici. Ensuite, vous aurez une image bien plus précise de l'identité du tueur.

– La Caserne-P. La maison close. Bormann prélève sa part là aussi ?

– Bormann prélève sa part sur tout. Mais vous me décevez. Vous continuez à raisonner en policier. L'argent généré par quinze ou vingt filles, c'est infime. Non, il y a des combines beaucoup plus importantes que ça sur l'Obersalzberg et à Berchtesgaden. Élargissez votre horizon, *Herr Kommissar*. Pensez à plus grande échelle si vous voulez vous faire une idée de ce qu'un homme peut accomplir lorsqu'il dispose des ressources de tout un pays.»

Je pris le temps de réfléchir.

«La construction, dis-je. L'Administration de l'Obersalzberg. Polensky & Zöllner.

– Vous chauffez.

– Bormann touche des pots-de-vin de l'Administration ?»

Gerdy Troost se rapprocha de moi et baissa la voix : «Sur *chaque* contrat. Les routes, les tunnels, la maison de thé, l'hôtel Platterhof, etc. Martin Bormann touche sa part. Rendez-vous compte. Tous ces emplois. Tous ces ouvriers. Tout cet argent. Des sommes que vous ne pouvez même pas imaginer. Quoi qu'il se passe par ici, il prélève sa part. Il va vous falloir un certain temps pour découvrir toutes ses malversations. Prudemment, vous allez devoir bâtir un dossier. Et pour ce faire, mon aide ne suffira pas, il vous faudra l'aide d'une personne proche du Führer et aussi honnête que moi.

– Et qui est cette personne ?

– Le frère de Martin Bormann, Albert.

– Où puis-je le trouver ?

– Dans les locaux de la Chancellerie du Reich à Berchtesgaden. Ici, sur la montagne, c'est peut-être le territoire de Martin Bormann, mais en bas, en ville, c'est assurément celui d'Albert. Au cas où vous l'ignoreriez, ils se détestent.

– Pourquoi ?

– Il faudra poser la question à Albert.

– Peut-être que je devrais aller le voir, alors.

– Il ne vous parlera pas. Pas tout de suite. Mais il sait que vous êtes ici, évidemment. Il vous verra quand il sera prêt. Ou quand vous aurez du concret au sujet de son frère. Mais ce n'est pas encore le cas. Si ?

– Non. Pas pour le moment. Et j'ai le sentiment que c'est de la folie d'essayer.

– Possible.

– Vous pourriez aller trouver Albert Bormann. Pour lui demander de me parler.

– Vous ne sauriez pas quoi lui demander. Vous lui feriez perdre son temps.

– Comment saurai-je que j'approche de la vérité ? Vous me le direz ?

– Ce ne sera sans doute pas nécessaire. Plus vous en approcherez, plus votre vie sera menacée.

– Voilà une pensée réconfortante.

– Si vous cherchiez le confort, vous seriez resté chez vous.

– Vous n'avez pas vu mon appartement. » Je soupirai. « Mais d'après ce que vous m'avez dit, je pourrai m'estimer heureux si je le retrouve un jour. »

32

Octobre 1956

Je me rapprochais de mon but, mais en même temps, j'étais désespéré par ce qui m'en séparait. L'Allemagne (ce que j'appelais l'Allemagne, c'est-à-dire la Sarre) se trouvait à moins de quatre-vingts kilomètres. Avec un peu de chance, j'y arriverais avant la tombée de la nuit. Il y avait au bord du champ de chaume un ruisselet presque invisible dans lequel je me lavai les mains et me débarbouillai, puis je tentai de retrouver un aspect présentable, autant que cela soit possible après avoir passé la nuit dans une meule de foin. Un léger crachin avait fait son apparition et le ciel gris renfermait une plus grande menace. Je finis mes provisions, me remis en selle en grimaçant de douleur et repartis vers le nord-ouest, en tournant le dos à Château-Salins. Quelques chiens aboyèrent lorsque je passai devant des fermes ou des jardins, mais j'avais disparu bien avant que les habitants écartent les rideaux de leurs fenêtres pour apercevoir un personnage douteux dans mon genre. La route était droite et relativement plate, à croire que quelques ingénieurs romains avaient achevé depuis peu leur entreprise de dallage. J'étais en Lorraine à présent, une région annexée par un autre grand empire après la guerre de 1871 et rattachée au territoire allemand de l'Alsace-Lorraine. Après la signature du traité de Versailles, la Lorraine avait été rendue à la France, pour être de nouveau annexée par l'Allemagne durant la Seconde Guerre. Mais elle me paraissait maintenant bel et bien française avec tous les drapeaux tricolores exhibés dans chacun de ces villages qui ressemblaient à des verrues, et on avait du mal à comprendre pourquoi l'Allemagne avait convoité cette région triste et monotone. Dans quel but ? À quoi bon posséder tel ou tel champ puant ou un autre bois biscornu ? Était-ce pour ça que tant d'hommes étaient morts en 1871 et 1914 ?

Passé quelques kilomètres, je mis pied à terre à Baronville et entrai dans un café quelconque. Je pris un petit déjeuner au bar, achetai des cigarettes, me rasai rapidement dans les toilettes et cherchai ma présence dans les pages du journal. Je constatai avec soulagement qu'il n'y avait rien de nouveau. Mais la grosse radio en bois verni posée sur le comptoir était allumée et c'est ainsi que j'appris que la police française pensait être sur le point d'arrêter le meurtrier du Train bleu : un homme correspondant à mon signalement avait été aperçu à trois reprises à Nancy et toutes les routes menant à la Sarre étaient dorénavant surveillées. Peut-être aurais-je pu en apprendre davantage si le patron n'avait voulu changer de station et, avant de pouvoir me retenir, je lui demandai – beaucoup trop sèchement – de ne pas toucher à la radio. Il s'exécuta, mais il me regardait maintenant avec insistance, à tel point que je me sentis obligé de m'expliquer. Il avait un nez busqué, le regard perçant et dans son cou décharné un furoncle aussi gros qu'un des oignons suspendus au guidon de mon vélo.

« C'est juste que je crois avoir vu cet Allemand, improvisai-je rapidement. Le fugitif que la police recherche. Le meurtrier du Train bleu.

– Ah bon ?» Le patron essuya le comptoir en marbre avec un torchon qui aurait eu sa place dans une pub pour de la lessive et vida le cendrier Ricard posé devant moi. « C'était où, monsieur ?

– À Nancy, hier. Mais il ne prenait pas la direction de l'Allemagne, contrairement à ce qu'ils viennent de dire à la radio. Il achetait un billet de train pour Metz.

– Il a tué sa femme, c'est ça ? Ce sont des choses qui arrivent.

– Non, je ne crois pas. Quelqu'un d'autre. Je ne suis pas très sûr. Le contrôleur du train, je crois.

– Dans ce cas, ils vont lui couper la tête, déclara le patron. Si vous tuez votre femme, vous avez encore une chance. Mais pas un homme en uniforme.»

J'acquiesçai, mais songeai que j'avais autre chose à craindre qu'un rendez-vous avec la guillotine. Au moins, ce serait rapide. L'empoisonnement au thallium était un châtiment plus terrible que la mort. Et pour la première fois je me demandais si je ne devrais pas tenter de prévenir Anne French que la Stasi cherchait à l'empoisonner.

« Nancy, vous dites ? Vous venez de loin, monsieur.

– Pas tant que ça. Quarante ou cinquante kilomètres. Quand je suis en forme, je peux en faire soixante-quinze ou quatre-vingts.

– On ne voit pas beaucoup de marchands d'oignons sur ces routes. Depuis la guerre.

– Avant, j'allais au Luxembourg. Ou à Strasbourg. Il y a de l'argent là-bas. Mais c'est trop loin pour moi maintenant. Je n'ai plus mes jambes de vingt ans.

– Alors, vous allez où comme ça ?

– Pirmasens.

– Pirmasens ? C'est beaucoup d'efforts pour vendre quelques oignons.

– De nos jours, faut essayer de gagner sa vie comme on peut.

– Exact.

– Et faut croire que ma famille possède les seules terres autour de Nancy où on ne peut pas cultiver de raisin. Généralement, je vends bien à Pirmasens. Les Allemands aiment les oignons et il faut bien s'adapter au marché.

– Sauf qu'ils sont français maintenant, non ? Dans la Sarre.

– C'est ce qu'on nous dit. Mais quand vous discutez avec les gens, ils n'ont pas l'air très français. Ils parlent allemand. Quand ils parlent.

– En tout cas, ils se sont clairement exprimés avec leur référendum.

– C'est exact.

– Bonne chance à eux. Et à vous.

– Merci. Mais si vous pouviez avoir l'obligeance de m'indiquer le chemin, je crois que je vais faire un saut à la gendarmerie avant de reprendre la route. Pour signaler ce que j'ai vu. C'est ce que ferait n'importe quel bon citoyen. »

Le patron sortit de son café pour me montrer la direction et je repris mon vélo en me demandant si j'avais réussi à le convaincre avec mon histoire improvisée. Dans cette région, mon accent pouvait passer inaperçu, mais on ne sait jamais avec les Franzis. Ils sont méfiants de nature et il est facile de comprendre pourquoi les nazis ont gouverné si facilement ce pays : les Français sont des délateurs-nés. Évidemment, je n'avais nullement l'intention d'approcher de la gendarmerie, mais à peine reparti, je songeai que le patron du café pouvait croiser les gendarmes dans la journée et leur parler de moi. S'il apprenait que je n'étais pas allé les voir, cela éveillerait ses soupçons. Je regrettais d'avoir voulu passer pour un bon citoyen. Surtout, je me fustigeais de lui avoir interdit de toucher à sa foutue radio. Finalement, je pédalai jusqu'à la gendarmerie, appuyai mon vélo contre le mur et alors que je rassemblais mon courage pour signaler à la maréchaussée que je m'étais vu moi-même, j'avisai une boutique qui vendait de vieilles décorations. Peut-être qu'une croix de guerre de 14-18 épinglée à mon revers détournerait les soupçons. J'entrai dans la boutique et achetai la décoration pour quelques francs. L'héroïsme se vend toujours au rabais. Surtout dans *la belle France*[1].

Le gendarme assis derrière son bureau regarda ma médaille et écouta mon histoire avec une indifférence à peine masquée. Il releva mon faux nom et ma fausse adresse et prit quelques notes sur un bloc avec un bout de crayon à papier. J'en profitai pour ajouter quelques détails au signalement du fugitif allemand. Il boitait et avait une canne, comme s'il était blessé à la jambe gauche. Je savais qu'il était allemand, expliquai-je, car je l'avais entendu, alors qu'il achetait un billet à la gare de Nancy, pousser un juron en allemand au moment où il avait vu des policiers sur le quai du train à destination de Metz.

« Autre chose ? » me demanda le gendarme, qui indéniablement espérait que non.

Une forte odeur de café flottait dans la pièce et j'en déduisis qu'il s'apprêtait à en boire une tasse quand j'étais entré.

« Il tenait un petit carton, avec Marseille marqué dessus. Et il avait un problème à l'œil gauche.

– Comment vous le savez ?

1. En français dans le texte.

– Il portait un bandeau.»

De Baronville, deux routes menaient à la frontière allemande. La D910 était la plus directe. Je pris donc la D674, via Bérig-Vintrange, afin d'éviter d'éventuels barrages de police. Même s'ils semblaient peu probables, quoi qu'en dise la radio. La route de la Sarre n'aurait pas été plus déserte si les habitants du coin avaient appris le retour de la Wehrmacht. Néanmoins, je pédalais à vive allure, comme si ma vie en dépendait réellement. En milieu de matinée, j'étais assis sur un banc devant l'église Saint-Hippolyte de Bérig-Vintrange, que je contemplais en fumant une cigarette et en songeant à ma situation. Je ne me serais pas senti plus seul si j'avais traversé l'Antarctique à vélo. L'église ressemblait à toutes celles de la région : calme, un peu délabrée, jouxtant un petit cimetière, mais pas abandonnée comme le prouva l'arrivée du prêtre sur sa bicyclette, peu de temps après moi. Il ôta ses pinces à vélo et me salua d'un « Bonjour !» en ouvrant la porte.

« Vous venez visiter notre ossuaire ?» demanda-t-il.

Je lui répondis que non, je reposais mes vieux os après être resté longtemps en selle.

« Soyez le bienvenu malgré tout.»

Nous échangeâmes une poignée de main. C'était un colosse avec des épaules aussi larges qu'un crucifix et il portait sa soutane à la manière d'un peignoir de boxeur.

« Voulez-vous un peu d'eau ?

– Merci.»

Il me précéda dans la sacristie et me tendit un verre.

« Il est célèbre, votre ossuaire ?

– Très célèbre. Voulez-vous le voir ?»

Craignant de paraître malpoli, je répondis par l'affirmative. Sans lâcher sa bible, le prêtre m'entraîna dans une crypte où il me montra avec fierté un tas bien ordonné de crânes et d'ossements. Dans un moment de relâchement, je poussai un profond soupir en repensant à mon service dans la SS et à ce que j'avais vu dans des endroits comme Minsk ou Katyn. Une collection de squelettes éveille aussitôt en moi, par une perversion de l'esprit, le mal du pays. Comme si ces choses vous suivaient partout, tels des fantômes. Je pourrais appeler ça ma conscience si cette part de moi-même n'avait pas toujours occupé la seconde place derrière la simple prudence.

« Ils ressemblent à ce que je ressens », dis-je. D'accord, ce n'était pas vraiment Hamlet, mais à ma décharge, j'avais pédalé dur pendant des heures.

« Car poussière vous êtes et poussière vous redeviendrez, dit le prêtre.

– Amen.

– Mais ce n'est pas la fin. Absolument pas. Nous devons croire en la vie éternelle, vous ne pensez pas ? Au fait qu'il existe autre chose ensuite.»

Il ne paraissait pas convaincu, mais ce n'était pas moi qui allais l'aider à surmonter ses doutes. J'avais mes propres problèmes à régler.

« Non, pas ici, dis-je. La fin est on ne peut plus définitive. Et par-dessus le marché, je pense que Dieu est très content de nous rappeler que telle est notre condition. Que tout s'efface et tombe en miettes, jusqu'à ce qu'il ne nous reste plus que ce tas d'os, ce témoignage accumulé, ce monument gris dédié à notre passage et à la futilité de toutes nos entreprises humaines. Voilà la réalité de la vie, mon père. Nous allons mourir. Et aucun de nous ne compte davantage que ces oignons accrochés à mon guidon.»

Le prêtre parut un instant désarçonné.

« Vous ne croyez pas vraiment ce que vous dites, hein ?

– Non, sans doute pas », mentis-je. Plus que n'importe qui d'autre, les prêtres n'ont que faire de votre franchise. C'est ce qui les a poussés à devenir prêtres. Vous ne pouvez pas être prêtre si vous êtes attaché aux vérités empiriques, les seules sur lesquelles vous pouvez compter. « Mais parfois, il est difficile d'avoir foi dans un certain nombre de choses.

– La foi n'est pas censée avoir un sens. Sinon, elle ne pourrait pas être mise à l'épreuve.» Le prêtre me regarda en plissant les yeux. « D'où venez-vous, mon ami ?

– De nulle part. Nous venons tous de là, non ? En tout cas, c'est là où nous allons. C'est dit dans les Saintes Écritures que vous avez citées. L'Ecclésiaste, non ?»

Il hocha la tête. « Je prierai pour vous.

– Je ne suis pas sûr que ça marche.

– N'importe qui pourrait penser que vous êtes un homme qui ne croit en rien.

– Qu'est-ce qui vous fait dire ça, mon père ? Je crois que le soleil se lève et se couche. Je crois à l'énergie cinétique et à la résistance de l'air, à la pesanteur et à tout ce qui fait le plaisir de la bicyclette. Je crois au café, aux cigarettes et au pain. Je crois même à la IVe République.» Évidemment, c'était faux. Personne n'y croyait, pas plus qu'ils n'avaient cru à la troisième.

Le prêtre m'adressa un sourire édenté et posa sa bible ; on aurait pu penser qu'il allait me cogner.

« Je suis convaincu maintenant que vous êtes un nihiliste.

– Et pourquoi pas ? Il faut bien croire en quelque chose.

– C'est bien ce que vous êtes, n'est-ce pas ?

– Si je savais ce que c'était, je pourrais même être d'accord avec vous. Je croyais en Dieu dans le temps, et

qu'il fallait essayer de faire le bien. Mais maintenant...
maintenant je ne crois plus en rien.

– C'est vous, hein ? L'homme que la police recherche.

– Quel homme, mon père ?

– Le meurtrier du Train bleu. J'ai suivi cette histoire à
la radio et dans les journaux.

– Moi ? Je ne prends pas souvent le train ces temps-ci.
Trop cher. Mais qu'est-ce qui vous fait dire une chose
pareille ?

– Sachez que je suis un ancien policier. Je remarque
certains détails. Vos chaussures, par exemple. Aucun vendeur d'oignons ne porterait ce genre de chaussures. Elles
ont été achetées dans une jolie boutique, quelque part dans
le Sud. Non pas pour leur aspect pratique, mais pour leur
élégance. À la première grosse pluie, elles seront toutes
tachées. Des bottes auraient été plus adaptées. Des bottes
comme les miennes. Votre montre est une Longines. Ce
n'est pas la marque la plus chère, certes, mais ce n'est pas
donné quand même. Et puis, il y a vos mains, propres et
douces. Puissantes, mais douces. Et manucurées. Quand
on vit par ici, on serre la main à toutes sortes de gens
qui travaillent la terre. Vos mains ne ressemblent pas aux
leurs, rugueuses comme du papier de verre. Autre chose :
vos dents sont parfaites. Comme si vous étiez allé chez le
dentiste il y a moins de six mois. Là encore, les paysans
ne vont voir le dentiste que pour se faire arracher une dent
pourrie, et seulement quand la douleur devient insuppor-
table. La décoration, en revanche, c'est bien. Ça apporte
une petite touche. J'aime bien. Mais pas les lunettes. Ce
ne sont pas de vrais verres. On dirait que vous les portez
pour une raison quelconque, mais pas pour voir mieux. »

Je hochai tristement la tête. Dans un moment de totale
indifférence, je ne pus qu'admirer sa vivacité d'esprit.

« Vous auriez dû rester dans la police. Je n'ai pas besoin de verres correcteurs pour voir que c'était votre véritable vocation. Vous êtes le meilleur flic que je rencontre depuis mon arrivée en France. »

Le prêtre se raidit légèrement car il prenait conscience de l'endroit où il se trouvait, et surtout, avec qui.

« Je suppose, dit-il, que vous allez essayer de me tuer maintenant. »

Je haussai les épaules.

« Peut-être.

– Ça ne devrait pas être trop difficile.

– Non. J'ai un pistolet. Et j'ai l'impression qu'il n'y aura personne pour s'y opposer. Mais le jour où je commencerai à tirer sur des prêtres, je crois que je me tirerai dessus aussi. Et puis, quel intérêt ?

– C'est bien ce que je pensais. Vous n'êtes pas vraiment un meurtrier.

– Restez prêtre, finalement. Vous êtes encore plus mauvais psychologue.

– Que voulez-vous dire ? Vous avez réellement tué quelqu'un ?

– Évidemment. J'ai tué des hommes. Mais pas depuis la fin de la guerre. Pour votre gouverne, je n'ai tué personne à bord du Train bleu. C'est un coup monté.

– Je vois. Vous êtes dans de sales draps, hein ? »

Je montrai l'ossuaire.

« Ça pourrait être pire. Je pourrais être parmi eux.

– Nous pouvons prier ensemble si vous le souhaitez.

– Ce serait encore plus inutile que de vous tuer. En revanche, vous allez jurer sur la Bible que vous me laisserez de l'avance. Douze heures devraient largement me permettre de franchir l'ancienne frontière allemande pour rejoindre la Sarre. Douze heures avant que vous préveniez les flics. C'est tout ce que je vous demande, mon père.

– Qu'est-ce qui vous fait croire que je vais accepter ? »

Je sortis mon arme.

« Si vous refusez, je vous assomme avec ça, je vous ligote et vous laisse ici en compagnie de vos amis, les ossements. À moins que je ne mette le feu à votre église. Je suis allemand, voyez-vous. Nous l'avons beaucoup fait pendant la guerre. Une église de plus ou de moins, ça ne changera pas grand-chose pour mon âme éternelle. Aussi, je pense que vous avez tout intérêt à faire ce que je vous dis. Douze heures, ce n'est pas trop demander. »

Le prêtre regarda sa montre.

« Douze heures ?

– Douze heures. »

Je lui tendis sa bible et il jura dessus en répétant mes paroles. Puis il me serra la main de nouveau, me souhaita bonne chance et promit de prier pour moi.

« Je prends la chance plutôt, dis-je. Ça m'a toujours mieux réussi que les prières. »

Je sortis de l'église, remontai sur mon vélo et repartis, mais pas avant d'avoir balancé mes oignons dans l'herbe d'un talus. J'allais devoir pédaler ferme et je préférais m'alléger au maximum. C'est à cet instant seulement que je pris conscience de ma bêtise. Le prêtre avait raison : mes chaussures et mes mains auraient pu me trahir à tout moment. Je m'étais cru malin, alors que pendant tout ce temps, j'avais frôlé le drame. Mais tout cela était moins stupide que ce que je venais de faire. Il ne faut jamais se fier à un prêtre. Aucun n'est digne de confiance dès qu'il y a un bon dictionnaire de latin et un riche bienfaiteur à portée de main.

33

Avril 1939

Je réussis à dormir plusieurs heures. Bizarrement, la proximité du bureau de Hitler ne troubla pas mon sommeil. J'étais au bord de l'évanouissement et je crois que j'aurais pu passer une nuit sur le mont Chauve sans me réveiller. La sonnerie du téléphone me fit sursauter. Je consultai ma montre. Minuit avait sonné depuis longtemps.

« Salut, patron, dit Friedrich Korsch. C'est moi.

– Vous avez découvert quelque chose ?

– Il y avait des documents dans un des tiroirs du bureau de Flex. Un contrat de bail. Apparemment, notre ami louait un garage à Berchtesgaden. Dans Maximilianstrasse. Il appartient à un nazi local, le Dr Waechter. Un avocat.

– Passez me prendre devant le Berghof dans dix minutes. On va aller y jeter un coup d'œil.

– Vous oubliez que je ne suis pas autorisé à pénétrer sur le Territoire du Führer.

– Dans ce cas, retournez à la Villa Bechstein. Je vous retrouve là-bas. Vous avez appelé Hermann ?

– Il est en route pour Berchtesgaden. »

Je sortis de ma chambre et descendis dans le hall. Il faisait encore plus froid qu'auparavant dans la maison, mais un ou deux domestiques rôdaient dans les parages, vêtus de gros manteaux. Kannenberg m'avait expliqué qu'ils s'entraînaient à veiller tard pour les fois où Hitler était là. Je n'avais qu'une envie : trouver un lit pour me recoucher. Je résistai à la tentation d'avaler deux comprimés de pervitine et croisai les doigts.

Le trajet entre le Berghof et la Villa était court, mais la route pentue était rendue dangereuse par la neige et le verglas, et je me réjouissais de porter mes bottes Hanwag. Le SS posté dans la guérite en bas de la route fut tellement surpris de voir quelqu'un venir à pied du sommet qu'il tomba de son tabouret. Il devait croire que j'étais Barberousse sorti de son sommeil de mille ans au cœur de la montagne. Ou alors, lui aussi dormait.

Friedrich m'attendait dans une voiture à la Villa et ensemble nous descendîmes jusqu'à Berchtesgaden. Maximilianstrasse partait de derrière la gare principale, gigantesque, et menait en contrebas du château local, d'une jolie couleur rose de glaçage pâtissier. Le garage, dont l'adresse figurait sur la quittance découverte par Korsch, se trouvait juste en face du monastère franciscain, et à côté de l'orfèvrerie Rothman, qui avait apparemment mis la clé sous la porte. Le monastère, en revanche, semblait florissant. Sur la vitrine de la boutique, on apercevait encore les traces d'une étoile jaune, effacée, devinais-je, seulement après le départ de *Herr* Rothman et de sa famille. Dans les petites villes comme Berchtesgaden, c'était plus dur pour les juifs que dans les grandes villes, car tout le monde les connaissait et savait où les trouver ; dans une grande ville, ils pouvaient disparaître. Je me demandai si, comme c'était probablement le cas pour l'ami de Gerdy Troost, Rothman était parti vivre à Berlin ou s'il avait quitté l'Allemagne. Pour ma part, c'était ce que j'aurais fait.

J'avais toujours le trousseau de clés de Flex et après en avoir essayé plusieurs, je trouvai celle qui ouvrait la porte du garage. L'unique éclairage, une ampoule nue au plafond, fit apparaître une Maserati d'un rouge éclatant – le modèle avec le tuyau d'échappement sur le côté –, lustrée à la perfection. À cause de son capot long comme un cercueil, elle tenait à peine dans cet espace. La manivelle avait été retirée et l'avant de la voiture butait sur un matelas dressé à la verticale contre le mur du fond, ce qui permettait de fermer et verrouiller la porte du garage sans risquer d'abîmer le bolide italien.

« Visiblement, personne ne nous a devancés cette fois », fis-je remarquer. Un lot d'outils de mécanique était accroché au mur, mais aucun ne manquait. « En même temps, il n'y a pas grand-chose à examiner. À part la voiture.

– Oui, mais quelle voiture, dit Korsch. Voilà qui explique les photos dans la maison de Buchenhohe.

– J'avoue que je n'y ai pas prêté attention. »

J'ouvris la porte qui donnait sur la boutique abandonnée. « Des images de course automobile. » Korsch montra une photo de Rudolf Caracciola sur le mur. « Des affiches de Grands Prix. De pilotes. Notre ami Flex était un passionné, on dirait. Je parie que cette voiture était sa plus grande fierté.

– Dans ce cas, pourquoi ne la gardait-il pas chez lui à Buchenhohe ?

– Vous plaisantez ? Il n'y a pas de garage là-haut, voilà pourquoi. Il voulait protéger cette merveille immaculée de la neige. Et je le comprends. D'autant qu'il n'y a pas de toit. C'est parfait pour l'été, peut-être un peu moins en hiver. » Korsch fit le tour de la Maserati en caressant la carrosserie. « C'est une 26M Sport. Construite en 1930.

2,5 litres, 8 cylindres en ligne, 200 chevaux. Elle a dû coûter un joli paquet de marks.

– Vous vous y connaissez en voitures ?

– J'étais mécano avant d'entrer dans la police, chef. Au garage Mercedes à Berlin. »

La Maserati était garée au-dessus d'une fosse à vidange, que Korsch examina rapidement avant de déclarer qu'elle ne contenait rien du tout, si ce n'est de l'huile de carter. Pendant ce temps, j'ouvris le coffre, puis la boîte à gants. Outre deux paires de lunettes de protection, deux casques en cuir et des gants de conduite, il y avait des cartes routières d'Allemagne et de Suisse, et une note de l'hôtel Bad Horn au bord du lac de Constance. J'ôtai même les sangles du capot pour regarder autour du moteur, sans rien découvrir là non plus. Les clés étaient sur le contact et Korsch ne put résister au plaisir de s'asseoir à la place du conducteur et d'agripper le volant.

« J'adorerais avoir une voiture comme ça, dit-il.

– Si vous restez sur la montagne de Hitler et si vous réussissez à dégoter une combine lucrative à un type comme Martin Bormann, peut-être que vous pourrez vous en offrir une. Mais je ne vois pas ce que cette Maserati peut nous apprendre. À part qu'il aimait faire des escapades en Suisse.

– Elle nous dit que Flex avait du goût en matière de voitures. Qu'il gagnait beaucoup d'argent et comment il le dépensait. Elle nous dit qu'aucune des personnes que nous avons interrogées jusqu'à présent ne nous en a parlé, alors peut-être d'ailleurs qu'il ne la conduisait pas souvent. Peut-être que peu de gens connaissaient son existence. Et celle de ce garage. » Il tourna le volant avec mélancolie. « Je peux la démarrer ?

– Je vous en prie. Vous pouvez même faire le tour de la ville, si ça vous chante. »

Nous décollâmes la voiture du matelas en la poussant et sortîmes la manivelle du petit coffre. Alors que nous nous apprêtions à faire démarrer le moteur, le matelas bascula sur le capot incliné.

« Attendez une minute ! dis-je. Je crois qu'il y a quelque chose dans le mur, derrière le matelas. »

Nous fîmes reculer la Maserati sur le sol de pierre jusqu'à ce qu'elle soit à moitié sortie du garage, et en tirant le matelas sur le côté, un vieux coffre-fort encastré apparut, un York à combinaison, aussi gros qu'une portière de voiture. Je tentai d'abaisser la petite poignée ronde, mais il demeura obstinément fermé.

« Il devait faire partie de la boutique, dit Korsch. Astucieux comme cachette. Avec la voiture.

– Je serais prêt à parier que c'est ce que cherchait la personne qui a fouillé la maison de Flex.

– Je suis d'accord. Qui va s'amuser à essayer de découvrir un coffre après avoir vu une chose aussi tape-à-l'œil ?

– Apparemment, on va avoir besoin du propriétaire précédent, Jacob Rothman, dis-je. Ou bien du type à qui Flex louait ce garage. Le Dr Waechter. Pour connaître la combinaison.

– Waechter habite au 29 Locksteinstrasse, à deux ou trois kilomètres d'ici.

– Alors, allons le réveiller. »

Je souris en imaginant un avocat cupide et obèse, un nazi ayant profité de la situation de Rothman. Je songeais déjà au plaisir qu'allait me procurer cet interrogatoire.

« On pourrait prendre la Maserati, suggéra Korsch.

– Pourquoi pas ? On est sûrs de réveiller tout le monde. »

Cette perspective m'arracha un nouveau sourire. Cette autosatisfaction paisible qui régnait à Berchtesgaden avait

318

besoin d'être secouée, et quoi de mieux qu'une Maserati 8 cylindres ? Nous laissâmes un mot à l'attention de Hermann Kaspel sur la porte du garage, lui demandant d'attendre notre retour. Quelques secondes plus tard, nous avions réussi à faire démarrer la voiture et Korsch nous conduisait à travers les rues de Berchtesgaden, avant de monter dans les collines en direction de Katzmann et de la frontière autrichienne. Malgré le vent glacé qui nous fouettait le visage (le pare-brise était quasiment inexistant), mon adjoint avait un sourire jusqu'aux oreilles.

« J'adore cette voiture ! s'exclama-t-il. Écoutez ce moteur ! Une bougie par cylindre ! Double arbre à cames en tête. »

Pour moi, le plaisir de cette virée était purement sadique. Dans cette petite ville de Bavière, le bolide de Flex donnait l'impression qu'un Messerschmitt s'était égaré dans la vallée, comme un des faux bourdons du rucher du Landerwald. En milieu de journée, le bruit aurait été assourdissant ; à une heure du matin, un cor des Alpes aurait été plus discret. Quand nous arrivâmes devant chez Waechter, juste derrière l'hôpital situé dans Locksteinstrasse, je suggérai à Korsch de faire rugir un peu le moteur, histoire d'être sûrs que tous les voisins étaient réveillés.

« Pourquoi ? demanda-t-il.

– Quand Rothman et sa famille ont été obligés de quitter la ville, je doute que cela ait troublé le sommeil de tous ces gens.

– Oui, vous avez sûrement raison, dit Korsch et il accéléra plusieurs fois, sans se départir de son grand sourire. C'est ça que j'aime bien chez vous, chef. Vous êtes un vrai salopard parfois. »

Il coupa le contact et me suivit dans l'allée.

Waechter habitait une grande maison tout en bois avec un balcon qui en faisait le tour et un escalier couvert sur le côté : le genre d'endroit où on faisait pousser des culottes de peau dans des jardinières. Il ne manquait que des figurines de pendule tenant des chopes de bière. Je frappai violemment à la porte d'entrée, mais les lumières étaient déjà allumées à l'intérieur, grâce à la Maserati. L'homme qui vint nous ouvrir était obèse et blême, sans doute de rage d'avoir été tiré de son lit en pleine nuit. Il portait un peignoir de soie rouge, avait des cheveux gris impeccables et une petite moustache assortie, hérissée d'indignation. On avait l'impression que tout un régiment de minuscules soldats allait sortir au pas cadencé de son visage pour me flanquer une raclée. Il se mit à vociférer tel un maître d'école tyrannique, mais se calma très vite quand je lui montrai mon insigne, alors que j'aurais préféré l'assommer avec un des skis accrochés au mur.

« *Kommissar* Gunther. » Je l'écartai pour entrer, comme je l'avais souvent vu faire à la Gestapo et une fois dans le vestibule, à l'abri du froid, nous commençâmes nonchalamment à soulever des photos dans des cadres, à ouvrir des tiroirs. J'allai droit au but.

« L'orfèvrerie Rothman dans Maximilianstrasse, dis-je sèchement. Vous en êtes l'actuel propriétaire, je crois.

– Exact. J'ai acquis ce fonds de commerce quand les précédents propriétaires l'ont quitté en novembre dernier. »

À l'entendre, ils étaient partis de leur plein gré. Mais évidemment je savais à quoi correspondait cette date. Novembre 1938. La Nuit de cristal, au cours de laquelle des commerces juifs et des synagogues avaient été attaqués dans toute l'Allemagne, avait eu lieu le 9 novembre précisément. Il allait sans dire que Jacob Rothman avait été contraint de vendre sa boutique à bas prix car du moment où vous vous faites régulièrement tabasser dans la rue, vous commencez à comprendre que vous êtes indésirable.

« Vous voulez parler de *Herr* Jacob Rothman, n'est-ce pas ?

– Ça ne peut pas attendre demain matin ?

– Non, ça ne peut pas. Le garage qui jouxte la boutique vous appartient également, je crois.

– Oui.

– Et vous le louez à Karl Flex.

– En effet. Vingt marks par mois. En liquide. Jusqu'à ce que je trouve un nouveau locataire pour la boutique.

– Il y a un coffre-fort dans le mur du fond. Selon moi, Rothman y déposait ses pièces les plus précieuses. En connaissez-vous la combinaison ?

– Non. Elle était notée sur une feuille de papier que j'ai remise au Dr Flex en même temps que les clés. Et je crains de ne pas l'avoir recopiée. Mais c'est à lui qu'il faudrait poser la question, pas à moi.

– Si je vous la pose à vous, c'est que je ne peux pas la lui poser.

– Pourquoi ?

– Et Rothman lui-même ? demandai-je en ignorant la question de Waechter. Sauriez-vous par hasard où il est allé après avoir quitté Berchtesgaden ? À Munich, peut-être ? Ou ailleurs ?

– Je n'en sais rien.

– Il n'a pas laissé d'adresse pour faire suivre son courrier ?

– Non.

– Dommage.

– Comment ça "dommage" ? C'est un juif. Et même s'il avait laissé une adresse, je ne suis pas là pour m'occuper du courrier d'un juif cupide. J'ai mieux à faire.

321

– Je m'en doutais. Mais c'est dommage malgré tout. Pour moi. Figurez-vous que ce juif aurait pu me faire gagner du temps. Peut-être même m'aider à élucider un meurtre. C'est ça le problème avec les pogroms. Un jour, vous vous apercevez que vous avez persécuté des gens qui auraient pu vous être utiles. À moi. Et à Martin Bormann.

– Il n'y avait rien dans le coffre quand les Rothman sont partis. Il était vide. J'ai vérifié.

– Oh, j'en suis sûr. Quoi qu'il en soit, il est maintenant fermé et personne ne connaît la combinaison.

– Y a-t-il quelque chose d'important à l'intérieur ?

– C'est un coffre. Il y a souvent des choses importantes dans un coffre, surtout lorsqu'il est verrouillé. Cela étant dit, le Dr Flex ne louera plus votre garage à l'avenir. Le bail est rompu. De manière définitive.

– Oh. Pourquoi donc ?

– Il est mort.

– Seigneur. Le pauvre.

– Oui, le pauvre. C'est ce que tout le monde dit.

– Que lui est-il arrivé ? De quoi est-il mort ?

– Cause naturelle. »

Maintenant que j'avais échoué avec la combinaison, je n'avais aucune envie que quelqu'un connaisse l'existence de ce coffre, et je me disais qu'en roulant dans une voiture jusqu'alors restée cachée dans un garage, dont peu de gens savaient qu'il était loué par Karl Flex, je n'avais pas été très malin. Et je ne voulais certainement pas que la personne qui s'était introduite dans la maison de Flex récidive avec ce garage. D'autant que cette personne connaissait peut-être la combinaison du coffre. Il n'y avait plus qu'une seule chose à faire. Flanquer la frousse à Waechter pour l'obliger à tenir sa langue au sujet du garage, du coffre, de la mort de Flex, de tout.

« Vous êtes avocat, n'est-ce pas ?

– En effet.

– Dans ce cas, vous comprenez qu'il est nécessaire de garder le secret dans une affaire comme celle-ci.

– Bien sûr.

– En aucun cas vous ne devez parler à qui que ce soit de Karl Flex, du garage que vous lui louiez, ni de l'existence d'un coffre. C'est bien compris ?

– Oui, *Herr Kommissar*. Je peux vous assurer que je ne dirai rien.

– Tant mieux. Sinon, je serai obligé d'en référer au chef de cabinet Martin Bormann, et il verrait cela d'un mauvais œil. D'un très mauvais œil. Suis-je assez clair, docteur Waechter ?

– Oui, *Herr Kommissar*. Très clair.

– C'est une question de sécurité intérieure. Alors, bouclez-la. Des gens ont fini à Dachau pour moins que ça. »

Alors que nous regagnions notre voiture, Korsch ne put s'empêcher de rire.

« Qu'y a-t-il de si amusant ?

– Cause naturelle, dit-il en secouant la tête. Elle est bien bonne, chef.

– Bormann veut de la discrétion. Et puis, Flex est bien mort de cause naturelle. Je ne vois pas comment appeler ça autrement. Quand quelqu'un vous fait sauter la cervelle d'un coup de fusil, vous mourez, tout naturellement. »

34

Avril 1939

De retour à l'orfèvrerie Rothman dans Maximilian-strasse, nous ne vîmes aucune trace de Hermann Kaspel, et la feuille de papier glissée dans l'encadrement de la porte n'avait pas bougé. Si le chat assis devant la porte du monastère des franciscains, en face, savait ce qui était arrivé à Hermann, il ne le dit pas. Vous ne pouvez pas compter sur les chats, surtout quand ils sont du côté des franciscains. Korsch remisa la Maserati dans le garage et, à contrecœur, referma la porte à clé. Mais il pensait encore à ce bolide. Je consultai ma montre.

« Vous êtes sûr que Kaspel a la bonne adresse ?

– Certain, répondit Korsch. Il l'a répétée devant moi. Et puis ce n'est pas comme si on pouvait se perdre dans cette ville.

– C'est ce qui est arrivé à Jacob Rothman. » Je tapai des pieds pour essayer de me réchauffer. « Il devrait déjà être là. Quelque chose a dû le retarder. Si on retourne à la Villa Bechstein en empruntant la route de Buchenhohe, on le croisera peut-être. Il ne doit pas y avoir beaucoup de circulation à cette heure. Il est peut-être tombé en panne.

– Non, pas avec cette voiture.

– Qu'est-ce qui vous fait dire ça ?

– J'ai écouté le bruit du moteur quand vous êtes arrivés chez Flex hier matin. C'est une 170 réglée comme une horloge. Toutes les voitures de la flotte de l'Obersalzberg sont trop bien entretenues pour tomber en panne. Vous savez ce que je pense ? Je pense qu'il s'est rendormi. Un des sergents du RSD m'a expliqué un jour que lorsque les effets de la potion magique se dissipent, vous pouvez dormir durant mille ans.

– C'est ce qui a dû arriver à Barberousse. Il a arrêté de prendre des pilules. »

Je bâillai. Ces histoires de sommeil et de pilules me donnaient envie de dormir.

Nous longeâmes la rivière en direction de l'Unterau et de la Caserne-P, avant de bifurquer vers l'est dans Bergwerstrasse pour remonter. Un groupe d'ouvriers de chez Polensky & Zöllner était en train d'élargir la route, à l'endroit où elle côtoyait l'Ache, au cas où quelqu'un voudrait passer avec un char. Personnellement, je la trouvais assez large déjà. Les gros phares de la Mercedes éclairèrent les visages édentés de quelques paysans. Il ne leur manquait que des fourches et des torches enflammées pour ressembler à une horde de villageois décidés à lyncher le monstre du Berghof. Bormann devait se dire qu'un char pourrait les arrêter. J'espérais qu'il se trompait.

« Il faut ouvrir ce coffre, déclarai-je. Et garder le secret. Finalement, cette virée en Maserati n'était peut-être pas une bonne idée.

– Mais c'était amusant. Pour moi en tout cas.

– Ce sera moins amusant si je ne retrouve pas le meurtrier, et vite.

– Ce n'est pas dans les cordes d'un serrurier du coin, j'imagine.

– Sauf s'il s'appelle Houdini. Non, je pense qu'il va falloir faire appel à un perceur de coffres professionnel.» Je réfléchis un instant. « Que sont devenus les frères Krauss ? Ces gars-là pouvaient ouvrir tout ce qui avait une serrure. Y compris les portes du Musée de la police.» Le cambriolage du Präsidium de l'Alexanderplatz par les frères Krauss, qui voulaient récupérer leurs outils confisqués par la police, appartenait pour toujours à la légende, et la police de Berlin n'avait connu pire humiliation jusqu'à ce que les nazis en prennent le contrôle.

« Aux dernières nouvelles, ils étaient à l'ombre. Ils purgeaient une peine de cinq ans à la prison de Stadelheim.

– Je m'étonne qu'ils se soient fait prendre.

– Je ne crois pas qu'ils se soient fait prendre, chef. D'après ce que j'ai entendu dire, ils ont quitté Berlin pour Munich afin d'échapper à leur réputation de meilleurs perceurs de coffres d'Allemagne, et là, ils ont vite été arrêtés par la Gestapo bavaroise et jetés en prison pour un motif bidon.» Korsch alluma une cigarette et lâcha un petit rire. « C'est comme ça que les nazis font baisser les chiffres de la criminalité. Ils n'attendent pas que quelqu'un commette un délit pour l'envoyer en taule.

– Dans ce cas, il faut faire libérer les frères Krauss et les ramener ici pour déverrouiller ce coffre.

– Peut-être qu'un seul des deux suffira.

– N'y pensez pas. Joseph n'ouvre même pas sa porte de derrière sans l'assentiment de Karl. Et vice-versa. Ce sera votre prochaine mission, Friedrich : aller à Munich et les faire sortir de prison. J'enverrai un télex à Heydrich pour tout organiser. Ramenez-les ici tous les deux. En douce. Et pendant que vous serez là-bas, j'aimerais que vous demandiez à la police s'ils connaissent l'adresse d'un juif nommé Wasserstein. Le Dr Karl Wasserstein.

– Qui est-ce ?

– L'ami d'une certaine Gerdy Troost. Elle loge au Berghof et elle s'inquiète pour lui. »

Je rétrogradai pour négocier un virage. Quelques mètres plus loin, j'aperçus deux phares gros comme des ballons de football et pilai net.

« Nom de Dieu. Maintenant, on sait. »

Sur le côté de la route, à une dizaine de mètres au-dessus de nous, une Mercedes 170 noire, identique à la nôtre, semblait avoir fait une embardée devant un étroit pont de pierre et dévalé la pente raide en arrachant plusieurs arbustes au passage, avant de se retourner et de heurter un rocher aux angles vifs qui avait presque coupé la voiture en deux. On aurait dit un énorme scarabée mort. Les phares étaient toujours allumés, mais les roues avaient cessé de tourner dans le vide depuis longtemps et il flottait dans l'air sec et froid une forte odeur d'essence. Prudemment, Korsch ôta la cigarette de sa bouche et l'écrasa sous sa semelle avant de la glisser dans la poche de son manteau. Je coupai le moteur et nous jaillîmes hors de la voiture pour nous mettre à la recherche de Hermann Kaspel.

« Hermann ! criai-je. Où êtes-vous ? Tout va bien, Hermann ? »

Je savais, d'instinct, que ce n'était pas le cas.

Ce qui me frappa d'emblée, ce fut le silence assourdissant. Nous n'entendions que le bruit de nos respirations inquiètes et de nos grosses bottes, tandis que nous gravissions la pente tapissée de neige dure vers l'épave. Et la brise glaciale qui s'engouffrait entre les arbres pétrifiés. La nature retenait son souffle. Des nuages passaient dans le ciel éclairé par la lune, comme un sombre présage. Un bruit sourd me fit me retourner : un gros paquet de neige était tombé d'une branche. J'avais le cœur au bord des lèvres. J'avais vu plusieurs accidents de voiture quand j'étais dans la police berlinoise. De vilains accidents. Vous n'êtes jamais préparé à voir ce que peut subir un corps humain lorsqu'une voiture rencontre à vive allure un obstacle solide et fixe. Mais là, c'était aussi affreux que dans les tranchées. On aurait pu croire qu'un obus de la Grosse Bertha, tiré de l'église de Buchenhohe, était tombé juste devant la Mercedes. Rien ne pouvait déformer le métal à ce point. La portière du conducteur béait. Kaspel n'était plus dans la voiture, mais on devinait sans peine sa trajectoire. D'abord, à côté de la portière, il y avait une jambe sectionnée qui portait encore une botte de cheval et un morceau de pantalon. De là, Kaspel avait rampé sur le ventre, laissant une large trace de sang presque noir dans la neige.

« Oh, bon Dieu ! »

Korsch se retourna vivement, conscient de la vérité brutale qu'il avait devant les yeux, et repartit vers la voiture renversée.

Kaspel savait qu'il allait mourir. Il avait réussi, malgré tout, à s'asseoir contre un arbre et à allumer une dernière cigarette (d'une main tremblante à en juger par les nombreuses allumettes grillées sur le sol), avant de se vider de son sang. Le mégot était resté coincé entre ses lèvres, et ses mains bleuies agrippaient encore le moignon de sa cuisse gauche – si net qu'on aurait dit l'œuvre d'un chirurgien habile muni d'une scie –, comme s'il avait tenté vainement d'arrêter l'hémorragie. Sa peau était aussi froide que la neige sur laquelle il était assis et j'en déduisis qu'il était mort depuis au moins une demi-heure. Le cœur pompe plusieurs litres de sang par minute et quand l'artère fémorale se trouve ainsi sectionnée, vous vous videz en moins de temps qu'il n'en faut pour finir une cigarette. Contrairement à sa jambe, son visage, à moitié givré, était intact. Il regardait droit devant lui, par-dessus mon épaule, et j'avais l'impression qu'il m'aurait répondu si je lui avais parlé, tant son regard était clair. Évidemment, l'éclat dans ses iris n'était que le reflet de la lumière des phares, malgré tout il paraissait étrangement vivant. Sans savoir pourquoi, j'ôtai un peu de givre sur ses sourcils et dans ses cheveux, puis je m'assis à côté de lui pour allumer une cigarette moi aussi. J'avais souvent fait ce genre de choses pendant la guerre : assis à côté d'un homme, vous attendiez patiemment qu'il meure, parfois en lui tenant la main, ou le bras passé autour de ses épaules. On supposait que l'âme flottait quelques instants au-dessus du corps avant de disparaître. Généralement, vous coinciez la cigarette dans sa bouche pour lui permettre de mélanger quelques taffes à son dernier souffle. Une clope pouvait tout guérir, d'un léger choc à une jambe arrachée. Quiconque avait fait la guerre savait cela. Et même si vous saviez que le tabac était mauvais pour vous, vous saviez également que les balles et les éclats d'obus étaient plus dangereux encore, et si vous y aviez échappé, quelques cigarettes n'apparaissaient pas comme un risque sérieux. J'avais envie de dire un tas de choses à Hermann, mais surtout que je l'avais mal jugé et qu'il avait été un bon camarade. C'est ce que vous pouvez raconter de mieux à un homme qui est mort ou en train de mourir. Même si ce n'est pas vrai. La vérité, ce n'est pas aussi bien qu'on le prétend. Ça ne l'a jamais été. Mais j'avais appris à aimer et à admirer Hermann Kaspel. Et je pensais à sa pauvre épouse, que je n'avais jamais rencontrée. Je me demandais ce que j'allais lui dire, et je décidai que je ne pouvais pas compter sur Högl ou Rattenhuber pour assurer dignement cette tâche. L'un et l'autre étaient aussi insensibles que la jambe sectionnée de Kaspel, et tout aussi détachés. Je devrais informer moi-même sa femme, même si je ne pouvais me permettre de perdre tout ce temps. Au bout d'un moment, je me levai et retournai vers l'épave et Friedrich Korsch.

« Je lui avais conseillé de rouler moins vite. La dernière fois que je suis monté avec lui. Franchement, il me fichait la trouille quand il était au volant de cette voiture. Sûrement à cause des amphétamines. La potion magique. Il plaisantait en affirmant que ce truc finirait par le tuer. Il avait raison. »

Korsch secoua la tête.

« Ce ne sont pas les amphétamines qui l'ont tué, chef. J'en suis certain. Ni sa mauvaise conduite. Ni même le verglas sur la route, bien que ça ait pu aider. La Mercedes a des pneus hiver, avec une chape plus épaisse. Et ils sont presque neufs, apparemment. Je vous le répète, les voitures du RSD sont très bien entretenues.

– Que voulez-vous dire, alors ? Il a bien eu un accident, non ?

– Il a eu un accident parce que ses freins ont lâché. Et ses freins ont lâché parce que quelqu'un a délibérément sectionné la durite. Quelqu'un qui savait ce qu'il faisait. »

N'ayant jamais entendu parler de ça, je secouai la tête d'un air incrédule.

« Vous êtes sûr ?

– Je vous l'ai dit, j'ai travaillé pour Mercedes-Benz. Je connais les câbles et les tuyaux de cette voiture comme les veines de ma bite. Mais même moi je n'aurais peut-être rien remarqué si la voiture ne s'était pas retournée. La 170 possède un système de freinage à tambour qui fonctionne avec du fluide hydraulique, d'accord ? Les liquides sont difficilement compressibles, et donc quand vous freinez, vous exercez une pression sur les liaisons chimiques du fluide. Sans ce fluide, il n'y a aucune force de freinage, ce qui veut dire que les freins lâchent. On voit bien, à la façon dont la durite est coupée en biais, qu'elle ne s'est pas sectionnée ni détachée toute seule ; elle a été coupée avec un couteau ou des pinces. Il ne reste plus une goutte de fluide à l'intérieur. Ce pauvre gars n'avait pas une seule chance de s'en tirer. Cette voiture pèse presque une tonne. D'ici à Buchenhohe, il y a environ cinq kilomètres de route sinueuse. Je suis étonné qu'il n'ait pas foncé plus tôt dans le décor. Hermann Kaspel a été assassiné. Quelqu'un a sectionné la durite de freins quand la voiture était garée devant chez lui. Un de ses voisins, je parie. Et cela devrait vous faire réfléchir, *Herr Kommissar*. Vous êtes peut-être plus près que vous ne le pensez de découvrir l'identité du meurtrier de Karl Flex. Car celui qui a assassiné ce pauvre Kaspel avait très certainement l'intention de vous tuer vous aussi. Il espérait que vous seriez avec lui dans la voiture au moment de l'accident. S'il réussissait à vous tuer tous les deux en même temps, l'enquête était terminée. Alors, soyez sûr d'une chose, Bernie : il y a quelqu'un sur l'Obersalzberg ou à Berchtesgaden qui veut votre mort.»

35

Avril 1939

Nous quittâmes le lieu de l'accident pour reprendre l'ascension de la route en lacets jusqu'à la maison de Hermann Kaspel à Buchenhohe et nous nous arrêtâmes à bonne distance de la maison afin de ne pas réveiller sa veuve. Aucune lumière n'était allumée à l'intérieur, ce dont je me réjouis car je me serais senti obligé de frapper d'emblée à la porte pour annoncer la mauvaise nouvelle à la pauvre femme. Apparemment, elle dormait, ignorant tout du terrible drame qui venait de s'abattre sur elle, et c'était aussi bien. Le porteur de mauvaise nouvelle n'est certainement pas plus reluisant à quatre heures du matin, surtout s'il avait ma tête. En outre, je souhaitais examiner l'emplacement où avait été garée la voiture de Kaspel, devant la maison, pendant que la scène de crime était encore relativement récente. En parlant tout bas, nous inspectâmes l'endroit en question avec nos lampes électriques.

« On sent encore l'odeur du glycol, dit Korsch, accroupi pour palper le sol humide du bout des doigts. La plupart des liquides de frein sont composés de glycol avec de l'éther. Surtout dans des régions froides comme ici. Regardez, on voit où il a fait fondre la neige en coulant par terre.

– C'est exactement ce que vous disiez.

– Aucun doute. Hermann Kaspel a été assassiné. Aussi sûrement que si quelqu'un avait appuyé le canon d'un pistolet contre sa tempe et pressé la détente. » Korsch se releva et alluma une cigarette. « Vous avez de la chance d'être en vie, chef. Si vous vous étiez trouvé dans la voiture, vous seriez certainement mort aussi à l'heure qu'il est. »

Je levai les yeux vers le ciel froid. Le voile de nuages s'était levé pour laisser apparaître le grand dais noir de l'univers et, comme souvent, je revoyais les tranchées, à Verdun, toutes les nuits glaciales où j'étais de faction, durant lesquelles j'avais sans doute contemplé chaque étoile en pensant à ma mort imminente. Je n'avais jamais peur de mourir quand je regardais les cieux, car poussière cosmique nous étions et poussière cosmique nous redeviendrions. Je ne raisonnais pas trop en termes de morale, je crois ; peut-être était-ce une extravagance qui dépassait l'horizon de mon champ de vision. Sans parler du fait que ça devenait douloureux à force de renverser la tête comme ça, et dangereux.

Korsch s'éloigna de quelques mètres de la maison pour aller chercher un vieux rideau en vichy vert qu'il avait repéré sur le bas-côté de la route. Il était légèrement recouvert de neige, mais le bord était taché. Dans une ruelle de Berlin, sans doute serait-il passé inaperçu, mais dans un endroit aussi propre et ordonné que l'Obersalzberg, où même les fleurs dans les jardinières se tenaient au garde-à-vous, ce bout d'étoffe méritait qu'on s'y intéresse. Je rejoignis Korsch.

« À mon avis, dit-il, le saboteur s'est allongé dessus pendant qu'il traficotait sous la voiture de Kaspel. Mais il a été assez négligent pour le laisser là.

– Peut-être qu'il n'a pas eu le choix, dis-je. Peut-être qu'il a été dérangé.» Il y avait un nom de fabricant sur la doublure, mais cela nous indiquait simplement que ce rideau avait été confectionné loin d'ici, dans une filiale du grand magasin Horten : DeFaka, à Dortmund. « Si on retrouvait celui qui fait la paire, on aurait une chance d'identifier le meurtrier de Hermann. Malheureusement, je vois mal quiconque nous autoriser à fouiller toutes les maisons sur la montagne de Hitler, à la recherche d'un vieux rideau. Comme on me le rappelle fréquemment, certaines de ces personnes sont des amis de Hitler.»

Alors que nous nous éloignions un peu plus de la maison, mes bottes heurtèrent un morceau de métal qui capta le faisceau de ma lampe. Je me baissai pour le ramasser. Un court instant, je crus avoir découvert le couteau ayant servi à sectionner la durite, mais je m'aperçus très vite que cet objet que je tenais entre mes doigts n'aurait rien pu couper du tout. En métal arrondi, fin, lisse et incurvé, d'une vingtaine de centimètres de long et de moins de dix millimètres de diamètre, on aurait dit un ustensile de cuisine biscornu, une spatule ou le manche d'une louche.

« Vous pensez que ça aurait pu tomber de sous la voiture ? demandai-je en tendant l'objet à Korsch pour qu'il puisse l'examiner.

– Non. Je n'ai jamais vu un truc qui ressemble à ça. C'est de l'acier inoxydable. Et beaucoup trop propre pour provenir d'une voiture.»

Je glissai l'objet mystérieux dans la poche de mon manteau pendant que nous regagnions la Mercedes, en me promettant d'interroger quelqu'un d'autre plus tard, mais je ne voyais pas bien qui pourrait me renseigner.

Friedrich Korsch me déposa à la Villa Bechstein et repartit presque immédiatement pour Munich afin de faire sortir les frères Krauss de la prison de Stadelheim. Je me servis un grand verre d'eau-de-vie dans le salon, portai un toast à la mémoire de Kaspel, puis remontai vers le Berghof à pied. La sentinelle était réveillée cette fois, mais tout aussi surprise de voir quelqu'un marcher à cette heure-ci. À en croire les journaux et les magazines, Hitler aimait se promener dans l'Obersalzberg, mais d'après ce que j'avais pu voir, ni lui ni personne ne se déplaçaient à pied au Berghof, sauf pour aller d'un fauteuil à l'autre dans le Grand Hall ou sur la terrasse. Je poussai jusqu'à la Türkenhäusel, qui abritait le quartier général du RSD local. Tout était calme et on avait du mal à imaginer qu'à quelques kilomètres d'ici, sur une pente enneigée, gisait le corps d'un homme assassiné. La Türkenhäusel était une autre construction de style chalet alpin, en pierre blanche et bois noir, mais elle possédait son propre terrain de rassemblement, doté d'un mât ridiculement haut sur lequel flottait un drapeau SS, et d'une vue imprenable sur la maison de Bormann à proximité. Il y avait sur le devant une petite guérite de pierre qui ressemblait à un sarcophage en granit et la sentinelle m'escorta jusqu'à l'officier de garde. Presque momifié par le froid, il était content de pouvoir faire un peu circuler le sang sous son casque noir astiqué. Par contraste, l'officier du RSD était installé douillettement dans une des pièces de la Türken, chauffé par un joli feu, une petite cuisinière et une photo réconfortante du *Berliner Illustrirte Zeitung* qui montrait Göring brandissant fièrement un bébé, sa fille Edda. Je l'enviais modérément. Sur un bureau était posée une assiette contenant une miche de pain, du beurre et un gros morceau de Velveeta, ce qui me rappela que je n'avais rien mangé depuis le petit déjeuner. Heureusement que j'avais perdu l'appétit. Pour ne plus avoir faim, rien de tel que de voir un homme que vous connaissiez coupé en deux. Toutefois, avisant une cafetière fumante sur la cuisinière, je me servis une tasse avant d'aborder la raison de ma visite. Le café était bon. Et encore meilleur avec du sucre. On trouvait toujours du sucre à volonté sur la montagne de Hitler. S'il y avait eu une bouteille, je me serais aussi servi un verre. L'officier était un SS-Untersturmführer, autrement dit un lieutenant avec seulement trois points sur son col, et un bouton dans le cou. Il devait avoir dans les douze ans, était aussi vert que ses épaulettes, et avec ses lunettes et ses joues roses, son appartenance à la race supérieure semblait pour le moins temporaire. Il s'appelait Dietrich.

« Le capitaine Kaspel est mort dans un accident de voiture, annonçai-je. Sur la route de Buchenhohe. Il a dû perdre le contrôle de son véhicule et quitté la route.

– Vous voulez rire.

– En fait, ce que je viens de vous dire n'est pas totalement exact. Je suis quasi certain que Kaspel a été assassiné. Quelqu'un a coupé la durite de freins de sa voiture. Je pense que nous étions visés tous les deux, mais comme vous pouvez le constater, j'ai survécu.

– Ici, sur l'Obersalzberg ? Qui pourrait faire une chose pareille ?

– Difficile à croire, hein ? Que quelqu'un, ici, sur la montagne de Hitler, puisse seulement envisager de commettre un meurtre. Inimaginable.

– Savez-vous qui est le coupable, *Herr Kommissar* ?

– Pas pour l'instant. Mais je le trouverai. Je compte sur vous pour alerter les services concernés afin qu'ils récupèrent le corps et la voiture. Il faudrait une ambulance, je suppose. Et un camion de pompiers. C'est un vrai carnage. Âmes sensibles s'abstenir. Peut-être aussi un médecin. Je ne sais pas. Il ne pourra rien faire. Vous devriez sans doute prévenir le major Högl. Mais j'ignore si c'est le genre d'officier que l'on peut réveiller pour lui annoncer une nouvelle importante, ou s'il vaut mieux attendre le matin. Vous seul pouvez décider, fiston. Toutefois, j'ai l'impression que par ici les mauvaises nouvelles attendent toujours le lendemain matin. »

Je jetai un coup d'œil par la fenêtre. Une lumière était allumée au rez-de-chaussée de la maison de Bormann, et je me demandai s'il aurait souhaité être informé de la mort de Kaspel. Devais-je réveiller le chef de cabinet en pleine nuit ? Laisse ce soin à Högl, conclus-je. Tu as suffisamment à faire, Gunther. Tu seras obligé d'évoquer les avancées de ton enquête, qui sont décevantes, pour ne pas dire plus. La seule bonne nouvelle que tu pourrais annoncer à un homme comme Martin Bormann, c'est que tu as arrêté le meurtrier ; tout le reste apparaîtra comme une excuse pour justifier ton incompétence. Et puis il y avait toujours le risque que je prononce des paroles déplacées. Quand vous venez de voir un homme que vous appréciiez atrocement mutilé, vous avez tendance à vous lâcher. Cela arrivait souvent dans les tranchées. C'est comme ça que j'ai perdu mes premiers galons de sergent, en accusant un imbécile de lieutenant d'avoir fait tuer deux bons soldats.

« Mon Dieu, c'est terrible. Le capitaine Kaspel était un homme si gentil. Et il avait une femme si charmante.

– Laissez-moi m'occuper de la veuve », dis-je en réprimant un bâillement. La chaleur qui régnait dans cette pièce transformée en bureau faisait ressurgir l'envie de dormir. « Dites-le bien à Högl. J'irai lui annoncer la nouvelle à la première heure, dès que j'aurai dormi un peu et pris mon petit déjeuner. »

J'allais partir quand je remarquai le râtelier à fusils : à côté des Karabiner 98 Mauser, l'arme standard de l'armée allemande, un fusil muni d'une lunette avait attiré mon attention. Il s'agissait d'un Mannlicher M95, identique au fusil utilisé pour tuer Karl Flex. Je le pris, actionnai le verrou et inspectai le magasin : plein. Ce fusil était bien entretenu, et en meilleur état que celui que j'avais découvert à la Villa Bechstein. Déjà, il n'était pas couvert de suie. Je le retournai pour examiner le canon : il était plus sale qu'il n'y paraissait de prime abord, sans que je puisse déterminer si cela voulait dire qu'il avait servi récemment.

« Que fait cette arme ici ?

– C'est le fusil du major Högl, *Herr Kommissar,* répondit Dietrich. Il le prend parfois pour chasser.

– Que chasse-t-il par ici ?

– Rien sur le Territoire du Führer ni au Landerwald, soyez-en sûr. À part peut-être quelques chats du coin. Tout le reste, c'est interdit.» Le jeune lieutenant grimaça un sourire gêné, comme s'il désapprouvait. «Le Führer n'aime pas voir de chats autour du Berghof.

– Il paraît.

– Ils tuent les oiseaux.»

Je hochai la tête. Personnellement, j'avais toujours aimé les chats, j'admirais leur indépendance. Se faire tuer par des nazis parce que vous faites ce qui vous vient naturellement, c'était le genre de dilemme existentiel avec lequel je pouvais facilement compatir.

« S'agit-il du fusil que lui avait remis le capitaine Kaspel ? Celui qui appartenait à un braconnier ?»

Mais alors même que je posais cette question, je ne voyais pas comment Kaspel aurait pu ne pas le remarquer, là sur ce râtelier. Il m'en aurait parlé durant le trajet qui nous menait au rucher.

« Je ne sais pas, *Herr Kommissar.* Voulez-vous que je le lui demande ?

– Non. Je le ferai moi-même.»

Je redescendis au Berghof d'un bon pas, et constatai qu'il faisait toujours plus froid dans la pièce qui me servait de bureau, étant donné que quelqu'un y était entré et avait laissé la porte grande ouverte. Je rédigeai un télex à l'attention de Heydrich, récupérai mon carnet et, en quête d'un endroit chaud, je retournai immédiatement à la Villa Bechstein, où j'ordonnai à deux officiers du RSD d'envoyer mon télex, et de me réveiller à huit heures. Puis je montai. Quelqu'un avait eu la gentillesse de laisser une bouteille de schnaps sur ma table de chevet, à côté du Leica. Ça faisait un joli tableau, songeai-je. C'est toujours agréable de prendre quelques photos d'un endroit que vous avez aimé, même si cet endroit se trouve au fond d'un verre.

36

Avril 1939

Je fus surpris d'être réveillé à sept heures, assez brutalement estimai-je, par deux types en gros manteaux de cuir, le visage en feu et fleurant une eau de toilette agressive. Des hommes de la Gestapo. Naturellement, je supposais qu'ils venaient m'apporter des informations essentielles concernant le photographe porté disparu, Johann Brandner, officiellement mon suspect numéro un dans l'enquête sur l'assassinat de Flex. Mais, très vite, je compris que ce n'était pas le cas. L'un d'eux avait entrepris de fouiller mon sac et mon manteau. Il trouva mon pistolet, renifla le canon et glissa l'arme dans sa poche. L'autre tenait quelque chose sous le bras et portait des lunettes à fines montures métalliques qui ressemblaient à des menottes, mais peut-être était-ce un tour de mon imagination.

« Brandner ? Jamais entendu parler, dit-il.

– Habillez-vous et suivez-nous, ordonna l'autre. Sans traîner. »

Dans des circonstances normales, je me serais montré très coopératif avec ce genre de brutes gouvernementales, mais travaillant pour le compte de Bormann et Heydrich, je partais du principe, absurde, que j'avais des choses plus importantes à faire que de perdre un temps précieux en répondant à des questions stupides de la Gestapo. Nul doute que le RSD viendrait à mon secours si je le leur demandais.

« Dites-moi que vous n'êtes pas assez idiots pour aller m'arrêter ici, dis-je.

– Fermez-la et habillez-vous.

– Le major Högl est au courant ? Il dirige la section locale du RSD.

– C'est une affaire qui concerne la Gestapo.

– Et le capitaine Neumann ? »

Je me levai néanmoins car je sentais que, à l'instar de tous les membres de la Gestapo, ils étaient impatients de frapper quelqu'un. Je pris le tube de pervitine et en gobai un comprimé. J'aurais besoin de toute l'aide possible.

« Jamais entendu parler de lui non plus.

– Hans-Hendrik Neumann. L'aide de camp du général Heydrich. Actuellement installé dans votre propre QG à Salzbourg. Je suppose que vous avez entendu parler du général Heydrich, chef du SD et de la Gestapo ? Il figure en page deux de l'album de la police allemande et de la Gestapo. Himmler est en première page. Un petit bonhomme à lunettes qui ressemble un peu à un instituteur de campagne ? Croyez-moi, ça va chauffer s'ils apprennent que j'ai été arrêté par deux traîne-patins dans votre genre. Ils n'aiment pas que l'on vienne mettre des grains de sable dans les rouages parfaitement huilés de la machine nazie. Surtout sur l'Obersalzberg.

– On ne vient pas de Salzbourg. Et on a des ordres, dit l'un.

– Les ordres, c'est les ordres, ajouta l'autre.

– Exact, dis-je. Et c'est le genre de logique qui vous réconforte. Mais, sauf votre respect, ça ne marche pas ici. D'ailleurs, je ne suis pas sûr que ça marche ailleurs. »

Je commençai à m'habiller. Je sentais que leur patience ne tenait plus qu'à un fil, aussi ténu que le sourire de Himmler.

« Si vous ne venez pas de Salzbourg, d'où venez-vous ?

– De Linz.

– C'est à plus de cent kilomètres d'ici.

– Vous avez lu un livre de géographie à ce que je vois. Et nous recevons nos ordres du commandant en chef des SS et de la police de Donau.

– Donau ? »

Je réfléchis en enfilant mon pantalon, et soudain, je sus qui les avait envoyés. Donau, un quartier de Vienne, accueillait le principal poste de commandement de l'Allgemeine SS en Autriche. Alors que je m'efforçais de ne pas me retrouver coincé entre ces deux monstres de Heydrich et Bormann, je m'étais immiscé sans le vouloir dans une guerre intestine entre Heydrich et Kaltenbrunner. J'étais bien plus en danger que je ne le croyais. Heydrich cherchant de quoi salir Martin Bormann, son rival autrichien, je n'aurais jamais imaginé que Kaltenbrunner pût essayer de lui mettre des bâtons dans les roues. Nous l'avions sous-estimé, terriblement.

« Vous êtes des hommes de Kaltenbrunner, n'est-ce pas ?

– Vous commencez à comprendre, *piefke*[1].

– Et vous m'emmenez à Linz ? C'est ça, le plan ? Dans ce cas, vous allez au-devant de sérieux ennuis, mon ami. Et votre logique redondante ne vous sera d'aucune utilité quand vous serez attaché à un poteau face à un peloton d'exécution nazi.

– Vous saurez bien assez tôt où on va. Et à la prochaine menace de votre part, mon poing se sentira obligé de s'occuper de votre grande gueule.

---

1. « Boche », insultant dans la bouche de ces Autrichiens.

– Une dernière chose. Nous sommes dans le même camp, après tout. On m'a envoyé ici pour enquêter sur un meurtre commis sur le Territoire du Führer. Entre collègues, vous pourriez au moins m'expliquer de quoi il s'agit, et pourquoi vous pensez que votre mission est plus importante que la mienne.

– Haute trahison. Ce qui surpasse assurément votre enquête, Gunther.

– Trahison ?»

Je me laissai tomber sur le lit. C'était plus rapide que de s'écrouler par terre. J'enfilai mes bottes avant qu'ils perdent définitivement patience.

« Vous faites une grosse erreur, les gars. Ou quelqu'un a mal renseigné votre patron. Je n'ai trahi personne.

– C'est ce qu'ils disent tous.

– Oui, mais tout le monde ne rend pas des comptes directement au général Heydrich. Moi, si. Et il va bouffer vos tripes grillées sur un toast. »

Et puis je vis que l'homme aux lunettes en acier tenait mon carnet comme s'il s'agissait d'une précieuse relique... ou d'une pièce à conviction primordiale dans le cadre d'une enquête criminelle. Ce carnet que j'étais allé chercher dans mon bureau au Berghof quelques heures plus tôt et que j'avais posé sur ma table de chevet. Je me dis alors qu'il contenait quelque chose que j'ignorais. Quelque chose qui avait été écrit dedans par quelqu'un d'autre. Quelque chose de compromettant qui pouvait me faire tâter de la hache du bourreau. Celle de Linz était sans doute aussi bien aiguisée que celle de Berlin. Et j'avais vu suffisamment d'hommes venir renifler leurs orteils avec leur tête pour savoir que je n'aimerais pas ça. Grâce aux nazis, la justice moderne était plus rapide qu'un télégramme de la Reichspost, les arguments de la défense étant balayés d'un revers de la main.

Dès que je serais à Linz, ils pourraient m'exécuter quelques heures après mon arrivée. Les deux types envoyés pour m'arrêter étaient imperméables à toute raison : Emmanuel Kant lui-même n'aurait pas réussi à entamer leur carapace de pure ignorance et d'incrédulité catégorique. Et je ne pouvais pas leur en vouloir ; Ernst Kaltenbrunner était sans doute aussi effrayant à leurs yeux que Heydrich l'était aux miens. Au dire de tous, il était en tout cas plus laid.

« Bien. » Je me levai et enfilai ma veste. « Vous ne direz pas que je ne vous avais pas prévenus. »

Celui qui m'avait pris mon arme sortit de sa poche une paire de menottes avec laquelle il voulut m'attacher les poignets. Je le devançai pour récupérer le Leica sur la coiffeuse.

« Ça ne vous ennuie pas si j'emporte mon appareil photo, les gars ? Je ne suis jamais allé à Linz. C'est la ville natale de Hitler, hein ? C'est très joli, paraît-il. Une fois que ce malentendu aura été éclairci, peut-être qu'on regardera les photos que j'aurai prises et on en rira.

– Posez ce putain d'appareil photo, Gunther, et tendez les mains devant vous ou je vous fracasse le crâne.

– On ne vous a jamais dit que vous aviez le genre de visage qui plaît à l'objectif ? Non ? »

Je reposai le Leica sur la coiffeuse, sans le lâcher toutefois. Je voulais que le type aux lunettes se rapproche un peu plus pour pouvoir le photographier. Même si je n'étais pas très doué. Je n'ai jamais compris qu'il fallait cadrer le visage du sujet à travers l'objectif, et non *avec,* violemment. Fait en acier, le Leica était un appareil photo qui produisait une petite image en négatif, mais quand on l'abattait de toutes ses forces deux fois sur le nez d'un homme, on obtenait une image beaucoup plus grande et surtout beaucoup plus colorée, même si, selon moi, elle tirait un peu trop sur le rouge. Je sentis son nez se briser sous le second coup, tel un œuf dur. L'agent de la Gestapo hurla de douleur, plaqua ses mains sur son nez et s'écroula à terre ; on aurait pu croire qu'il avait reçu une balle en plein visage. J'eus le temps de faire un demi-pas en arrière, et heureusement, car l'autre type me décocha un direct au menton qui m'aurait fait tomber comme une vieille cheminée s'il m'avait atteint de plein fouet. J'agrippai son poignet épais et, profitant de son élan, je l'envoyai valdinguer dans la coiffeuse, puis j'abattis plusieurs fois le miroir pivotant sur son crâne. La glace vola en éclats, ce qui lui porta malheur car je ramassai un débris de verre tranchant que je lui plantai dans le cou de la main gauche. Je m'entaillai la paume, mais ce n'était pas grave ; l'essentiel, c'était de gagner ce combat le plus vite possible. Dans n'importe quelle lutte, c'est la seule chose qui compte. Je ne l'avais pas tué, je n'avais même pas tranché la jugulaire, mais avec un morceau de miroir planté dans la gorge, l'homme reconnut sa défaite et resta assis sur le sol, secoué de tremblements, tenant son cou et l'éclat de verre qui saillait à angle droit, tel un col de chemise récalcitrant. L'autre continuait à gémir, la main sur le nez et, sans aucune raison a priori si ce n'est que j'étais effrayé à l'idée de ce qu'ils m'auraient fait subir dans une cellule de la Gestapo autrichienne, je lui donnai une tape affectueuse sur la tête. J'inspirai à fond, récupérai mon pistolet dans la poche de l'homme que j'avais transpercé et confisquai leurs armes. J'armai mon Walther et l'approchai de l'oreille du geignard.

« Si vous continuez à me chercher des poux dans la tête, je vous abats personnellement tous les deux. »

J'enroulai un mouchoir autour de ma main et récupérai mon carnet par terre, à côté de l'homme au col de verre.

Je n'avais pas pris beaucoup de notes depuis mon arrivée sur l'Obersalzberg, aussi n'eus-je aucun mal à découvrir la cause de leur intérêt pour moi. La caricature d'Adolf Hitler, doté d'une érection qui aurait fait la fierté d'un Hermès, était très réussie et d'une obscénité louangeuse. Et si elle n'avait pas été dessinée sur un carnet qui portait mon nom (une vieille habitude datant du lycée), je l'aurais sans doute trouvée amusante. Malheureusement, des dessins moins perfides du Führer bien-aimé avaient condamné des hommes meilleurs que moi à une mort précoce. Le *Völkischer Beobachter* publiait régulièrement des histoires d'Allemands assez idiots pour faire des plaisanteries sur Hitler. Il avait beau ressembler à Charlie Chaplin, le sens de l'humour transnational n'était pas compris avec la petite moustache ridicule, les manières comiques et le regard triste. J'arrachai la page insultante, la roulai en boule et la jetai dans les braises du feu. À l'évidence, l'auteur de ce dessin avait également téléphoné à la Gestapo de Linz, en sachant que l'aide de camp de Heydrich, Neumann, était stationné près de là, à Salzbourg, dans l'attente de mon appel. Sans doute s'agissait-il de l'individu qui avait trafiqué les freins de la voiture de Kaspel.

« Tu peux rester assis là et attendre l'arrivée du croque-mort, dis-je. Ou d'un médecin. À toi de choisir, Fritz. Mais je veux savoir qui m'a dénoncé. »

L'homme déglutit avec peine et répondit d'une voix haletante : « On a reçu des ordres de Donau. Du général Kaltenbrunner en personne. Il nous a dit qu'un informateur avait signalé que vous aviez fait un dessin calomnieux envers le Führer et que nous devions vous arrêter pour haute trahison.

– Il a donné le nom de cet informateur ?

– Non. Et aucune discussion n'était possible. La Gestapo de Lintz a été choisie pour cette mission car vous avez trop d'amis à Salzbourg et à Munich qui pouvaient étouffer l'affaire.

– Et qu'étiez-vous censés faire ?

– On devait se débarrasser de vous pendant le trajet. Vous tirer une balle dans la tête et vous balancer dans un fossé quelque part. Je vous en supplie, j'ai besoin d'un médecin.

– Je crois que moi aussi, Fritz. »

J'allai quérir les deux hommes du RSD affectés à la Villa Bechstein pour protéger Rudolf Hess. Ils jouaient aux échecs devant la cheminée du salon et sursautèrent en voyant le sang qui coulait de ma main.

« Ces deux hommes qui sont arrivés il y a quelques minutes, dis-je. Je veux qu'ils soient mis en état d'arrestation et enfermés dans les cellules sous la Türkenhäusel. Pour l'instant, ils sont en train de pisser le sang dans ma chambre. Vous feriez bien également d'aller chercher un médecin. Je vais avoir besoin de quelques points de suture.

– Que s'est-il passé, *Herr Kommissar* ?

– Je vous ai demandé de les arrêter. Pas de me réclamer une histoire.» La potion magique recommençait à faire effet. C'était étrange de voir combien elle vous rendait impatient et intolérant, et même un peu surhumain, comme un nazi, quoi. « Laissez-moi vous mettre les points sur les *i*. Ces deux clowns ont tenté de s'immiscer dans une enquête de police et de contrecarrer l'autorité de Martin Bormann. C'est pour ça que je veux les faire enfermer.» J'avais vu suffisamment de sang depuis hier, et j'étais d'autant plus furieux qu'une partie de ce sang était le mien. « Je vous conseille d'aller prévenir le major Högl également. Il est temps qu'il fasse autre chose que de se peigner et d'astiquer son insigne du Parti. Pour finir, il faut que j'envoie un télex au général Heydrich à Berlin.» Winkelhof, le majordome, vint voir quelle était la cause de cette agitation. Calmement, et sans se plaindre, il se chargea de tout, y compris de recoudre ma main. Il s'avéra qu'il avait été infirmier pendant la guerre, et je dus me rappeler que lui aussi figurait sur la liste des habitants lésés et mécontents, que Bruno Schenk avait dressée à ma demande. Il y avait tout dans cette affaire, songeai-je : de l'absurdité, de l'escroquerie, de l'angoisse existentielle et une bonne quantité de suspects, plausibles et invraisemblables. Si j'avais été un de ces Allemands intelligents capables de faire la différence entre les fils de Zeus, Raison et Chaos, j'aurais peut-être été assez idiot pour croire que je pouvais écrire un livre.

37

Avril 1939

Je pris un petit déjeuner insipide au Berghof. Seul. Je redoutais d'aller trouver Anni Kaspel pour annoncer à cette pauvre femme que son mari était mort et je me demandais pourquoi j'avais eu la bêtise de dire au jeune lieutenant de la Türkenhäusel que je me chargerais de cette pénible tâche. Ce n'était pas comme si j'avais passé beaucoup de temps avec Kaspel. Mais au moment où le major Högl, aussi chaleureux qu'un hareng, me rejoignit dans la salle à manger, je me souvins brutalement de la raison qui m'avait poussé à me porter volontaire. J'avais l'impression de prendre mon petit déjeuner avec Conrad Veidt. Après quelques minutes de silence tendu, Högl reconnut avec suffisance qu'il s'était déjà rendu au domicile de Kaspel, à Buchenhohe, pour annoncer la nouvelle à la veuve. En entendant cela, je grimaçai et tentai de masquer mon irritation, ce qui ne lui échappa nullement j'en suis sûr.

« En tant que supérieur de Kaspel, dit-il, il était de mon devoir d'annoncer cette nouvelle à son épouse. En outre, je devine pour quelle raison vous avez dit au lieutenant Dietrich que vous souhaitiez vous en charger.

– Ah bon ? »

Les lèvres de Högl, semblables à deux anguilles, se tortillèrent sur son visage de croque-mort jusqu'à former un sourire sarcastique. À présent, il ressemblait vraiment à Conrad Veidt dans *L'Homme qui rit.*

« Anni Kaspel est une femme très séduisante. Elle passe même pour la plus belle femme de l'Obersalzberg. Alors, vous vous êtes dit que vous pourriez vous attirer ses faveurs et lui offrir une épaule compatissante. Vous autres, Berlinois, vous êtes dénués de scrupules, et si sûrs de vous, n'est-ce pas ? »

Je ne relevai pas, et pour détourner mes pensées de cette insulte flagrante, je me demandai qui, parmi tous les individus ayant accès au Berghof, possédait un talent artistique caché grâce auquel il avait réalisé une caricature assez réussie de Hitler dans mon carnet. Face aux paroles de Högl, c'était une réaction plus réfléchie que de l'agripper par les cheveux noirs impeccables de sa tête à la Greco et d'écraser son nez d'aigle contre la table. Même si cela aurait peut-être fait accourir le serveur avec une autre cafetière. Mais après avoir blessé deux hommes de la Gestapo, je n'étais pas pressé de me faire une réputation d'individu violent, probablement méritée au demeurant.

« Comment a-t-elle réagi ?

– À votre avis ? Pas très bien. Et n'allez surtout pas imaginer que cette pauvre femme se sentirait mieux si elle avait appris la nouvelle de votre bouche. Son mari est mort, rien ne peut lui faire oublier ça.

– Oui, sans doute. »

Högl se servit une tasse de café tiède et y ajouta une goutte de lait qu'il remua avec une cuillère monogrammée. Si je n'en avais pas bu moi-même, j'aurais aimé qu'il fût empoisonné.

« De plus, reprit-il, nous sommes une petite communauté très fermée, ici dans l'Obersalzberg. Nous n'apprécions pas beaucoup les étrangers et nous préférons régler ces choses dans l'intimité, entre nous.

– En assassinant Karl Flex, par exemple ? Ou en informant la Gestapo de Linz que j'aurais injurié le Führer ? Oui, en effet, je vois que vous êtes tous très proches.

– Je dois vous avouer, *Kommissar* Gunther, que toute cette histoire me paraît invraisemblable. Sectionner une durite de frein ? Je n'ai jamais entendu parler d'une chose pareille. C'est inimaginable.

– Et je suppose que le Dr Flex a été victime d'un accident ?

– Franchement, je ne suis toujours pas convaincu du contraire. Je n'ai encore rien vu qui prouve qu'il ait été assassiné. À mon humble avis, il a certainement été tué par une balle perdue, tirée par un chasseur négligent. Un braconnier sans doute. Malgré tous nos efforts, il en reste quelques-uns dans les parages.

– Et le fusil découvert dans la cheminée de la Villa Bechstein ? C'est Pierre l'ébouriffé[1] qui l'a laissé là ?

– Impossible de savoir depuis quand il se trouvait là. Il était couvert de poussière en tout cas. Et puis ce n'est pas une preuve d'intention. On peut imaginer qu'un braconnier ait voulu rapidement cacher un fusil, autant qu'un assassin. Le châtiment encouru est sévère. »

Je regrettais déjà de ne pas avoir cogné la tête de Högl contre la table, cela lui aurait peut-être mis du plomb dans la cervelle. Ce type avait autant de jugeote qu'une plante en pot.

---

1. Héros d'une comptine allemande.

« Au fait, major, je voulais vous poser une question. Votre fusil qui se trouve à la Türkenhäusel, le Mannlicher à lunette. Est-ce celui que vous a remis Hermann Kaspel ? Celui qu'on a découvert sur le Landerwald ? »

Högl haussa les épaules.

« Je ne saurais dire. C'est possible.

– Hermann pensait qu'il s'agissait d'une arme de braconnier. Car il était doté d'un silencieux fait avec un filtre à huile. Comme celui que j'ai trouvé dans la cheminée de la Villa Bechstein.

– Je crains de ne pas pouvoir vous aider. Je ne me souviens pas qu'il y avait un filtre à huile en guise de silencieux sur le fusil quand Geiger me l'a donné. Mais en quoi est-ce si important ?

– Celui qui a fixé ce silencieux sur votre fusil a peut-être fait de même avec le fusil de l'assassin. Ça pourrait être une preuve capitale.

– Si vous le dites. »

Je souris patiemment.

« Je sais que vous avez été policier, major. Dans la police bavaroise. C'est dans votre dossier. Et je m'étonne que vous ne voyiez pas en quoi cela peut être important. Une chance pour le Führer que votre chef, Martin Bormann, raisonne autrement.

– Pour le moment, répliqua Högl. Je parierais qu'il va changer d'avis.

– N'importe qui pourrait croire que vous avez quelque chose à cacher, major.

– Me soupçonnez-vous d'avoir assassiné Flex ? Et d'avoir fait je ne sais quoi aux freins de ce pauvre Hermann ? »

C'est alors – trop tard peut-être – que je repensai à ce que m'avait dit Udo Ambros, le garde-chasse assistant du Landerwald : Peter Högl avait appartenu au 16ᵉ régiment d'infanterie de Bavière avec Adolf Hitler. Et en tant qu'ancien sous-officier du Führer, il était beaucoup plus puissant qu'il n'y paraissait.

« Non, bien sûr que non, je ne vous soupçonne pas, major », répondis-je, obligé de reculer avec l'énergie du désespoir. Je l'imaginais aisément allant dire à Hitler qu'il voulait que je sois arrêté et jeté en prison le plus vite possible, et Hitler donnant son accord. « Je suis certain que votre principale préoccupation, comme moi, est la sécurité de notre Führer. Il n'en demeure pas moins que les freins de la voiture ont été sabotés. Et qu'un homme en est mort. Mon assistant, Friedrich Korsch, est un ancien mécanicien. Il confirmera ce que je vous ai dit.

– Je n'en doute pas. Entre Berlinois, vous vous serrez les coudes, n'est-ce pas ? Mais pour moi, il est plus probable que Kaspel a perdu le contrôle de son véhicule. Ces routes peuvent être dangereuses. Voilà pourquoi nous consacrons tant d'efforts à les rendre plus sûres en les élargissant. Et n'oublions pas qu'il était accro aux amphétamines. Un accident le guettait.

– Ce ne sont pas les routes qui sont dangereuses, major. C'est un membre de cette communauté. Soyez sûr que je le regrette, mais je ne vois pas d'autre possibilité.

– Balivernes. Et je n'ai pas honte, Gunther, d'avouer que je ne suis pas davantage convaincu par l'autre partie de votre histoire. Que quelqu'un ait pu dessiner une caricature du Führer dans votre carnet, c'est ridicule.

– Et c'est moi qui ai appelé la Gestapo pour m'accuser de haute trahison ? C'est ce que vous voulez dire ?

– Et si vous me montriez ce dessin injurieux ? Afin que je juge par moi-même.

– Je l'ai brûlé.

– Puis-je vous demander pourquoi ?

– Cela me semble évident. Je n'ai aucune envie de me faire piéger une seconde fois.

– Par qui ?

– La Gestapo, bien sûr. Ils ont la sale manie de jeter quelqu'un par la fenêtre et de poser les questions après.

– Sans la preuve de ce dessin, vous aurez beaucoup de mal à étayer votre histoire, non ?

– Mon histoire n'a pas besoin d'être étayée, major. Je suis inspecteur de police et j'enquête sur un crime à la demande de Martin Bormann. J'ai la vanité de croire qu'il m'a fait venir ici car il estimait avoir besoin des services d'un véritable enquêteur. »

J'avais envie d'ajouter : Et je commence à comprendre pourquoi, mais je parvins à me retenir. Je continuais à prendre mes distances vis-à-vis des insultes et du mépris de Högl, mais ils me pourchassaient.

« Je suis content que vous évoquiez ce sujet, *Kommissar* Gunther. Puis-je vous confier ce que je pense ?

– Faites donc, je vous en prie. Deux têtes valent mieux qu'une.

– Je crois que vous avez concocté toute cette histoire pour détourner l'attention et faire oublier que vous n'avez pas réussi à élucider rapidement cette affaire.

– Je vais vous dire ce qui a été "concocté", major. Une preuve. Une preuve qui aurait pu placer mon cou sous la hache du bourreau de Linz. La vérité, c'est que pendant mon absence quelqu'un s'est introduit dans la pièce que j'occupe au Berghof pour dessiner une caricature du Führer dans mon carnet. Bien sûr, j'aurais dû fermer ma porte à clé, mais il n'y a ni serrure ni clé.

– Pourquoi ferait-on une chose pareille ?

– L'auteur de ce dessin avait prévu un plan de secours, au cas où je réchapperais de l'accident qui a tué Kaspel. Il y a quelqu'un, ici, qui veut ma mort. Et vite. Quitte à faire intervenir Kaltenbrunner et la Gestapo autrichienne.» Concernant l'identité de l'artiste caché, je n'avais que l'embarras du choix : Zander, Brandt, Schenk, Rattenhuber, Kannenberg, Brückner, Högl évidemment, même Gerdy Troost, bref, quasiment tout le monde, y compris Martin Bormann. Je me méfiais de tous ces gens, bien que j'aie du mal à imaginer Gerdy Troost allongée sous une voiture pour sectionner un câble d'alimentation de freins, si tant est qu'elle sache ce que c'était. Pas avec ses chaussures et ses bas.

« Vous suggérez sérieusement qu'une personne ayant accès au Berghof, un intime du Führer, a pu faire une chose pareille ?

– C'est exactement ça, oui. Demandez à Bormann. Il a dirigé le NSKK, le corps motorisé du Parti, n'est-ce pas ? Il s'y connaît en voitures.

– Vous êtes paranoïaque, *Herr Kommissar.*»

Une voix s'éleva derrière nous.

« Qui est paranoïaque ? Ne parlons pas ainsi, messieurs. Nous sommes des Allemands. Nous n'employons pas de mots juifs comme "paranoïaque".»

Nous fûmes rejoints à table par un homme qui empestait le tabac : Johann Rattenhuber, un SS-Standartenführer, et donc le supérieur de Högl. À peu près du même âge que son subordonné, Rattenhuber était plus corpulent, plus jovial, doté d'une voix grave, d'un visage rougeaud et de manières dignes de la Fête de la bière. J'étais persuadé que ses gros poings de charcutier avaient souvent servi au nom du Führer. Sans doute s'amusait-il à faire des trous dans des seaux en fonte pour se maintenir en forme. Lui aussi avait appartenu à la police bavaroise, et c'était beaucoup plus évident que chez Peter Högl. Il constituait à lui seul une formidable garde rapprochée et en le regardant, je songeais qu'il aurait pu protéger les Sabines face à un bataillon de soldats romains excités avec une main attachée dans son large dos.

« Le *Kommissar* Gunther, ici présent, allait m'expliquer pourquoi, selon lui, j'avais pu tuer Karl, dit Högl.

– N'importe quoi, dit Rattenhuber. Vous pensez ça, Gunther ?

– Non, non, monsieur. Pas un seul instant. Le major et moi avions une discussion très utile à propos de cette affaire. »

Sur ce, estimant sans doute qu'il n'était pas nécessaire de s'étendre davantage sur la question, Rattenhuber aborda directement le sujet de Hermann Kaspel, ce dont je lui fus reconnaissant. Bavarder avec Högl, c'était comme jouer aux échecs avec un serpent : j'avais l'impression qu'il pouvait s'étaler sur l'échiquier à tout moment pour avaler mon cavalier.

« Cet accident, c'est une terrible nouvelle. Hermann était un excellent officier. » Il se tourna vers Högl. « Anni le sait ?

– Oui, monsieur. Je l'ai informée moi-même ce matin.

– Bien. J'imagine que cela a été dur pour vous, Peter. Comme pour nous tous.

– C'est une véritable perte pour le RSD. Quand j'ai appris ce qui s'était passé, j'étais bouleversé.

– Moi aussi, dis-je. Surtout quand j'ai découvert que ce n'était pas un accident. »

Je parlai à Rattenhuber du câble sectionné et il m'écouta en hochant sa tête aux cheveux gris acier très courts. Elle ressemblait à une masse d'arme, et sans doute était-elle aussi dure. Elle produisit un bruit de papier de verre lorsqu'il se gratta le crâne d'un air songeur.

« Un autre meurtre, dites-vous ? C'est affreux. Bormann va devenir fou quand je le mettrai au courant. » J'attendais que Högl me contredise, mais à mon grand étonnement, il garda le silence.

« À l'évidence, quelqu'un a voulu vous tuer, *Herr Kommissar,* dit Rattenhuber. Vous, pas Hermann Kaspel. Il était très apprécié ici sur l'Obersalzberg, et j'espère que vous me pardonnerez de dire ça, mais ce n'est pas votre cas, du fait de votre profession.

– J'ai l'habitude.

– J'en suis sûr. Je parie cependant que vous êtes sur le point de démasquer le meurtrier. C'est la seule explication possible, vous ne croyez pas ? Bien entendu, il n'est pas question d'en informer le Führer. Je parle de ce qui est arrivé au pauvre capitaine Kaspel. Pas avant que le criminel ait été arrêté. Il ne faudrait pas que Hitler ait l'impression que ses véhicules sont aussi dangereux que la terrasse. Vous n'êtes pas d'accord, *Herr Kommissar* ?

– Ce serait préférable, en effet, colonel.

– Au fait, j'ai ça pour vous. »

Rattenhuber me tendit plusieurs télégrammes, que je glissai dans ma poche afin de les lire plus tard. Ce qui n'était pas du goût de Rattenhuber.

« Eh bien, vous ne les lisez pas ? s'étonna-t-il. Ce ne sont pas des lettres d'amour, que diable ! Il ne peut exister de secrets entre ceux pour qui la sécurité et le bien-être du Führer passent avant tout. D'autant que sa venue est proche. Il n'y a pas de temps à perdre. Il sera là dans moins de cinq jours. »

Je n'avais aucune envie de contredire le chef du RSD. Aussi, je décachetai le premier télégramme et le parcourus, avant de livrer son contenu à voix haute, par politesse.

« Celui-ci vient de la Gestapo de Salzbourg. Johann Brandner, mon principal suspect, n'est pas réapparu à son adresse depuis plusieurs semaines avant le meurtre de Flex. C'est un excellent tireur et il fait partie des habitants du coin qui ont des motifs de rancœur. Voilà pourquoi il m'intéresse. La Gestapo ignore où il est. Du moins, c'est ce qu'ils disent. Ils ne semblent pas très désireux de m'aider à le retrouver. Peut-être que Kaltenbrunner...

– Le chef de la Gestapo de Salzbourg est Kurt Christmann, dit Rattenhuber. Un vieil ami à moi. Alors, au diable Kaltenbrunner. Je téléphonerai à Christmann dans la matinée pour lui expliquer qu'il est urgent de retrouver ce type. »

J'ouvris le deuxième télégramme.

« Mon assistant, Friedrich Korsch, a suivi la trace des frères Krauss jusqu'au camp de concentration de Dachau.

– Les frères Krauss ? Qui est-ce ?

– Des suspects eux aussi, mentis-je. Du moins, ils l'étaient. Avant d'échouer à Dachau, ils étaient enfermés à la prison de Stadelheim, et n'ont donc visiblement aucun lien avec le meurtre de Flex. » Très vite, j'ouvris le troisième télégramme et le survolai. « Voici une meilleure nouvelle. Ils ont identifié le numéro de série du fusil Mannlicher qui a servi à tuer Flex. Celui que j'ai découvert dans le conduit de cheminée. Il se trouve qu'il a été vendu à *Herr* Udo Ambros.

– Je connais ce nom, dit Rattenhuber.

– C'est le garde-chasse adjoint, dis-je. Au Landerwald.

– Oui, bien sûr, l'adjoint de Geiger.

– Je l'ai interrogé hier. » Je marchais sur des œufs. Je ne voulais surtout pas que le RSD arrête Ambros et lui arrache des aveux dans une des cellules situées sous la Türkenhäusel. Les gens ont l'habitude de dire n'importe quoi quand ils sont les hôtes de la Gestapo. Si je devais appréhender quelqu'un, je voulais être sûr qu'il s'agisse bien de la personne qui avait assassiné Karl Flex. En outre, je ne voyais pas comment Ambros aurait pu accéder au Berghof afin de dessiner cette caricature obscène dans mon carnet. Il lui fallait un complice, au minimum. Peut-être plusieurs. « Je vais retourner l'interroger. »

J'ouvris le dernier télégramme. Heydrich avait ordonné à son aide de camp de me rejoindre sur la montagne de Hitler. Pour surveiller mes arrières, expliquait-il. Après la visite de la Gestapo, cette nouvelle aurait dû me réjouir.

« Nous irons avec vous. Nous pourrons peut-être vous aider.

– J'aimerais mieux y aller seul, colonel. Pour l'instant. Il ne faudrait pas l'effrayer et l'inciter à avouer un crime qu'il n'aurait pas commis. Au moment où le Führer arrivera, je veux qu'il n'existe plus le moindre doute sur l'identité du meurtrier.

– Mais c'est bien son fusil, non ? souligna Rattenhuber.

– Oui. Néanmoins, je préfère qu'il m'explique pourquoi ce fusil n'est plus en sa possession avant de l'arrêter. Il y a peut-être une explication plausible. »

Cela me semblait peu probable, mais je voulais m'occuper seul d'Ambros. Rattenhuber m'informa que son bureau, à la Türkenhäusel, me fournirait son adresse. Pour un Bavarois et un nazi, ce n'était pas un mauvais bougre. Malgré cela, il avait l'air un peu agacé de ne pas pouvoir m'accompagner.

« Très bien, *Herr Kommissar*.

– Au fait, colonel. Kaspel étant mort et mon assistant se trouvant à Munich pour le moment, le capitaine Neumann va me rejoindre ici, sur l'Obersalzberg. Le général Heydrich estime que son aide de camp peut me seconder dans cette enquête. Pourriez-vous avoir l'obligeance d'en informer le chef de cabinet Bormann ?

– Comme vous voulez, *Herr Kommissar*. C'est vous qui menez l'enquête. »

Je le remerciai d'un hochement de tête, mais en vérité, je nourrissais de sérieux doutes. Après ce qui s'était passé au cours de la nuit, j'avais l'impression que chaque fois que j'arrêtais de bouger, une main isolée traçait à la craie un trait autour de mon corps qui remuait encore, comme un cadavre découvert sur le sol du palais pendant le festin de Balthazar. Obligé de dévoiler les secrets de la montagne de Hitler, j'étais une victime en sursis. Quelqu'un avait par deux fois pris des risques considérables pour essayer de me tuer. Et sans doute qu'il récidiverait. Or, comble de malchance, l'homme que Heydrich avait envoyé pour me protéger n'hésiterait pas une seconde à me tirer une balle dans la tête si son maître le lui ordonnait. Avec les nazis, on pouvait se fier à une seule chose : on ne pouvait pas se fier à eux. À aucun. Jamais.

38

Octobre 1956

Deux heures plus tard, à Puttelange-aux-Lacs, une bourgade, je pris conscience de toute l'étendue de ma bêtise et de ses conséquences : je n'aurais pas dû faire confiance à un prêtre catholique. Des gendarmes stationnaient à une intersection, de l'autre côté d'un petit pont. Une chance que je les aie vus en premier. Grâce à leurs lumières bleues clignotantes. Ils auraient pu tout aussi bien planter une enseigne au néon. Je n'eus d'autre choix que de quitter la rue de Nancy en poussant mon vélo, de récupérer mon fourre-tout fixé sur le porte-bagages et de laisser mon engin de l'autre côté d'une barrière rouillée, coincée entre deux piliers de briques qui se dressaient en bordure d'un champ à l'abandon telles les dernières dents cariées dans la bouche d'un vagabond. Après m'être assuré que l'on ne voyait pas le vélo de la route, je traversai un champ non clôturé dans la direction opposée, en me débarrassant de ma médaille militaire, de mes lunettes et de mon béret, avec l'espoir d'atteindre la route principale qui menait à Sarreguemines, et juste derrière à l'ancienne frontière allemande, par le biais d'un itinéraire moins surveillé. Mais je m'aperçus très vite que c'était impossible. La rue du village était envahie de véhicules de gendarmerie et j'eus la confirmation de la trahison du prêtre de Saint-Hippolyte en le voyant assis dans une de ces voitures, une cigarette au bec, en train de plaisanter avec les hommes en uniforme. Après avoir prêté serment sur la Bible. J'en conclus qu'il s'agissait d'un de ces catholiques adeptes de la casuistique pour qui la raison était un moyen d'expliquer le monde à leur convenance plutôt que la simple faculté de donner un sens aux choses. Ils étaient nombreux. Il ne me vit pas faire demi-tour et repartir en arrière, vers Strasbourg, bien que je sois tenté de retourner à Bérig-Vintrange pour incendier son église, en bon SS. Je sortis du village en quelques minutes et trouvai refuge à l'arrière d'une vieille camionnette bleue sans roues, abandonnée dans l'allée envahie de mauvaises herbes d'une grande maison apparemment vide. J'attendrais la tombée de la nuit, en songeant que j'aurais plus de chances de passer inaperçu. Le plancher de la camionnette était tapissé d'une couche de paille malodorante et, à l'abri des portes fermées, je parvins à me détendre un peu. Les gendarmes n'auraient eu aucun mal à m'encercler, mais curieusement, la situation ne m'inquiétait pas. Tant que je ne faisais pas de bruit et ne fumais pas, personne, à part les souris, ne pouvait savoir que j'étais caché là. Je me disais que je pourrais certainement contourner les barrages en profitant de l'obscurité (avec un peu de chance, ils recherchaient toujours un cycliste coiffé d'un béret) et rejoindre la route de la Sarre. J'estimais qu'une trentaine de kilomètres me séparaient de l'ancienne frontière. Évidemment, maintenant que je devais me déplacer à pied, cela prendrait plus de temps, mais, assis à l'arrière de cette vieille camionnette, je me demandais si je ne pourrais pas me faufiler à bord d'une autre camionnette, ou d'un camion, qui me conduirait vers le nord-est, peut-être même jusqu'en Allemagne. Je me promis de tenter le coup.

Je réussis à dormir deux ou trois heures et lorsque je me réveillai, transi de froid et ankylosé, comme si je reposais déjà au fond de ma tombe anonyme, j'ôtai soigneusement les brins de paille de mes habits, allumai une cigarette pour chasser la fringale, glissai mon arme dans ma poche et, après avoir laissé mon fourre-tout dans la camionnette (il ne ferait que souligner le fait que je voyageais), je retournai dans le village, où les gendarmes étaient moins nombreux. J'avançais très lentement sur la route principale, qui était aussi celle de Freyming-Merlebach, autre ville alsacienne frontalière, en passant en revue les options, de plus en plus réduites, qui s'offraient à moi. Je cherchais comment détourner l'attention, mais me trouvai vite à court d'idées. Finalement, partant du principe que les fugitifs sont rarement ivres, et que les ivrognes ne semblent jamais pressés, j'entrai chez un caviste en face de la mairie et achetai une bouteille de bourgogne rouge bon marché. Outre que cet accessoire me donnait l'apparence d'un authentique clochard, le vin eut un effet apaisant sur mes nerfs à vif, et après quelques gorgées, je perçus l'aspect comique de ma situation. Je pense que les gens ne boivent pas pour échapper à leur existence, mais pour voir son côté hilarant ; la mienne commençait à ressembler à un de ces délicieux films de Jacques Tati. Le fait que la Stasi – véritable héritière de la Gestapo – utilise la gendarmerie française pour faire son sale boulot était la preuve, à mes yeux, que l'histoire se répétait, dans le sens marxiste : d'abord comme une tragédie, puis comme une farce. Alors, ma bouteille de vin à la main, je continuai à marcher, plus ou moins, vers le nord en comptant presser le pas dès que je serais sorti du village. Arrivé devant le barrage, je m'arrêtai et feignis l'hésitation, comme si je ne savais pas où aller. J'allai jusqu'à lever ma bouteille à la santé de deux gendarmes qui, clope au bec, semblaient surveiller uniquement la fumée de leurs cigarettes et le passage éventuel d'une jolie fille.

« C'est quoi tout ce bazar ? » demandai-je.

Dans l'obscurité naissante, j'espérais qu'ils ne voyaient pas mes yeux rouges.

« On cherche un meurtrier en fuite, répondit un des gendarmes.

– C'est pas ce qui manque, dis-je. Après la guerre, on aurait pu croire qu'y aurait moins de meurtres, mais j'ai pas l'impression. La vie humaine vaut plus grand-chose, après ce que les Allemands ont fait.

– C'est un Allemand qu'on recherche, justement. »

Je crachai par terre et bus une gorgée de vin au goulot.

« Pas étonnant. La plupart des nazis ont réussi à s'en tirer. »

Je continuai à avancer jusqu'au croisement suivant, où un jeune gendarme qui sentait fort l'eau de toilette – je reconnus Pino Silvestre – faisait tournoyer son bâton. Il posa sur moi un regard chargé d'indifférence, tandis que je marchais lentement vers ce qui ressemblait à un jardin public, mais soudain, il poussa un grand cri. Je pivotai sur moi-même et lui fis face avec insolence, avant de lever la bouteille à ma bouche.

« Vous allez dans le square ? me lança-t-il.

– C'était mon intention.

– Non, pas avec une bouteille. L'alcool y est interdit. »

Je hochai la tête en prenant un air maussade et rebroussai chemin comme si j'avais changé d'avis. Alors que je repassais devant le gendarme, il lâcha : « Vous devriez le savoir si vous vivez ici. »

Je levai la bouteille pour porter un toast à sa santé, de manière sarcastique, mais évidemment, un véritable ivrogne aurait tenu tête au gendarme, en lui indiquant où il pouvait se mettre son bâton. Moi, je ne dis rien et, un peu trop docilement peut-être, je poursuivis ma flânerie. « D'où vous venez, d'ailleurs ? me demanda-t-il. Je ne crois pas vous avoir déjà vu par ici.

– Bérig-Vintrange », dis-je, sans cesser d'avancer. Ce n'était pas un bon choix, et si je m'étais souvenu de leur nom, j'aurais choisi un des villages plus proches que j'avais traversés en chemin.

« Vous avez manqué le dernier car, dit le gendarme.

– C'est le drame de ma vie.»

Je conclus cette affirmation par un hoquet, sans retourner.

« Si je vous prends en train de dormir dans la rue, je vous arrête.

– Pas de danger, je vais rentrer à pied.

– C'est à vingt kilomètres. Vous en avez au moins pour quatre heures.

– Dans ce cas, je serai chez moi avant minuit.»

Plusieurs secondes s'écoulèrent et juste au moment où je pensais m'en tirer, le jeune gendarme m'apostropha de nouveau. Devinant qu'il allait me réclamer mes papiers, je pris mes jambes à mon cou. Voilà bien longtemps que je n'avais pas tenu une telle forme ; la bicyclette et le grand air m'avaient fait du bien et je fus agréablement surpris de découvrir que je courais vite. Le vin y était peut-être aussi pour quelque chose. Néanmoins, je lançai la bouteille par-dessus une clôture dans un jardin, juste avant de m'engouffrer dans une ruelle. Je sautai une barrière en bois et cavalai sur un chemin de terre tel un cheval en fuite, avant de bifurquer brutalement à droite, dans le petit cimetière accolé à l'église. Le gendarme cria de nouveau et je m'accroupis derrière une des plus grosses pierres tombales pour m'orienter et reprendre mon souffle. J'entendis d'autres éclats de voix, un coup de sifflet, puis des bruits de moteur, et je compris que j'étais sur le point de me faire arrêter. Je remontai la rue Mozart ventre à terre et tournai à droite sur la route de Sarreguemines, ce qui me convenait très bien. Au loin, j'aperçus un large bosquet et songeai que si j'y arrivais à temps, je pourrais m'y cacher tel un renard pour laisser passer la meute. Après une minute de sprint, j'atteignis les premiers arbres, juste au moment où les sirènes de police se rapprochaient. Je reculai prestement à l'intérieur d'une haie touffue et me jetai à plat ventre. Il s'en fallut de peu que je m'empale sur une vieille herse rouillée. Heureusement, le sol était très sec, et en rampant à travers le feuillage, je trouvai une excellente planque : une buse d'écoulement dissimulée derrière un épais laurier. Sans doute ne l'aurais-je pas remarquée si un lapin ne s'y était engouffré à mon approche. Je frottai une allumette pour inspecter ma nouvelle demeure. La buse mesurait environ un mètre de diamètre, et à l'évidence quelqu'un m'y avait précédé car au fond traînaient plusieurs vieux numéros de *Clin d'œil de Paris*, un magazine pornographique que je ne connaissais pas. J'éteignis l'allumette et attendis. Au bout de quelques minutes, j'entendis un homme se frayer un chemin au milieu de la végétation et je perçus l'odeur de Pino Silvestre. C'était le gendarme qui m'avait interpellé. De la route me parvinrent des crissements de freins et des cavalcades. Tout près de moi, le gendarme cria que je ferais bien de me rendre, ce n'était qu'une question de temps avant qu'ils m'arrêtent, de toute façon. Mais quand il passa devant ma cachette sans ralentir, je compris qu'il bluffait. Je vis même ses bottes cirées tandis qu'il avançait en pestant contre les ronces. Ma main se resserra autour de la crosse de mon pistolet. Je n'étais pourtant pas certain de m'en servir dans le but d'échapper à une arrestation. Tuer un policier est-allemand qui avait tenté de me pendre, ce n'était pas comme tuer un jeune gendarme français qui avait abusé de l'eau de toilette. Il s'arrêta à moins d'un mètre de moi, jura de nouveau et alluma une cigarette. Le tabac sentait délicieusement bon après l'eau de toilette, et vous savez que la situation est désespérée quand vous inhalez en silence dans l'espoir de capter les effets apaisants de la nicotine. Je me disais que je pouvais sans doute attendre que l'orage s'éloigne, caché à l'intérieur de la buse, tant que les gendarmes ne faisaient pas appel à des chiens. S'ils avaient des chiens, j'étais fichu. Au bout d'un moment, le jeune gendarme s'adressa à ses collègues, qui lui répondirent, et il rebroussa chemin. Non sans avoir laissé tomber sa cigarette par terre. J'attendis plusieurs secondes, puis je la ramassai pour tirer dessus à mon tour. Fumer la cigarette d'un gendarme zélé auquel vous avez réussi à échapper : on ne fait pas mieux dans le registre des plaisirs.

Peu à peu, les gendarmes abandonnèrent leurs recherches et après plusieurs minutes de silence, je risquai un coup d'œil à travers les fourrés. Leur collègue à l'eau de toilette trop forte avait disparu. J'attendis encore quelques minutes, le cœur au bord des lèvres, puis je sortis de ma cachette et avançai jusqu'à la lisière du bosquet pour scruter la route de Sarreguemines. Je voyais clignoter quelques lumières au loin, mais dans le noir, je n'aurais aucun mal à filer avant que la maréchaussée revienne en force, avec des chiens cette fois. J'estimais qu'il valait mieux partir vers l'ouest, en suivant la route de Freyming-Merlebach, dans la direction opposée à Sarreguemines. Et donc, en demeurant sous le couvert des buissons, je retournai à Puttelange-aux-Lacs et pris la D656 pour sortir du village. Après quelques centaines de mètres, je vis un restaurant baptisé La Chaumière, où plusieurs personnes dînaient dans le jardin éclairé. Je les regardai avec envie pendant une minute ou deux, jaloux de ne pas pouvoir faire une chose aussi simple que de prendre un repas dans un joli endroit. Mon attention dériva vers les voitures qu'ils avaient laissées sur le parking. Parmi elles, j'avisai une Renault Frégate verte avec des sièges beiges, dont les clés étaient restées sur le contact, et je calculai que je pourrais l'utiliser sans risque pendant au moins une heure, et peut-être plus en fonction de la durée du dîner, avant que les gendarmes, informés du vol, dressent d'autres barrages sur les routes.

C'était une chouette petite voiture, très moderne, avec une radio. Je ne l'allumai pas. Roulant lentement, je laissai derrière moi Hoste, puis Cappel, avant de bifurquer vers le nord à Barst et de traverser Marienthal et Petit-Ebersviller. Il me fallut moins d'une demi-heure pour atteindre Freyming-Merlebach, où je quittai la route principale pour emprunter un chemin creusé d'ornières, avant d'abandonner la Frégate sous les branches d'un gros saule pleureur. Je n'étais plus qu'à une poignée de kilomètres de l'ancienne frontière avec l'Allemagne et d'une sorte de liberté. Freyming-Merlebach abritait essentiellement des commerces et des petites maisons blanches ; les bâtiments publics étaient rares, mais le plus important, c'était le panneau routier qui indiquait la direction de Karlsbrunn. Jamais un panneau ne m'avait semblé aussi bienvenu. Je remontai la rue Saint-Nicolas en direction du nord avec un grand sourire, comme si je venais de remporter la médaille d'or du marathon aux Jeux olympiques.

La Sarre avait peut-être été un département français, mais les habitants étaient allemands. Le simple fait de me retrouver parmi mes compatriotes ressemblerait à une victoire en soi. J'avais quitté l'Allemagne depuis belle lurette. Pour un Allemand, rien de tel que de vivre en France pour avoir l'impression d'être resté longtemps loin de chez lui. Mais arrivé au milieu de la rue, j'aperçus un groupe de quatre ou cinq hommes devant la grande fenêtre en saillie d'un bar crûment éclairé, et quelque chose en eux me fit m'arrêter dans l'encadrement d'une porte pour les observer avant de songer à repartir. Ils étaient bâtis comme des militaires, avaient des coupes de cheveux de militaires, et ils étaient pour la plupart vêtus du même costume gris bon marché, fabriqué à la chaîne, qu'aucun Français qui se respecte n'aurait jamais porté. Leurs chaussures étaient munies d'épaisses semelles idéales pour piétiner les visages est-allemands. Leurs cravates semblaient découpées dans du carton, et leurs poings serrés, à l'extrémité de leurs bras de lutteurs de foire, étaient aussi gros que des chopes de bière. Alors que je les observais, un homme qui parlait au téléphone à l'intérieur du bar, près de la porte, raccrocha et sortit en fumant une cigarette. Il cria quelque chose en allemand. Si près de la frontière, cela n'avait rien de surprenant. Sans doute y avait-il de nombreux Allemands à Freyming-Merlebach. Plus surprenant, en revanche : l'homme à la cigarette, qui avait un bandeau sur l'œil, le braillard, était Friedrich Korsch.

39

Avril 1939

Udo Ambros habitait dans Aschauer Strasse à Berchtesgaden, à environ cinq cents mètres de la demeure du
Dr Waechter, l'avocat propriétaire du garage ayant appartenu à Jacob Rothman et qui abritait maintenant la Maserati
rouge de Flex. La maison d'Ambros, isolée aux abords
d'une forêt touffue, bénéficiait d'une vue magnifique sur
le chaînon du Watzmann mais ne payait pas de mine, rien
à voir avec celle du Dr Waechter ; c'était une construction
simple de style alpin, d'un étage et plutôt grande, mais qui
ne valait guère mieux qu'une grange branlante coiffée d'un
toit de tôle ondulée et ceinte d'une clôture rouillée. Une
citerne à eau abandonnée traînait dans un coin et des bûches
presque fossilisées s'empilaient sous une rangée de longues
stalactites qui pendaient de l'avant-toit, telles les dents d'un
carnivore des montagnes aujourd'hui disparu. Une moto
DKW rouge était garée dans l'allée enneigée, où l'on distinguait une série d'empreintes de bottes qui contrastaient
avec les miennes car elles étaient rougeâtres, voire couleur
de sang, ce qui m'amena à m'interroger sur leur origine.
Un cheval pie m'observait attentivement du haut d'un grand
champ pentu et un ours grossièrement sculpté dans un bloc

de bois montait la garde devant la porte d'entrée. À en juger par l'angle de sa tête et son air mauvais, on aurait pu croire qu'il avait reçu une balle dans le cou. Il n'y avait que deux fenêtres, l'une et l'autre au rez-de-chaussée. Je collai mon nez à l'une d'elles, mais j'aurais pu tout aussi bien scruter une nappe de brouillard tant les carreaux étaient sales. D'autant que les rideaux poussiéreux n'arrangeaient pas les choses. Je frappai à la porte et attendis, mais personne ne vint m'ouvrir. Le silence implacable qui régnait dans la vallée semblait avoir été décrété par les dieux locaux et je trouvais cela perturbant, comme si la nature tout entière avait peur de réveiller Wotan dans son repos mérité avec Fricka au sommet d'une montagne proche. Si j'avais dû vivre dans un endroit pareil, je serais devenu fou comme le roi Louis II. Les Berlinois dans mon genre ne sont pas faits pour évoluer au milieu de tout ce vide. Nous aimons le bruit, plus que le silence, toujours un peu trop long et fort à nos oreilles de métropolitains cyniques. Les véritables marques de fabrique de la civilisation sont la clameur, le brouhaha et l'agitation. Donnez-moi ma dose quotidienne de chaos. L'odeur douceâtre du crottin et du feu de bois imprégnait l'atmosphère. Celle de la suie me convient mieux et ma toux de fumeur s'accommode à merveille du dioxyde de soufre et des métaux lourds en suspension dans l'air humide.

J'aurais pu en conclure que le garde-chasse assistant n'était pas chez lui, n'eût été la présence de la moto dans l'allée. Le cylindre du moteur de 500cc était froid au toucher, mais en secouant la machine, je constatai que le réservoir était presque plein. Je la démarrai au kick, dans l'espoir que le bruit ferait accourir son propriétaire. Elle rugit dès la seconde sollicitation, ce qui signifiait qu'elle roulait fréquemment. Mais il n'y eut que le cheval qui s'approcha de la clôture du champ pour voir ce qui se passait, fixant sur moi le regard noir et méfiant qui semble demander « Tu es qui, toi ? », et que je provoque habituellement chez les femmes seules dans les bars. Au bout d'une ou deux minutes, je laissai la moto caler, revins vers la porte d'entrée, frappai encore une fois et recollai mon nez à la fenêtre. Sans savoir ce que j'espérais voir. Un homme qui se cachait ? Un feu de cheminée peut-être ? Une sorcière devant un chaudron rempli d'enfants volés ? Je rebroussai chemin pour aller interroger la jument, dans l'espoir qu'elle m'indique où se trouvait Ambros, ce qu'elle fit sans hésitation. Dès que j'approchai de la clôture, elle s'éloigna et en la suivant du regard quelques secondes, je vis une jambe d'homme qui dépassait d'une porte sur le côté de la maison.

« *Herr* Ambros ! » criai-je.

Il ne répondit pas, aussi, je ramassai un morceau de bois et le lançai près de lui, au cas où il serait allongé sous une voiture ou un tracteur, mais évidemment, je savais qu'il n'en était rien. S'il avait été vivant, le bruit du moteur de sa moto l'aurait fait réagir. Ne voulant pas risquer de déchirer mon costume en escaladant la clôture, je retournai à la porte. Elle n'était pas fermée à clé. Les vols étaient rares dans cette région (à l'exception, bien sûr, de ceux commis par Bormann et ses sbires), les gens ne prenaient pas la peine de verrouiller leurs portes.

La mort n'a pas toujours d'odeur, mais elle dégage souvent un sentiment particulier, comme si le spectre silencieux qui s'est enfui en emportant l'âme d'un être humain frôlait la vôtre, tel un homme invisible à bord d'une rame de métro bondée. Ça peut être dérangeant parfois. Et ça l'était aujourd'hui. À tel point que j'hésitai à entrer dans la maison, de peur de ce que j'allais découvrir. On pourrait penser qu'un inspecteur de la police criminelle est habitué à voir des choses horribles. En fait, on ne s'y habitue jamais. Chaque meurtre atroce l'est à sa manière, les images restent gravées dans votre esprit, et même dans les meilleurs moments mes souvenirs ressemblaient à une collection des tableaux les plus laids de George Grosz et d'Otto Dix. Il m'arrive de me demander si mon caractère serait différent si je n'avais pas vu autant de crimes. Je me forçai malgré tout à traverser une maison qui semblait accoutumée aux morts violentes. Un lapin à moitié dépecé gisait sur la table de la cuisine, et les murs du couloir et du salon disparaissaient sous les trophées de chasse : cerfs, blaireaux, renards. Peut-être était-ce un effet de mon imagination, mais tous ces animaux avaient l'air ravis de ce qui s'était passé. Le probable responsable de leur malheur collectif n'était plus de ce monde. Je le sus dès que je franchis le seuil. Udo Ambros était couché sur le sol en pierre de la cuisine et ses pieds dépassaient par la porte ouverte. Même si, pour être honnête, je n'étais pas absolument certain qu'il s'agissait bien de lui. Une décharge de chevrotine à bout portant rend aléatoire toute notion d'identité. J'avais vu à Plötzensee des hommes décapités qui avaient plus de tête qu'Udo Ambros. Il n'y a pas d'appel au secours dans un suicide au fusil de chasse : la victime voulait arriver à ses fins. Des morceaux de crâne et de cervelle, des gouttes de sang, avaient transformé la cuisine en une tranchée de Verdun frappée par un obus, et si je ne m'étais pas trouvé dans la maison du mort, la seule chose qui m'aurait permis de l'identifier était le badge *Bonne chance. Mines de sel de Berchtesgaden* qu'il portait au revers de sa veste *Tracht* maculée de rouge. Une partie du visage, avec l'œil, était restée collée au carrelage mural au-dessus du poêle, tel un détail d'une peinture de Picasso ou d'un bas-relief sur une fontaine romaine. Je déglutis avec difficulté, comme pour me rappeler que j'avais un cou, auquel une tête était attachée, sans pour autant détourner mon regard du corps.

Je soulevai la chemise du macchabée et posai ma main sur son torse : il était totalement froid et j'en déduisis qu'Ambros était mort depuis au moins huit heures. Il tenait encore solidement le fusil de chasse entre ses jambes tendues, telle une épée sur la tombe d'un templier. J'arrachai l'arme à ses doigts raides. C'était un Merkel à canons juxtaposés, doté d'un mécanisme de verrouillage Kersten, un des fusils allemands les plus séduisants. Je cassai le canon pour faire apparaître deux cartouches Brenneke rouges, dont une seule avait été tirée. La seconde était inutile : une cartouche ordinaire remplie de chevrotine aurait fait l'affaire sans doute, mais une cartouche destinée à tuer un sanglier qui charge ne laissait aucune place au hasard ; cela revenait à casser un œuf avec un marteau de trois kilos. J'avais déjà remarqué ce genre de cartouches, mais impossible de me souvenir où. J'avais vu tellement de choses dernièrement que je ne savais même plus où j'avais laissé mon trou du cul. Une seule question s'imposait : Pourquoi avait-il fait ça ? L'homme que j'avais rencontré la veille ne semblait pas très préoccupé, si ce n'était de son propre confort, mais peut-être savait-il que le Mannlicher me permettrait tôt ou tard de remonter jusqu'à lui. Et à ce moment-là, les choses auraient pris une mauvaise tournure pour Udo Ambros. Très mauvaise. La Gestapo y aurait veillé. Je n'avais pas pris la peine de réfléchir au sort du meurtrier de Karl Flex si je l'arrêtais, mais je connaissais suffisamment bien les nazis pour savoir qu'ils choisiraient certainement un châtiment plus terrible qu'un coup de hache.

Finalement, je me mis en quête d'une lettre d'adieu et la trouvai glissée dans une enveloppe sur la cheminée, dans laquelle les bûches étaient encore chaudes. C'est à ce moment-là que je commençai à me demander pourquoi un homme qui projetait de se faire sauter la cervelle se donnait le mal d'allumer un grand feu, d'entreprendre de dépecer un lapin et de se servir une tasse de café qui était encore sur la table. J'espérais que le mot expliquerait tout ça.

J'AI DÉCIDÉ DE ME SUICIDER CAR CE N'EST PLUS QU'UNE QUESTION DE TEMPS MAINTENANT AVANT QUE LE FLIC DE BERLIN REMONTE LA PISTE DU NUMÉRO DE SÉRIE DU FUSIL MANNLICHER ET M'ARRÊTE POUR LE MEURTRE DE KARL FLEX ET JE NE VEUX PAS MOURIR DE FAIM À DACHAU COMME JOHANN BRANDNER. FLEX ÉTAIT UNE ORDURE ET TOUT LE MONDE SAIT QU'IL L'A BIEN CHERCHÉ. JE LÈGUE MES ARMES ET MA MOTO À MES VIEUX AMIS ET COLLÈGUES CHASSEURS, JOHANNES GEIGER ET JOHANN DIESBACH, ET LE RESTE À CEUX QUI EN VEULENT. SIGNÉ UDO AMBROS.

Ce mot d'adieu posait autant de questions qu'il apportait de réponses. C'était la première fois que je voyais une telle lettre écrite entièrement en majuscules, comme si Ambros voulait s'assurer que tout serait bien clair pour les autorités, mais cela avait pour effet d'occulter un élément très important : la véritable écriture de l'homme qui avait rédigé cette lettre, ce qui m'aurait permis d'établir sans le moindre doute, avec l'aide de Johannes Geiger le garde-chasse peut-être, que c'était bien Ambros qui tenait le crayon. De fait, j'avais des doutes. Notamment à cause de cette tache de sang, de la taille d'une tête d'épingle, dans un coin de la feuille. Des analyses en laboratoire auraient pu prouver que c'était du sang de lapin et non du sang humain, mais le lapin semblait avoir été soigneusement vidé et saigné avant d'être à moitié dépecé. J'aurais parié une petite fortune que le sang sur la lettre provenait de la tête d'Ambros. Rien d'étonnant à cela, si ce n'est que la lettre se trouvait dans une enveloppe.

Je fis le tour de la maison, ouvris des placards aux portes grinçantes et des tiroirs malodorants. Je fourrai mon nez partout. En me demandant si mon principal suspect, Johann Brandner, était bel et bien mort, comme le suggérait cette lettre. Ce ne serait pas la première fois que la Gestapo et la SS mentiraient au sujet d'un prisonnier mort à Dachau, même à un enquêteur de la police criminelle. Mourir à Dachau avait beau être une chose « normale », les autorités considéraient souvent cela comme un secret, qu'il fallait cacher non seulement aux familles concernées mais à tout le monde. Les rares personnes qui savaient exactement ce qui se passait à Dachau bénéficiaient d'une « autorisation du Führer », et si j'étais au courant, c'était uniquement parce que Heydrich me l'avait dit juste avant de m'envoyer là-bas. Il était prévenant dans son genre. D'un autre côté, il était possible que Johann Brandner soit revenu à Berchtesgaden en douce, qu'il ait tué Udo Ambros et tenté de me diriger sur une fausse piste en mentionnant sa mort. Être mort constitue un excellent alibi pour quiconque a des ennuis avec la justice, mais dans l'Allemagne nazie, c'était un risque existentiel.

Ayant remarqué dans le vestibule, derrière la porte d'entrée, la présence d'une armoire à armes à feu, j'en cherchai les clés et finis par trouver un trousseau réuni par une chaînette dans la poche de pantalon du mort. C'est alors que je commençai à être convaincu qu'Udo Ambros avait été assassiné. L'armoire contenait deux carabines, un autre fusil de chasse, un pistolet Luger, des munitions pour carabines et plusieurs boîtes de cartouches Rottweil pour fusils de chasse. Rottweil était un département de la société RWS et j'eus beau fouiller toute la maison et les dépendances, je ne découvris pas d'autres cartouches. Les deux Brenneke qui restaient dans l'arme ayant tué Ambros étaient fabriquées par Sellier & Bellot et je n'en trouvai aucune autre, ce qui suggérait fortement que le meurtrier avait apporté ses propres munitions. Peut-être avait-il cherché des cartouches appartenant à la victime et constaté qu'elles étaient enfermées dans l'armoire, ce qui l'avait obligé à utiliser celles qu'il avait dans ses poches ou dans sa cartouchière. Là encore, cela suggérait fortement que le meurtrier n'avait pas préparé son coup. La discussion avait peut-être débuté de manière amicale, puis les deux hommes s'étaient disputés, et le meurtrier avait introduit deux cartouches dans le fusil de la victime pour l'abattre. Ce qui laissait deviner qu'ils étaient amis, ou du moins qu'ils se connaissaient. Et compte tenu du contenu de la lettre, à quel sujet avaient-ils pu se disputer, si ce n'est mon enquête ou la provenance du Mannlicher ?

Des empreintes de pas sanglantes sortaient de la cuisine et traversaient la maison, ce qui m'amena à m'interroger sur les traces de bottes rougeâtres dans la neige, dans l'allée qui menait à la porte d'entrée. Comment étaient-elles arrivées là ? J'imaginais mal le meurtrier repartant par la porte de derrière et escaladant la clôture. En outre, les seules traces dans la neige, devant la porte de la cuisine, étaient celles du cheval. Après avoir allumé toutes les lumières, j'inspectai soigneusement chaque pièce de la maison. Rien qui ressemble à des empreintes de pas. Je pris le manteau d'Ambros et ressortis. Je n'ai jamais été un inspecteur qui aime se mettre à quatre pattes. Premièrement, je ne possédais pas énormément de costumes, et ils n'étaient pas du genre à supporter les punitions. Deuxièmement, plus rien ne justifiait un examen au peigne fin étant donné que de nos jours, la plupart des meurtres étaient commis par les gens pour qui je travaillais. Malgré cela, j'étendis le manteau à côté d'une des empreintes de bottes pointure quarante-cinq pour l'examiner de plus près. Les empreintes semblaient avoir été faites par des Hanwag, exactement semblables à celles que je portais aux pieds. Et elles n'étaient pas rouges en réalité. Mais roses. Et ce n'était pas du sang qui avait taché la neige. C'était du sel. Du sel rose de la meilleure qualité. Celui que les grands cuisiniers aimaient utiliser.

40

Avril 1939

À Berchtesgaden, la Maserati stationnait de nouveau dans la rue, devant le garage de Rothman, et Friedrich Korsch était assis sur le siège du passager, entouré de plusieurs jeunes garçons qui s'étaient rassemblés pour admirer la voiture de sport. Mais le plus gamin de tous était certainement Korsch lui-même, qui tirait sur une cigarette d'un air ravi, comme s'il venait de remporter le Grand Prix d'Allemagne. À côté de la Maserati était garé un camion Paulaner, la plus célèbre marque de bière bavaroise, qui n'était pas là précédemment. En me voyant arriver, Korsch descendit de voiture, jeta sa cigarette (aussitôt récupérée par un des jeunes garçons) et s'approcha de ma vitre.

« Vous êtes allé chercher les frères Krauss ? lui demandai-je.

– Ils sont à l'arrière du camion. J'ai eu du pot. Ils allaient les envoyer à Flossenbürg pour faire des travaux forcés.

– Joli travail.

– Si on veut. Ils disent qu'ils ouvriront le coffre seulement si on les laisse rejoindre la frontière italienne.

– Qu'en dit Heydrich ?

– Il est d'accord. S'ils ouvrent le coffre, ils sont libres. Il y a juste un problème, patron.

– Quoi donc ?

– Ces deux youpins ne nous font pas confiance.

– Et si on leur signait une lettre, un truc écrit, une garantie...

– Ça ne leur plaît pas non plus.

– Quelle honte.

– Peut-on leur en vouloir ? On est à Berchtesgaden, je vous le rappelle. Et si même la parole du chancelier ne vaut pas un clou...

– C'était à Munich, précisément, mais je vois ce que vous voulez dire. Il a donné une mauvaise image de nous tous.

– Alors, qu'est-ce qu'on fait ?

– Il faut absolument ouvrir ce coffre. J'ai le sentiment que c'est la clé de tout, si je peux utiliser cette image. Je vais parler aux deux frères. On pourra peut-être trouver un arrangement. Ils sont dans quel état ?

– Un peu sales. Je leur ai donné à manger en chemin. Et ils ont bu quelques bières dans le camion, alors avec un peu de chance ils seront de meilleure humeur. Dans l'ensemble, quand on pense qu'ils sortent de Dachau, ils se portent plutôt bien.

– Conduisez-les à l'intérieur du garage, Friedrich. On va discuter sur place. »

Les deux frères étaient des juifs de Scheunenviertel, un quartier miséreux du centre de Berlin où vivait un grand nombre d'émigrés d'Europe centrale et qui, avant l'arrivée des nazis, était un des endroits les plus redoutés de la ville. Peu de policiers osaient s'y aventurer. Quand ils voulaient effectuer une arrestation, les flics de l'Alex débarquaient en force, parfois même dans une voiture blindée.

D'ailleurs, c'était dans ces conditions que les deux frères Krauss avaient été arrêtés la première fois, après une série de cambriolages dans les plus grands et les plus beaux hôtels de Berlin, y compris l'Adlon. On racontait aussi qu'ils avaient cambriolé la suite de Hitler au Kaiserhof, juste avant qu'il devienne chancelier, et qu'ils lui avaient volé sa montre de gousset en or et des lettres d'amour, mais sans doute n'était-ce qu'une des nombreuses histoires qui circulaient à leur sujet et avaient fait leur notoriété. Dans le cas d'Adolf Hitler, la vérité était un paradoxe que seul un Crétois aurait pu comprendre, et même, je le soupçonnais d'avoir oublié où il l'avait caché. Après Franz et Erich Sass, deux braqueurs de banques berlinois des années 1920 qui les avaient inspirés, disait-on, les frères Krauss étaient les plus célèbres criminels d'Allemagne, et le cambriolage du Musée de la police de l'Alex en avait fait des légendes. Petits, bruns et d'une force incroyable, après plusieurs mois passés à Dachau ils flottaient pourtant dans leurs vêtements, qui semblaient avoir deux tailles de trop. Ils s'étaient changés dans le camion, mais tenaient encore à la main leur uniforme de prisonnier frappé du triangle vert des criminels, comme s'ils ne savaient pas quoi en faire et n'osaient pas s'en débarrasser.

Je croyais savoir qu'ils venaient de Pologne, où leur père avait été un célèbre rabbin, mais s'ils étaient restés croyants, cela ne sautait pas aux yeux ; c'étaient des durs à cuire dont le savoir-faire consistait non pas à élucider les mystères de la Kabbale mais ceux des coffres-forts. On racontait qu'ils pouvaient ouvrir le cul d'un moucheron avec un trombone sans qu'il s'en aperçoive.

« C'est un York, commenta Joseph Krauss en examinant le coffre. Fabriqué en Pennsylvanie, Amérique. Ça ne court pas les rues en Allemagne. La dernière fois que j'en ai vu un, c'était dans une bijouterie de Unter den Linden. Plus chic que celle d'à côté. C'était à l'époque où on volait encore les commerçants juifs, avant que vous autres, les *momzers* nazis, ne preniez la relève. Ces modèles ont une combinaison à trois ou quatre chiffres. Priez pour que ce soit une trois chiffres, ce sera moins compliqué et moins long. Évidemment, je pourrais le percer, mais ça prendrait encore plus de temps, et puis, pour ça, il faut avoir vu l'autre côté de la porte et étudié le mécanisme. Vous trouverez peut-être un autre pigeon pour faire le boulot mais il ne saura pas forcément où faire un trou. Il le laissera *ongepotchket*[1], et il est possible que vous ne puissiez plus jamais l'ouvrir.» Joseph Krauss secoua la tête d'un air désolé. «Mais comme je vous le disais, on n'est pas obligé de le percer. Je vais être franc avec vous : pour ouvrir un coffre pareil au toucher, faut un talent rare. Il existe peut-être trois personnes en Europe qui pourraient y arriver, et mon frère Karl est de celles-là. Ce marteau en caoutchouc accroché au mur lui suffit, au cas où le coffre aurait besoin d'un bon *zetz*. Mais votre gros problème est ailleurs, *Herr Kommissar*.

– Je sais. Mon assistant m'en a parlé. Vous ne nous faites pas confiance pour vous rendre la liberté quand vous aurez ouvert le coffre.

– Exact. Sans vouloir vous vexer. Vous êtes tous les deux du même *kiez* que nous. Je le sens. Les Berlinois ne sont pas comme les Bavarois. Ces gens-là, c'est la lie. Mais on refuse d'être des *schlemiels*. Qu'est-ce qui vous empêche de nous renvoyer illico à Dachau une fois le travail fini ? Je vais être franc, *Herr Kommissar*. C'est un coup à devenir

---

1. En yiddish : *momzers* : bâtards ; *ongepotchket* : sens dessus-dessous, en désordre.

mabouls, vous et moi. Qu'est-ce qu'on peut faire ? C'est un vrai *tsutcheppenish*[1]. Vous avez suffisamment besoin de nous pour qu'on fixe notre prix, mais nous, on n'est pas sûrs que vous paierez quand on aura terminé. Comment traiter dans ces conditions ? Sans confiance ? Impossible. N'est-ce pas, Karl ? »

Celui-ci avait commencé l'échauffement du perceur de coffres en frottant le bout de ses doigts contre la manche de sa veste trop grande.

« J'aimerais beaucoup vous aider, messieurs. Moi aussi je vais être franc avec vous. Je serais ravi de m'entraîner un peu. Ça fait un moment que je ne me suis pas attaqué à un coffre. Et ça me démange, je l'avoue. Mais mon frère a raison : il manque la confiance. » Il grimaça, comme pour signifier que nous étions encore loin de trouver un arrangement. « Il y a quoi dans celui-là, d'abord ? Vous pourriez peut-être nous le dire. Ça doit avoir une sacrée valeur, sinon vous ne nous auriez pas amenés jusqu'ici. Si vite. En faisant intervenir des gens aussi importants pour nous sortir de cet horrible endroit. Le général Heydrich en personne. J'ai cru que Piorkowski allait se chier dessus quand il a entendu ce nom.

– Alex Piorkowski est le commandant de Dachau, précisa Korsch. Un véritable salopard, si vous voulez mon avis.

– Ce type est un golem, dit Joseph Krauss. Un monstre.

– Je vais être honnête avec vous, dis-je à mon tour.

Je n'ai pas la moindre idée de ce que contient ce coffre. Mais j'espère y trouver la preuve qu'un officier nazi était corrompu. Même s'il est mort maintenant, d'autres pourraient l'accompagner dans sa chute. Des documents, des

---

1. En yiddish : *schlemiels* : imbéciles ; *tsutcheppenish* : casse-tête.

383

registres, voilà ce que je voudrais découvrir. S'il y a de l'argent ou des bijoux, tout sera pour vous. Vous pourrez même repartir avec la Maserati garée devant. Pour aller n'importe où. Je vous donne ma parole que nous n'essaierons pas de vous rattraper. Ni de vous empêcher de fuir. Je peux appeler devant vous les gardes-frontières pour leur ordonner de vous laisser passer. Si nécessaire, je vous servirai de chauffeur.

– Ça commence à me plaire un peu plus, dit Karl Krauss. Ce bolide rouge, là-dehors ? Joli. Mais même en Italie, c'est plus gênant qu'autre chose. Pas une voiture pour des *goniffs*[1] comme nous. Même du temps où on avait de l'argent, on n'a jamais été du genre à l'exhiber. C'est le meilleur moyen de se faire pincer. Si on fiche le camp avec ça, le monde entier va nous voir, et nous entendre. Une fanfare militaire ne ferait pas plus de boucan. Alors, si on accepte ce boulot, on repartira avec le camion de bière. Personne ne le remarquera par ici.

– Marché conclu. Le camion est à vous.

– Mais supposons que le coffre soit vide. Vous serez forcément déçu. Et ensuite, *Herr Kommissar* ? Vous nous laisserez quand même partir ? Pas facile, comme le disait mon frère Joseph. Tout ce travail pour rien. »

Je m'adressai à Korsch : « Donnez-lui les clés du camion. Et celles de la Maserati. Prenez les deux, je m'en fiche. Partez chacun de votre côté si vous voulez. Mais je vous en prie, ouvrez ce coffre. Le temps que je me remette de ma déception, vous serez déjà à mi-chemin de l'Italie. Même si, aujourd'hui, je suis blindé à ce niveau-là. Pour être déçu, il faut croire en quelque chose et je ne crois plus en rien depuis un bout de temps. En particulier depuis 1933.

1. En yiddish : voleurs.

Si je suis encore flic, ce n'est pas parce que je crois en la justice ou en l'ordre moral, mais parce que les nazis l'ont décidé ainsi. Ils m'ont fait revenir car ils avaient besoin d'une marionnette qui pose les mauvaises questions au bon moment. Ce qui veut dire que je ne vaux pas mieux qu'eux sans doute.

– Écoute un peu ce *Kommissar,* Karl, dit Joseph Krauss. Et c'est nous qu'on a envoyés à Dachau ?

– C'est ce que j'appelle une vraie contradiction.

– Vous avez des armes sur vous ? me demanda Joseph.

– On est flics, pas scouts.

– Faites voir.»

Korsch et moi sortîmes notre Walther PPK en essayant de ne pas le tenir de manière trop menaçante.

« Si vous nous remettez les chargeurs, peut-être qu'on se sentira un peu plus détendus, dit Joseph. Un gage de bonne foi, dirons-nous. On sera plus tranquilles. Mon frère n'aime pas travailler avec des armes autour de lui. Surtout quand lui n'en a pas.

– Soit.»

Je renversai le Walther, libérai le chargeur d'un mouvement du pouce et actionnai la culasse pour éjecter la dernière balle restée dans le canon. Je l'introduisis dans le chargeur et le tendis à Joseph Krauss. Korsch fit de même.

« Voilà qui est plus *haymish*[1], dit-il en empochant les deux chargeurs. D'accord, on va le faire. Pas parce qu'on a confiance en vous, *Herr Kommissar.* Mais parce que vous êtes un idiot honnête, et vous avez la chance d'avoir la tête qui va avec. Pas vrai, Karl ?

– Tu as raison, Jo. Sincèrement, seul un idiot peut travailler pour les nazis, et croire que la simple survie n'a

1. En yiddish : confortable, cool.

pas un prix. Mais j'imagine que vous le savez déjà.» Il hocha la tête avec détermination. «Alors, au travail. Tout ce qu'il me faut, c'est un papier et un crayon, et ce marteau en caoutchouc. Mais ce n'est pas pour taper sur le coffre, c'est pour taper sur mon frère et lui mettre un peu de plomb dans la cervelle quand vous nous aurez trahis.»

Karl Krauss s'agenouilla devant le York, referma ses doigts autour de la molette et appuya sa joue contre la porte. «On commence avec le repère à douze heures, murmura-t-il. On tourne vers la droite, très lentement, pour sentir le déclic. Peu importe l'ordre pour l'instant, tout ce qu'on veut, c'est sentir le déclic. Et il y en a un juste là, sur le zéro. Comme souvent. Les gens aiment les zéros. Ça reflète ce qu'ils attendent de la vie. Évidemment, si on a plusieurs zéros, ça complique les choses.»

Joseph nota le chiffre sur le carnet de Korsch et attendit pendant que son frère continuait à tourner la molette pour trouver le suivant. Je souris. Il ressemblait à n'importe quel Allemand écoutant Radio Londres en cachette.

Tandis que les frères s'occupaient du coffre, j'entraînai Friedrich Korsch dehors et lui racontai dans quelles conditions la Gestapo de Linz avait essayé de m'arrêter, et ce que j'avais découvert dans la maison d'Udo Ambros.

«Il ne pourrait pas être plus mort s'il était l'arrière-grand-père de Hindenburg. La majeure partie de sa tête est collée au mur de la cuisine, à côté de la pendule. Quelqu'un a voulu faire croire à un suicide au fusil de chasse. Il nous a laissé une jolie lettre d'explications sur la cheminée, écrite si soigneusement qu'on dirait un télégramme. Certainement pas l'œuvre de quelqu'un qui va se faire sauter la cervelle. J'ai vu suffisamment de vrais suicides pour savoir flairer un meurtre. Et celui-ci, il empeste comme un munster.

– En parlant de suicide, ce youpin spécialiste des yeux qui vous intéressait, le Dr Karl Wasserstein ? Il s'est jeté dans l'Isar samedi dernier, le matin, avec sa Croix du Mérite militaire. Il s'est noyé. La police de Munich a trouvé un mot sur la porte de son cabinet ; ils ont bien voulu me le donner. Je pense qu'ils ont reçu des ordres d'en haut pour ne rien dire à votre amie *Frau* Troost. Mais, à mon avis, ça fait un autre suicide louche. Qui se fout en l'air un samedi matin, hein ? Un lundi matin, je pourrais comprendre. Mais pas un samedi.»

Korsch émit un ricanement amer et me tendit le mot en question. Je le glissai dans ma poche avec l'intention de le remettre plus tard à Gerdy. Éventuellement. En Allemagne, la déception était contagieuse et s'accompagnait souvent de fâcheuses conséquences. Je ne voulais pas gâcher son désir de m'aider en faisant preuve d'une franchise prématurée au sujet du sort de son ami.

« Apparemment, reprit Korsch, il avait de nouveau l'autorisation d'exercer, mais seulement en tant que médecin généraliste. Pas ophtalmologiste.

– Alors, peut-être que c'est un vrai suicide.

– Possible. En tout cas, ce pauvre gars a estimé que sa vie n'avait plus aucun sens. Parce qu'il ne pouvait plus examiner les yeux des gens.

– De nos jours, plus personne ne regarde quelqu'un dans les yeux. Quand on peut l'éviter.

– C'est comme si on vous empêchait d'être flic, je suppose.

– Détrompez-vous, Friedrich. Le jour où je pourrai dire adieu à cette foutue vie, vous ne me verrez pas marcher vers la rivière la plus proche pour noyer mon chagrin. J'irai aux lacs avec une bouteille de baume pour l'esprit, et je la viderai dans un parc de Pankow comme un vrai *Bolle*.

– Peut-être que je me joindrai à vous, patron. Je suis né près de ce parc. À Schönholzer Heide. Dans Tschaikow-skistrasse, au 60.

– On est quasiment parents, alors. Je connais cette adresse. Un immeuble gris, près de l'arrêt de bus ? J'avais un cousin qui vivait là.

– À Berlin, tous les immeubles sont gris et près d'un arrêt de bus.

– Le monde est petit, hein ?

– Oui, jusqu'au jour où vous devez attraper le bus. »

41

Avril 1939

Je n'en crus pas mes yeux quand Karl Krauss abaissa la petite poignée et ouvrit l'épaisse porte en acier qui grinça comme une cellule des sous-sols de l'Alex.

« Qu'est-ce que je vous avais dit ! s'exclama fièrement Joseph. Mon frère est un artiste. Il pourrait figurer en haut de l'affiche à l'Opéra. Regardez cette porte, *Herr Kommissar*, et songez à ce que ça représente d'ouvrir un coffre comme ça, à la perceuse ou à l'oreille. C'est très compliqué. Vous appréciez le travail, j'espère ? »

Joseph Krauss avait raison : l'intérieur de la porte ressemblait à un jouet complexe ou bien aux rouages de mon propre esprit. Mais je m'intéressais moins au mécanisme qu'à tout l'argent contenu dans le coffre. Même le livre de comptes, que j'apercevais sur l'étagère du bas, ne me fascinait pas autant que tous ces billets de banque. Je prélevai une épaisse liasse, l'approchai de mon nez et fis défiler les billets à la manière d'un jeu de cartes.

« Rien que dans ce paquet, il y a facilement mille reichsmarks, dis-je.

– Vous avez un bon odorat », commenta Karl Krauss.

Son frère était déjà en train de compter les autres liasses.

« Je dirais qu'il y a vingt mille marks. Une jolie petite somme.

– Pas si petite, murmura son frère. Avec tout ce fric, on peut s'acheter une nouvelle vie. Plusieurs, même. L'une à la suite de l'autre. Et toutes formidables. »

Je lançai à Korsch les coupures que je venais de renifler tel un cocaïnomane pour sortir du coffre le livre de comptes à la tranche marbrée et le feuilleter, comme si l'argent m'importait peu. Il contenait des noms, par ordre alphabétique, des adresses et des colonnes de chiffres qui semblaient correspondre à des paiements effectués sur plusieurs années. Je reconnus certains noms : ils appartenaient à des personnes que j'avais interrogées, ce qui était de bon augure. J'avais entre les mains, supposais-je, la version intégrale du petit carnet qui figurait parmi les effets personnels de Karl Flex recensés par Hermann Kaspel, et qui avait disparu.

« Vous avez trouvé ce que vous cherchiez, *Herr Kommissar* ? demanda Joseph Krauss.

– À vrai dire, je ne sais pas.

– Vous êtes déçu ?

– Non, je ne crois pas. »

Ce n'était pas le genre de preuve qui apportait une fin bien nette à une bonne histoire policière. Elle manquait de tension dramatique (même si les véritables preuves apparaissent rarement comme significatives) et ce n'était pas quelque chose dont on pouvait s'enorgueillir professionnellement ; malgré cela, le contenu de ce registre semblait important. Mais moins que l'argent. C'est ça le problème avec l'argent, surtout en grande quantité : il réclame le respect mais aussi toute l'attention. Les billets empilés dans le coffre occupaient les pensées de chacun. Les frères Krauss m'observaient d'un œil méfiant, en se demandant si j'allais tenir parole. Friedrich Korsch pensait exactement la même chose.

Il me prit par le coude pour m'entraîner dans un coin du garage et me parler à voix basse, ce qui renforça chez les deux frères la conviction qu'ils allaient se faire doubler par la police. Et ils semblaient bien décidés à réagir.

« Quand vous leur avez promis qu'ils pourraient garder l'argent contenu dans le coffre, dit Korsch, j'imaginais qu'il y aurait peut-être quelques centaines de marks. Un millier au maximum.

– Moi aussi.

– Mais vingt mille reichsmarks, patron, c'est une grosse somme.

– Je ne dirai jamais le contraire. Et heureusement que ce n'est pas mon argent que je dois leur donner, sinon je serais déprimé au plus haut point.»

Il alluma deux cigarettes, m'en tendit une et tira nerveusement sur la sienne.

« Vous n'envisagez pas sérieusement de leur laisser ce fric, hein ?

– Si, Friedrich. Vous ne croyez pas qu'ils ont besoin de prendre un nouveau départ ? Après Dachau ? Ils méritent au moins un bon repas et des costumes neufs. Des beaux vêtements, ça coûte cher en Italie. Sans parler d'une nouvelle vie. J'avoue que je ne cracherais pas dessus. Je peux peut-être les persuader de m'emmener. Je m'offrirais bien des vacances en Italie.

– Soyez sérieux, patron. Avez-vous envisagé qu'une partie de cette somme – voire la totalité ou presque – pouvait appartenir à Martin Bormann ? Ce serait logique, non ? Si Karl Flex était son collecteur. Si c'est la recette de ces rackets. Dans ce cas...

– C'est tout à fait juste.

– Bormann ne sera pas content quand il apprendra que vous avez donné son argent à... n'importe qui, deux youpins qui plus est.

– Alors mieux vaut ne pas lui dire. D'après mon expérience, limitée il est vrai, c'est quelqu'un qui accueille très mal les mauvaises nouvelles.

– Soit. Mais réfléchissez à ça, patron, s'il vous plaît. Si ce livre de comptes prouve que des pots-de-vin ont été versés, et si Bormann découvre qu'il est en votre possession, il en conclura que vous détenez l'argent aussi. L'argent qui est sans doute consigné dans ce registre. Il pensera que vous l'avez gardé pour vous. Que *nous* l'avons gardé. Vous et moi. On risque gros, très gros. De nos jours, ils envoient les flics corrompus à Dachau. J'en reviens et je n'ai aucune envie d'y retourner.

– Voilà pourquoi on a intérêt à la boucler, n'est-ce pas ? Écoutez, Friedrich. Chez moi, un marché est un marché. Sans ces deux youpins, on serait en train de se tourner les pouces. Le fric de Bormann, je m'en fiche. J'aimerais bien même qu'il me pose la question. Rien que pour voir son gros visage de bouseux. Peut-être que, par provocation, je lui dirai que le coffre était ouvert quand on est arrivés. Et vide. Quelqu'un était parti avec le magot. Que fera-t-il, alors ? Il va me torturer ?

– Du moment que ce n'est pas *moi* qu'il torture.

– Voilà qui est parler en bon Allemand. Mais avec un peu de chance, ce registre nous aidera à trouver le meurtrier et Martin Bormann sera tellement reconnaissant qu'il en oubliera son argent. Rappelez-vous que c'est bientôt l'anniversaire de Hitler. D'ailleurs, faites-moi penser à lui acheter un joli cadeau. »

Korsch poussa un soupir d'exaspération et détourna le regard. Cette fois, c'est moi qui le pris par le bras.

« Écoutez-moi, Friedrich, vingt mille reichsmarks, c'est une broutille à côté de ce qu'ils ont dépensé pour cette foutue maison de thé. D'après ce que m'a raconté Hermann Kaspel, elle a coûté des centaines de millions. On dirait une version miniature du château de Neuschwanstein, et presque aussi démente. Si Hitler a peur de revenir ici à cause de ce qui s'est passé sur la terrasse du Berghof, tous les millions qu'ils ont dépensés pour la maison de thé, les nouvelles routes, les tunnels et les rachats de maisons auront été gaspillés. Et la carrière de Bormann en tant que lèche-bottes numéro un de l'Obersalzberg prendra fin. Sincèrement ? Vingt mille marks, c'est la fortune de Crésus pour vous et moi, mais pour Bormann, c'est un plat de choucroute de la veille. Alors oui, je vais tenir parole. Il est grand temps que quelqu'un le fasse, ici à Berchtesgaden. »

Je revins vers les frères Krauss, qui avaient fourré les billets dans un vieux cartable en cuir et attendaient, non sans une certaine angoisse, l'issue de ma conversation avec Korsch. Je suis sûr qu'ils auraient lutté à mort pour garder tout cet argent ; moi, en tout cas, je sais que je l'aurais fait. Et puis, un autre détail que je n'avais pas évoqué avec Korsch : même s'ils revenaient de Dachau, chacun des deux frères était fort comme un taureau. Avec une telle somme en jeu, et un bolide garé juste devant la porte pour prendre la fuite, je ne doutais pas un seul instant que deux criminels professionnels pouvaient aisément tabasser deux policiers désarmés. Voire nous tuer. Trois meurtres avaient déjà été commis sur l'Obersalzberg, deux de plus ou de moins, ça passerait inaperçu. Et cela arrangerait tout le monde en définitive. Les frères Krauss finiraient par être arrêtés et on leur collerait les cinq meurtres sur le dos. Deux criminels juifs ? Dans l'Allemagne nazie, c'étaient des coupables taillés sur mesure. J'avais presque envie de suggérer cette idée.

« Alors, demanda Karl, les juifs vont encore se faire baiser par les nazis ? Ou bien notre *Handl* tient-il toujours ?

– L'argent est à vous, dis-je. Et le camion aussi.

– On en a discuté entre nous, dit Joseph, et on a décidé de vous laisser deux mille marks. Pour sauver les apparences. On ne voudrait pas que vous ayez des ennuis. Évidemment, ce que vous faites de ce fric ne regarde que vous. »

L'insolence de cette remarque m'arracha un sourire.

« Foutez le camp avant que je change d'avis. Ça me fait mal de voir tout cet argent sortir d'ici en si mauvaise compagnie.

– On voudrait également vous remettre ceci, dit Joseph en me tendant une petite enveloppe brune. Elle était cachée derrière les billets.

– C'est quoi ?

– Deux livrets d'épargne d'une banque suisse. Si vous nous aviez empêchés de prendre l'argent, on les aurait gardés. Mais ils sont à vous maintenant. J'espère que ça vous aidera à trouver ce que vous cherchez. »

Je jetai un coup d'œil à l'intérieur de l'enveloppe et hochai la tête.

« Merci.

– Je ne dirai pas que vous êtes un homme bien, *Herr Kommissar,* conclut Karl Krauss, mais vous êtes un homme de parole. Qui peut en dire autant à Berchtesgaden de nos jours ? Un petit conseil, cependant. Entre Allemands. Qu'avez-vous dit tout à l'heure ? Que vous ne croyiez plus à l'ordre moral ? Souvenez-vous de ceci, *Kommissar* Gunther. Sept fois le juste tombe et il se relève. Il faut persévérer. C'est dans la Torah. »

42

Avril 1939

Friedrich Korsch et moi regardâmes les frères Krauss quitter lentement Berchtesgaden au volant du camion Paulaner. On aurait pu croire qu'ils roulaient en direction de la frontière autrichienne avec vingt mille reichsmarks en poche, mais les apparences peuvent être parfois trompeuses.

« Brillante idée, dis-je. De les avoir amenés de Munich à bord de ce camion. Avec un peu de chance, personne ne saura qu'ils sont venus ici.

– C'était une idée de Heydrich. Son bureau a appelé la brasserie Paulaner et leur a ordonné de me confier un camion. J'ignore s'ils espèrent le récupérer ou pas, mais quand le SD réclame un camion, même s'il est rempli de bouteilles de bière, vous obéissez, non ?

– Tout cela est logique. Heydrich a dirigé la Gestapo de Munich avant de prendre la direction du SD. Si, à une époque, il a appris à se faire des amis, peut-être qu'il lui en reste quelques-uns.

– Je ne sais pas trop ce que je vais leur raconter maintenant que le camion a disparu. Avec la bière.

– C'est le problème de Heydrich, pas le vôtre. Il leur expliquera certainement qu'il a été volé. Et puis à quoi s'attendre avec des juifs ? Ce genre d'arguments subtils.

– Vous savez quoi ? J'envie presque ces deux youpins, dit Korsch. Aller en Italie avec tout ce fric. Pensez à toutes ces belles Italiennes avec leurs généreux nichons et leurs gros culs. Je ne vois pas de meilleure façon de dépenser vingt mille marks.

– Moi non plus. Évidemment, ce n'est qu'une hypothèse, mais je ne serais pas étonné qu'ils fassent demi-tour et prennent la direction du nord-ouest. Pour retourner à Berlin. Voire qu'ils abandonnent le camion pour monter dans un train, ici à Berchtesgaden. Moi, c'est ce que je ferais. Auriez-vous confiance dans la police si vous étiez deux juifs avec vingt mille marks en poche ?

– Présenté comme ça, non.

– Faire le contraire de ce qu'on attend de vous. C'est la clé de la survie pour un fugitif. De plus, en Italie ils se feraient beaucoup plus remarquer qu'en Allemagne. Même de nos jours. L'Allemagne est le dernier endroit où quiconque aurait l'idée de les chercher. Surtout maintenant qu'ils savent qu'on va raconter à tout le monde qu'ils se sont réfugiés en Italie.

– Ils se feront remarquer n'importe où. La moitié du temps, je ne comprenais même pas ce qu'ils disaient. C'est le genre de juifs qui vous rend heureux d'être allemand.

– Vous parlez de tout ce baratin yiddish ? Ils ont mis le paquet. Pour s'amuser. Ils voulaient vous agacer, Friedrich. En vérité, ils ne sont pas du tout comme ça. S'ils ont réussi pendant si longtemps dans leur profession, c'est parce qu'ils savent se fondre dans la masse, où et quand ils veulent. À cet égard, ils sont bien sûr comme n'importe quel autre juif en Allemagne. La plupart des youpins nous ressemblent, à vous et moi.

– Peut-être, mais je continue de penser que l'Allemagne, c'est fini pour les juifs.

– Espérons que ce n'est pas également fini pour les Allemands. Mais Berlin n'est pas l'Allemagne. Voilà pourquoi Hitler nous déteste tant. Quelqu'un qui connaît les bonnes personnes et qui a de l'argent peut encore se cacher à Berlin, même un juif. Les frères Krauss sont intelligents. C'est à Berlin que j'irais si je croyais que la police me recherche et si j'avais les poches pleines. Certainement pas en Italie. Plus maintenant. Depuis que le Duce, lui aussi, accuse les juifs d'être responsables de tous ses problèmes.»

Korsch me jeta un regard en coin et je devinai ce qu'il pensait. Je grimaçai.

«Oui, ils sont intelligents, dis-je. Il n'y a que dans les petites villes idiotes comme Berchtesgaden que les gens croient à ces conneries de sous-hommes que Julius Streicher colporte dans *Der Stürmer*. Vous le savez comme moi. Il n'y avait pas plus intelligent que Bernhard Weiss. Nous n'avons jamais eu un aussi bon chef à la Kripo. Ce juif m'a appris plus de choses que ma propre mère. Ce qui m'horripile le plus chez les nazis, ce n'est pas que je doive haïr les juifs, Friedrich. Je ne les hais pas. Pas plus que je ne hais qui que ce soit ces temps-ci. Ce que je trouve beaucoup plus difficile, c'est de devoir aimer les Allemands et tout ce qui est allemand. Pour n'importe quel Berlinois, c'est une gageure. Surtout à présent que Hitler est au pouvoir.»

Après avoir rentré la Maserati au garage et verrouillé la porte, le livre de comptes et les livrets d'épargne sous le bras, nous gagnâmes la *Hofbräuhaus* la plus proche et là, assis dans un coin tranquille, sous un tableau sinistre représentant le Führer, nous commandâmes de grandes chopes de bière, des saucisses avec du chou et de la moutarde. Puis, une fois rendu l'hommage qui convenait à une serveuse dont le chemisier de style bavarois très échancré laissait voir un décolleté évoquant une formation géologique très célèbre, nous nous sommes plongés dans une étude financière moins captivante. La plupart des clients de la taverne fumaient la pipe et portaient des culottes de peau malodorantes ; ils faisaient mine de ne pas s'intéresser aux curiosités géologiques locales, mais ils étaient aussi lents que de vieux glaciers, et témoignaient de moins de chance avec la serveuse qu'un gamin sourd et galeux. Si je n'avais pas été en mission, j'aurais pu lui faire mon numéro du gars de la grande ville, en lui affirmant qu'elle était différente de toutes les autres et que j'étais déjà amoureux d'elle, et peut-être qu'elle m'aurait cru car il n'en fallait pas plus de nos jours. En Allemagne, l'amour était devenu une chose aussi rare qu'un juif avec un téléphone. Hitler n'avait pas le monopole du cynisme. Quoi qu'il en soit, je découvris que les deux livrets d'épargne retraçaient une histoire plus plausible, plus facile à comprendre et à raconter que ce qui figurait dans le livre de comptes. J'imaginais déjà le film muet qui aurait pu l'illustrer.

« Donc, résumai-je, le premier lundi de chaque mois, avec une régularité d'horloge, Karl Flex sortait cette belle Maserati rouge du garage et roulait jusqu'à Saint-Gall en Suisse, où il versait de grosses sommes d'argent sur deux comptes séparés à la banque Wegelin & Co qui, à en croire ces livrets, se vante d'être la plus ancienne du pays. Un des comptes est au nom de Karl Flex, l'autre au nom de Martin Bormann. Vous avez vu ces montants ? Bon sang, je ne me suis pas senti aussi pauvre depuis mon arrivée à Berchtesgaden. Karl Flex avait plus de deux cent mille francs suisses sur son compte. Et Bormann plusieurs millions ! Vous imaginez ? Avec tout cet argent, les nazis n'ont vraiment pas besoin de conquérir la Pologne par la force. Ils pourraient acheter ce foutu espace vital indispensable, d'après Hitler, avec seulement la moitié de ce que Bormann a mis de côté pour les jours de vaches maigres. Franchement, ce serait une bonne idée. Peut-être que les Polonais résisteraient moins.»

Je montrai à Korsch la dernière ligne sur le deuxième livret et il émit un petit sifflement au-dessus de la mousse de sa chope.

«Voilà qui explique la note d'hôtel que l'on a retrouvée dans la voiture, dit-il. Vous vous souvenez ? Le Bad Horn ? Au bord du lac de Constance ? Ce n'est pas très loin de Saint-Gall. Quinze ou vingt minutes d'après la carte qui se trouvait dans la boîte à gants de la Maserati.

– Exact. Après avoir déposé l'argent liquide à la banque, il est allé jusqu'au lac de Constance, il a pris une suite, s'est offert un coûteux repas, puis il est rentré en Allemagne le lendemain. Peut-être avait-il emmené la pute de la Caserne-P qui a disparu, pour pimenter son week-end. Qui sait ? Peut-être l'a-t-il laissée là-bas. Pendant ce temps, l'argent continuait à couler à flots. Vous n'avez jamais pensé que vous vous étiez trompé de profession ?

– Oh que oui. Pour n'importe quel flic, ce sont les risques du métier. On envie les escrocs qui s'en mettent plein les poches.

– Surtout quand ces escrocs dirigent le pays.

– Qui le savait ? Quand ils ont été élus. Que c'étaient des escrocs, je veux dire.

– Quasiment tous les gens qui n'ont pas voté pour eux, Friedrich. Et aussi, je suppose, une poignée d'imbéciles qui ont quand même voté pour eux. Ce qui est encore pire.

– Qui est ce deuxième signataire sur le compte de Bormann ? Max Amann ?

– Le président de la Chambre de la presse du Reich, je crois. Mais ne me demandez pas ce que c'est.

– Il doit être très proche de Bormann.

– Sans doute.

– Rien que de voir ces deux livrets, ça me fout la trouille, dit Korsch. Je n'ai pas honte de l'avouer. Je vous pose la question encore une fois, patron : Qu'est-ce qui va se passer quand Bormann voudra récupérer son livret ? Pour avoir accès à son compte ?

– Je constate qu'il y a trois livrets pour ce compte. Celui-ci et deux autres. On peut penser qu'ils sont en sa possession. Ce qui explique qu'il n'ait pas encore réclamé celui-ci. Qui sait ? Peut-être qu'il ne le réclamera jamais.

– C'est une pensée réconfortante. Quoi qu'il en soit, Bormann doit craindre que vous refiliez ce livret à Heydrich si vous mettez la main dessus. Et que Heydrich s'en serve contre lui. C'est exactement le genre de chose dont il est capable. Il collecte les ragots comme d'autres les ordures.

– Heydrich lui-même n'est pas assez fou pour croire qu'il peut faire chanter Martin Bormann. Surtout maintenant, à l'aube d'une nouvelle guerre. »

En fait, je n'en étais pas certain. Heydrich avait assez de cran pour faire chanter le diable en personne, et tirer profit de ses menaces. Je me disais que c'était l'unique raison pour laquelle je travaillais sous ses ordres, et parfois, je croyais à mon histoire : j'en avais assez d'être flic dans l'Allemagne nazie, je rêvais d'une vie paisible dans l'obscurité de la campagne, simple policier dans un petit village. Évidemment, la vérité était bien différente. Généralement, vous faites ce pour quoi vous êtes doué, même si les gens pour qui vous le faites ne sont pas toujours bons. Parfois, vous avez envie de les tuer, mais la plupart du temps, vous savez que vous ne le ferez jamais. En Allemagne, on appelait ça une carrière réussie. J'ouvris le grand livre de comptes relié en cuir et tournai les pages de papier épais. Je reconnus quelques noms et adresses, mais je n'avais aucune idée de ce que tout cela représentait, si ce n'est une colossale somme d'argent.

« Toutes les manigances de Flex et de ses maîtres sont détaillées dans ce livre, on dirait. Mais j'avoue que je ne comprends rien à ce que j'ai sous les yeux. Je n'ai jamais été très à l'aise avec les chiffres, sauf quand il s'agit des mensurations de certaines personnes qui portent de la lingerie fine et me demandent de leur offrir une bière avec du sirop rouge dedans. Néanmoins, j'ai l'impression que par ici un tas de gens remettaient régulièrement des sommes d'argent à Karl Flex. Mais difficile de savoir pourquoi. Pour l'instant. Beaucoup de ces noms sont suivis des lettres *P, Ag* ou *B,* ce qui avait certainement un sens pour Flex, mais par pour moi. Flex percevait l'argent d'un racket qui n'avait rien à voir avec les ordres d'expulsion. Il s'agit de personnes qui lui versent périodiquement de petites sommes et non pas de l'Administration de l'Obersalzberg qui leur achète leurs maisons en forme de coucous suisses pour une bouchée de pain. Vous savez quoi ? Ça me rappelle le bon vieux temps où des réseaux de criminels faisaient casquer des gens pour assurer leur protection. Le problème, c'est que de nos jours tout le monde a besoin d'être protégé du gouvernement. Le plus grand réseau criminel de tous les temps. »

Korsch fit pivoter le registre vers lui.

« Voici ce que je propose, dit-il au bout d'un moment. Si on choisissait quelqu'un au hasard parmi tous ces noms pour aller l'interroger ? L'avocat obèse, par exemple ? Le Dr Waechter. Celui qui a racheté le commerce de Rothman ?

Je vois son nom ici, avec un *B* et un *Ag* dans sa colonne. On y retourne et de but en blanc on questionne ce salopard. Et s'il refuse de parler, on l'emmène directement à Dachau et on menace de le laisser là-bas. Je connais le chemin maintenant. Je suis sûr que le major Piorkowski serait partant, convaincu d'exaucer le souhait de Heydrich. Croyez-moi, ce fumier cracherait le morceau immédiatement en reniflant l'air pas très frais et en voyant le slogan sur le portail[1].

– Vous ne l'aimez vraiment pas, hein ? Waechter ?

– Et vous ?

– Non. Mais je suis de parti pris. Je n'ai jamais rencontré un avocat allemand que je n'aie pas envie de défenestrer du sixième étage de l'Alex.

– Vous lui avez déjà flanqué la frousse une fois. Vous pourriez recommencer. Et moi aussi. Avec un peu de chance, il se chiera dessus dans le bureau de Piorkowski.

– Aussi fort soit mon désir de faire pénétrer la terreur de Heydrich dans le gros cul de Waechter, j'aimerais mieux me faire auparavant une vague idée de ce que signifie ce registre. J'ai appris une chose depuis que je travaille à nouveau pour la Kripo : dans l'Allemagne nazie il n'est jamais bon de poser des questions avant de connaître certaines des réponses. Surtout après l'affaire Karl Maria Weisthor. Tout ce boulot pour arrêter un cinglé qui s'est révélé être le meilleur ami de Himmler. Quelle perte de temps. Himmler m'en a voulu à mort d'avoir résolu cette enquête. Je vous ai raconté qu'il m'avait donné un coup de pied dans le tibia ?

– Oui, plusieurs fois. J'aurais adoré voir ça.

– Sur le moment, ce n'était pas drôle. Mais je pense que Heydrich et Arthur Nebe ont bien ri. En outre, Waechter pourrait aller se plaindre à Bormann et on perdrait cette

---

1. *Arbeit mach frei* (Le travail rend libre).

"Bible". Notre atout. Même si on ignore pour quoi payaient tous ces gens. Dans l'immédiat, on a besoin de quelqu'un qui nous aide à décoder le livre saint de Karl Flex. Le grand prêtre de Dieu, peut-être.

– Il n'y a qu'un seul dieu sur l'Obersalzberg. Et Bormann est son prophète.

– Alors, à défaut d'un prêtre, une grande prêtresse peut-être, qui nous aidera à déchiffrer les saintes écritures. Une Cassandre locale.

– Gerdy Troost. »

Je hochai la tête.

« Exact. Elle ne sera pas très heureuse quand je lui annoncerai ce qui est arrivé à son ami médecin. Et quand elle apprendra qu'il s'est jeté dans l'Isar, peut-être qu'elle sera prête à me raconter tout ce qu'elle sait, et à mon avis, elle sait beaucoup de choses.

– À quoi ressemble cette femme, patron ? Elle est jolie ?

– Non, répondis-je d'un ton ferme. Pas particulièrement.

– Cela ne vous a jamais arrêté, hein ?

– Écoutez, Friedrich. C'est très bien comme ça. Je ne voudrais pas être tenté de commettre un acte déplacé dans la maison de Hitler. S'il ne supporte pas que l'on boive et que l'on fume, difficile d'imaginer sa réaction en voyant deux personnes forniquer comme des lapins dans une chambre d'amis. Autant que je sache, c'est la petite amie du Führer. Même si je ne vois pas ce qu'ils peuvent bien fabriquer ensemble, à part un discours de deux heures au Sportpalast, au lieu d'aller dîner chez Horcher.

– On aurait pu penser qu'il choisirait une jolie fille, dit Korsch. Enfin quoi, il pourrait avoir n'importe quelle femme d'Allemagne, ou presque.

– Peut-être qu'il apprécie une conversation agréable en prenant le thé, avec du cake.

– Je suis prêt à supporter une fille intelligente si elle est mignonne.

– Je passerai le message. Personnellement, j'ai des goûts simples. Je me fiche du physique des femmes du moment qu'elles ressemblent à Hedy Lamarr. Celle-ci, *Frau* Troost, se targue de dessiner des plans. Comme si c'était rare chez les femmes. D'après mon expérience, elles ont toutes des plans en tête. Et la plupart vous l'avouent quand il est trop tard. »

Je pensais à ma dernière petite amie en disant cela. Encore aujourd'hui, je ne savais pas trop ce que voulait Hilde à l'époque, mais je savais que je ne faisais pas partie de ses plans.

« Qu'est-il arrivé à son mari ?

– Paul Troost ? Je sais seulement qu'il est mort. Et qu'il était beaucoup plus âgé. Du coup, je m'interroge sur leur mariage. Gerdy… ne ressemble pas à la plupart des femmes. Je pense qu'elle n'aime pas beaucoup les hommes. À part Hitler. Et je ne suis pas sûr qu'il entre dans la catégorie des hommes. C'est sûrement ce qu'il se dit, d'ailleurs. Quand on voit la maison de thé sur la Kehlstein. C'est tout à fait le genre d'endroit où se rendent les dieux pour préparer la conquête de ce monde et du suivant.

– Si votre amie Gerdy est disposée à prédire l'avenir, demandez-lui s'il va y avoir une autre guerre.

– Vous n'avez pas besoin de Cassandre pour ça, Friedrich. Même moi je peux prédire qu'il va y avoir une nouvelle guerre. C'est la seule façon d'expliquer Adolf Hitler. C'est ce qu'il veut. Depuis toujours. »

43

Octobre 1956

Tapi dans l'ombre à l'entrée de la boutique, tel un chat inquiet, je regardais Friedrich Korsch aboyer des ordres devant le bar d'angle violemment éclairé, à Freyming-Merlebach. Si près de la frontière historique, personne n'aurait prêté attention à un groupe d'hommes s'exprimant en allemand, dont un portait une culotte de peau. La Sarre était peut-être devenue un territoire administratif français, mais d'après ce que je lisais dans les journaux, peu de gens se donnaient la peine de *parler français*[1]. Même ici, à Freyming-Merlebach, des réclames pour une bière et des cigarettes allemandes étaient affichées sur les vitres embuées du bar, et rien qu'en les voyant je me sentais un peu plus près de la maison et de la sécurité. Cela faisait une éternité que je n'avais pas bu une Schloss Bräu au goulot et tiré sur une Sultan ou une Lasso ; que l'Allemagne, avec ses vieilles habitudes, n'avait pas été si proche de mon cœur.

Korsch portait un manteau de cuir noir, court et fermé par une ceinture, qu'il possédait déjà presque vingt ans

1. En français dans le texte.

plus tôt, j'en étais sûr, quand il était encore jeune inspecteur à la Kripo de Berlin. Mais la casquette en cuir, elle, semblait plus récente, et ajoutait une touche prolétarienne, presque léniniste, à son apparence, comme s'il essayait de se conformer aux réalités politiques de la nouvelle Allemagne, d'une moitié du moins. Mais ce que j'aurais reconnu n'importe où, c'était sa voix. Parmi les Allemands, l'accent berlinois est le plus marqué et le plus agressif, et parmi les Berlinois, l'accent de Kreuzberg est presque aussi fort que la moutarde Löwensenf. L'accent de Korsch était peut-être une des choses qui l'avaient empêché de devenir *Kommissar* sous le règne des nazis. Les inspecteurs plus anciens, à l'instar d'Erich Liebermann von Sonnenberg, un aristocrate, et même d'Otto Trettin, avaient toujours considéré Korsch comme une sorte de Mackie[1], et le fait qu'il se promène en permanence avec un couteau à cran d'arrêt de onze centimètres dans sa poche, en cas de défaillance du Mauser C96 qu'il affectionnait, n'arrangeait rien. Le quartier de Kreuzberg était le genre d'endroit où même les grands-mères se baladaient munies d'un couteau, ou bien d'une très longue épingle à chapeau. En vérité, Korsch était un homme cultivé, qui avait obtenu son *Abitur,* appréciait la musique et le théâtre et collectionnait les timbres. Je me demandais s'il possédait encore le timbre de vingt pfennigs à l'effigie de Beethoven, auquel il manquait une dent, et dont il affirmait qu'il aurait de la valeur un jour. Les communistes avaient-ils le droit de se livrer à une activité aussi bourgeoise que de gagner de l'argent en vendant un timbre rare ? Sans doute pas. Le profit serait toujours le montant de porte contre lequel le communisme cognerait son vilain orteil.

---

1. Personnage de *L'Opéra de quat'sous.*

Je me plaquai contre la porte lorsque l'homme de la Stasi en culotte de peau vint dans ma direction en allumant une cigarette. La flamme du briquet éclaira un visage enfantin, barré d'une profonde cicatrice qui allait du front à la joue, telle une mèche de cheveux rebelle. Curieusement, elle avait épargné l'œil, aussi bleu qu'une agapanthe, et sans doute aussi toxique. Arrivé au milieu de la rue, l'homme s'arrêta et se retourna vers Korsch au moment où celui-ci concluait son laïus par un retentissant « bande d'imbéciles » chargé de venin.

Après quoi il ajouta : « J'étais au téléphone avec le camarade général. Son contact au sein de la police française l'a informé qu'un homme correspondant au signalement de Gunther a été aperçu à quelques kilomètres d'ici, vers l'ouest, à Puttelange-aux-Lacs. Il y a moins de deux heures. Évidemment, la police française l'a perdu. Ces idiots. Ils ne seraient pas foutus d'attraper une pomme qui tombe de l'arbre. Il se peut qu'il ait volé une voiture, une Renault Frégate verte, afin de faciliter sa fuite. Dans ce cas, il pourrait déjà se trouver dans le secteur. Et je suppose qu'il va se débarrasser de la Renault pour essayer de rejoindre la Sarre à pied. En passant par ici ou un des autres villages merdiques le long de ce qui était la frontière.

– Une bonne petite voiture, commenta un autre agent de la Stasi, faisant écho à mon avis.

– Apparemment, Mielke avait raison en parlant de cet endroit, reprit Korsch. Nous devons ouvrir l'œil au cas où Gunther tenterait de franchir la frontière cette nuit. Ce qui veut dire une vigilance constante. Si je surprends l'un de vous en train de dormir, bande de petits salopards, je l'abats moi-même. »

Je n'étais pas surpris d'apprendre que Mielke avait un contact – sans doute même plusieurs – dans la police française. Ce pays était plein de communistes et moins de dix ans s'étaient écoulés depuis qu'ils avaient participé au gouvernement provisoire de la Libération. Staline était peut-être mort, mais le Parti communiste français, le PCF, dirigé par Thorez et Duclos, était toujours composé de staliniens purs et durs, et aucun des rouges, même dans la police, n'aurait hésité à collaborer avec la Stasi. En revanche, j'étais surpris par la rapidité et la précision des informations transmises. C'était inquiétant. Voir la Stasi déployer tant d'efforts pour m'éliminer était pire que tout ce que j'aurais pu imaginer. Erich Mielke n'était pas homme à supporter un caillou dans sa chaussure, et j'étais un gros caillou.

« Et si on le trouve ? » demanda un des hommes.

Korsch réfléchit. Moins d'une seconde.

« On le tue, bien sûr. En faisant croire à un suicide. On le pend dans les bois et on le laisse aux flics du coin. Ensuite, on rentre à la maison. Voilà de quoi vous motiver, les gars. Dès que ce salopard sera mort, on ira se saouler quelque part et on pourra retourner chez nous. »

Soudain, j'entendis quelqu'un chaussé de souliers à semelles cloutées remonter la rue mal éclairée et, quelques secondes plus tard, un type vêtu d'un bleu de travail et tenant un cabas d'où dépassait une baguette de pain, tel le périscope d'un sous-marin, apparut du côté de l'encadrement de la porte dans lequel je me terrais. Évidemment, malgré le manque de lumière, il me vit aussitôt, marqua un bref temps d'arrêt durant lequel je pus lire l'étonnement sur son visage, puis murmura un « Bonsoir » discret avant de poursuivre son chemin, jusqu'à l'agent de la Stasi qui portait une culotte de peau et d'épaisses chaussettes de laine. Il n'était pas rare dans cette région de France de voir des hommes en *Lederhosen,* très appréciés par les paysans alsaciens parce qu'ils sont confortables, résistants et peu salissants. L'individu au cabas aurait sans doute ignoré l'agent de la Stasi si celui-ci ne s'était pas planté devant lui, bien décidé à s'assurer que ce n'était pas moi qui tentais de fuir. Et je ne pouvais pas lui en vouloir : ce type en bleu de travail me ressemblait plus que moi-même.

« Oui ? C'est pour quoi, monsieur ? »

L'homme en culotte de peau alluma son briquet et le leva devant le visage du Français à la manière de celui qui explore une grotte.

« Rien, grand-père, dit-il. Désolé. Je vous ai confondu avec quelqu'un d'autre. Détendez-vous. Tenez, prenez une cigarette.

– Qui vous cherchez ? Je peux peut-être vous aider. Je connais tout le monde ici à Freyming-Merlebach. Même un ou deux Allemands.

– Laissez tomber, dit sèchement l'agent de la Stasi. Ce n'est rien.

– Vous êtes sûr ? Vos amis et vous, on vous voit partout en ville ce soir. C'est forcément quelqu'un d'important.

– Occupez-vous de vos affaires, d'accord ? Et fichez le camp avant que je perde patience. »

Tandis que se déroulait cette conversation, je quittai discrètement l'encadrement de la porte et m'éloignai dans la rue, désireux de mettre la plus grande distance possible entre les sbires de Mielke et moi. Espérant que l'homme de la Stasi m'ignorerait, persuadé que je venais de sortir de mon logement, je marchai d'un bon pas, sans précipitation pour autant, comme quelqu'un qui sait où il va. Je m'arrêtai même pour regarder la vitrine d'un tabac avant de repartir. J'étais devant la boutique des pompes funèbres, en bas de la rue, quand une fenêtre s'alluma à l'étage. Un projecteur anti-raids aériens aurait produit le même effet :

409

je me retrouvai éclairé comme un comédien sur scène. Dans la seconde qui suivit, un cri retentit et un carreau vola en éclats au-dessus de ma tête. Me retournant, je vis l'homme à la culotte de peau pointer un pistolet sur moi. J'étais repéré. Je n'entendis pas non plus le second coup de feu (j'en déduisis qu'il utilisait un silencieux), mais je sentis en revanche la balle siffler à mon oreille. Alors, je pris mes jambes à mon cou. Bifurquant vers la gauche, je courus sur une vingtaine de mètres avant d'aviser, à côté d'un salon de coiffure, un étroit terrain vague derrière un grillage envahi par la végétation. Je l'enjambai prestement, me laissai retomber sur un tapis de ronces, puis me remis à courir, jusqu'à ce que j'atteigne une vieille porte de garage. Coup de chance, elle n'était pas verrouillée. J'entrai, me faufilai entre le mur et une voiture poussiéreuse, refermai soigneusement la porte, puis enfonçai d'un coup de pied la porte intérieure, qui elle était fermée à clé. Je me retrouvai dans une cour bétonnée. Quelques serviettes usées qui séchaient sur un fil à côté d'un petit jardin d'herbes aromatiques m'aidèrent à dissimuler ma présence. Dans un salon sommairement meublé, un bonhomme assis écoutait la retransmission d'un match de football à la radio si fort qu'il ne m'entendit pas ouvrir la porte de derrière ni marcher sur le linoléum marron de sa cuisine malodorante. Je repérai aisément la cause de cette puanteur : une assiette posée sur la table contenait des restes d'andouillette. Si un Allemand amateur de saucisses avait besoin d'une bonne excuse pour détester les Français, c'était bien l'odeur d'excréments de l'andouillette. Une seule chose sentait plus mauvais encore : mes sous-vêtements sales. Je m'immobilisai un moment, puis continuai d'avancer lentement dans la maison peu éclairée, à l'insu de l'homme qui écoutait sa radio. Arrivé devant la porte d'entrée, je l'ouvris, jetai un coup d'œil au-dehors et vis quelqu'un courir dans la rue. Devinant qu'il s'agissait de l'agent de la Stasi, je refermai aussitôt la porte et montai à l'étage sur la pointe des pieds, à la recherche d'une cachette. La chambre principale, facilement identifiable, empestait encore plus que la cuisine, mais la chambre d'amis était propre et, apparemment, peu utilisée. Une photo de Philippe Pétain était accrochée au mur. Coiffé d'un képi rouge et vêtu d'une veste grise, il était l'incarnation même du fier guerrier. Sa moustache ressemblait à un poulet de concours, ce qui était également une très bonne description de l'armée française qu'il avait commandée avec Weygand en juin 1940. Je m'approchai de la fenêtre et j'observai la rue durant dix ou quinze minutes, au cours desquelles une voiture passa lentement dans les deux sens. De toute évidence, les occupants me cherchaient. J'apercevais, à l'avant, Friedrich Korsch avec son bandeau sur l'œil.

Il faisait froid dans la chambre, aussi je m'enveloppai dans une couverture rouge trouvée dans la penderie. Au bout d'un moment, je me faufilai sous le lit, où traînaient un pot de chambre et quelques rognures d'ongles de pied pour me tenir compagnie. Je me dis que j'étais sans doute mieux ici que dehors, pendant quelques heures au moins. Peu à peu, les battements de mon cœur ralentirent, je fermai les yeux et parvins même à dormir un peu. Comme on pouvait s'y attendre, je rêvai que j'étais pourchassé par une horde de loups salivants presque aussi affamés que moi. Curieusement, j'étais habillé en Petit Chaperon rouge. Ah, si seulement j'avais écouté ma grand-mère Mielke qui m'avait ordonné de suivre le chemin.

Quand je me réveillai, la radio était éteinte et il n'y avait plus de lumière dans la maison. Je sortis de sous le lit, utilisai le pot de chambre et approchai de la fenêtre pour scruter la rue. Aucun signe de mes poursuivants, mais cela ne voulait pas dire qu'ils n'étaient pas là, quelque part. Je pris la couverture et descendis à pas feutrés. Une pendule murale produisait un tic-tac assourdissant dans la minuscule salle à manger. On aurait dit que quelqu'un coupait du bois. L'odeur persistait. Les restes d'andouillette étaient toujours sur la table et, surmontant mon écœurement, je les avalai, en manquant de vomir car cela me rappela inévitablement le pot de chambre, puis je mastiquai un morceau de pain pour faire passer le goût. Je bus une tasse de café instantané presque aussi mauvais que l'andouillette, pris un couteau bien aiguisé dans le tiroir, le glissai dans ma chaussette et quittai la maison.

Le village était à présent plongé dans l'obscurité, et aussi désert que si la Gestapo avait instauré le couvre-feu. Je devais me déplacer prudemment, à la manière de ces résistants français qui alimentaient maintenant la fiction populaire. Comme ils l'avaient sans doute toujours fait. Toute personne marchant dans la rue à cette heure éveillait naturellement les soupçons. Je savais que l'ancienne frontière se trouvait au sommet de la colline, mais c'était tout. Il fallait que je la repère, d'une manière ou d'une autre, pour ensuite m'aventurer dans une contrée sauvage où je serais peut-être obligé de me terrer pendant quelque temps, tel un renard traqué. Passant d'une porte à l'autre comme un facteur distribuant le courrier, j'avançai furtivement dans les rues de Freyming-Merlebach. Finalement, j'aperçus un long alignement de conifères et je sus, instinctivement, que j'avais devant moi la sainte Allemagne, le sanctuaire. Au moment où j'allais traverser la route en courant, je sentis l'odeur puissante d'une cigarette française. Je me figeai, et repérai l'homme en culotte de peau assis sur le banc d'un arrêt de car. Je savais que je n'en réchapperais pas cette fois. Les agents de la Stasi étaient d'excellents tireurs et celui-ci, avec son silencieux, était sans doute un assassin expérimenté. Korsch lui passerait un savon s'il me loupait. Peut-être même lui ferait-il une seconde balafre avec son couteau. J'avais eu de la chance deux fois, je doutais fort que cela se reproduise. Pourtant, il fallait que je franchisse cet obstacle.

44

Avril 1939

Hans-Hendrik Neumann, l'aide de camp de Heydrich, nous attendait à la Villa Bechstein. Grand, le visage lisse, il tenait à la main un livre consacré à Karl Ferdinand Braun et à l'invention du tube cathodique, ce qui me rappela que Heydrich avait l'habitude de recruter des gens intelligents venus de différents milieux. Peut-être que j'en faisais partie.

Neumann arrivait de Salzbourg porteur d'un ordre de Heydrich qui n'avait rien à voir avec l'enquête sur le meurtre de Karl Flex, mais après la tentative maladroite de Kaltenbrunner pour me faire arrêter, il avait besoin de rétablir son autorité absolue sur les services de sécurité.

« Ces deux clowns de Linz, demanda Neumann, où sont-ils maintenant ?

– Dans les cellules sous la Türkenhäusel, répondis-je. J'ai poignardé l'un des deux avec un morceau de verre.

– Son état ne va pas s'arranger, je le crains. Heydrich a des questions très importantes à leur poser. Avant qu'on les exécute et qu'on renvoie leurs corps à Linz. »

Cette nouvelle n'aurait pas dû m'étonner, et pourtant si. Et même si je haïssais la Gestapo, je n'aimais pas l'idée que deux hommes soient abattus à cause de moi.

« Vous allez les tuer ?

– Pas moi. Le RSD local peut s'en charger. C'est leur boulot. » Neumann se tourna vers Friedrich Korsch. « Vous. Vous êtes l'assistant Korsch, c'est bien ça ? Allez trouver l'officier de garde du RSD et dites-lui de rassembler un peloton d'exécution pour demain matin. » Korsch se tourna vers moi. Je hochai la tête. Le moment était mal choisi pour plaider la cause des deux hommes de Linz. Sans un mot, il partit en quête de l'officier du RSD.

« Le général veut que ces deux hommes servent d'exemple, reprit Neumann. Entraver le travail d'un *Kommissar* de la Kripo qui exécute ses ordres – je parle de vous au cas où vous ne vous seriez pas reconnu – est un acte de trahison. Kaltenbrunner recevra le message cinq sur cinq, soyez-en sûr. Mais avant cela, nous devons les interroger pour être certains qu'ils vous ont tout raconté.

– Je doute que vous en tiriez plus que moi.

– Ce sont les ordres du général. Je dois les faire parler si je peux. Et les liquider ensuite.

– Faites. Mais je pense qu'ils m'ont déjà dit tout ce qu'il y avait à savoir. Ils ont été envoyés ici par Kaltenbrunner. C'est le plus important. »

Neumann sortit de la poche de son pantalon un coup-de-poing américain dans lequel il introduisit ses doigts. Il paraissait soudain très déterminé et je compris mieux pourquoi Heydrich le gardait comme aide de camp. Ce n'était pas uniquement à cause de son cerveau. Parfois, il fallait appuyer sur des boutons et refaire des portraits. Il affichait un sourire implacable.

« Le général m'appelle son coupe-circuit. Allusion à mes connaissances en électronique. »

La blague était peut-être plus drôle quand Heydrich la racontait, mais j'en doutais. Généralement, je ne partageais pas le sens de l'humour du numéro deux de Himmler. Et si je savais qu'il existait en moi un côté cruel (je n'aurais sinon pas survécu aux tranchées), je parvenais presque toujours à le contrôler. Les nazis, eux, semblaient jouir de leur cruauté.

« Sans doute m'affubleriez-vous de toutes sortes d'adjectifs désagréables si je vous disais à quel point je peux être persuasif.

– Non, même si je le pensais. Mais si vous me dites ce que le général veut savoir, je vous dirai ce que je pense. »

Il fronça les sourcils.

« Ces hommes vous auraient certainement tué, Gunther. J'aurais cru que vous seriez content de les voir se faire tabasser.

– Je ne suis pas du genre délicat, capitaine. Et je n'ai aucune affection pour ces deux types. C'est à vous que je pense. En outre, quand vous avez interrogé autant de suspects que moi, vous savez qu'il ne faut jamais croire ce qui sort de la bouche d'un homme si vous le lui avez arraché de force. Il y a plus de dents que de morceaux de vérité. Sans parler du fait qu'il se passe ici beaucoup plus de choses que ne peut l'imaginer le général. Croyez-moi. Cette histoire avec Kaltenbrunner est secondaire. Avec tout ce qui se manigance sur l'Obersalzberg, Heydrich a de quoi mener Bormann par le bout du nez au cours des mille prochaines années. Je vous promets qu'il ne sera pas déçu. »

Neumann haussa les épaules et retira son poing américain.

« Très bien. Je vous écoute. Mais je crains que vous ne puissiez sauver ces deux types du peloton d'exécution. D'ailleurs, je pense que vous devriez assister à l'exécution. Il manquera quelque chose si vous n'êtes pas là. »

Rudolf Hess s'étant rendu à Berchtesgaden pour une réunion avec des officiels du Parti à la Chancellerie locale, nous avions la villa pour nous. Nous nous installâmes devant la cheminée du salon. Vêtu de son uniforme noir de la SS et chaussé de ses bottes bien cirées, l'impeccable Neumann ressemblait déjà à un individu consumé par les flammes, hérétique, miraculé et apostat, une sorte de templier moderne. Avec les SS, on avait toujours l'impression que leur zèle ne connaissait aucune limite, qu'ils étaient prêts à tout pour servir Hitler. Constat alarmant alors que la guerre semblait imminente. J'ajoutai quelques bûches dans le feu et rapprochai mon fauteuil de l'âtre. Non pas que j'aie froid, mais j'aurais été surpris qu'il y ait un micro caché dans la cheminée. Sur ce, autour d'un café provenant du percolateur posé sur la grande table sous la fenêtre, je racontai à Hans-Hendrik Neumann tout ce que j'avais découvert depuis mon arrivée à l'Obersalzberg, plus quelques éléments encore hypothétiques. Il m'écouta patiemment en prenant des notes dans un petit carnet Siemens en cuir. Il s'interrompit quand j'évoquai la Caserne-P à Unterau.

Il sourit et demanda : « Vous voulez dire que Martin Bormann dirige un bordel, ici ?

– Effectivement. Il a ordonné qu'il soit créé à l'usage exclusif des ouvriers de P&Z. La gestion en étant assurée chaque semaine par Flex, Schenk et Brandt, comme toutes les autres opérations lucratives qu'il a montées dans les alentours. Mais au quotidien, je pense que l'établissement est géré par une Tchèque qui parle allemand, une certaine Aneta.

– Voilà qui est intéressant. »

Neumann se remit à écrire.

« Ah bon ?

417

– Aneta comment ?

– Son nom de famille ? Aucune idée.

– Peu importe. J'aimerais rencontrer cette pute. Dès que possible. Vous pourriez peut-être m'y conduire maintenant.

– Je suis censé mener une enquête, capitaine. C'est pour cela que Heydrich m'a envoyé ici. Pour retrouver le meurtrier, afin que Hitler puisse venir fêter son anniversaire en toute confiance. Vous vous souvenez ?

– Oh, oui, bien sûr. Mais cela ne devrait pas vous faire perdre trop de votre temps précieux, Gunther. » Neumann referma son carnet et se leva. « On y va ? »

45

Avril 1939

Les affaires allaient bon train à la Caserne-P, et le capitaine Neumann et moi dûmes patienter le temps qu'Aneta ait fini de satisfaire un de ses clients au visage rugueux avant de nous rejoindre dans la voiture. Elle portait un parfum trop prononcé, mais on sentait encore la sueur de l'homme avec qui elle était quelques minutes plus tôt, et sans doute autre chose auquel je ne voulais pas penser. J'ignorais ce que Neumann avait en tête. Aneta s'était assise à l'arrière de la Mercedes, les mains sur les genoux, tenant un petit mouchoir comme si elle allait se mettre à pleurer. C'était une jeune femme frêle mais jolie d'environ vingt-cinq ans, blonde, avec des yeux verts et une adorable fossette qui fendait son menton tremblant. Elle avait peur, évidemment. Elle était terrorisée, même, et je ne pouvais pas lui en vouloir. Ce n'est pas tous les jours qu'un ange noir vous demande de monter dans sa voiture, et je dois préciser, au crédit de Neumann, qu'il faisait de son mieux pour la rassurer. Après une poignée de main molle (pas étonnant qu'il ait besoin d'un poing américain), il lui offrit une cigarette, puis dix marks, et son sourire le plus charmeur. Je ne lui connaissais pas ce côté sympathique.

« Tout va bien, dit-il en lui allumant sa cigarette avec un Dunhill en argent. Vous ne risquez rien. Mais j'aimerais que vous fassiez quelque chose pour moi. Un service important.» Il se pencha vers elle et, d'un geste délicat, il écarta une mèche de cheveux blonds qui pendait devant sa bouche fraîchement, et peut-être dans la précipitation, maquillée. « Ne vous inquiétez pas. Je m'intéresse à vous, mais pas comme vous le croyez, Aneta. Je suis un mari comblé, père de trois enfants. N'est-ce pas, *Herr Kommissar* ?

– Si vous le dites.

– C'est la vérité. Eh bien, Aneta... Quel est votre nom, au fait ?

– Husák.

– Votre allemand est excellent. Où l'avez-vous appris ?

– Ici, surtout. À Berchtesgaden.

– Vraiment ? Vous avez vos papiers sur vous ?

– Oui, monsieur.»

Aneta ouvrit son sac et tendit un laissez-passer gris de visiteur délivré par l'État allemand. Neumann l'examina et me le donna.

« Gardez-le pour le moment», me dit-il.

Je dépliai le laissez-passer. Aneta Husák avait vingt-trois ans. Elle paraissait plus jeune sur la photo. Je glissai le document dans ma poche. Je ne savais toujours pas où Neumann voulait en venir.

« Avez-vous déjà posé pour des photos ? Joué la comédie ?

– La comédie ? Oui. J'ai joué dans un film une fois. Il y a deux ou trois ans.

– Parfait. Quel genre de film ?

– Un film Minette. À Vienne.»

C'était ainsi qu'on appelait les films montrant des filles nues. J'étais toujours partant pour voir des nanas à poil, mais celles qui jouaient dans ces films étaient à mon goût trop désinhibées. Un peu de retenue, c'est bon pour l'ego d'un homme, il a l'impression que la fille ne ferait pas avec n'importe qui ce qu'elle est en train de faire avec lui. « Encore mieux, commenta Neumann. Vous vous souvenez peut-être du titre de ce film ?

– Il s'appelait *Secrétaire coquine*. S'il vous plaît, monsieur, qu'est-ce que vous me voulez ?

– Aneta, si vous me rendez ce service, vous serez généreusement payée en liquide, et vous aurez de jolis vêtements neufs. Tout ce que vous souhaiterez. Une garde-robe complète. La seule chose que je vous demande, c'est de venir avec moi, tout de suite, et de faire exactement ce que je vous dis. C'est un travail de comédienne. Je veux que vous vous fassiez passer pour quelqu'un d'autre. Une dame. Vous pouvez faire ça ?

– Je pense.

– Ça ne devrait prendre qu'une journée... une journée et demie au maximum. Mais interdiction de poser des questions. Vous ferez ce qu'on vous dira de faire. C'est compris ?

– Oui, monsieur. Je peux vous demander combien ce sera payé, monsieur ?

– Bonne question. Que diriez-vous de cinq cents reichsmarks, Aneta ?

– Ce serait merveilleux, monsieur.

– Si vous faites bien votre travail, ce sera peut-être plus. Il se pourrait même qu'on vous réclame à Berlin. Vous habiterez dans un hôtel de luxe et vous aurez tout ce que vous voulez. Du champagne. Des plats délicieux. Vous êtes tchèque, n'est-ce pas ? De Carlsbad ?

– Oui, monsieur. Vous connaissez Carlsbad ? »

Neumann mit le contact.

« Il se trouve que oui. Mais maintenant que la Tchécoslovaquie fait partie du Grand Reich allemand – depuis l'an dernier – nous devons prendre l'habitude d'appeler cette région la Bohême. Vous ne croyez pas ?

– Si, monsieur.

– J'aime mieux le mot Bohême, pas vous ? Ça fait plus romantique que Tchécoslovaquie.

– Oui, c'est vrai. On se croirait dans un vieux roman.

– Vous êtes heureuse de faire partie de la nouvelle Allemagne ?

– Oui, monsieur.

– Tant mieux. Je suis allé faire une cure là-bas une fois. Je logeais au Grandhotel Pupp. Un établissement merveilleux. Vous connaissez ?

– Tout le monde à Carlsbad connaît le Pupp, monsieur. Ma mère y a travaillé pendant des années, comme serveuse.

– Peut-être l'ai-je croisée, alors, dit Neumann avec un sourire affectueux. Le monde est petit, n'est-ce pas, Aneta ? »

Nous quittâmes la Caserne-P en direction du sud-ouest, jusqu'à un endroit retiré au nord de Berchtesgaden, où nous nous arrêtâmes devant un joli chalet alpin de deux étages. Quelques SS présents sur la pelouse saluèrent promptement Neumann lorsqu'il gravit l'allée enneigée, suivi de moi, puis d'Aneta. Arrivé sous le porche en bois tarabiscoté, il sortit une clé flambant neuve avec laquelle il ouvrit la porte. Outre un grand portrait d'Adolf Hitler, les murs de l'entrée blanchis à la chaux accueillaient plusieurs jeux de sabres de duel, ainsi que des photos d'une *Burschenschaft,* une société d'étudiants qui avait pour étrange fonction de défigurer de jeunes Allemands. Ayant passé la majeure partie de la guerre à éviter les blessures, je n'avais jamais compris l'intérêt des duels. La seule cicatrice que j'avais sur le visage, je la devais à une piqûre de moustique.

À l'intérieur de la maison, tout était de première qualité, coûteux et massif, comme on pouvait s'y attendre dans une maison de cette taille, dans ce pays. De toute évidence, elle appartenait à une personne importante, c'est-à-dire à un nazi. Les nazis achètent des tonnes de meubles.

Dans le salon à deux niveaux, parmi quelques photos disposées sur le piano à queue, j'en attrapai une, encadrée, montrant un très grand officier SS, le visage zébré de cicatrices, qui expliquait les sabres de duel sur le mur. Je ne le reconnus pas, mais je reconnus en revanche les deux hommes en uniforme derrière lesquels il se tenait ; le premier était Heinrich Himmler, le second Kurt Daluege, le chef de la HA-Orpo, la police secrète. Sur une autre photo, le même officier balafré posait à côté du gouverneur du Reich en Bavière, Franz Ritter von Epp. Sur une troisième, il serrait la main d'Adolf Hitler. Apparemment, le balafré avait des relations.

« Chez qui sommes-nous ? demandai-je à Neumann.

– Je croyais que vous étiez enquêteur, Gunther.

– Dans le temps. Aujourd'hui, je ne suis plus qu'une clé à molette, comme vous. Quelqu'un que votre maître utilise pour desserrer quelques boulons récalcitrants.

– Nous sommes dans la maison de campagne d'Ernst Kaltenbrunner.

– Je suppose qu'il ignore que nous sommes là.

– Il le découvrira bien assez tôt.

– Ce qui m'amène à me demander comment vous vous êtes procuré la clé ?

– Quand Heydrich veut vraiment quelque chose, il est rare qu'il ne l'obtienne pas. Nous avons chargé quelqu'un d'emprunter la clé il y a quelque temps pour en faire un double.» Neumann se tourna vers Aneta. «Montez donc vous mettre à l'aise, ma chère. D'ailleurs, pourquoi ne prendriez-vous pas une douche ?

– Une douche ?

– Oui. Vous devez vous sentir sale après... enfin, vous voyez. Désolé. Je ne voulais pas être désobligeant. Je veux juste que vous soyez à l'aise. Vous allez rester ici un petit moment, Aneta. Pendant ce temps, je vais vous trouver quelques-unes de ces belles tenues que j'évoquais. Il y a ici des robes de Schiaparelli. Je pense qu'elles vous iront. Vous faites un 38, n'est-ce pas ? Je suppose que vous avez entendu parler d'Elsa Schiaparelli.

– En Europe, toutes les femmes connaissent Schiaparelli», répondit la jeune Tchèque.

Elle souriait déjà à l'idée de porter ces robes de luxe.

«Excellent. Vous trouverez des serviettes propres, du savon et un choix de parfums dans la salle de bains. Je vous apporte les robes dans une minute, vous n'aurez plus qu'à choisir. Et aussi des sous-vêtements et des bas.

– Cinq cents reichsmarks, vous disiez ?

– Oui, cinq cents.»

Neumann sortit son portefeuille et lui montra une liasse de billets d'un bon centimètre d'épaisseur.

Docile, Aneta monta à l'étage, me laissant seul avec le capitaine.

«Je crois que je commence à comprendre, dis-je. Quelques photos de cette fille, ici, dans la maison de campagne de Kaltenbrunner, tenant affectueusement sa photo. Éventuellement une déclaration signée dans laquelle elle reconnaît avoir eu une liaison avec lui. Dès lors, Heydrich le tiendra en laisse. Soyez sage et marchez droit, sinon,

Hitler verra les preuves de votre monstrueux adultère. Vous êtes des experts dans ce domaine, hein ? Le chantage.

– En quelque sorte, dit Neumann. Vous l'ignoriez ? Je pensais qu'on vous l'avait dit à Berlin. Ernst Kaltenbrunner est un homme très heureux en ménage. C'est vrai. Son épouse, Elisabeth, est au courant de toutes ses liaisons. C'est sans doute pour ça justement qu'il est heureux en ménage. Il a plusieurs maîtresses. Parmi lesquelles la baronne von Westarp. Ces robes dont je parlais lui appartiennent. Elles sont rangées dans un placard en haut. Mais sa femme comme ses maîtresses seront surprises de découvrir son penchant pour les putains locales. Et pas n'importe lesquelles : des putes de bas étage qui travaillent dans un bordel fréquenté par des ouvriers. Et, bien entendu, ce sera une surprise pour Hitler. Le Führer sera particulièrement scandalisé d'apprendre que Kaltenbrunner couchait avec une prostituée slave. Le fait qu'elle vienne d'un bordel tenu par Martin Bormann devrait rendre les choses encore plus intéressantes. »

Neumann alluma une cigarette et renifla le contenu d'une carafe en cristal posée sur le buffet. Sa main tremblait légèrement, ce qui m'étonna. Ses talents de maître chanteur étaient-ils moins innés que je ne l'avais cru ?

« Voulez-vous un brandy ? Personnellement, je vais en prendre un. Kaltenbrunner aime le très bon brandy, paraît-il. Comme celui-ci. C'est peut-être pour cette raison qu'il en boit autant.

– D'accord. Pourquoi pas ? »

Il servit à chacun un verre bien tassé et vida le sien d'un trait, ce qui me convainquit qu'il en avait sacrément besoin. Oubliant qu'il avait posé sa cigarette dans un cendrier, il en alluma une autre. J'essayai de capter son regard pour savoir ce qui le tracassait ainsi, mais il me tourna le dos, alors je décidai de le laisser se débrouiller seul. Je n'avais pas besoin d'être là pendant la séance photo.

« Si vous le permettez, dis-je, j'ai du travail. Je vais vous laisser faire le vôtre. »

Neumann grimaça.

« J'ai des ordres. Comme vous, Gunther. Alors, ne me donnez pas de leçon de morale. Vous oubliez peut-être que Kaltenbrunner avait décidé de vous éliminer. Quel que soit le sort que l'on réserve à ce salopard, je peux vous assurer qu'il l'a mérité. Appelez ça du chantage si vous voulez. Moi, je préfère parler de politique. »

Je souris.

« De politique ?

– Quand une personne utilise son pouvoir pour influencer le comportement d'une autre personne. Je ne vois pas d'autre façon d'appeler ça. Mais tout cela ne vous concerne pas. Attendez-moi ici un instant, je vous ramènerai à la Villa Bechstein. »

Je sirotais mon brandy – excellent, en effet – en attendant patiemment tandis que Neumann montait à l'étage. J'avais rarement rencontré un être humain aussi contradictoire : à certains égards, il semblait courtois et bon, à d'autres, totalement dénué de scrupules. Doté d'une intelligence indéniable, il avait accroché son wagon à la locomotive Heydrich et il était décidé à le servir de toutes les manières possibles, quitte à écraser quelqu'un, ce qui, bien évidemment, lui permettrait d'avancer encore un peu. Parfois, il n'en fallait pas plus pour être un authentique nazi : un désir insatiable de promotion et d'avancement. Voilà pourquoi je ne prospérerais jamais dans la nouvelle Allemagne. Je ne m'intéressais pas à la réussite au point de piétiner le visage de quelqu'un d'autre. En fait, il n'y avait plus grand-chose pour me motiver. Sauf peut-être cette drôle d'idée qu'en faisant mon travail et en étant un bon flic – c'est-à-dire en élucidant un meurtre de temps en temps – j'inciterais d'autres personnes à respecter la loi. Je fus arraché à ces rêveries naïves par deux détonations provenant du premier étage. Je posai mon verre et me précipitai dans le vestibule, juste au moment où le capitaine descendait l'escalier. Un Walther P38 fumant à la main. Son long visage était crispé, il avait du sang sur la joue, mais ces détails mis à part, il paraissait presque nonchalant, ce qui, compte tenu de la puissance d'arrêt du Walther, n'avait rien d'étonnant. Seul quelqu'un de très courageux tiendra tête à un P38 encore armé. Une balle de 9 mm vous fera un joli trou dans la bedaine. Je fonçai au premier étage en le bousculant et pénétrai dans la salle de bains somptueusement équipée. En sachant déjà ce que j'allais y découvrir. Aneta Husák gisait dans son sang, nue, sur le sol de marbre. Tuée de deux balles dans la tête. Son sang continuait à couler le long du rideau de douche blanc et une de ses jambes était secouée de spasmes. Soudain, tout devint évident. Le chantage se révélait beaucoup plus efficace quand il impliquait une jeune femme morte, sans vêtements par-dessus le marché. Ainsi, après que les photographes de la SS auraient fait leur travail, et que la police locale aurait éventuellement été alertée, Heydrich tiendrait Kaltenbrunner à la gorge. Et je l'avais aidé. Si je n'avais pas parlé à Neumann de l'existence de la Caserne-P, la pauvre Aneta serait toujours en vie. Mais j'étais presque aussi choqué par la gentillesse et la sollicitude dont Neumann avait fait preuve en s'adressant à elle. Pour la mettre à l'aise sans doute. C'était la tactique qu'employaient les nazis quand ils voulaient prendre les gens par surprise : ils leur mentaient, gagnaient leur confiance et ensuite ils les trahissaient, impitoyablement. Et après tout, ce n'était qu'une Tchèque, une Slave, autant dire rien dans l'Allemagne de Hitler. Depuis Munich.

En redescendant, je trouvai Neumann avec les deux SS. Il pointait son pistolet sur moi. Je sortis de ma poche le laissez-passer d'Aneta et le brandis à la manière d'une pièce à conviction devant un tribunal. Il y avait pourtant peu de chances que ce meurtre donne lieu, un jour ou l'autre, à un procès.

« Ce n'était qu'une gamine, dis-je. Vingt-trois ans. Et vous l'avez assassinée.

– C'était une pute, répliqua Neumann. Un vulgaire insecte pour qui la mort violente fait partie des risques du métier. Vous êtes bien placé pour le savoir. À Berlin, des hommes tuent des prostituées depuis des temps immémoriaux.

– Le sang et l'honneur, dis-je. Maintenant, je comprends ce que signifient ces mots gravés sur les ceinturons des SS. C'est ironique, en fait. » Je lui lançai le laissez-passer au visage. « Tenez. Vous en aurez besoin pour la police quand elle fera semblant d'enquêter sur ce meurtre.

– Je vous en prie, Gunther. Épargnez-moi vos récriminations. Je ne suis pas d'humeur à supporter votre incroyable hypocrisie. Vous l'avez dit vous-même il y a quelques minutes : nous sommes des outils l'un et l'autre. Seulement, je suis plus un marteau qu'une clé à molette. »

Je lui sautai dessus, mais avant que j'atteigne sa gorge, quelqu'un me frappa, un troisième SS que je n'avais pas vu et qui devait se tenir derrière la porte du salon. Le coup s'abattit sur le côté de ma tête et m'expédia à travers la pièce. J'atterris près du buffet sur lequel j'avais posé mon verre. Quand je réussis à me relever, mon oreille sifflait comme une bouilloire et ma mâchoire était un gros sac rempli de gravats. Je pris mon verre de brandy et le vidai d'un trait, ce qui me permit d'oublier la douleur qui enflammait ma joue.

« Je pense que vous feriez bien de partir, *Herr Kommissar,* dit Neumann. Avant d'être sérieusement blessé. Nous sommes quatre.

– Ce n'est pas suffisant pour faire un homme digne de ce nom. »

Je sortis avant d'être tenté de dégainer mon arme et de tuer quelqu'un.

46

Avril 1939

Je regagnai Berchtesgaden à pied, puis gravis la route de l'Obersalzberg. Arrivé à mi-hauteur, je m'arrêtai et me retournai pour contempler le petit village alpin dans la lumière déclinante de cette fin d'après-midi. Difficile d'imaginer qu'un lieu d'apparence aussi idyllique avait été le théâtre de deux meurtres sanglants en moins de vingt-quatre heures. Mais après tout, peut-être n'était-ce pas si difficile, quand on voyait ces drapeaux nazis flotter sur la gare et la Chancellerie locale. Je me remis en marche. La route était longue, et sans doute me paraissait-elle plus longue encore, car j'avais le sentiment que mes efforts non seulement étaient vains, mais s'apparentaient à une sorte de châtiment subtil, et que rien de ce que je pourrais faire ne changerait quoi que ce soit à la nature des choses. C'était une preuve d'orgueil démesuré de ma part.

Quand j'atteignis enfin la Villa Bechstein, je m'étais un peu calmé. Hélas, ça ne dura pas longtemps. Dès mon arrivée, Friedrich Korsch m'annonça que la Gestapo avait arrêté quelqu'un pour le meurtre de Karl Flex.

« Qui ça ? demandai-je en me réchauffant devant le feu, avant d'allumer une cigarette pour reprendre mon souffle.

– Johann Brandner. Le photographe.

– Où l'ont-ils trouvé ?

– À l'hôpital de Nuremberg. Apparemment, il y était soigné depuis plusieurs jours.

– Un alibi en béton.

– Les SS locaux sont allés le cueillir hier matin et l'ont conduit ici illico.

– Où est-il maintenant ?

– Rattenhuber et Högl l'interrogent dans les cellules sous la Türkenhäusel.

– Nom de Dieu. Il ne manquait plus que ça. Comment vous l'avez su, au fait ?

– C'est l'officier de garde, le SS-Untersturmführer Dietrich, qui me l'a dit quand je lui ai demandé d'organiser le peloton d'exécution. Au fait, patron... Neumann est sérieux ? Ils vont vraiment fusiller ces deux malfrats de Linz ?

– Les SS ne plaisantent jamais au sujet des exécutions. C'est pour ça qu'ils ont des têtes de mort sur leurs casquettes. Histoire de rappeler aux gens qu'il ne s'agit pas d'un jeu. Bon, je ferais bien d'aller voir ce qui se passe à la Türken avant qu'ils exécutent aussi Brandner.

– Dites... Qu'est-ce qui vous est arrivé au visage ?»

Je fis bouger ma mâchoire, douloureusement. On aurait dit deux panneaux disjoints de l'autel de Pergame.

« Quelqu'un m'a frappé.

– Le capitaine Neumann ?

– J'aurais bien voulu. Comme ça j'aurais pu le tuer. Non, quelqu'un d'autre.

– Tenez. Prenez ça.»

Korsch me tendit sa flasque et je bus une gorgée de Goldwasser, cet alcool qu'il aimait tant et qui contenait de minuscules paillettes d'or. Elles pénétraient dans votre organisme, telles quelles, et d'après Korsch, elles transformaient votre pisse en or.

« Vous devriez faire examiner votre mâchoire. Comment s'appelle ce médecin SS que j'ai croisé sur l'Obersalzberg ? Celui qui a un piquet de vigne dans le cul.

– Brandt ? Le connaissant, il m'empoisonnerait. Et il ne serait pas inquiété.

– N'empêche, patron, j'ai l'impression que vous avez la mâchoire cassée.

– Tant mieux, dis-je entre mes dents serrées.

– Pourquoi ça ?

– Ça m'obligera à fermer ma grande gueule. »

Je marchai jusqu'à la Türkenhäusel, où je trouvai Rattenhuber et Högl en train de boire du champagne au mess des officiers, visiblement très contents d'eux. Le SS-Untersturmführer Dietrich, le jeune officier que j'avais déjà rencontré, était là lui aussi, ainsi qu'un sergent du RSD, un colosse.

« Félicitations, Gunther ! s'exclama Rattenhuber en me servant un verre. Prenez une coupe. Nous fêtons l'arrestation de votre suspect numéro un, Johann Brandner. Il est dans une des cellules, en bas. »

Je pris le verre qu'il me tendit, mais ne bus pas.

« Oui, il paraît. Malheureusement, ce n'est plus mon suspect numéro un. Désolé de gâcher votre petite fête, colonel, mais je suis quasiment certain que quelqu'un d'autre a tué Karl Flex.

– N'importe quoi, dit Högl. Nous avons ses aveux signés. Brandner a reconnu tous les faits.

– Tous ? Dommage qu'il ne soit pas polonais, nous aurions eu une bonne raison d'envahir la Pologne. »

Rattenhuber trouva cela amusant.

« Très drôle », dit-il.

Mais le visage de Högl demeura aussi figé que la couture des poches de son uniforme noir.

« Très bien. Dites-moi tout ce qu'il a avoué et je vous dirai s'il a parlé uniquement pour sauver sa peau.

– Il a avoué, insista Högl. Il nous a même expliqué pourquoi.

– Surprenez-moi. »

J'avalai une gorgée de champagne, dents serrées, et reposai le verre. Je n'étais pas d'humeur à boire, si ce n'est pour l'effet anesthésiant que l'alcool pouvait avoir sur ma mâchoire.

« C'est cette même raison qui l'a envoyé à Dachau. Il tenait Flex pour responsable de son expulsion. Et de la perte de son commerce.

– Sans doute. Mais ce n'est pas vraiment une nouvelle. Et je vais être franc avec vous : je ne pense pas qu'il ait tué qui que ce soit.

– Écoutez, Gunther, dit Rattenhuber. Je comprends que vous soyez un peu remonté contre nous. Après tout, c'était votre enquête. Et on aurait peut-être dû vous attendre avant de l'interroger. Mais je n'ai nul besoin de vous rappeler, j'en suis sûr, l'importance du facteur temps. Désormais, le Führer peut venir au Berghof pour fêter son cinquantième anniversaire en toute sécurité. Bormann sera ravi d'apprendre qu'un homme a signé des aveux. Et qu'il n'y a plus aucun danger. C'est le plus important.

– Traitez-moi de vieux jeu si vous le souhaitez, mais je préfère penser que le plus important, c'est de trouver le véritable coupable. Surtout dans ce cas précis où la sécurité du Führer est en jeu. Je suppose que Brandner n'est pas passé aux aveux de manière spontanée. Vous avez plutôt demandé à cet orang-outang de le bousculer un peu.

D'après mon expérience, c'est une très mauvaise façon de résoudre un crime, quel qu'il soit. »

Le sergent se hérissa en entendant cette description, mais je m'en fichais. En fait, j'espérais qu'il allait tenter de me frapper, pour que je puisse me défouler sur lui. Après ce qui était arrivé à Aneta Husák, j'avais besoin de cogner sur quelqu'un, même un orang-outang.

« Faites attention, Gunther, dit Högl, avec un rictus désagréable. On dirait que vous avez déjà reçu une correction aujourd'hui.

– J'ai glissé. Sur le verglas. Il y en a beaucoup par ici. Mais si j'ai envie de me faire tabasser, je crois que je suis au bon endroit. Ce qui m'amène à supposer que ces aveux sont aussi fiables qu'une armée italienne. Nuremberg est à trois cents kilomètres d'ici. Johann Brandner a peut-être assassiné Karl Flex, mais je ne pense pas qu'il ait pu assassiner le capitaine Kaspel et retourner là-bas à temps pour être arrêté hier. Et à plus forte raison assassiner également Udo Ambros.

– Ambros… c'est le garde-chasse adjoint, n'est-ce pas ? dit Rattenhuber. Au Landerwald.

– C'était, rectifiai-je, jusqu'à ce que quelqu'un le décapite d'un coup de fusil. J'ai découvert son corps un peu plus tôt dans la journée, en allant le voir chez lui à Berchtesgaden. Selon moi, Ambros savait qui avait assassiné Karl Flex. Notamment parce qu'il possédait le Mannlicher ayant servi à le tuer. Aussi, quelqu'un a essayé de faire croire à un suicide. Mais il s'agit bien d'un meurtre. Généralement, les suicidés ne prennent pas leur plus belle plume pour écrire des lettres dans lesquelles ils expliquent tout, sauf le sens de la vie.

– Il s'agit peut-être d'un suicide, dit Högl. Peut-être que vous vous trompez. Comme tout inspecteur de la Kripo, vous avez le cerveau rempli de meurtres, me semble-t-il.

434

– Au moins, j'ai un cerveau, dis-je ostensiblement. Contrairement à Udo Ambros.

– Et je continue à penser que la mort du capitaine Kaspel est purement accidentelle.

– N'oublions pas un petit détail, poursuivis-je en ignorant les objections de Högl. L'alibi de Brandner. D'après ce que je sais, il se trouvait à l'hôpital quand on l'a arrêté. Auquel cas, je suppose qu'un grand nombre de personnes, parmi lesquelles des médecins, des médecins allemands, seront prêtes à confirmer que Brandner n'a pas quitté son lit. Aussi, à moins qu'il n'ait été hypnotisé pour somnambulisme chronique, je me vois obligé d'avouer que je n'accorde pas une grande valeur à ces aveux, messieurs.

– N'empêche, il les a signés, répliqua Högl. Et en dépit de ce que vous semblez croire, l'interrogatoire s'est déroulé sans recours excessif à la force. C'est la vérité. Le sergent s'apprêtait à le frapper à un moment donné. Mais il se trouve que Brandner est tombé dans l'escalier.

– Je ne l'avais jamais entendue celle-là. Puis-je lire ses aveux ? »

Rattenhuber me tendit une feuille dactylographiée, au bas de laquelle une signature illisible ressemblait plutôt à un gribouillis.

« Ce que dit le major est absolument exact, assura le colonel, tandis que je survolais les aveux de Brandner. Il est tombé. Mais sincèrement, quand nous l'avons interrogé, la menace de le renvoyer dans un camp de concentration a suffi à le convaincre d'avouer la vérité. Il affirme souffrir de malnutrition depuis son séjour à Dachau.

– Une affirmation assez facile à étayer, dis-je en rendant le document qui ne mentionnait ni Kaspel ni Ambros, mais je m'y attendais. J'aimerais le voir, si c'est possible. Et lui parler. Écoutez, colonel. Peut-être a-t-il tué Karl Flex, je l'ignore. Rien ne me ferait plus plaisir que de rentrer immédiatement à Berlin, en sachant que le Führer est en sécurité. Mais j'ai besoin d'obtenir quelques réponses avant de pouvoir certifier ces aveux et de les transmettre au général Heydrich au quartier général de la Gestapo.»

Je les vis troublés l'un comme l'autre par cette évocation de Heydrich ; c'était d'ailleurs pour cela que j'avais prononcé son nom. Personne en Allemagne ne voulait lui déplaire, surtout pas Rattenhuber.

« Oui, bien sûr. Nous ne voudrions pas que le général puisse penser que nous avons caché la poussière sous le tapis. N'est-ce pas, Peter ?»

Je compris immédiatement que, dans l'esprit de Högl, le fait d'avoir été le camarade de Hitler au 16e régiment d'infanterie de Bavière l'emportait sur mes liens avec Heydrich : un pari sensé. J'imaginais le Führer, la main posée sur l'épaule de son ancien sous-off, disant : Voici le fils bien-aimé dont je suis si satisfait ; écoutez-le, c'est un vrai nazi, bordel !

« Sans aucun doute, colonel. Néanmoins, j'ai de plus en plus l'impression que le célèbre *Kommissar* Gunther de la police criminelle de Berlin tient davantage à se faire plaisir et à sauver sa réputation qu'à arrêter le véritable coupable. Nous avons les aveux d'un individu qui en voulait à la victime, qui connaît la région et qui est un tireur émérite. Pour moi, inutile de chercher midi à quatorze heures.

– Dans ce cas, le Führer peut s'estimer heureux que Bormann et Heydrich m'aient confié cette enquête, et non pas à vous, major.

– C'est Gunther qui a identifié Brandner comme suspect numéro un, dit Rattenhuber. Il faut le reconnaître, Peter. Avant cela, nous n'étions pas loin de croire qu'il s'agissait d'un accident. Une balle perdue tirée par un braconnier. Je pense que nous devons une fière chandelle au *Kommissar*.

– Si le *Kommissar* insiste pour interroger cet homme encore une fois, je n'y vois aucune objection, évidemment, dit Högl. C'est son droit. Simplement, je ne voudrais pas que Johann Brandner revienne sur ses aveux, et permette ainsi au *Kommissar* de donner libre cours à ses théories fantaisistes et à ses histoires de meurtres multiples.

– Vous n'allez pas le faire revenir sur ses aveux, n'est-ce pas ? me demanda Rattenhuber.

– Loin de moi cette idée. Pas ici.

– Qu'est-ce que ça veut dire, ça ? s'exclama Högl.

– Cela veut dire qu'ici, à la Türkenhäusel, les responsables ce sont vous et le colonel, pas moi. Et Randner est votre prisonnier, pas le mien.

– Vous voyez, Peter ? dit Rattenhuber. Il n'est pas question que le *Kommissar* persuade Brandner de se rétracter. Il veut juste s'assurer que tous les trémas sont placés au-dessus des bonnes lettres. N'est-ce pas, Gunther ?

– Exactement, colonel. Je ne fais que mon travail. »

47

Avril 1939

Quelques minutes plus tard, le SS-Untersturmführer Dietrich nous conduisit, Friedrich Korsch et moi, jusqu'à un escalier en colimaçon vertigineux qui semblait s'enfoncer dans les régions inférieures de l'enfer.

« Le prisonnier est vraiment tombé dans cet escalier ? » demandai-je. Dietrich hésita. « Je ne dirai à personne que ça vient de vous. Mais j'ai vraiment besoin de savoir si ces aveux sont authentiques. Car si Johann Brandner n'a pas tué le Dr Flex, cela signifie que le vrai meurtrier court toujours dans les parages. Imaginez un peu qu'il décide de tuer quelqu'un d'autre. Hitler ne serait pas très content.

– Il a été poussé. Par le major Högl.

– Merci. Je m'en doutais.

– *Herr Kommissar*... Je peux vous poser une question ?

– Tout ce que vous voulez. Mais vous risquez d'avoir du mal à entendre la réponse, à cause de ma mâchoire. Je ferais un très mauvais ventriloque.

– D'après le major Högl, les deux autres prisonniers que nous avons là vont être exécutés. Sur ordre du capitaine Neumann. Et c'est à moi de commander le peloton d'exécution. Je ne sais pas quoi leur dire. Et j'aimerais mieux ne pas être obligé de faire ça. Je n'ai jamais commandé de peloton d'exécution, je ne sais même pas comment ça se passe.

– À votre place, je ne m'inquiéterais pas trop, lieutenant. Je suppose que cet ordre doit être confirmé par Berlin. Ce qui pourrait prendre un certain temps.

– C'est déjà fait. Le colonel Rattenhuber a envoyé un télex à Prinz Albrechtstrasse et le général Heydrich a répondu qu'il fallait les abattre demain matin à la première heure et renvoyer leurs corps en Autriche.

– Dans ce cas, je vais envoyer un télex à mon tour. Pour suggérer au général de changer d'avis. Vous pourriez m'aider ?

– Volontiers. Non pas que je conteste les ordres, comprenez-moi bien. C'est juste que je ne trouve pas normal de tuer nos propres hommes.

– Pour votre gouverne, lieutenant, on tue nos hommes depuis 1933.»

À trente ou quarante mètres de profondeur, dans les entrailles de la terre, un couloir bas de plafond menait à deux cellules au plancher de bois et à une niche, sans chien. C'est dans celle-ci que nous découvrîmes Johann Brandner, nu et mal en point, plus fin qu'un nettoie-pipe, et aussi blanc, le visage marbré de gros hématomes, un sous chaque œil, et le nez cassé, couvert d'une croûte de sang séché. Je compris immédiatement qu'il était affaibli par le manque de nourriture et qu'il aurait dû se trouver à l'hôpital. Il avait du mal à tenir debout et l'exiguïté de la niche n'arrangeait pas les choses. Après l'avoir installé un peu plus loin et qu'il eut bu un peu d'eau, il murmura :

«Je vous en supplie, je vous ai tout dit.

– Je vais vous faire sortir d'ici. Soyez patient.»

Brandner me regarda, apeuré, comme s'il craignait qu'il s'agisse d'une ruse et que je le frappe s'il revenait sur ses aveux. Je glissai une cigarette dans sa bouche et une autre dans la mienne. Fumer ne pose pas de problème avec une mâchoire cassée, tout est dans les lèvres.

« Non, non, dit-il. J'ai tué Flex. Je l'ai abattu sur la terrasse du Berghof, avec un fusil. »

Je hochai la tête.

« Rappelez-moi combien de balles vous avez tirées. Une ou deux ?

– Une seule m'a suffi. J'étais tireur d'élite dans l'armée. Et c'était un tir facile, d'une des fenêtres de la Villa Bechstein. C'est bien ça, hein ?

– Quel fusil avez-vous utilisé ?

– Un Mauser à verrou.

– Le Karabiner 98 ? Avec une lunette Voigtländer grossissement trois ?

– Exactement. Un très bon fusil.

– Très bien. Je vous crois. Au fait, pourquoi étiez-vous à l'hôpital ?

– J'y suis allé après avoir été libéré de Dachau. Je souffrais de malnutrition. » Il tira sur sa cigarette et grimaça un sourire. « Par pitié, ne me renvoyez pas là-bas.

– Je ne le ferai pas. » C'était une réponse de lâche, un faux-fuyant, mais je n'avais aucune envie d'ajouter aux malheurs de Brandner.

« Qu'est-ce qui va m'arriver, monsieur ?

– Aucune idée », répondis-je, même si je croyais le savoir. Il n'y avait pas si longtemps, la Gestapo de Stuttgart avait arrêté Helmut Hirsch pour son rôle dans un complot destiné à déstabiliser le Reich, complot qui avait peut-être conduit au meurtre d'un bureaucrate nazi de second ordre, une sorte de Karl Flex. Il existait peu de preuves contre

Hirsch autres que ses aveux, mais cela n'avait pas empêché les nazis de l'exécuter. Peu après son arrestation il avait été enfermé à la prison de Plötzensee à Berlin. Et je devinais sans peine que les aveux de Brandner pourraient servir à étayer un complot plus vaste qui justifierait d'autres arrestations, ainsi que d'autres exécutions. Les nazis avaient un goût morbide pour la guillotine, cet équivalent du tribunal révolutionnaire durant la Terreur en France.

J'éternuai, ce qui provoqua une douleur atroce dans tout mon visage, puis je fermai les yeux un instant, le temps qu'elle reflue. C'était comme si quelqu'un avait essayé de me couper la tête avec un couteau à beurre.

« C'est pas nous qui avons fait ça, hein ? demanda une voix. Le coup en plein visage ? »

Les deux cellules situées sous la Türkenhäusel étaient occupées par les deux types de la Gestapo de Linz, qui s'étaient approchés des barreaux de la grille pour écouter ma conversation avec Brandner. Sachant désormais ce qui les attendait, je n'avais pas trop envie de leur parler.

« Non, c'est quelqu'un d'autre, dis-je. Il y a des jours comme ça.

– Vous avez la mâchoire cassée, on dirait, ajouta l'autre homme. Vous savez ce qu'il y a de mieux à faire ? Ôtez cette Raxon bon marché de votre cou et utilisez-la comme un bandage, en la passant sous le menton et au-dessus du crâne. Vous aurez l'air d'un crétin, évidemment, mais vous devez être habitué, et ça vous fera moins mal. Si vous allez voir un toubib, il ne fera pas grand-chose de plus, et il vous filera des cachets contre la douleur. Je sais de quoi je parle. Vous ne serez pas étonné si je vous dis que j'ai cassé quelques mâchoires dans ma vie. J'en ai aussi remis en place. Avant d'entrer dans la Gestapo, j'étais l'homme de coin de Max Schmeling. Plus vite vous ferez ce que je vous dis, plus vite vous vous sentirez mieux. »

J'avais l'impression qu'il se foutait de ma gueule, mais j'ôtai ma cravate malgré tout et fis un joli nœud sur le dessus de ma tête. Je ressemblais maintenant au dernier cadeau de Noël dans un orphelinat. Je remis mon chapeau, ce qui me permit d'avoir l'air moins ridicule, mais à peine. Ce type avait raison : je me sentais déjà mieux.

« Merci, fis-je entre mes dents serrées.

– Hé, *Kommissar* Gunther, dit son collègue, celui que j'avais à moitié égorgé avec un morceau de miroir. Qu'est-ce qu'on va devenir, *nous* ? Vous ne pouvez pas nous garder ici. Kaltenbrunner ne va pas apprécier s'il l'apprend. Mais si vous nous laissez partir maintenant, on ne lui dira rien. On rentrera tranquillement à Linz, comme s'il ne s'était rien passé. On lui racontera qu'on a eu un accident de voiture ou un truc comme ça.

– Ce n'est pas moi qui décide. C'est le général Heydrich. Et les deux hommes ne s'apprécient pas beaucoup. »

Je leur donnai une cigarette à chacun et les allumai.

« Personne ne nous a dit que vous travailliez pour lui.

– Je crois vous l'avoir dit, mais ça ne change pas grand-chose à présent, hein ?

– On n'avait rien contre vous personnellement. On ne faisait qu'obéir aux ordres. Vous le savez bien. Vous êtes flic, comme nous. Vous faites ce qu'on exige de vous, pas vrai ? C'est notre boulot. Si Kaltenbrunner nous ordonne de sauter, on demande : De quelle hauteur ? J'ai l'impression que tous les trois, on s'est retrouvés piégés au milieu d'une guerre entre votre patron et le nôtre. Qu'ils aillent au diable tous les deux, voilà ce que je dis.

– Nous sommes au moins d'accord sur cette destination. Si ce n'est sur le reste.

– Qu'est-ce qui va nous arriver ? demanda l'autre. On dirait que vous esquivez la question. »

Il avait raison. Je leur confiai ce que Neumann avait en tête. Non pas pour les faire souffrir, mais parce que j'avais déjà tourné le dos à la vérité trop souvent aujourd'hui. C'était devenu si facile en Allemagne, je prenais de mauvaises habitudes. Comment rester en vie, sinon ?

« Je pense qu'ils veulent vous envoyer devant un peloton d'exécution.

– Ils n'ont pas le droit ! Pas sans cour martiale.

– J'ai peur que si. Ils peuvent faire tout ce qu'ils veulent. Surtout ici, sur la montagne de Hitler. Mais je ne crois pas que ça ira jusque-là. Je vais demander au général Heydrich de revenir sur sa décision. Non par affection pour vous, mais parce que... disons que je ne veux pas qu'on tue quelqu'un à cause de moi. J'ai vu trop de meurtres ces derniers temps, sous une forme ou une autre. Et je préfère ne pas en voir d'autres.

– Merci, Gunther. Vous êtes un type bien. Pour un Berlinois. »

Je remontai l'escalier, mais j'aurais aussi bien pu continuer à descendre. Tout en bas, j'entendais des hommes travailler avec des foreuses, je sentais l'air humide chargé de poussière.

« Il y a quoi là-dessous ? demandai-je à Dietrich. D'autres cellules ? Des salles de torture ? Un arsenal secret ? Les sept nains ?

– Des bunkers. Des tunnels. Des blocs électrogènes. Des réserves. Vue en coupe, cette montagne ressemblerait à un terrier. Vous pouvez marcher de la maison de Göring à l'hôtel Platterhof sans voir la lumière du jour.

– C'est ce qui leur plaît. J'ai toujours trouvé que les nazis aimaient un peu trop l'obscurité.

– Allons, monsieur. Je suis membre du Parti depuis 1933.

– Vous m'avez l'air trop jeune pour ça. Vous ne vous êtes jamais demandé à quoi servaient tous ces bunkers ? Quelqu'un sait peut-être des choses que nous ignorons. Sur nos véritables chances de sauver ce traité de paix que nous avons signé avec les Franzis et les Tommies à Munich.» En haut, dans le mess des officiers, Rattenhuber et Högl m'attendaient. Le premier posa sa coupe de champagne et se leva, légèrement titubant. Högl, lui, poursuivait sa lecture du *Völkischer Beobachter* comme si mon avis concernant la culpabilité ou l'innocence du suspect lui importait peu. « Alors ? me demanda Rattenhuber. Qu'en pensez-vous ?

– Johann Brandner n'a pas pu assassiner Karl Flex.» Je regardais Högl en parlant. « Au cas où ça vous intéresserait.

– Vous voyez ? lança Högl en s'adressant à Rattenhuber de derrière son journal. Je vous avais bien dit qu'il ferait des histoires. Le *Kommissar* veut se réserver tous les lauriers.

– Qu'est-ce qui vous fait dire ça, Gunther ? demanda Rattenhuber, visiblement excédé. Vous disiez vous-même que Brandner était le suspect numéro un. Tout concorde : le mobile, la connaissance des lieux… Tout. Quand la Gestapo l'a arrêté à Nuremberg, ils ont même trouvé un fusil chez lui. Et nous avons ses aveux. Pourquoi avouerait-il un crime qu'il n'a pas commis ?

– Pour toutes sortes de raisons. Mais de nos jours il y en a une qui compte plus que les autres : la peur. La peur de ce que vous pourriez lui faire s'il affirmait ne pas avoir tué Karl Flex. Écoutez-moi : rien de tout ce qu'il m'a dit ne correspond aux indices que j'ai découverts au Berghof ou à la Villa Bechstein, et c'est la seule chose qui importe.

– Peut-être a-t-il essayé de vous berner. En contredisant son témoignage précédent, il espère embrouiller l'enquête.

– Colonel, si le major et vous voulez bien vous en donner la peine, vous verrez aisément que cet homme est innocent. Mais si vous tenez à annoncer à Bormann que c'est le meurtrier, allez-y. Ça me va. Je ne lui ai pas demandé de revenir sur ses aveux et je ne le lui demanderai pas. Mais je n'en crois pas un traître mot et je continuerai à chercher le véritable tueur jusqu'à ce que le Führer ou le général Heydrich m'ordonnent d'arrêter.»

Högl posa son journal et se leva, comme si j'avais enfin réussi à attirer son attention.

«Très bien», dit-il. Il montra par la fenêtre, au-delà du terrain de rassemblement, l'énorme maison de trois étages juchée au sommet d'un champ enneigé, au-dessus de la Türkenhäusel, devant les montagnes de l'Untersberg. Elle évoquait davantage un hôtel alpin que l'habitation d'un seul homme. «Allons demander au patron ce qu'il en pense. Il est là, je vois de la lumière dans son bureau. Je vais appeler tout de suite Martin Bormann pour savoir si nous pouvons venir lui parler. Nous le laisserons décider si cet homme est coupable ou non. D'accord ?

– Vous devez vraiment avoir envie de vous débarrasser de moi, major, dis-je. Mais je me demande pourquoi cette envie est si forte.»

48

Avril 1939

Pour attendre l'arrivée de Bormann, on nous fit entrer dans son bureau au rez-de-chaussée. Il flottait dans la maison une forte odeur de romarin, comme si quelqu'un faisait rôtir un gigot, et tout à coup j'eus très faim. Nous nous trouvions dans une pièce chaulée au plafond voûté, abritant un lustre en cuivre et une grande cheminée de marbre rouge, version miniature de celle que j'avais vue dans la maison de thé. Les deux battants de porte en bois blond étaient dotés de solides pentures qui nous donnaient l'impression d'être dans une église, et de fait, tous les trois nous restions aussi silencieux que si nous étions assis sur des bancs devant un autel et non dans des fauteuils richement tapissés. Mais le reste de la maison résonnait de cris d'enfants, et on aurait pu croire que cet immense chalet faisait office d'école maternelle. Les nazis aimaient les familles nombreuses ; ils décoraient les mères qui engendraient un grand nombre de petits nazis. Mme Bormann avait sans doute reçu la Croix de fer de 1re classe.

Sous la fenêtre, une étagère basse supportait un tas de livres dont la reliure, et non le contenu, semblait avoir motivé l'achat, diverses chopes à bière en argent et plusieurs photos de Hitler saisi dans de rares moments de relâchement. Sur l'une d'elles, il était assis dans un transat, à flanc de colline, au milieu de la forêt ; derrière son épaule gauche se tenait un chien noir qui aurait pu être son animal de compagnie. Un épais tapis persan rouge couvrait le parquet et sur les murs étaient accrochés deux glaives, quelques tapisseries de qualité et plusieurs tableaux représentant une femme brune que je devinais être la féconde épouse de Bormann, Gerda. Aucune de ces toiles ne lui rendait justice : elle paraissait fatiguée. Il est vrai que s'occuper de six enfants toute la journée aurait épuisé le joueur de flûte de Hamelin lui-même.

La table de réfectoire faisant office de bureau supportait une statue équestre en bronze, une lampe articulée, un épais sous-main en cuir et une autre photo de Hitler. Mais ce qui dominait cette pièce, ce n'était pas le poêle en céramique qui ressemblait à une ruche, ni le buste du Führer, ni même l'armure, mais un appareil Telefunken que je n'avais encore jamais vu. Le centre accueillait un verre gris bombé de la taille d'une grande assiette. J'étais encore en train de l'observer en essayant de deviner sa fonction quand, d'un pas décidé, Bormann fit son apparition. Il portait la tunique brune du Parti, et je m'imaginai alors à quoi ressemblerait un Hitler sans moustache qui n'aurait pas été végétarien.

Bormann s'arrêta sur le seuil et cria par-dessus son épaule :
« Et dis au prince héritier de finir ses devoirs. »

Je souris, en supposant que c'était ainsi que Martin Bormann appelait son fils aîné, comme l'aurait fait n'importe quel père de la stature du seigneur de l'Obersalzberg. Mais je ne savais pas pourquoi je souriais car cela indiquait que les nazis avaient bien l'intention de demeurer longtemps au pouvoir. À l'évidence, le prince héritier était destiné à de très hautes fonctions dans la nouvelle Allemagne.

« Faites vite, dit Bormann. Je n'ai pas toute la nuit. Je dois lire un important discours que le Führer va prononcer devant le Parlement. C'est sa réponse à la demande de Roosevelt, inspirée par les juifs, qui veut l'assurance que l'Allemagne n'envahira pas un tas d'autres pays, dont l'Amérique. »

Je hochai la tête, comme si je prenais ce discours très au sérieux, alors que tout le monde en Allemagne savait qu'après l'incendie du Reichstag en 1933, les nazis avaient privé le Parlement du moindre pouvoir, transférant les prétendues sessions parlementaires à l'opéra Kroll. Les nazis n'avaient pas besoin de l'accord des parlementaires pour faire quoi que ce soit. C'était sans doute pratique quand on préparait un discours de cette importance.

Bormann s'assit dans un fauteuil d'aspect inconfortable et se renversa contre le dossier en affichant un large sourire idiot, édenté, comme s'il venait de consulter le solde de son compte en Suisse. Il me faisait penser à Lon Chaney dans *Londres après minuit*. Ce n'était peut-être pas surprenant : tous les hauts dignitaires nazis me rappelaient des personnages de films d'horreur.

« Qu'est-ce qui est arrivé à votre visage ? me demanda-t-il. Je ne me souviens pas que vous étiez aussi laid, Gunther. »

Il rit de son humour, ce qui provoqua aussitôt l'hilarité de Rattenhuber et de Högl.

« J'ai glissé dans un escalier, répondis-je en regardant fixement Högl. Et je me suis fait mal à la mâchoire. Elle est peut-être cassée, je ne sais pas. C'est moins douloureux quand je la maintiens fermée.

– Je comprends. Néanmoins, je préfère que les gens soient élégants quand ils viennent me voir, qu'ils portent une cravate. Question de savoir-vivre, vous voyez ? De

448

respect. » Il ouvrit le tiroir du bureau et en sortit une cravate du NSDAP couleur boue. « Tenez. Mettez celle-ci. » Je la nouai et ajustai mon col de chemise.

« Maintenant que j'y pense, ajouta Bormann, la dernière personne qui a porté cette cravate est Adolf Hitler. Lors de la visite de Chamberlain. C'est un grand honneur qui vous est fait, Gunther. Il me l'a offerte personnellement mais je pourrai toujours en avoir une autre.

– Merci, monsieur. »

Je grimaçai un sourire, que nul n'aurait reconnu comme tel. L'idée de porter la cravate de Hitler me semblait totalement grotesque. Un nœud coulant aurait été plus agréable, et connaissant Bormann, cela aurait pu s'arranger aussi rapidement.

« Vous devriez consulter un médecin. Je demanderai à Brandt de venir vous examiner.

– Je n'ai pas le temps de voir un médecin, monsieur. Tant que je recherche activement l'homme qui a tué Karl Flex. »

Le sourire de Bormann s'envola. Il se tourna vers Högl, les yeux plissés.

« Bon sang, Högl, vous disiez avoir une bonne nouvelle à ce sujet.

– C'est exact, monsieur. Nous détenons dans les cellules de la Türkenhäusel un individu qui a avoué le meurtre de Karl Flex et signé une déposition dans ce sens.

– Voilà en effet une bonne nouvelle.

– Hélas, le *Kommissar* ici présent est trop intelligent pour se contenter d'une explication aussi simple. Il semble être en désaccord avec le colonel et moi, qui pensons que cet homme est bien l'assassin. Selon lui, la collection d'indices qu'il a soigneusement récoltés va à l'encontre des aveux du détenu.

– Qui est cet homme que vous avez arrêté ? » Bormann ouvrit le coffret à cigarettes sur la table, en alluma une rapidement et rapprocha un gros cendrier en cuivre. « Dites-m'en plus sur lui.

– L'assassin se nomme Johann Brandner et il nous a déjà donné du fil à retordre. C'est quelqu'un d'ici qui connaît très bien la région. Il a été envoyé au camp de concentration de Dachau car il a bombardé de lettres le Führer lorsque son commerce, ici sur l'Obersalzberg, a été fermé pour des raisons de sécurité.

– Oui, ça me revient maintenant. Le photographe. Nous avons voulu en faire un exemple pour décourager les autres de transmettre leurs griefs au Führer. Nous avons même publié un communiqué dans le journal.

– Johann Brandner est également un tireur d'élite, décoré pendant la guerre », ajouta Högl.

J'avais gardé le silence durant son exposé préventif, espérant le voir trébucher sur une erreur factuelle, ce qu'il fit à cet instant.

« Quand Brandner a été arrêté, il était en possession d'un fusil à lunette, du type de celui qui a servi à tuer Flex.

– Je vois. » Bormann se tourna vers moi en plissant les yeux. « Eh bien, où est ce foutu problème, Gunther ? Vous avez un excellent mobile. Un fusil. Et des aveux. Qu'est-ce que vous voulez de plus ?

– Les preuves constituent le fondement de la jurisprudence allemande depuis très longtemps, bien avant que je porte cet insigne. Et la réalité, c'est qu'ici nous n'en avons aucune. Johann Brandner a avoué uniquement parce qu'il avait peur de la torture. Il avait peur d'être renvoyé à Dachau. Sincèrement, toutes les preuves retenues contre lui sont dictées par les circonstances. Je veux dire par là que, dans le contexte actuel, il est indispensable d'arrêter quelqu'un pour le meurtre de Flex, et n'importe qui fait l'affaire.

– Expliquez-vous, dit Bormann.

– Par exemple, le fusil qui a été trouvé en sa possession ne peut pas être le Mannlicher qui a tué Flex. Vous étiez présent, monsieur, quand j'ai découvert l'arme du crime dans la cheminée de la Villa Bechstein. Le fait qu'il possède un fusil et que ce soit un très bon tireur ne prouve pas qu'il ait abattu Flex. Il y a à Berchtesgaden beaucoup d'autres hommes qui savent se servir d'un fusil. En outre, je ne vois pas comment Brandner aurait pu tuer le capitaine Kaspel et le garde-chasse adjoint du Landerwald, Udo Ambros, alors qu'il se trouvait à trois cents kilomètres de là, dans un hôpital de Nuremberg où il était soigné depuis sa libération de Dachau.

– Il y a eu un autre meurtre ? s'étonna Bormann. Pourquoi on ne m'en a pas informé ?

– Parce que le dénommé Ambros a laissé un mot expliquant son suicide, dit Högl. Le *Kommissar* ne se livre qu'à des conjectures en affirmant qu'il a été assassiné. Quant au décès du capitaine, il s'agissait très vraisemblablement d'un simple accident de voiture. Kaspel était accro à la méthamphétamine, monsieur. Il a perdu le contrôle de son véhicule car il conduisait trop vite. Comme toujours.

– Ses freins ont été trafiqués, dis-je. Mais pour une raison que j'ignore, le major semble s'opposer résolument à toutes les preuves que j'ai rassemblées. Je ne sais pas pourquoi. Même un jury allemand était autrefois capable de comprendre des preuves aussi claires et simples.

– Ce qui est simple, insista Högl, c'est que nous détenons un homme qui a avoué le meurtre de Karl Flex. Nous n'avons pas besoin d'autre chose pour rassurer le Führer, au cas où nous serions amenés à l'informer de ce déplorable incident.

Je sus alors que Högl se fichait de savoir qui avait tué Karl Flex. Et Bormann également.

« Le major a raison, me dit-il. Quoi qu'il arrive, nous devons trouver un coupable avant l'anniversaire du Führer. J'aurais dû y penser plus tôt. Et la Kripo de Berlin elle-même ne peut pas aller à l'encontre d'aveux signés.

– Au contraire, monsieur. J'estime que le rôle d'un enquêteur consiste à concevoir l'inconcevable, à poser les questions qu'on ne peut pas poser et à accuser ceux qui sont au-dessus de tout soupçon. Le nombre d'innocents qui se révèlent être coupables est tout bonnement saisissant, même à notre époque. Allez dans n'importe quelle prison d'Allemagne, monsieur, et vous verrez que les cellules sont pleines d'individus qui affirment n'avoir rien fait. À l'inverse, les aveux de cet homme me semblent sujets à caution. Et le Führer ne sera pas en sécurité tant que le véritable assassin n'aura pas été arrêté.

– Qu'en pensez-vous, Johann ? »

Le colonel Rattenhuber déforma ses traits épais pour leur donner un air pénétré. Ça semblait douloureux, presque autant que mon propre visage, et je songeai à l'une de ces soixante-quatre « têtes de caractère » sculptées en métal et albâtre par Franz Messerschmidt. Mais sa réponse, quand elle jaillit enfin, était la plus parfaite illustration de la justice selon les nazis, tout droit sortie d'un roman de Kafka :

« Dans le temps, quand j'étais jeune policier à Munich, on disait que si on frappait quelqu'un assez fort, on découvrait que tout le monde était coupable. Pour moi, des aveux ne peuvent jamais être remis en cause. Une fois que vous les avez obtenus, à ces foutus avocats de se débrouiller. Vous les laissez faire le tri. Ils sont payés pour ça. Il est possible que Brandner n'ait pas tué Flex. Le sort qui lui est réservé peut sembler cruel et immoral aux yeux d'un homme tel que le *Kommissar*. Mais ce n'est pas notre problème. L'important, c'est qu'il *aurait pu* tuer Flex. Il correspond assurément au profil décrit par le *Kommissar* lui-même. Et c'est ce qui compte. Voilà pourquoi je suggère de le garder au frais pour le moment et de laisser le *Kommissar* Gunther poursuivre son enquête quelque temps encore. Pour voir s'il est capable de confondre un "meilleur" coupable, selon ses critères. Dans le cas contraire, nous pourrons tous dire que nous avons accompli notre devoir et que nous avons jeté en prison quelqu'un qui mérite de s'y trouver. Car ne vous y trompez pas, cet individu est coupable de quelque chose, sinon nous ne l'aurions pas envoyé à Dachau. Sincèrement, je pense que le *Kommissar* court le risque de perdre de vue le tableau d'ensemble. Dans un monde idéal, ce serait formidable d'arrêter un assassin en étant sûr à cent pour cent de sa culpabilité. Hélas, et vous serez sans doute tous d'accord sur ce point, cela arrive rarement dans la carrière d'un policier. Dans le monde réel, nous sommes parfois obligés d'opter pour le pragmatisme. Je pense qu'il est plus important de rassurer le Führer que d'avoir l'absolue conviction que Brandner est notre homme.»

Je commençais à comprendre comment Rattenhuber était devenu colonel. Et Bormann semblait approuver ce raisonnement. Il hochait la tête.

« J'aime votre façon de penser, Johann, dit-il. Je savais que vous n'aviez pas accédé à la tête du RSD sans raison. Vous voyez l'aspect pratique. Vous voyez les choses comme Hitler. Alors, c'est décidé. On garde ce Brandner au frais, mais pendant ce temps, on laisse le *Kommissar* poursuivre assidûment son enquête pour arriver à une autre conclusion. Si cela est possible. Néanmoins, compte tenu des circonstances, il serait bon de fixer une sorte de délai. Ça me semble préférable. Vous avez vingt-quatre heures pour trouver un meilleur candidat. C'est bien compris, Gunther ? Ensuite, on supposera que c'est Brandner qui a tué Flex et on agira en conséquence.

– Bien, monsieur. Nous sommes sur votre montagne. Et je suis sous vos ordres. Mais à Berlin ? Je ne sais pas trop ce que je vais pouvoir raconter si Himmler et Heydrich m'interrogent sur cette affaire. Et vous êtes trop intelligent pour ignorer que Karl Flex a été tué parce qu'il travaillait pour vous. Pardonnez-moi de dire ça, monsieur, mais j'ai l'impression que, par ici, vous êtes encore plus détesté qu'il ne l'était. Cela signifie que la prochaine fois, l'assassin – le véritable assassin – sera peut-être plus ambitieux dans le choix de sa cible. Vous pourriez être sa nouvelle victime.»

Bormann se leva lentement, fit le tour du bureau et se planta devant moi. Instinctivement, je me levai aussi. Il devenait de plus en plus rouge de colère, ce qui devait réjouir Högl.

«Vous avez entendu ce petit salopard ? lança-t-il à Rattenhuber et à Högl. Il me parle comme à un Fritz qui vient demander de l'aide à l'Alex. Moi ! Vous auriez dû coudre votre putain de grande gueule, Gunther, au lieu de vous entourer la mâchoire comme un pudding de Noël.»

Le secrétaire m'attrapa par la cravate (celle que je portais autour du cou) et m'attira vers lui jusqu'à ce que je sente l'odeur du tabac dans son haleine. C'était déjà assez désagréable, mais voilà qu'il sortit d'une poche de sa tunique un Mauser automatique dont il appuya le canon contre ma joue enflée.

«Vous direz ce que je vous dirai de dire, Gunther. C'est clair ? J'ai l'oreille de Hitler, ce qui signifie que je contrôle la putain de police de ce pays. Alors, vous feriez bien d'oublier vos nobles idées de jurisprudence allemande. Désormais, la loi dans ce pays c'est Adolf Hitler. Et moi, je suis à la fois son juge et son jury. Compris ? Et si jamais j'apprends que vous avez simplement laissé entendre à ce sale juif fuyant de Heydrich que la réalité est différente, je vous expédie dans un putain de camp de concentration, si vite que vous croirez être le dernier youpin de Berlin. Je vous briserai la mâchoire en dix morceaux et je vous obligerai à les avaler avant de vous pendre avec cette cravate. C'est moi qui vous donne des ordres, sale chien. »

Je paniquai un peu quand je répondis. Il y avait une demi-chance sur cent pour que ce ne soit pas une erreur. Et j'étais tellement fatigué que je ne me souciais plus de ce qui pouvait m'arriver. J'avais besoin de potion magique, et vite. À condition que je reste en vie.

« Selon mon expérience, la plupart des gens veulent le savoir si quelqu'un a l'intention de les tuer, dis-je en ravalant ma peur. Mais je suppose que vous êtes plus courageux que la plupart des gens. Et ce n'est peut-être pas étonnant. Avec le RSD et la SS pour veiller sur vous, vous êtes sans doute la deuxième personne la mieux protégée en Allemagne. Et la terrasse du Berghof est sans doute l'endroit le plus sûr de tout le Reich. Du moins, jusqu'à ce que quelqu'un descende Karl Flex. On dit que la foudre ne frappe jamais deux fois au même endroit, mais moi je dis : à quoi bon prendre le risque ? »

L'espace d'un instant, je crus que Bormann allait me frapper. Mais il recula, sourit, lâcha ma cravate et en rajusta même le nœud, comme s'il se rappelait soudain qui l'avait portée avant moi. J'avais vu des psychopathes se comporter de manière similaire et on devinait sans peine pour quelle raison Hitler le gardait près de lui. Bormann incarnait le fascisme, la carotte et le bâton sur la même corde noire. Il aurait pu, tout aussi bien, être un patron de la pègre ou un membre éminent du gouvernement, même si, selon moi, il n'y avait guère de différence entre les deux. L'Allemagne était entre les mains d'un gang aussi impitoyable que ceux de Chicago. D'ailleurs, Bormann ressemblait à Al Capone.

« J'entends bien, Gunther, dit-il en rangeant le Mauser dans sa poche. Peut-être que l'assassin rôde toujours dans les parages. Peut-être que Flex a été abattu parce qu'il travaillait pour moi. Je sais que je ne suis pas très aimé par ici. Ces enfoirés de Bavarois ne sont pas aussi intelligents que nous autres Prussiens. Ils n'ont aucune idée de ce qui est nécessaire et de ce qui ne l'est pas. » Il s'interrompit. « Vous ne manquez pas de cran pour oser me dire ça en face, Gunther. Je commence à comprendre pourquoi ce juif de Heydrich, avec son faciès chevalin, vous tient en laisse. Peut-être même que vous êtes aussi doué qu'il le prétend et que vous réussirez à arrêter le Fritz qui a tué Karl Flex. Mais en attendant, Brandner reste derrière les barreaux. Pour la tranquillité d'esprit du Führer, comme l'a dit le colonel Rattenhuber. Et vous savez quoi ? S'il est innocent, il compte sur vous tout autant que le Führer. Car si vous ne trouvez pas un autre coupable, je le ferai exécuter. Comme ces deux clowns de Linz. Non pas parce que Heydrich en a décidé ainsi. Mais parce que je n'aime pas que quelqu'un pense qu'il peut venir ici, sur le Territoire du Führer, sans ma permission, et arrêter des gens qui travaillent pour moi. Alors, vous pouvez oublier ce putain de télex que vous vouliez envoyer à Heydrich. Ces deux types ne bénéficieront d'aucune clémence. Ils seront fusillés demain à la première heure, dès que j'aurai fini mon petit déjeuner. Un point c'est tout. Et je veux que vous assistiez à l'exécution. Quant à Kaltenbrunner, je vous promets, à vous et à Heydrich, qu'il aura droit à un sacré savon la prochaine fois que je le verrai. Ne vous inquiétez pas pour ça.

– Je suis sûr que le général sera ravi de l'apprendre, monsieur.»

À quoi servait la vérité dans un monde dominé par la cruauté et le pouvoir arbitraire ? Qu'étais-je devenu maintenant que j'étais à ce point diminué ? Je hochais la tête comme une poupée aux yeux globuleux, tout en pensant que j'étais un fou parmi les plus fous encore, un être odieux. Où que je regarde, je voyais mes compromissions m'observer tels des amis que j'avais honteusement trahis. Si seulement Hitler pouvait se haïr autant que je me haïssais moi-même à présent. Peut-être n'y a-t-il rien de plus désagréable pour un homme dans la vie que de suivre le chemin qui le conduit à lui-même. Peut-être serais-je enfin libéré de tous ces monstres seulement le jour où j'irais en enfer. C'est ça l'ennui quand on est le témoin de l'histoire : elle ressemble parfois à une avalanche qui vous balaye de la surface de la montagne et vous expédie dans l'oubli d'une crevasse obscure et cachée. Mais, dans l'immédiat, j'allais retourner voir Gerdy Troost au Berghof, dans l'espoir d'obtenir des réponses aux nombreux mystères cryptés que contenait le livre de comptes de Flex.

49

Octobre 1956

Le prochain car ne passerait certainement pas avant plusieurs heures, mais l'homme en culotte de peau qui attendait à l'arrêt s'en fichait. Il ne voulait pas prendre le car. Pour arriver jusqu'à lui, il me faudrait traverser la route, et donc m'exposer. Elle faisait une dizaine de mètres de large et en l'absence de toute circulation, elle était si calme que l'on aurait entendu tousser une souris. Je pourrais l'abattre, évidemment, mais à coup sûr la détonation ferait accourir d'autres hommes de la Stasi, et je devrais affronter une fusillade. Sans aucune chance de m'en sortir vivant. Il avait plu pendant que je dormais et les pavés qui luisaient au clair de lune ressemblaient à la peau d'un gigantesque crocodile. Il n'y avait pas le moindre souffle de vent et les cimes des arbres, immobiles, semblaient attachées au ciel. Quelque part dans la forêt touffue, derrière l'arrêt de car, une chouette ululait, tel le signal d'alarme de Mère Nature pour informer les autres animaux de la présence d'un individu armé. Sans doute avais-je vu trop de films de Walt Disney. Pour moi, ces arbres n'auraient pas pu ressembler davantage à la véritable Allemagne s'ils avaient été peints en noir, rouge et doré. Mais avant d'y arriver, je devais encore me débarrasser de l'homme de la Stasi, et je savais que je n'aurais droit qu'à une seule chance. Car si la police est-allemande était douée pour une chose, c'était pour garder les frontières. Depuis la création de la RDA en 1949, toute tentative pour « fuir la République » était considérée comme un crime grave, et des centaines, voire des milliers de personnes étaient abattues chaque année par la Grenzpo. Celles qui se faisaient arrêter étaient emprisonnées et souvent exécutées.

Je regardai autour de moi, à la recherche d'un objet que je pourrais lancer par-dessus le toit en tôle ondulée de l'arrêt de car pour attirer l'attention de ce type ; une bouteille de vin vide peut-être, ou un morceau de bois. Rien. Les habitants de la petite ville de Freyming-Merlebach n'étaient pas du genre à jeter quoi que ce soit par terre. Fatigué d'avoir tant marché et pédalé, je m'accroupis, espérant que le gars allait finir par se lever pour étirer ses longues jambes et quitter l'abri, mais il se contenta de finir sa cigarette et d'en rallumer une autre. Elles sentaient bon. Pour moi, rien ne sent aussi bon qu'une cigarette française, sauf peut-être une Française. Dans la lumière jaune de la flamme de son briquet, j'entrevis son visage scarifié et le pistolet dans sa main. Je me dis que je n'aurais pas de seconde chance. De temps à autre, il braquait le canon de son automatique muni d'un silencieux sur une des fenêtres des maisons situées en face de l'arrêt, comme s'il mourait d'envie de tirer sur quelque chose, n'importe quoi, histoire de tromper son ennui. J'avais connu ça. Nul doute que Korsch, et à travers lui Erich Mielke, avait bien fait comprendre à ses hommes la nécessité absolue de me tuer. Peut-être même leur avait-il promis une prime en échange de ma tête. J'avais entendu dire que des Grenzpos pouvaient obtenir un week-end entier de permission, plus des vivres et des bons d'alcool, s'ils tuaient un *Republikflüchtiger,* un fugitif de la RDA.

Je regardai mes chaussures sales en songeant à tout le chemin qu'elles avaient parcouru depuis que j'avais quitté le Cap-Ferrat. Pas loin de mille kilomètres probablement. Cette idée me procurait un sentiment de victoire teinté de désespoir. Victoire, puisque jusqu'à présent j'avais réussi à échapper aux mailles du filet, et désespoir car j'avais perdu ma vie d'avant et son relatif confort. Tout cela parce que je répugnais à tuer une Anglaise manipulatrice qui se fichait certainement pas mal de savoir si j'étais vivant ou mort. Que faisait-elle en cet instant ? Du thé ? Je n'en avais aucune idée. De plus, je n'aimais pas les Anglais. Je crois que je détestais encore plus les Tommies que les Français, ce qui n'était pas peu dire. Sans eux et la Stasi, j'occuperais toujours mon poste à la réception du Grand Hôtel. Je m'adossai à la porte en me demandant ce que j'allais faire maintenant. L'andouillette froide que j'avais mangée ne cessait de me donner des renvois et chaque fois ma bouche avait un goût de merde. Exactement comme ma vie.

Soudain, un chat noir apparut à côté de moi. Il se faufila entre mes jambes, enroula sa queue autour de mon mollet et me laissa caresser ses oreilles pointues pendant deux ou trois secondes. Je n'étais pas certain d'aimer tous les chats, mais celui-ci était tellement amical que, presque malgré moi, je me pris d'affection pour lui. Quand j'étais enfant, ma mère disait que si un chat noir croisait votre chemin de gauche à droite, ça portait bonheur. Je ne savais si celui-ci venait de la gauche, mais cela faisait si longtemps que personne ne s'était approché de moi de son plein gré que j'attrapai l'animal pour le caresser. J'avais besoin de tous les amis que je pourrais trouver, même ceux qui avaient des poils. Et peut-être percevait-il en moi une âme sœur, une créature de la nuit, solitaire, sans attaches ni obligations. Au bout d'un moment, le chat s'excusa en clignant de ses grands yeux verts, m'expliqua qu'il avait une ou deux choses à faire et, après avoir frotté sa tête contre mon visage pour cimenter notre amitié nouvelle, il traversa la route en trottinant. Au clair de lune, le chat noir projetait une ombre disproportionnée sur la chaussée, mais c'était bien un chat, impossible de se tromper. Voilà pourquoi je fus d'autant plus choqué de voir l'homme en culotte de peau se pencher en avant et tirer sur l'animal. Le chat fit un bond en avant et disparut dans les fourrés. C'est à cet instant, je crois, que je me mis à haïr ce type. Qu'il ait l'intention de me tuer, c'était une chose, qu'il prenne pour cible un pauvre animal sans défense, c'en était une autre. Mes amis étaient rares et voir l'un d'eux se faire tirer dessus à cause de moi m'indigna. J'avais envie d'étrangler ce Fritz. La cruauté envers les animaux est toujours le signe que la cruauté envers les êtres humains n'est pas loin. Tout le monde sait que la plupart des criminels les plus sadiques de l'Allemagne de Weimar avaient commencé leur sinistre carrière en torturant et en tuant des chats et des chiens.

« Sale ordure », murmurai-je.

C'est alors seulement que j'avisai quelques pierres éparpillées sur le sol, à un mètre de moi. Je m'approchai à quatre pattes pour en prendre une avant de regagner mon abri. Je la soupesai dans ma paume. De la taille d'un beignet environ, elle semblait idéale pour ce que je voulais en faire. Après avoir vu le type de la Stasi tirer sur le chat, j'aurais préféré lui balancer la pierre en pleine tête. Au lieu de cela, je vérifiai des deux côtés qu'aucune voiture n'arrivait, et que personne ne patrouillait dans les parages. La voie était libre. J'avançai d'un pas et expédiai la pierre au-dessus de l'arrêt de car, au milieu des arbres, où elle rebondit contre un tronc et retomba sur le sol avec un bruit sourd. L'homme à la culotte de peau se leva prestement, jeta sa cigarette et sortit de sous l'arrêt de car. Je remarquai alors qu'il portait une veste *Tracht* en laine grise qui lui donnait très exactement l'apparence d'un Hansel adulte à la recherche de sa Gretel, à la différence que Hansel était beaucoup moins dangereux. Tenant son arme collée contre la hanche, il s'enfonça avec prudence au milieu des arbres, me laissant largement le temps de traverser la route mouillée dans son dos, sur la pointe des pieds. Je m'agenouillai sous l'arrêt de car et attendis. Soudain, une douleur fulgurante faillit m'arracher un cri et il me fallut une seconde ou deux pour m'apercevoir que j'avais posé le genou sur la cigarette encore allumée du type de la Stasi. Je jurai en silence et frottai mon pantalon avant de pénétrer dans les fourrés. Je ne le voyais pas. Je ne l'entendais pas non plus et je ne voulais pas repartir sans savoir où il se trouvait. Finalement, je perçus le bruit de ses pas à quelques mètres de moi. Il avançait lentement dans ma direction, avec une seule idée en tête : me tuer. De fait, j'aurais pu attendre caché là encore un peu et me fondre ensuite dans la forêt sans rencontrer beaucoup d'obstacles. C'est alors que je le vis. Le chat noir. Je tendis la main pour le caresser et la retirai aussitôt en sentant son poil mouillé et collant sous mes doigts. Je compris subitement que la balle ne l'avait pas manqué. Touché alors qu'il traversait la route, il s'était traîné dans les fourrés pour mourir. Les larmes me vinrent. Malgré ma fatigue, j'étais écœuré par le sort de mon nouvel ami, écœuré et en colère. En colère à cause du chat, en colère parce que ma vie avait été foutue en l'air par Erick Mielke et la Stasi, suffisamment en colère, et suffisamment fatigué sans doute, pour éprouver un désir de vengeance. Retenant mon souffle, je m'accroupis derrière un gros tronc d'arbre, sortis le couteau à découper glissé dans ma chaussette et attendis que le type en culotte de peau soit assez près pour l'égorger. Mon regard se posa sur mon pantalon maintenant troué au genou. Le même sort menaçait la semelle d'une de mes chaussures et je n'étais pas loin de devenir un authentique clochard. Par conséquent, je n'avais pas besoin d'une large tache de sang sur la manche de ma veste. Or il est impossible de tuer un homme à l'arme blanche sans ressembler à un personnage d'une tragédie de Shakespeare. Et rien de tel que du sang sur vos vêtements pour attirer l'attention. La chose qu'oublient la plupart des meurtriers, c'est la quantité de sang contenue dans le corps humain. En réalité, un être humain n'est rien d'autre qu'un récipient mou rempli de liquide. Accroupi là derrière cet arbre, je repensai malgré moi à ce bookmaker nommé Alfred Hau. Il avait mortellement poignardé un homme dans un appartement de Hoppegarten, un homme de près de cent cinquante kilos, et les flics avaient estimé que huit litres de sang, ou presque, s'étaient échappés de sa poitrine, à tel point que le sang avait traversé les lattes du parquet et inondé le plafond de la cuisine d'un inspecteur de la Kripo qui habitait en dessous. La police criminelle de Berlin n'avait sans doute jamais élucidé une affaire aussi facilement. Plus j'y pensais, plus il me paraissait impossible d'utiliser mon couteau.

Je le plantai dans la terre, à un endroit où je pourrais le récupérer plus tard en cas de besoin. Puis j'ôtai mon écharpe en soie, fis rapidement deux nœuds sur la longueur et enroulai solidement chaque extrémité autour de mon poignet. Je la tendis en écartant les bras, tel un assassin ismaélien. Lentement, le dos collé au tronc, je me relevai et, en respirant profondément, sans bruit, j'essayai de calmer mes nerfs à vif. J'avais vu des cadavres d'hommes et de femmes étranglés (c'est sans doute la forme de meurtre qu'un policier rencontre le plus souvent) et je savais comment m'y prendre. Quand il y a deux nœuds serrés, ou plus, sur une écharpe, on est presque sûr d'être en présence d'un homicide. Évidemment, passer à l'acte, c'était tout à fait différent. À en juger par mon expérience limitée, tuer quelqu'un de sang-froid revient à tuer une part non négligeable de soi-même. Je sais que parmi mes connaissances de la SS Einsatzgruppen, beaucoup avaient eu besoin de se saouler avant d'assassiner des juifs, et chez les haut gradés, les dépressions nerveuses étaient fréquentes. Je ne me rangeais pas dans leur catégorie, mais l'image du chat mort et le souvenir de la cruauté avec laquelle les hommes de la Stasi avaient fait mine de me pendre à Villefranche transformèrent en pierre ce qui restait de mon cœur. Je ne cherchais pas à m'excuser. C'étaient des salopards comme ce type en tenue traditionnelle qui m'avaient mis dans le pétrin. Maintenant, c'était lui ou moi, et j'espérais que ce serait lui.

Il s'arrêta près de l'arbre derrière lequel je me cachais, mais j'attendis encore, en état de biostase, comme un tigre affamé attend patiemment pour être sûr de porter une attaque victorieuse. Ma proie était assez proche pour que je sente son odeur. Le savon avec lequel il s'était lavé la veille, l'Old Spice sur son visage, la brillantine dans ses cheveux blonds – il ressemblait à Lutz Moik, l'acteur de cinéma allemand. L'odeur de ses Gauloises qui collait à son étrange tenue. Les Mentos qu'il suçait. Et même la graisse sur le cuir de son short ridicule. Me sentait-il lui aussi ?

J'espérais presque qu'il voie le chat mort et se penche pour inspecter le résultat de son geste sadique. La lune éclairait cette petite boule de poils qui gisait sur le sol tel un coussin de velours noir, et la tache rouge rubis en plein milieu. « Hé, minou, minou.» Ce salopard éclata d'un rire haut perché, un rire de gamine, et tira de nouveau sur le chat, pour le plaisir. La détonation étouffée par le silencieux ne fit guère plus de bruit qu'un piège à souris qui claque, mais le pistolet n'en était pas moins mortel. J'éprouvais maintenant une haine farouche envers ce type et cette nouvelle Allemagne – une autre nouvelle Allemagne dont personne ne voulait – qu'il représentait. Sans doute s'était-il un peu détendu car il sortit d'une poche de sa culotte de cuir un paquet de cigarettes qu'il porta à sa bouche pour en extraire une avec ses lèvres. Puis il prit son briquet. C'est à ce moment-là que j'attaquai.

Je passai l'écharpe autour de son cou décharné tout en le poussant vers l'avant, et au moment où il basculait sur le sol humide, j'enfonçai mon genou dans le creux de ses reins avant de m'agenouiller sur lui, tandis que je resserrais impitoyablement mon garrot de fortune. Un nœud appuyait contre son larynx et l'autre contre sa carotide. Son visage était enfoui dans le cadavre du chat, ce que je trouvais approprié, mais il était fort comme un taureau, beaucoup plus que je ne l'avais supposé, et pendant que j'essayais de le maîtriser, je m'en voulus de ne pas lui avoir planté mon couteau dans la gorge comme j'en avais d'abord eu l'intention. Il s'agitait de tous les côtés, on aurait dit que son corps était traversé par un puissant courant électrique. On ne doit pas oublier que la plupart des morts par étranglement sont accidentelles, et qu'il faut moins de temps qu'on ne l'imagine pour tuer quelqu'un de cette façon ; c'est en tout cas ce que m'ont toujours dit les médecins légistes. Les victimes sont le plus souvent des femmes : des épouses étranglées par des maris ivres qui comprennent trop tard ce qu'ils viennent de faire. Mais étrangler une femme après une soirée trop arrosée, ce n'était pas comme étrangler un type sec et musclé, deux fois plus jeune que moi sans doute. Ce qui me donnait une force supplémentaire, c'était de savoir que ce salopard m'aurait tué sans la moindre hésitation, comme il avait tué le chat.

Les dix ou quinze premières secondes furent les plus dures, pour lui et moi. Il gesticulait et ruait tel un cheval sauvage qui tente désespérément de désarçonner son cavalier dans un rodéo, et je devais faire appel à toute mon énergie pour rester couché sur lui et le clouer au sol, en tirant rageusement sur les deux extrémités de l'écharpe afin de maintenir la pression. J'empêchais le sang d'irriguer son cerveau depuis au moins vingt secondes déjà ; ses mains griffaient les miennes, puis les soubresauts de ses jambes s'atténuèrent, et au bout d'une minute, je fus certain d'être allongé sur un mort. J'en eus la confirmation en sentant la puissante odeur nauséabonde qui venait de son short. C'est ce qu'il y a de plus désagréable quand vous exercez une pression sur le corps d'un homme en train de mourir. Imaginez que vous pressez un tube de dentifrice. Il faut que ça sorte. Malgré cela, je continuai à serrer l'écharpe autour de son cou, jusqu'à ce que la dernière goutte de sang ait quitté son cerveau, que le dernier millilitre d'air soit sorti de ses poumons et que mon nez m'indique que ses boyaux étaient vides.

50

Avril 1939

Dans ses confortables appartements au premier étage du Berghof, Gerdy Troost était occupée à lire le livre de Hitler quand j'arrivai.

« Oh, vous en avez une tête ! s'exclama-t-elle.

– Je ne vous l'avais pas dit ? Je m'entraîne à devenir ventriloque. D'après le manuel, c'est la meilleure façon d'apprendre.

– Vous avez dû lire le manuel pour les nuls. »

Je souris, et le regrettai aussitôt.

« Que vous est-il arrivé ? Ne me dites pas que vous avez glissé sur du verglas. Personne par ici ne glisse sur du verglas, sauf en cas de nécessité.

– Quelqu'un m'a frappé.

– Pour quelle raison ?

– La raison habituelle.

– Il n'y en a qu'une seule ?

– Dans mon cas, oui. »

La pièce était faiblement éclairée, et quand *Frau* Troost alluma une autre lampe pour m'examiner de plus près, je découvris le berger allemand couché dans un coin. Il grogna quand sa maîtresse toucha mon visage du bout des doigts.

Ils étaient frais et doux, attentionnés, et je remarquai qu'elle ne portait pas de vernis à ongles, comme si ce genre de choses ne l'intéressait pas. Peut-être Hitler n'aimait-il pas les femmes qui ressemblaient trop à des femmes.

« C'est douloureux ?

– Seulement quand je ris. »

Le chien continuait à grogner, et soudain il se leva.

« Tais-toi, Harras, dit *Frau* Troost. Ne faites pas attention à lui, *Herr Kommissar*. Il est jaloux. Mais il ne vous fera rien. Ce qui n'est pas le cas de celui qui vous a tabassé. Il ne vous a pas loupé, hein ?

– Pour quelqu'un comme moi, ça fait partie des risques du métier. J'ai un visage qui provoque ce genre de réactions, je crois. Les gens ont envie de taper dessus. Surtout les nazis.

– Ça réduit les risques. Il est sans doute trop tard pour appliquer quelque chose de froid, mais je peux le faire si vous voulez. Ça fera peut-être dégonfler la joue.

– Ça va aller, merci.

– J'espère que vous avez raison. Car l'Obersalzberg ne manque pas de nazis. Dont moi-même, au cas où vous l'auriez oublié.

– Je ne l'ai pas oublié, pas dans cette maison. Mais vous me pardonnerez si je dis que vous ne ressemblez pas aux nazis qui frappent les gens au visage. Pas sans une très bonne raison.

– Détrompez-vous, Gunther. Je peux être très remontée parfois, pour toutes sortes de choses.

– Aucun risque avec moi, professeur. Mes opinions en matière de design et d'architecture n'ont absolument aucune valeur. Je suis incapable de faire la différence entre une coupole et une coupelle. Et dès qu'il est question d'art, je suis un véritable philistin.

– Dans ce cas, vous me semblez plus proche des nazis que vous ne le pensez, Gunther.

– À vous entendre, on ne croirait pas que vous êtes la petite amie du Führer.

– Qui vous a mis cette idée en tête ?

– Vous, peut-être.

– Je l'aime bien. Je l'aime beaucoup. Mais pas de cette façon. En outre, il a déjà une petite amie. Elle s'appelle Eva Braun.

– Elle s'y connaît en art ? »

Gerdy sourit. « Eva ne connaît pas grand-chose. C'est ce qui semble plaire au Führer. À l'exception de Hitler et de moi, toute cette administration est gérée par de parfaits philistins.

– Si vous le dites. Vous voyez ? Je suis disposé à vous donner raison sur tout ou presque. Mais si malgré cela, vous avez envie de me frapper, vous pourriez peut-être plutôt demander à votre chien de me mordre. Je préfère sacrifier une jambe que mon visage. Non pas que je le trouve particulièrement beau, mais parce que ma bouche en fait partie. Et je me dis que je vais en avoir besoin si je veux résoudre cette affaire dans le peu de temps qui m'est imparti.

– À ce point-là ? »

Je confirmai.

« Bormann vous met sous pression ? »

Je hochai la tête de nouveau.

« Comme si j'étais le Premier ministre tchécoslovaque.

– Il est doué pour ça. » Elle décrocha le téléphone.

« Quoi qu'il en soit, je pense que vous devriez manger quelque chose. Pour garder des forces. J'allais justement me faire monter de quoi dîner. Je vous suggère des œufs brouillés. Vous n'aurez pas de problème. Avec un vin de Moselle pour soulager la douleur. Et pourquoi pas une banane chaude, cuite dans la crème et le sucre ? Le Führer en raffole.

– Quelqu'un l'a tabassé lui aussi ?»

Pendant que *Frau* Troost appelait les cuisines du Berghof pour commander notre repas, je fis le tour de la pièce en regardant les tableaux, les maquettes d'architecture et les bronzes. Je ne suis pas expert en matière d'art, mais je sais reconnaître une œuvre de qualité. C'est avant tout le cadre qui la trahit et la différencie du papier peint à côté. Ayant raccroché le téléphone couleur crème, *Frau* Troost me rejoignit devant une aquarelle qui rendait assez fidèlement le célèbre château de Louis II, le roi fou, en Bavière. Après toutes ces eaux de Cologne bon marché que j'avais senties, son Chanel n° 5 était une bouffée d'air frais.

«Vous le reconnaissez ?

– Bien sûr. C'est Neuschwanstein. J'ai le même dessin tatoué sur la poitrine.

– C'est Hitler qui l'a peint.

– Je savais qu'il peignait des maisons, mais j'ignorais qu'il faisait aussi des châteaux.

– Ça vous plaît ? demanda-t-elle, insensible à mon trait d'esprit.

– Oui», dis-je en hochant la tête d'un air approbateur, et jugeant préférable de ne pas me livrer à une autre plaisanterie. D'autant que c'était un beau tableau, il fallait le reconnaître. Sans doute un peu trop classique pour certains, mais pour moi, ce n'était pas un défaut. J'aime que le château d'un fou ressemble au château d'un fou, et pas à un ensemble chaotique de cubes.

«Il a peint ça en 1914.

– Ce n'est certainement pas quelque chose qu'on aurait pu peindre en 1918.» Je haussai les épaules. «Mais c'est joli. Vous voyez ? Comme je vous le disais, je suis un philistin. C'est un cadeau ?

– Non. En vérité, je l'ai acheté à l'ancien encadreur de Hitler à Vienne. Ça m'a coûté une jolie somme, d'ailleurs. J'ai l'intention de le lui offrir pour ses cinquante ans. Le chien, en revanche, est un cadeau de lui. Nous espérons que sa chienne Blondi s'accouplera avec Harras et nous donnera des petits. Mais pour l'instant, ils n'ont pas l'air de beaucoup s'aimer. »

J'essayai de prendre un air compatissant face à ce drame, mais je pensais que si la chienne de Hitler était celle que j'avais vue assise derrière lui sur la photo, dans le bureau de Bormann, je comprenais aisément les réticences de Harras. J'avais connu des chiens enragés qui paraissaient plus sympathiques.

« Comme je dis toujours, on peut conduire un cheval à l'abreuvoir, mais on ne peut pas l'obliger à monter une jument si elle ne veut pas. Il y a des lois qui interdisent ce genre de choses. Même en Allemagne. Surtout quand la jument n'est pas de la même race.

– Oh, ils sont de la même race. Simplement, ils ne s'entendent pas.

– Je vois. Comme moi et les nazis. »

Semblant comprendre que l'on parlait de lui, le chien s'assit et leva la patte.

« C'est un autre problème, expliqua *Frau* Troost. Harras s'assoit et donne la patte quand les gens font le salut hitlérien. C'est comme si... il saluait lui aussi. Ça peut paraître irrespectueux. »

Je voulus essayer, et quand le chien tendit la patte droite, je m'extasiai.

« Il est intelligent. Il me plaît beaucoup plus. »

Gerdy Troost esquissa un sourire gêné.

471

« Êtes-vous toujours aussi franc ?

– Seulement quand je pense n'avoir rien à craindre.

– Et vous pensez n'avoir rien à craindre avec moi, c'est ça ?

– Oui, je crois.

– À votre place, je n'en serais pas aussi sûr. Je suis une fidèle du Parti depuis 1932. Et même si je ne vous frappe pas au visage, je connais probablement quelqu'un qui pourra s'en charger.

– Je n'en doute pas. Mais n'est-ce pas pour cela que vous avez accepté de m'aider ? Parce que ce sont des scènes un peu trop fréquentes sur la montagne de Hitler ? Parce que Bormann est une brute corrompue ? Parce qu'il peut assassiner en toute impunité ? »

Gerdy Troost resta muette une minute.

« J'ai raison, n'est-ce pas ? Vous avez accepté de m'aider. Mais vous m'avez prévenu, vous ne direz rien spontanément. Vous vous contenterez de répondre à des questions précises. Je vous dis ce que je sais, et si c'est exact, vous confirmez. Comme un ouija, en quelque sorte. C'est bien ça ? »

Frau Troost retourna s'asseoir et noua ses mains devant elle.

« Vous savez, j'ai beaucoup réfléchi à ce que je vous ai confié la dernière fois, et je m'aperçois que tout cela me met mal à l'aise. Aussi, j'ai décidé de ne pas en dire plus. Je pense que vous êtes un homme honnête qui essaye juste d'accomplir son devoir, mais… » Elle haussa les épaules. « Je crois que ce n'est pas une très bonne idée de vous aider. Désolée.

– Je comprends. Ce doit être très difficile pour vous de parler de tout ça.

472

– Oui. Surtout maintenant. Si près de l'anniversaire de Hitler. Il a fait tellement pour moi et ce pays. Jamais je ne tenterai quoi que ce soit qui puisse nuire au Führer.

– Non, bien sûr, dis-je patiemment. Comme tout le monde. C'est un grand homme.

– Vous ne le pensez pas.

– N'importe quel chef a besoin de bons conseils. Hélas, certaines personnes de son entourage ne sont pas à l'abri de tout soupçon. N'est-ce pas ?

– Et ça empire.

– Hum.

– Toutefois, je ne vois pas comment vous pourriez faire tomber Bormann sans nuire au Führer. Alors, il vaut sans doute mieux que je me taise. »

Je sortis une cigarette, puis me rappelai où j'étais, et la remis dans le paquet.

« Pourriez-vous quand même me dire quelque chose, professeur ? N'importe quoi. J'ai ici, dans ma mallette, un livre de comptes qui était en possession de Karl Flex, et qui pourrait apporter la preuve de la corruption de Bormann, même si je n'en suis pas sûr. Je pourrais vous le montrer... »

Elle ne répondit pas. Mais elle faisait nerveusement tourner la chevalière en or autour de son doigt, comme si aujourd'hui sa signification la troublait.

« Je pourrais aussi montrer ce livre de comptes à Albert Bormann. Peut-être qu'il acceptera de me parler, lui, si vous, vous ne voulez pas. »

Frau Troost regardait la bague qui ornait son doigt effilé ; on aurait dit qu'elle essayait de se souvenir à qui allait sa véritable allégeance, ce qui n'avait rien d'étonnant étant donné que la chevalière portait un insigne du parti nazi. Dans son ensemble blanc, elle ressemblait à la fiancée récalcitrante de Hitler. Ou du monstre de Frankenstein.

« Mais je ne veux pas vous mettre dans une position délicate, ajoutai-je.

– Je ne souhaite pas en dire davantage, est-ce clair ?

– Dans ce cas, il ne me reste plus qu'à tenter ma chance avec Albert Bormann.

– Vous perdrez votre temps. Il acceptera peut-être de vous recevoir, mais il ne vous fera pas confiance. Pas pour ça. Pas sans un mot de ma part.

– Je n'ai pas vraiment le choix. Quelqu'un doit essayer de sauver la vie de Johann Brandner.

– Qui est-ce ?

– Un habitant d'ici. Il était photographe, jusqu'à ce que Bormann l'oblige à quitter l'Obersalzberg. Ils projettent de lui coller le meurtre de Flex sur le dos et de l'exécuter avant l'anniversaire du Führer si je ne trouve pas le véritable meurtrier.

– Je ne peux pas le croire. Ils ne feraient pas une chose pareille. » Elle secoua vivement la tête. « Pourquoi feraient-ils ça ?

– Pour rassurer le Führer. Il faut que quelqu'un paie pour ce meurtre, et tant pis si ce n'est pas le coupable. Au nom des apparences.

– Non, impossible. Ils ne tueraient pas un innocent.

– Ils l'ont déjà fait. Et plus souvent que vous ne le croyez. »

Je laissai cette idée faire son chemin avant de poursuivre :

« Je ferais peut-être bien de m'en aller à présent. »

Pourtant je demeurai assis. Le moment était venu de jouer ma meilleure carte. L'as que je gardais en réserve pour cet instant. C'était un coup tordu, sans doute, mais j'en avais assez de jouer franc jeu avec ces gens-là. Les nazis ne suivaient jamais les règles, et de son propre aveu, Gerdy Troost était une nazie, alors je pouvais très bien la contrarier, non ? Ma cruauté n'était rien comparée à celle dont étaient victimes les juifs allemands. Mettant de côté mes sentiments, je me préparai à infliger un coup dur à l'invitée d'Adolf Hitler.

« Oh, j'ai failli oublier. N'y voyez aucune marque d'irrespect envers vous ou votre ami, mais j'ai un million de choses en tête en ce moment. D'ailleurs, c'est peut-être à cause de ça que j'ai le visage enflé. Tout ce que j'essaye de retenir. Bref, j'ai une mauvaise nouvelle pour vous, professeur.

– À quel sujet ?

– Le Dr Wasserstein. Vous m'aviez demandé de chercher à savoir ce qu'il était devenu. Je crains qu'il ne soit mort.

– Mort ? Oh, mon Dieu. Comment ?

– Le pauvre homme s'est suicidé. Je crois que quelqu'un était bien décidé à l'empêcher d'exercer la médecine. Je sais que vous êtes intervenue pour qu'on lui restitue sa licence. C'était un joli geste de votre part. Tout le monde a son juif préféré, hein ? Je comprends. Aussi, vous n'avez aucune raison de vous sentir responsable des actes de quelqu'un d'autre. Ce n'est pas votre faute s'il s'est retrouvé dans une impasse. Absolument pas.

– Que s'est-il passé ?

– Il s'est pris pour Hermann Stork en sautant du pont Maximilien à Munich et il s'est noyé dans l'Isar. Il portait son plus beau costume et sa Croix du Mérite. C'est assez fréquent, je crois, quand les juifs veulent souligner leur identité allemande. Et faire culpabiliser les gens. Personnellement, je ne me sens pas coupable. Mais il est vrai que je n'ai jamais connu cet homme. Contrairement à vous, professeur.

– A-t-il expliqué son geste ?

– Oui. Il a laissé un mot sur la porte de son cabinet. Ce n'est pas le jeune Werther, mais j'ai supposé que vous aimeriez en lire une copie qui m'a été adressée par la police de Munich. Ces temps-ci, la plupart des juifs qui se suicident écrivent des lettres interminables dans l'espoir d'alerter l'opinion sur leur situation. Ils ont trop lu Goethe. Ils pensent, à tort, que les autorités seront choquées.» Je haussai les épaules. «Ce n'est jamais le cas. La vérité, c'est que personne ne se soucie de ce genre de chose. En tout cas, pas les gens qui sont au pouvoir.»

Je lui tendis l'enveloppe que m'avait remise Friedrich Korsch et elle chaussa ses lunettes. Elle lut une première fois la lettre du Dr Wasserstein, puis la relut à voix haute. Peut-être pensait-elle que la voix d'un juif mort devait résonner dans cette maison, et j'estimai qu'elle avait raison. C'était une sacrée lettre.

À l'attention de la police allemande qui enquêtera peut-être, ou peut-être pas (c'est plus probable), sur les circonstances de ma mort.

J'ai décidé de me suicider et si vous lisez cette lettre, je serai très certainement mort. En tout cas, je l'espère. J'avais prévu de me suicider en avalant des médicaments, mais en allant à la pharmacie j'ai appris que, en tant que juif, je n'avais plus le droit de rédiger l'ordonnance qui m'aurait permis de mettre fin à mes jours tranquillement chez moi. Alors, j'ai décidé de me noyer dans l'Isar, qui est en crue en ce moment. Je ne suis pas et n'ai jamais été très croyant, mais je prie le Seigneur tout-puissant pour que mon suicide réussisse, et pour que quelqu'un qui me connaît écrive à ma famille afin de leur annoncer que je suis mort et leur demander de me pardonner, d'approuver ce geste que j'ai été obligé d'accomplir, et de continuer à m'aimer malgré tout. Je les salue et je leur dis adieu en même temps, avec tout l'amour qu'un père peut avoir pour ses enfants. Pendant cinquante ans, j'ai été un Allemand loyal et travailleur. D'abord comme soldat dans l'armée prussienne, puis en tant que spécialiste des yeux à Berlin et à Munich, soignant de la même manière les Aryens et les non-Aryens. La Croix du mérite militaire qui orne mon costume aujourd'hui, je la porte avec la même fierté que lorsque je l'ai reçue en 1916. Le jour où le Kaiser l'a épinglée à ma tunique fut le plus grand moment de ma vie. Malgré tout ce qui s'est passé, je crois encore en l'Allemagne et en la bonté des Allemands ordinaires. Mais j'ai cessé de croire qu'il existe un avenir quelconque pour moi. J'ai peur pour tous les juifs d'Allemagne et je devine que pour eux l'avenir sera encore pire que le présent, même si cela semble impossible. Pendant quinze ans, j'ai été marié à une non-Aryenne qui est morte peu de temps après avoir donné naissance à notre dernier enfant. Depuis, j'ai eu peu ou pas de contacts avec d'autres juifs, j'ai élevé mes enfants selon les principes aryens et n'ai exercé aucune influence juive sur eux. Cela ne me semblait pas très important. Je les ai même élevés dans le culte protestant. Mais tout cela ne compte plus et à cause du gouvernement nazi et de ses lois antijuives qui classent mes enfants parmi les juifs, j'ai dû les envoyer en Angleterre il y a quelques années, ce dont je remercie Dieu aujourd'hui et cette brave famille qui les a accueillis. Moi, je suis resté en Allemagne car je n'ai toujours souhaité qu'une chose :

servir mon pays et mes patients. Quelques bons amis allemands m'ont permis de conserver ma licence pour continuer à exercer la médecine, hélas, leurs efforts ont été anéantis par des événements récents orchestrés, je suppose, par des personnes déterminées à mettre fin à cette situation. De fait, la police m'a informé qu'un de mes patients m'accusait maintenant d'avoir diffamé le Führer, et je dois me présenter au poste de police la semaine prochaine. Il s'agit évidemment d'un coup monté, et j'imagine que mes chances d'avoir droit à un jugement équitable sont quasi nulles. Je risque la déportation, ou pire. Mais je ne veux pas mourir sans profession, sans patrie, sans citoyenneté, en hors-la-loi calomnié. Je ne veux pas être rebaptisé Israël, je veux juste porter le nom que m'ont donné mes chers parents. Dans ce pays, même le plus grand meurtrier peut conserver son nom, mais pas un juif apparemment. Je suis tellement las de la vie en Allemagne, j'ai enduré tellement de choses que je n'arrive plus à me dissuader d'accomplir ce geste. Je serai la quatrième personne de la famille qui se suicide, en autant d'années. Mais je ne me sentirai véritablement en sécurité qu'une fois mort.

Karl Wasserstein, docteur en médecine,
Munich, mars 1939

Quand elle eut fini de lire, Gerdy Troost baissa la tête, comme si elle ne pouvait supporter de croiser mon regard bleu et froid. Je la laissai me prendre la main, et c'était très bien. N'ayant ni verre ni cigarette à tenir, je ne m'en servais pas. Elle avait une poigne étonnante. Je gardai le silence. Après une lettre pareille, que dire, sinon que les nazis étaient des ordures, et pour des raisons évidentes je n'avais pas envie de le dire. J'avais encore besoin de son aide. C'était une femme intelligente, beaucoup plus que moi, et sans doute savait-elle ce que je pensais. Il était temps pour Gunther d'arrêter son baratin et de laisser, peut-être, le silence se transformer en or. Néanmoins, je fis tourner la chevalière autour de son doigt, comme si je resserrais un boulon, pour essayer de lui rappeler qu'elle faisait partie d'une tyrannie féroce qui poussait les juifs allemands au suicide, et menaçait certainement la paix fragile en Europe.

Ce fut Gerdy qui brisa le silence.

« Que voulez-vous savoir ? » demanda-t-elle en pleurant.

51

Avril 1939

Après un dîner léger, Gerdy Troost examina le livre de comptes que j'avais découvert dans le coffre de Karl Flex. Certes, elle ne ressemblait pas à Mary Astor, mais elle était plus jolie que je ne l'avais laissé entendre à Friedrich Korsch. Un peu trop maigre à mon goût, mais bien proportionnée et élégante, avec ces bonnes manières que l'on s'attendait à trouver chez une femme cultivée de Stuttgart. Le genre de ville où les gens vous disent bonjour quand vous entrez dans un bar, contrairement à Berlin où ils s'efforcent de vous ignorer. Sa bouche n'était qu'un trait, du moins jusqu'à ce qu'elle sourie, dévoilant alors une dentition irrégulière, mais très blanche, qui me rappelait les dents d'un timbre. Très concentrée, elle tournait lentement les pages du livre de comptes, en sirotant du vin de Moselle. Au bout d'un moment, elle dit :

« Beaucoup de noms dans ce registre sont ceux d'employés de l'Administration de l'Obersalzberg, de Polensky & Zöllner et de Sager & Woerner. Et je me dis que vous feriez mieux d'interroger l'ingénieur August Michahelles. Ou bien le Pr Fich.

– Il est à Munich.

– Ludwig Gross, alors ? Otto Staub ? Bruno Schenk ? Hans Haupner ? Je suis sûre qu'ils pourront vous renseigner. Ils ont des dossiers sur presque tout.

– Jusqu'à présent, aucun de ces fonctionnaires ne s'est montré très utile. Selon moi, ils ont reçu ordre de ne pas parler de ce qui se passe ici. Et je suis obligé d'en conclure qu'ils éprouvent certaines réticences à aider la police, comme vous précédemment. Mais cela n'a rien de surprenant. La loi et la justice ne signifient plus grand-chose de nos jours. J'ai dû me montrer assez brutal avec l'administrateur principal Bruno Schenk, et astiquer mon insigne avec son nez avant qu'il consente seulement à me prêter attention.

– Néanmoins, c'est là que vous trouverez vos réponses, je pense. Au siège de l'Administration de l'Obersalzberg, à Berchtesgaden. Mais Schenk n'est pas l'homme qu'il vous faut. Chaque fois que je me rends sur place, il est absent. Et quand il est là, il a la tête dans les nuages. Adressez-vous plutôt à quelqu'un comme Staub ou Haupner, quelqu'un qui passe son temps dans les bureaux et qui a accès aux dossiers du personnel.

– Vous allez souvent là-bas ?

– Plusieurs fois par semaine. Grâce au Führer, j'ai mon propre bureau, où je travaille sur mes projets. Albert Speer, lui, possède un véritable atelier d'architecte près de sa maison. Il ne crée jamais rien d'intéressant, mais à force de lécher les bottes du Führer, il l'a convaincu qu'il avait du talent. En réalité, il se contente de recopier un style très simple, très germanique, perfectionné par feu mon mari, Paul. Hitler m'a proposé une maison et un atelier, mais je n'ai besoin que d'un bureau et d'une chaise pour dessiner, alors j'ai refusé.

– C'est vous qui avez inventé toutes ces médailles et ces décorations importantes.

– Exact. Parfois, je travaille là-bas le soir, quand il n'y a personne et que je peux me concentrer. On me demande aussi mon avis sur toutes sortes de problèmes liés à des constructions. »

Elle commençait à prendre un air suffisant, mais ce n'était pas étonnant vu l'endroit où nous nous trouvions. Sur l'Obersalzberg, même les chiens semblaient avoir des visées dynastiques.

« Le Pr Bleeker m'a soumis presque toutes ses idées pour la maison de thé. Et je passe mon temps au téléphone avec Fritz Todt. Le directeur du Bureau central de l'ingénierie, vous le savez. »

Je l'ignorais, mais là encore cela n'avait rien d'étonnant : les nazis distribuaient généreusement des postes à leurs amis et il était difficile de se tenir au courant de l'évolution du népotisme du NSDAP.

« Je me ferai un plaisir de vous y conduire demain matin, si vous le souhaitez.

– Je n'ai vraiment pas besoin que d'autres bureaucrates fassent front commun contre moi. Une cohorte de SA se tenant par les coudes n'aurait pas formé un cordon plus solide pour m'empêcher d'enquêter. De plus, je vois mieux la nuit. Si vous m'y conduisiez maintenant ? »

Gerdy Troost regarda sa montre.

« Je ne suis pas sûre que l'ingénieur en chef approuverait votre présence. En outre, il y a sur les tables à dessin de la salle de réunion des plans peut-être confidentiels. Il faudrait donc que je demande la permission au Dr Michahelles avant de vous emmener là-bas.

– Franchement, j'aimerais mieux que vous vous en absteniez. Tant que je ne sais pas réellement ce que je cherche.

– Je ne trouve pas ça bien. J'hésite.»

Je la laissai hésiter quelques instants, avant de sortir le dernier impératif catégorique que j'avais en réserve. Cela faisait longtemps que je n'avais pas lu Kant, mais je savais encore utiliser certaines de ses approches. Comme n'importe quel flic.

«Oui, évidemment. Mais au cas où vous auriez oublié, vous trouverez sans doute une motivation sur la deuxième page de l'ordonnance du Dr Wasserstein pour être un bon Allemand.

– Une ordonnance? Je croyais que c'était un mot d'adieu.

– Cela revient au même. Et vous savez qu'en m'aidant, vous faites ce qui est bien, alors pourquoi discuter?

– Qu'espérez-vous découvrir?

– Me croirez-vous si je vous réponds que je ne le saurai avec certitude que lorsque je l'aurai découvert? Rassembler des preuves, c'est comme chercher des truffes. Le cochon doit renifler au ras du sol pendant un bon moment avant de déterrer quelque chose d'intéressant. Et même alors, il n'est pas facile de différencier un champignon d'un morceau de merde.

– J'ai compris le message. Mais vous ne vous comportez pas comme un cochon. Croyez-moi, je le saurais. Martin Bormann est le plus gros porc de la porcherie. Vous ressemblez plus à un chien de chasse, je trouve. Un braque de Weimar. Un fantôme gris de Weimar. Oui, c'est tout à fait vous.

– Un fantôme, en effet. J'ai mal aux pieds, depuis que je suis arrivé ici mon cœur est comme un poing serré, et quand j'aurai terminé cette enquête, je crois que j'aurai les cheveux gris. Alors, vous voulez bien m'emmener là-bas? Au siège de l'Administration de l'Obersalzberg?

« – Soit. Seulement, ça vous ennuie si on prend ma voiture ? J'aime conduire, mais je préfère m'abstenir quand Hitler est au Berghof. Il n'aime pas voir une femme au volant. D'ailleurs, je pense qu'il n'aime pas voir une femme faire quoi que ce soit, à part des enfants, et cuire l'escalope panée de son fridolin. Il dit souvent qu'une femme qui conduit risque sa vie.

– Et si vous fumez en conduisant, je suppose que ça double le risque.

– Probablement. »

Gerdy Troost téléphona à l'officier de garde au Berghof et lui demanda d'amener sa voiture devant la porte. Quelques minutes plus tard, nous étions assis dans une jolie Wanderer bleue et nous descendions la montagne à une vitesse qui me fit penser que Hitler n'avait pas tort au sujet des femmes au volant. Quand nous atteignîmes Berchtesgaden, je le considérais comme un individu plein de bon sens qui tenait à la vie. Le chien, Harras, sembla en revanche apprécier la virée. Assis derrière nous avec un grand sourire idiot, il donnait des coups de patte dans le vide.

Le siège de l'Administration de l'Obersalzberg se trouvait à dix minutes du centre, à Berchtesgaden-Strub précisément, dans Gebirgsjägerstrasse, juste après l'auberge de jeunesse Adolf Hitler et la caserne locale qui, m'apprit Gerdy Troost, abritait tout un régiment d'infanterie, au cas où le RSD en poste sur l'Obersalzberg ne suffirait pas à assurer la protection de Hitler. Le siège faisait partie d'un ensemble de bâtiments neufs impressionnants, que dominait un gigantesque lion de pierre éclairé par des projecteurs. Ça changeait de l'aigle. Même si le lion semblait faire une chose honteuse à un fleuron en forme de boule, à l'image de ce que les nazis étaient en train de faire à l'Allemagne. Gerdy Troost s'arrêta devant l'entrée dans un crissement de pneus et descendit de la Wanderer. Aucune lumière ne brillait dans le bâtiment.

« Parfait, dit-elle. Il n'y a personne.»

Elle ouvrit la porte à l'aide d'une grosse clé noire, alluma une lumière, se débarrassa de son étole et me fit entrer dans un décor de murs blancs, de chêne blond, de sols en pierre grise et de serrures en cuivre étincelantes. Tout sentait le bois récemment poncé et les tapis neufs. Les téléphones eux-mêmes étaient des Siemens dernier modèle à cadran rotatif. Les murs accueillaient de nombreux plans et dessins encadrés, des photos de Hitler, des portraits d'Allemands depuis longtemps oubliés et, sur le plus grand, une gigantesque reproduction de l'*Homme de Vitruve* de Vinci, une œuvre adorée par les fascistes du monde entier car elle représentait la fusion de l'art, de la science et des proportions, même si, à mes yeux, elle évoquait plutôt un policier nu essayant de réguler la circulation sur la Potsdamer Platz. Sous un plafond à caissons, d'immenses fenêtres veillaient à diffuser suffisamment de lumière dans la journée, et des exemplaires d'*Architectural Digest* étaient disposés un peu partout dans la partie ouverte au public. Le chien s'élança et disparut à l'étage, sans doute pour s'entraîner à saluer. Gerdy me montra son bureau et le projet qui se trouvait sur sa table à dessin, mais je m'intéressais moins à son travail qu'aux meubles de classement gris rassemblés dans une grande pièce au rez-de-chaussée, et plus particulièrement à ceux qui renfermaient les dossiers du personnel. J'essayais d'ouvrir un des tiroirs : verrouillé. Ce n'était toutefois pas ce qui allait m'arrêter maintenant.

« Je n'ai pas les clés, hélas, dit *Frau* Troost. Il va falloir attendre demain matin pour voir ça avec Hans Haupner.»

Je répondis par un grognement, mais le couteau Boker était déjà dans ma main. Ainsi que ce fin morceau de métal, incurvé comme une spatule, que j'avais trouvé par terre, à l'endroit où avait stationné la voiture de Hermann Kaspel, à Buchenhohe. Il ferait un excellent pied-de-biche miniature. Muni de ces deux outils, je m'attaquai à la serrure du tiroir.

« Vous ne pouvez pas faire ça », dit *Frau* Troost d'une voix tremblante, au moment même où je parvenais à forcer la serrure. Ma technique ne pouvait pas rivaliser avec celle des frères Krauss, mais ce n'était quand même pas mal.

« Trop tard, on dirait, répondis-je en ouvrant le tiroir.

– C'est pour ça que vous vouliez venir ici. Pour fouiller dans ces classeurs. »

Je déposai mes ustensiles sur le dessus du meuble. Elle les prit pour les examiner pendant que je faisais défiler les dossiers.

« Vous vous promenez toujours avec des instruments de cambrioleur ?

– Écoutez. Lorsque Roger Ackroyd se fait assassiner, quelqu'un est censé enquêter. Même si Ackroyd était une ordure, il faut que quelqu'un intervienne. Dans une société civilisée, c'est une des meilleures façons de savoir que vous êtes vivant. Ça l'était du moins. Hercule Poirot doit faire en sorte que le meurtrier de Roger Ackroyd soit puni. Eh bien, pour l'instant, Hercule Poirot c'est moi, jusqu'à ce que quelqu'un dise le contraire. Des gens me mentent, des gens tentent de me tuer, des gens me frappent au visage, des gens me disent que je ne devrais pas poser de questions sur des choses qui ne me regardent pas, et malgré cela, ma mâchoire brisée et moi, nous devons contourner tous ces obstacles, autant que faire se peut. Parfois, cela nécessite une arme et un chapeau, parfois un couteau et un bout de métal. Je n'ai jamais été du genre loupe et pipe en bruyère. Chaque jour, je m'attends à ce que la police criminelle classe l'affaire, à ce que je sois licencié et à ce que le général Heydrich, mon patron, me dise : "Hé, Gunther, arrêtez de vous emmerder avec tout ça. Peu importe de savoir qui a tué Roger Ackroyd puisque c'est nous. Et on aimerait mieux que nos compatriotes ne le sachent pas, si ça ne vous ennuie pas." Et ce sera très bien ainsi, car de cette façon je saurai que je ne vis plus dans une société civilisée. Tout ça n'aura plus d'importance. Nous vivrons dans un monde barbare où plus rien n'a d'importance. Je pourrai rentrer chez moi, m'occuper de mes jardinières et mener l'existence tranquille et respectable dont j'ai toujours rêvé. Si je vous parais cynique et amer, c'est parce que je le suis. Essayer d'être un flic honnête en Allemagne, c'est comme jouer au croquet dans le désert.

– Joli discours. J'ai l'impression que vous l'avez déjà récité.

– Seulement devant le miroir de ma salle de bains. C'est le seul public en qui j'ai confiance. »

Gerdy Troost reposa le couteau, mais pas la spatule en métal ; elle la soupesait dans sa paume comme si elle aimait cette sensation, avec un petit sourire en coin.

« Mais j'en déduis que vous vous sous-estimez, Gunther. Je ne pense pas que vous puissiez être aussi respectable que vous aimeriez le faire croire. Aucune personne véritablement respectable ne garderait ça dans sa poche.

– Dois-je comprendre que vous savez ce que c'est ?

– Oui. N'importe quelle femme le saurait. Et n'importe quel médecin également. Mais même eux ne le rangeraient pas à côté de leur stylo à plume préféré ou du vieil étui à cigarettes de grand-père.

– C'est un instrument médical ?

– Sincèrement, vous ne savez pas ?

– J'évite les médecins le plus possible. » Je souris. « Et je ne connais rien aux femmes.

– Ce n'est pas un vulgaire morceau de métal. C'est un dilatateur. Utilisé pour écarter les parties intimes d'une femme lors d'un examen médical.

– Et moi qui croyais qu'il suffisait d'un pouce et d'un index. Je ne voudrais pas avoir l'air trop excité, mais il est rare que mes poches contiennent des choses aussi fascinantes.

– Permettez-moi d'en douter.

– Utilisé par qui ? Quel genre de médecins ? »

Je connaissais la réponse, mais je voulais l'entendre confirmée par la bouche de quelqu'un d'autre. Je pensais déjà à l'existence antérieure du Dr Karl Brandt qui stérilisait les femmes jugées racialement ou intellectuellement inférieures, sans parler de son travail plus récent : mettre fin aux grossesses de ces pauvres filles de la Caserne P, quand il ne s'occupait pas de la santé du Führer.

« Un gynécologue. Un obstétricien.

– Et où range-t-il cet instrument généralement ?

– Ça fait longtemps que je… Dans une pochette ou une trousse, je suppose, avec d'autres instruments médicaux. En tout cas, j'espère dans un endroit plus propre que votre poche.

– Cette trousse pourrait-elle contenir un objet tranchant ? Un scalpel par exemple ?

– Très certainement. »

Je me souvenais vaguement d'avoir vu ce genre de trousse sur le bureau de Brandt dans son cabinet de consultation improvisé, au théâtre d'Antenberg. Et maintenant, j'imaginais facilement la scène : Brandt s'était faufilé sous la voiture de Hermann Kaspel, il avait sorti sa trousse d'instruments et utilisé un scalpel pour sectionner la durite (ce même scalpel avec lequel il avait ouvert le corps de Karl Flex), et le dilatateur était tombé sans qu'il s'en aperçoive à cause de l'obscurité. Sans doute n'avait-il remarqué sa disparition que plus tard, longtemps après que je l'avais découvert dans une flaque de liquide de frein devant la maison de Kaspel. Évidemment, c'était bien beau de savoir cela, mais accuser de meurtre un médecin SS, dont Hitler avait été l'invité d'honneur à son mariage, c'était une autre paire de manches. Cela n'arriverait jamais, et mon joli discours sur le meurtre de Roger Ackroyd paraissait encore plus vide qu'un peu plus tôt. Ils m'auraient certainement abattu bien avant de laisser Karl Brandt marcher jusqu'à la guillotine[1]. Voilà pourquoi je gardai pour moi ma nouvelle découverte ; je n'avais aucune envie que Gerdy Troost évoque ce sujet autour d'une tasse de thé au Berghof.

« Plus sérieusement, demanda *Frau* Troost, où avez-vous trouvé cet instrument ?

– Par terre, dans une salle de l'hôpital où nous avons fait autopsier le corps de Karl Flex.

– Vous en êtes sûr ?

– Évidemment que j'en suis sûr.» Je regardai autour de nous. « On a le droit de fumer ici ? Mes réponses paraissent toujours plus convaincantes quand j'ai une cigarette dans la bouche.»

Gerdy Troost sortit son paquet, en glissa une entre mes lèvres avant d'en faire autant. C'étaient de bonnes cigarettes, remplies du meilleur tabac turc, celles que les nazis gardaient pour eux. Quand Hitler n'était pas là pour humer l'air des couloirs et guetter les traces de nicotine sur leurs ongles. Il aurait peut-être fait un bon inspecteur. Il savait flairer les gens qui enfreignaient les règles.

1. Trois ans plus tard, en mai 1942, j'aurais devant les yeux un rapport médical confidentiel évoquant la possibilité que, sur ordre de Himmler, Brandt ait empoisonné Heydrich qui se remettait des blessures infligées par des partisans tchèques lors d'un combat. *(Note de l'auteur.)*

C'était un connaisseur en la matière. Je la laissai allumer ma cigarette. Et je m'aperçus que j'aimais bien cette idée : j'avais l'impression que nous étions deux conspirateurs, deux enfants à problèmes enfermés à l'intérieur du sanatorium morbide de Hitler, des rebelles cherchant un remède à l'atmosphère pure et étouffante de la montagne magique.

« Vous m'inquiétez, Gunther. Et je me dis que je vais regretter de vous avoir aidé.

– C'est vous qui m'avez mis cette cigarette dans la bouche, madame. Le Führer ne serait pas content de savoir que vous me corrompez de cette façon. À l'école, je chantais dans la chorale. J'avais une jolie voix.

– Mais c'est vous qui forcez des classeurs à tiroirs contenant des documents confidentiels avec un dilatateur vaginal.

– J'adore la façon dont vous dites "classeurs à tiroirs". Au fait…» Je lui tendis le livre de comptes. « Donnez-moi quelques noms, s'il vous plaît. On a du travail.»

52

Avril 1939

Dans une civilisation gouvernée par la cruauté et l'obéissance aveugle, l'ignorance et l'intolérance, l'intelligence brille comme le phare de Lindau et projette sa lumière sur des kilomètres à la ronde. Le célèbre phare de Lindau, situé sur la rive nord-est du lac de Constance, a ceci d'inhabituel qu'il possède une énorme horloge, visible de la ville. Il en allait de même de Gerdy Troost. Non seulement elle était extrêmement brillante, mais elle était aussi perspicace et instructive, et je pense sincèrement que je n'aurais pas progressé dans mon enquête sans son aide. On comprenait aisément pour quelle raison Adolf Hitler avait fait de cette femme au visage d'elfe un professeur et la gardait près de lui au Berghof ; ce n'était pas uniquement à cause de ses idées en matière d'architecture. Même si elle était célèbre pour avoir supervisé la construction des nouveaux bâtiments voulus par le Führer sur la Königsplatz à Munich. Gerdy Troost était d'une intelligence féroce et d'après ce qu'elle m'avait dit, j'en déduisais qu'elle était la seule à oser lui asséner quelques vérités dérangeantes. Quand les individus les plus malfaisants et les plus menteurs sont au pouvoir, la vérité devient le bien le plus précieux. À cet égard, je me retrouvais en Gerdy Troost. Mais difficile de dire lequel de nous deux resterait en vie le plus longtemps dans l'Allemagne nazie. La vérité finit presque toujours par devenir indésirable.

Après avoir lu à voix haute une cinquantaine de noms inscrits dans le registre de Karl Flex, nous avions découvert qu'aucun ne correspondait au moindre dossier d'employé de Polensky & Zöllner ou de Sager & Woerner se trouvant dans les classeurs de l'Administration de l'Obersalzberg. Les noms du registre figuraient à la file sur une liste unique de tous les employés de cette administration, qui en comptait plus de quatre mille, mais nulle part ailleurs. Pour aucun des noms de la liste de Flex auxquels était accolée la lettre *B* nous n'avions trouvé un dossier individuel correspondant qui renvoie à un registre d'embauche, une carte d'identité, un livret de travail, un numéro d'affiliation à une guilde d'artisans, un document personnel du NSDAP, un livret de famille, un arbre généalogique prouvant l'appartenance à la race aryenne, des feuilles de paye, autant de références chères à la mentalité bureaucratique des nazis.

Alors que je refermais un tiroir pour en ouvrir un autre, Gerdy Troost dit :

« J'ai une question. Une question fondamentale.

– Je vous écoute.

– Vous semblez convaincu que ce livre de comptes renferme des preuves flagrantes de malversations. Mais pourquoi quelqu'un noterait-il noir sur blanc des éléments qui peuvent le conduire en prison ? Ou pire ? La logique voudrait qu'il garde le secret.

– Bonne question. Tout d'abord, Bormann ne fait confiance à personne. Et certainement pas aux individus qu'il utilise pour faire son boulot : Flex, Schenk et Zander. Ce sont des criminels. J'en suis convaincu. Mais également des bureaucrates. Pour ces gens-là, la paperasserie est une seconde nature. Un peu comme si le fait de tenir des comptes détaillés atténuait l'aspect criminel de leurs activités. Ils peuvent même se persuader qu'ils se contentent d'obéir aux ordres. Et puis, n'oubliez pas que ce registre *était* secret. J'ai dû forcer un coffre-fort caché pour le trouver.

– Oui, peut-être. Mais il n'y a rien dans ces dossiers qui confirme l'existence de malversations. Alors, soit Karl Flex n'avait rien à se reprocher au départ, soit les administrateurs de l'Obersalzberg sont tout bonnement incompétents.

– Vous ont-ils donné l'impression d'être incompétents ? Négligents ?

– Nullement. Au contraire, ils sont plutôt du genre pointilleux. L'autre jour, je suis tombée par hasard sur les dépenses liées à l'aménagement de la maison de thé. Tout était noté. Je dis bien tout. Les nappes de chez Deisz, les transats de chez Julius Mosler et les tapis de la Manufacture de la Savonnerie.

– Simple curiosité, combien coûte un seul de ces tapis ? J'envisage de refaire la décoration de mon appartement à Berlin.

– Quarante-huit mille reichsmarks.

– Pour un tapis ? C'est plus cher que tout mon immeuble. »

Gerdy Troost parut gênée.

« Le Führer aime les choses de qualité.

– Sans blague. À ce sujet, même si ça ne me regarde pas, je ne suis qu'un contribuable, combien a coûté en tout ce projet d'une importance vitale ?

– Je n'ai pas le droit de vous répondre. C'est un sujet très sensible.

– Comme toutes les maisons de thé.

493

– Celle-ci en tout cas.

– Oh, allons. À qui pourrais-je le répéter ? Aux journaux ? Au Comité international du thé ? À l'empereur du Japon ? Faites-moi plaisir. »

J'ouvris un autre tiroir à la recherche d'un dossier au nom d'une des personnes figurant sur la liste de Flex, mais toujours en vain. Gerdy Troost poussa un soupir et croisa les bras dans une posture défensive.

« Soit. Ce sont des montants inimaginables, je dois le reconnaître. Mais tout devait être prêt à temps pour les cinquante ans du Führer. Ainsi, je pense que la facture de Polensky & Zöllner avoisine les quinze millions. Celle de Sager, moitié moins sans doute. En fait, la maison de thé sur la Kehlstein a coûté au minimum trente millions de reichsmarks. »

J'émis un sifflement. « Ce n'est pas donné pour une tasse de thé et une jolie vue. Acheter Ceylan aurait coûté moins cher. Ça amène à se demander combien a coûté le Berghof. Sans parler des autres maisons, ici, à Asgard. Ni des routes et des tunnels, de la gare, du Platterhof, de la Chancellerie du Reich, du théâtre, de l'auberge de jeunesse et du Landerwald. » Je ne pus retenir un autre sifflement. Une telle somme – trente millions de reichsmarks –, ça vaut un paquet de sifflements. « À votre avis, combien Bormann perçoit-il en dessous-de-table ?

– Ce n'est qu'une supposition, mais je dirais au moins dix pour cent. Cependant vous ne pourrez jamais le prouver.

– Et Hitler ? Est-ce qu'il se sert au passage lui aussi ? Ou bien est-ce que Bormann entretient le Führer avec sa part ?

– Hitler ne s'intéresse pas à l'argent. C'est une des choses qui le différencient des autres.

– Écoutez, *Frau* Troost, je ne voudrais pas avoir l'air pingre au sujet du confort et de la détente du Führer, mais tout cela ne vous paraît-il pas un peu fou ?

– Il n'y a pas à dire, Hitler n'est pas un homme ordinaire.

– C'est évident. Un homme qui possède un tapis de cinquante mille reichsmarks n'est pas un homme ordinaire. Mais c'est la seule chose évidente pour l'instant. Avec le fait que Flex réclamait de l'argent à des individus figurant dans son livre de comptes en tant qu'employés chez P&Z ou Sager, mais qui semblent n'avoir jamais travaillé pour aucune de ces deux entreprises. Le problème, c'est que lorsqu'une personne exerce un travail qui n'existe pas, c'est une escroquerie seulement si elle est payée pour ce travail. Or, d'après ces dossiers, ces gens ne sont pas payés. Ça m'embête de l'avouer, mais à première vue, vous avez raison. Ce registre ne contient aucune preuve de malversations. Visiblement, quelque chose nous échappe. Mais je ne sais pas quoi.

– Faisons une pause, suggéra Gerdy Troost. Je suis fatiguée. Je n'ai pas votre énergie. Je suis architecte, pas flic. Il vous faudrait un comptable. »

Je la suivis dans la cuisine. Elle versa du café et de l'eau dans une cafetière, qu'elle posa sur la grosse gazinière. Au mur était accrochée une reproduction d'un de ces horribles portraits composés de légumes et de fruits, où les pommes et les raisins ressemblent à de grotesques éruptions cutanées. Celui-ci me faisait croire que j'avais une courge en guise de tête et une tomate à la place du cerveau. Mais ce n'était pas plus ridicule que d'avoir la mâchoire maintenue par une cravate. J'aurais pu poser pour cet artiste.

« Vous espérez que j'ai tort, dis-je. Je comprends.

– Êtes-vous absolument convaincu de l'innocence de Johann Brandner ?

– Je vous donne ma parole. Quand Karl Flex a été tué, Brandner se trouvait à trois cents kilomètres de là, dans un hôpital de Nuremberg. Il souffre de malnutrition après six mois passés à Dachau. Grâce à Martin Bormann. Il protestait contre la vente forcée de son commerce.

– Je me souviens de lui, dit-elle tristement. Quand je suis venue ici pour la première fois, j'ai essayé de faire vivre les commerces locaux en leur donnant du travail. Brandner a réalisé des tirages pour moi. Des photos que mon mari avait prises et qui n'avaient jamais été développées. Je n'ai pas eu l'impression de me trouver face à un homme capable de commettre un meurtre.

– Je pense qu'il n'est plus capable de quoi que ce soit maintenant que le RSD s'est occupé de lui. Ils l'ont obligé à signer des aveux.

– Qui ?

– Rattenhuber. Högl.

– Évidemment. » Gerdy Troost fronça les sourcils. « Écoutez... Il y a une chose qui pourrait peut-être vous intéresser. Je ne sais pas.

– Quoi donc ?

– Une chose que Wilhelm Brückner m'a dite un jour. Il était un peu en colère... à cause d'une décision prise par Martin Bormann quelque temps auparavant. Ça vient juste de me revenir.

– Laquelle ?

– Brückner est le genre d'homme qui croit en l'armée. Servir dans l'armée, puis dans les Freikorps est ce qui lui est arrivé de mieux jusqu'à ce qu'il rencontre Hitler. N'oubliez pas que, pendant la guerre, il s'est distingué dans l'armée bavaroise.

– Et ?

– Il y a un an environ, Brückner a entendu dire que tout travail pour l'Administration de l'Obersalzberg devait être considéré comme une "activité réservée". Une idée de Bormann pour que les travaux avancent aussi vite que possible. C'est ce qu'il appelle donner la priorité au Führer. Autrement dit, si vous travaillez pour P&Z, Sager, Danneberg ou une autre de ces entreprises de construction, vous êtes aussi important qu'un mineur ou un ouvrier qui fabrique des avions, et vous n'êtes pas obligé de servir dans l'armée. Tant que vous êtes employé par l'AO, bien sûr. Brückner trouvait cela scandaleux et antipatriotique. Le devoir de chaque Allemand était de servir son pays dans l'armée, non pas avec une pioche et une pelle.

– Allez dire ça au Front allemand du travail.

– Évidemment, il ne s'est jamais plaint auprès de Martin Bormann. Ni auprès de Hitler, d'ailleurs. Impossible. Wilhelm a beau être général SS et aide de camp au Berghof, il n'a pas assez de choux-fleurs sur son revers pour affronter Bormann. De plus, depuis son accident de voiture et sa liaison avec Sophie Stork, ce pauvre Wilhelm n'est plus en odeur de sainteté. Bormann cherche un prétexte pour convaincre Hitler de se débarrasser de lui. Pas question de se mettre Sa Seigneurie à dos. À ce sujet, Gunther, si jamais votre enquête porte ses fruits, soyez gentil de laisser mon nom en dehors de tout cela, d'accord ? Si Hitler découvre que j'ai joué un rôle dans la chute de son fidèle serviteur, je me retrouverai dans le premier train pour Munich.

– Ne vous inquiétez pas pour ça. Mon enquête est au point mort. J'ai l'impression d'être le Fritz le plus idiot du régiment. À l'armée, c'était toujours l'aumônier. Dans les tranchées, lui seul était assez stupide pour croire en Dieu. Aujourd'hui, il ferait partie de ceux qui croient qu'il n'y aura pas la guerre. Parfois, je me demande ce qu'il va advenir de tous ces jeunes gens naïfs qui enfilent un uniforme avec un si grand empressement. Je crains qu'ils n'aient un sacré choc. J'ai fait ma part, mais c'était différent en ce temps-là. En 1914, je pense que les Allemands n'étaient pas pires que les Tommies ou les Franzis. Cette fois, s'il devait y avoir une nouvelle guerre, on saurait à coup sûr qui l'a provoquée.

– Vous n'êtes peut-être pas aussi idiot que vous en avez l'air, dit-elle en tirant malicieusement sur la cravate sous mon menton.

– Peut-être. Mais je me sens beaucoup plus idiot que je ne l'aurais cru. J'étais certain d'obtenir des réponses. Je commence à me dire que ce pauvre Johann Brandner est condamné.

– Vous ne pouvez pas laisser faire ça, Bernie.

– Je fais de mon mieux, mais je ne comprends toujours pas comment Bormann peut racketter des gens en prélevant une part sur un salaire qu'ils ne touchent pas.

– Peut-être que le salaire n'est pas tout.

– C'est ce que je me dis chaque mois quand je reçois ma paye du ministère de l'Intérieur, mais personne ne paierait pour ne rien avoir. Même à des nazis.

– Peut-être que si. Si ça leur rapporte autre chose que de l'argent.

– Par exemple ? Une tasse de thé avec Hitler une fois par an ?

– Écoutez, Gunther, ça peut paraître insensé…

– Ici, à Berchtesgaden ? Rien ne peut paraître insensé dans un endroit où on dépense trente millions pour une vilaine maison de thé. Nietzsche et le roi fou Louis II se sentiraient chez eux dans cette ville.

– Vous ne pensez pas que Karl Flex aurait pu essayer de tirer parti de ce statut d'activité réservée accordé aux employés de l'Administration de l'Obersalzberg ? Sur ordre de Bormann peut-être ? En offrant aux jeunes gens et à leurs parents un moyen d'échapper au service militaire, contre de l'argent ? Le *B* à côté de tous ces noms pourrait signifier *befreit* ? Exempté ?»

Je réfléchis un instant, le temps de fumer une cigarette, pendant que le café passait. Monter une telle opération, c'était flirter avec le désastre. Car Wilhelm Brückner n'était pas le seul pour qui l'armée était une institution sacrée. Pour Hitler aussi. Il ne cessait de le répéter : l'armée allemande avait façonné sa vie et son destin.

« Possible, dis-je. Mais Bormann courrait un sacré risque, non ? Si Hitler découvrait le pot aux roses.»

Gerdy Troost secoua la tête. «Hitler n'est pas le seigneur de l'Obersalzberg, le seigneur, c'est Martin Bormann. Bormann est Richelieu, et Hitler Louis XIII. Le Führer ne se soucie absolument pas des détails. Il se fait un plaisir de laisser ça à son secrétaire. Les problèmes de gestion l'ennuient. Et Bormann en profite. Cet homme a le génie de l'administration et Hitler s'en réjouit. Par conséquent, Bormann pourrait se sentir suffisamment puissant sur la montagne de Hitler pour monter une telle combine, surtout en agissant à distance.

– Et au cas où Hitler protesterait, il rejetterait la faute sur Flex et les autres intermédiaires.» Plus je réfléchissais à l'idée de Gerdy Troost, plus je m'apercevais que ce n'était pas seulement possible, c'était probable. «Oui, ça pourrait fonctionner. Très bien, même.

– Vous croyez ?

– C'est ce que j'appelle un véritable racket. Voyons les choses en face : seuls les nazis les plus fanatiques veulent aller se battre en Pologne. Alors que l'Union soviétique et la France sont susceptibles de se ranger du côté des Polonais. Ce qui nous ramènerait en 1914. Une guerre sur deux fronts. Si vous voulez éviter de mourir, évitez l'armée. Pas besoin de s'appeler Leibniz pour comprendre ce genre d'équation. »

Je bus une gorgée de café et hochai la tête. Cette histoire de racket me sautait aux yeux à présent. Qui n'était pas disposé à payer pour éviter à son fils aîné ou à un neveu bien-aimé de faire son service militaire ?

J'adressai un grand sourire à *Frau* Troost.

« Quelle intelligence. Je crois que vous avez mis le doigt dessus, professeur. Il y a des centaines de noms sur la liste de Karl Flex. Et pas seulement ici, à Berchtesgaden, mais dans toutes les villes jusqu'à Munich. Cette combine s'étend dans toute la Bavière.

– Il y a presque mille cinq cents noms, dit Gerdy Troost. Je les ai comptés.

– Compte tenu de la forte probabilité qu'un conflit éclate en Europe cette année, ce racket peut rapporter énormément d'argent. D'après ce livre de comptes, chaque personne verse presque cent reichsmarks par an. Ce qui fait cent cinquante mille reichsmarks. Qui se retrouvent sur les comptes de Martin Bormann et de ses collecteurs.

– Mais à quoi bon quand on peut se faire payer un tapis de la Savonnerie par le gouvernement ?

– Parce que le bon filon risque de se tarir à tout moment. Le seigneur de l'Obersalzberg lui-même doit prévoir les jours de vaches maigres. En mettant de l'argent de côté en cas d'exil forcé. Et à en juger par ces chiffres, la combine est bonne.

– Si tout cela est vrai, vous devriez aller trouver Albert Bormann.

– Si c'est vrai ? C'est forcément vrai.

– Oui, sans doute.

– Il n'y a pas d'autre explication. Vous n'y croyez pas ?

– Si, si, ça semble vrai en tout cas. Toutefois... Votre raisonnement est convaincant. Mais ça ne suffit pas. Il faut des preuves. Des preuves concrètes.

– Vous avez raison. Ça fait tellement longtemps qu'on ne s'embête plus avec ce genre de chose dans la police que j'ai presque oublié comment ça fonctionne. Si je veux apporter des preuves satisfaisantes à Albert Bormann, je dois faire pression sur quelqu'un qui pourra témoigner. Une des personnes qui figurent sur la liste *B* de Flex.» Je fis glisser mon doigt sur la colonne de noms dans le registre. « Ce gars-là, par exemple. Hubert Waechter. Il habite Locksteinstrasse, ici à Berchtesgaden. Un avocat nazi du même nom habite à la même adresse. J'en déduis que le père a payé pour éviter l'armée à son fils. C'est gentil. Et répugnant. J'ai déjà eu affaire à ce type, pour une autre histoire. Malgré tout, j'aimerais bien savoir à quoi correspondent les autres listes : *P* et *Ag*. De quel racket s'agit-il cette fois ? Un des noms apparaît sur les trois listes : *B*, *P* et *Ag*. De plus, c'est un nom que j'ai déjà rencontré. Sur un mot d'adieu bidon. Quelque chose au fond de moi me dit que c'est lui qui a assassiné Flex. Je ne pense pas que la liste *P* m'offre un mobile évident. Mais peut-être que les deux autres listes m'en apporteront un. Il se peut que je fasse d'une pierre deux coups. En épinglant le meurtrier et Martin Bormann en même temps.»

Je finis mon café et me frottai les mains.

« Allons voir si on peut convaincre ce Fritz de cracher le morceau.

– Comment comptez-vous procéder ?

– Je vous l'ai dit, je vais faire pression sur lui. Bormann n'est pas le seul qui sache peser de tout son poids.

– Auquel cas vous n'avez pas besoin de moi, Gunther. Je ne pèse pas assez lourd.»

Je pris sa petite main et l'explorai un instant avant de la porter à mes lèvres. Elle rougit légèrement, mais ne la retira pas. Elle me laissa l'embrasser, comme si elle savait combien j'appréciais son aide et avais conscience de ce qu'il lui en coûtait. Peut-être n'était-elle pas celle que j'avais cru. Peut-être que les femmes ne sont jamais celles que vous croyez. C'est une des choses qui les rendent intéressantes. Quoi qu'il en soit, elle me plaisait. Je l'admirais même. Mais pas question d'aller plus loin. Au milieu de tous ces nazis, flirter avec elle, ce serait flirter avec le désastre. Comme draguer une bonne sœur à la chapelle Sixtine. En outre, Gerdy Troost était amoureuse de quelqu'un d'autre, ça sautait aux yeux. De mon côté, j'étais juste assez fou pour penser que j'avais un quart de chance de faire tomber Martin Bormann, mais pas assez pour croire que je pouvais rivaliser avec Adolf Hitler dans le cœur d'une femme pour qui il était un demi-dieu.

Elle sourit.

«Je vais vous ramener à la Villa Bechstein, où vous pourrez récupérer votre ami Korsch et votre voiture. Mais quand vous serez prêt à rencontrer Albert, venez me chercher. N'importe quand. Je serai en train de lire, probablement.»

Je l'imaginai plongée dans le livre de Hitler et cette image me fit grimacer.

«Je ne dors pas beaucoup quand je suis sur l'Obersalzberg, ajouta-t-elle. Comme tout le monde. À part Barberousse.

– Peut-être que je devrais aller lui parler à lui aussi.

– Vous pouvez essayer.

– Emmenez-le faire un tour en voiture. Ça devrait le réveiller. En fait, je serais même étonné qu'il retrouve le sommeil. »

53

Avril 1939

J'ai toujours été un grand lecteur, depuis tout petit. Mon livre préféré était *Berlin Alexanderplatz*, d'Alfred Döblin. J'en avais un exemplaire chez moi, à Berlin, enfermé dans un tiroir car c'était un livre interdit, évidemment. Les nazis avaient brûlé nombre d'ouvrages de Döblin en 1933, mais très souvent, je ressortais mon exemplaire dédicacé de son œuvre la plus célèbre pour revivre la bonne vieille époque de la république de Weimar. En vérité, je lis de tout. Absolument tout. J'ai lu tout ce qui va de Johann Wolfgang von Goethe à Karl May. Il y a quelques années, j'ai même lu le livre d'Adolf Hitler, *Mein Kampf* (Mon combat). Je l'ai trouvé pugnace, comme on pouvait s'y attendre, mais également perspicace, ne serait-ce qu'au sujet de la guerre. Je ne suis pas critique littéraire, mais à mon humble avis, il y a toujours quelque chose à tirer d'un livre, même mauvais. Par exemple, Hitler écrivait que les mots construisent des ponts dans des régions inexplorées. Il s'avère qu'un enquêteur fait la même chose, même si parfois il peut regretter de s'être aventuré dans ces régions. Hitler écrivait également que les grands menteurs sont de grands magiciens. Un bon enquêteur est aussi une sorte de magicien, capable à l'occasion de rassembler ses suspects dans une bibliothèque de manière théâtrale et de leur arracher une exclamation de surprise en faisant son numéro de magie révélatrice. Hélas, ça n'arriverait pas ici. Hitler affirmait par ailleurs que la vérité importe peu, seule la victoire compte. Je sais que beaucoup de flics pensent la même chose, or, pour moi, il n'y a pas de plus belle victoire que la vérité. Je pourrais poursuivre dans cette veine, mais cela se résumait au constat suivant : alors que Friedrich Korsch nous conduisait à l'adresse de Johann Diesbach à Kuchl, je pensais fortement à Gerdy Troost en train de lire ce foutu livre dans ses appartements au Berghof, et je ne pouvais m'empêcher de songer que depuis mon arrivée à Berchtesgaden, je ne cessais moi aussi de me battre. Certes, la plupart des enquêtes sont un combat, mais celle-ci plus que les autres car il est rare, même en Allemagne, que quelqu'un tente de vous tuer pendant que vous enquêtez. Je n'avais pas encore pris de décision au sujet du Dr Brandt, mais je refusais de laisser le meurtre de Hermann Kaspel impuni. Si je pouvais l'empêcher. Il y avait forcément quelque chose à faire. Un nouveau combat en perspective. Je confiai mes réflexions à Korsch, alors que la voiture peinait à gravir la route de montagne. Il m'écouta attentivement, puis dit :

« Vous voulez mon avis, patron ?

– Sans doute pas. Mais nous sommes amis, alors donnez-le-moi quand même.

– Vous devriez suivre un peu plus souvent vos propres conseils.

– À savoir ?

– Comment pouvez-vous espérer arrêter le médecin de Hitler pour meurtre ? Quelle importance s'ils exécutent Brandner pour le meurtre de Flex ? Quelle importance que Martin Bormann soit un escroc ? Les nazis ressemblent à tous les rois qui se sont succédé dans la Sainte Allemagne. De Charles Quint à Guillaume II. Ils sont tous persuadés que leurs meilleurs arguments sortent du canon de leurs armes. Alors, pendant qu'on peut encore ficher le camp d'ici, avant qu'une de ces armes ne vous tue, ou pire, ne *me* tue, on devrait laisser tomber.

– Je ne peux pas, Friedrich.

– Je sais. Mais il fallait que je le dise. Le problème, c'est que vous appartenez à la pire race d'inspecteurs. Vous êtes un inspecteur allemand. Non, c'est plus terrible que ça : vous êtes un inspecteur prussien. Non seulement vous avez foi en votre compétence et en votre efficacité, mais vous en faites une obsession. Vous croyez que votre dévotion à votre travail est une vertu, mais absolument pas. C'est plus fort que vous. C'est une chose qui traverse votre personnalité comme la bande noire sur le vieux drapeau prussien. Voilà votre problème, patron. Quand vous menez une enquête, vous devez le faire scrupuleusement et le mieux possible. Le réalisme et le bon sens sont impuissants face à votre détermination et à votre obstination. Et cela vous ôte toute lucidité vis-à-vis des conséquences de vos actes. En gros, vous ne savez pas à quel moment, dans votre intérêt, vous devriez vous arrêter. Voilà pourquoi Heydrich aime se servir de vous. Vous tracez votre sillon. Vous ressemblez à Max Schmeling, vous vous relevez encore et encore, même quand le combat est perdu. En ce sens, vous êtes le plus prussien de tous les Prussiens que j'ai rencontrés. Je vous admire, Bernie. Mais je ne peux pas m'empêcher de penser que vous serez toujours le propre saboteur de votre vie.

– Je ne regrette pas de vous avoir demandé votre avis. Ça fait du bien d'entendre la vérité, même si c'est une grande claque en plein visage.

– Une chance pour vous que je conduise, patron. Sinon, vous y auriez droit, *Kommissar* ou pas.

– J'ignorais que vous me connaissiez aussi bien. Et que vous étiez aussi fin philosophe.

– Je crois que je vous connais bien, oui. Mais c'est parce qu'il y a une partie de moi qui vous ressemble. Je suis prussien également, ne l'oubliez pas. Et, généralement, je devine quelle sera votre prochaine décision car je prendrais exactement la même, si j'en avais le courage.»

Kuchl était un village autrichien pittoresque situé de l'autre côté de la Kehlstein et du massif de Göll, frontière naturelle avec l'Allemagne, et, comme l'indiquait un grand panneau planté au bord de la route : SANS JUIFS DEPUIS 1938. C'était une de ces communautés catholiques bien propres et ordonnées qui évoquent un décor de conte de fées, avec des maisons aux couleurs pastel, une église imposante et une autre, plus petite, des sculptures en bois qui démontraient l'habileté des villageois à façonner des formes fantastiques, et une *Gasthof* aux encadrements de fenêtres peints, dotée d'une enseigne en fer forgé qui rappelait un gibet médiéval. Sur toutes les maisons, ou presque, on pouvait voir un drapeau ou une fresque nazis, ce qui devait déconcerter le Jésus grandeur nature cloué sur un crucifix, au centre de la place principale. Dans l'éclat froid du clair de lune, la figure peinte ressemblait moins au Christ qu'au pauvre juif Süss Oppenheimer, pendu dans le blizzard par les braves habitants de Würtenberg à la fin du film tristement célèbre de Veit Harlan. Sur la place, nous demandâmes à un jeune homme qui quittait l'auberge à vélo la direction d'Oberweissenbachstrasse et de la pension Diesbach, et il nous induisit poliment en erreur en nous envoyant dans un autre village sans juifs baptisé Luegwinkl. Ce n'est qu'après avoir demandé de nouveau notre chemin, environ une heure

507

plus tard, que nous franchîmes enfin un pont qui enjambait la rivière Salzach, pour atteindre l'extrémité d'un coteau boisé où s'élevait la pension Diesbach : un chalet de deux étages avec un balcon qui en faisait le tour et une roue à aubes en état de marche. Sous l'avant-toit était accrochée une tête de cerf, et à côté de la porte d'entrée, des bottes crottées s'alignaient sous un banc en bois, assez nombreuses pour occuper un cireur de chaussures pendant un jour ou deux. Des lumières étaient allumées au dernier étage et une forte odeur de fumée s'échappait de la cheminée.

« On est à quelques kilomètres seulement de l'Allemagne, dit Korsch, alors que nous stationnions devant la porte, et pourtant, j'ai l'impression d'avoir fait un bond en arrière de plusieurs siècles. Je me demande pourquoi. Un parfum dans l'air, peut-être ? Un léger goût de plat en gelée ?

– Moi, je me demande pourquoi ce jeune salopard nous a envoyés dans une mauvaise direction, dis-je. On était à peine à cinq minutes d'ici quand il nous a indiqué le chemin.

– À cause de votre accent ? Ou peut-être que votre tête ne lui revenait pas.

– Possible. Mais c'est plus vraisemblablement à cause de la voiture. Avec son aspect officiel. On doit ressembler à deux policiers. Qui d'autre peut débarquer ici à vingt-deux heures ?

– Ces gens sont trop respectables pour essayer de baiser la police.

– Ils sont peut-être vieux jeu, mais ils ne sont pas stupides. Ce jeune gars a eu largement le temps de venir ici sur son vélo pour prévenir Johann Diesbach de notre visite. »

Je descendis de voiture et traversai l'allée enneigée jusqu'à un rectangle sec où un véhicule, une camionnette peut-être, était encore garé peu auparavant. À quelques mètres de là, sur le sol, à côté d'une vieille Wanderer bleu ciel reposant sur des briques, j'aperçus un filtre à huile Mahle, du type de celui qui avait fait office de silencieux sur le fusil Mannlicher avec lequel on avait tué Karl Flex. Mais ce qui m'intéressait davantage, c'étaient les empreintes de pas rosées dans la neige, semblables à celles que j'avais vues devant la maison d'Udo Ambros. Je pris une des bottes rassemblées sous le banc pour en examiner la semelle crantée. Les motifs étaient identiques. De minuscules cristaux de sel rose s'y étaient incrustés.

« Une voiture était garée ici jusqu'à ce qu'il cesse de neiger, il y a une heure environ. Je suis prêt à parier ma retraite que Diesbach a filé.

– En tout cas, il y a quelqu'un à l'intérieur, dit Korsch. J'ai vu une silhouette à la fenêtre.

– Quand on sera entrés, occupez cette personne pendant que je ferai semblant d'aller pisser pour fouiner un peu.»

Je frappai à la porte et une fenêtre s'ouvrit au premier étage.

« On est fermés en hiver, dit une femme.

– On ne cherche pas de chambres.

– Vous cherchez quoi, alors ?

– Ouvrez-nous, on vous le dira.

– N'y comptez pas. De quel droit vous vous permettez de venir chez les gens à cette heure ? J'ai bien envie de vous dénoncer à la police.

– On *est* la police », rétorqua Korsch et il m'adressa un grand sourire. Il ne se lassait jamais de répéter cette phrase. « Voici le *Kommissar* Gunther et je suis son assistant Friedrich Korsch.

– Qu'est-ce que vous voulez ?

– On cherche Johann Diesbach.

509

– Il n'est pas là.

– Pouvez-vous nous ouvrir, s'il vous plaît, madame ? On a besoin de vous poser quelques questions. Au sujet de votre mari.

– Quel genre de questions ?

– "Où est-il ?", par exemple.

– Aucune idée. Il est parti ce matin et il n'est pas encore de retour.

– Dans ce cas, on va entrer pour l'attendre.

– Vous ne pouvez pas revenir demain matin ?

– Demain matin, ce ne sera pas mon collègue et moi. Ce sera la Gestapo.

– La Gestapo ? Qu'est-ce qu'elle nous veut ?

– Toujours la même chose : des réponses. Et j'espère que vous les avez, *Frau* Diesbach. Ils ne sont pas aussi patients que nous. »

La femme qui alluma la lampe du vestibule et vint nous ouvrir portait un chemisier décolleté sous un gilet de velours rouge, un tablier blanc et il y avait du monde au balcon, beaucoup de monde. Très grande, elle avait des cheveux bruns courts, des lèvres épaisses et sèches, et un long cou digne de la cousine zouloue de Néfertiti. Une femme séduisante, je suppose, dans le genre amazone, la sœur plus âgée et visiblement plus dangereuse qu'aurait eue Diane la chasseresse. Ses yeux verts nous transperçaient, mais la main qui pendait le long de sa robe de coton rouge tremblait, comme si quelque chose la terrifiait ; nous probablement. Toutefois, rien dans sa voix ne trahissait cette peur : elle s'exprimait de manière claire, avec assurance.

« Je peux voir vos papiers ? »

J'avais déjà sorti mon insigne, juste sous son opulente poitrine. C'était peut-être pour cette raison qu'elle ne le voyait pas.

« Voici.

– C'est ça ? Ce petit truc en métal ?

– C'est mon insigne, madame. Et je n'ai pas de temps à perdre. »

Je bousculai la forteresse de ses seins pour entrer.

54

Avril 1939

« Qu'est-ce qui se passe ? »

Frau Diesbach referma la porte derrière nous et essuya ses grosses mains sur son tablier blanc. Elle dépassait Friedrich Korsch de plus d'une tête.

« Vous êtes seule ?

– Oui. Toute seule. »

Nous étions dans un vestibule au sol dallé, près d'un buffet en chêne sombre. Sur le mur blanchi à la chaux, une vieille photo du très vieil empereur d'Autriche François-Joseph Ier, qui ressemblait fort à l'animal le plus rusé des bois viennois, voisinait avec celle du prince héritier Rupprecht de Bavière. Sur d'autres figurait un Johann Diesbach en uniforme, indiquant qu'il avait fait partie de la 6e armée allemande et participé à la bataille de Lorraine, un des premiers combats, dont l'issue incertaine était considérée comme partiellement responsable de l'impasse de la guerre de tranchées qui allait durer quatre ans et coûter cher en vies humaines. Il arborait sur la poitrine une Croix de fer première classe. Plusieurs fusils de chasse étaient alignés sur un râtelier, à côté d'une gravure sur bois représentant un ermite qui enguirlandait un groupe de cavaliers médiévaux coupables d'une faute quelconque : sans doute l'avaient-ils réveillé. Une forte odeur de tabac à pipe imprégnait l'atmosphère et la maîtresse de maison n'ayant pas l'air d'une adepte de la bouffarde, j'en conclus qu'un homme se trouvait là encore récemment.

« Quel est le métier de votre mari, *Frau* Diesbach ? demandai-je.

– On possède une petite mine de sel. À Berchtesgaden. On raffine nous-mêmes notre sel de table. Et on le vend à des restaurants dans toute l'Allemagne et l'Autriche.

– J'imagine qu'il faut beaucoup creuser, dit Korsch.

– Non, pas tant que ça. On l'extrait sous forme de saumure. On introduit de l'eau douce dans la montagne, et les composants non solubles de la roche tombent au sol. De nos jours, tout se fait avec des pompes et des pipelines. C'est très scientifique.

– Votre mari est à la mine ?

– Non, il est parti vendre du sel gastronomique à nos grands clients de Munich. Aussi, il risque de rentrer très tard.

– De quels clients parlez-vous ?

– Le chef du Kaiserhof. »

J'entrai dans le salon et allumai une lampe faite d'un gros bloc de cristal rose. Sur la table, à côté, plusieurs bocaux contenaient du sel de la même couleur. J'en pris un. Les cristaux étaient des versions miniatures de la lampe et identiques à ceux qui s'étaient coincés dans la semelle de la botte que j'avais examinée dehors.

« Je vous ai dit que mon mari n'était pas là, pesta *Frau* Diesbach en triturant nerveusement un morceau de peau sèche sur sa lèvre inférieure.

– C'est celui-ci, votre sel gastronomique ?

– C'est marqué sur l'étiquette.

– Votre mari est à Munich, dites-vous ?

– Oui. Et il se peut qu'il y passe la nuit. S'il a trop bu. Ça lui arrive souvent, hélas, quand il dîne avec des clients. Ce sont les risques du métier.»

Elle prit une cigarette dans une boîte en argent et l'alluma d'une main tremblante. Le sillon entre ses seins se déplaçait comme la faille de San Andreas.

«Le chef du Kaiserhof, Konrad Held, je le connais bien, mentis-je. Je pourrais lui téléphoner si vous voulez, pour savoir si votre mari y est toujours.

– Il ne voit pas forcément le chef en personne, admit-elle, en continuant à tirer sur la peau de sa lèvre. Ça peut être quelqu'un d'autre à la cuisine.»

Je lui adressai un sourire patient. On apprend à reconnaître quelqu'un qui ment. Surtout avec des seins aussi éloquents. À partir de là, il n'y a plus qu'à choisir le bon moment pour porter son accusation. Personne n'aime se faire traiter de menteur en face. Surtout sous son propre toit, qui plus est par la police. J'avais presque de la peine pour cette femme. N'eût été son accueil glacial, j'aurais peut-être pu me montrer poli, mais là, j'étais davantage enclin à la bousculer, ne serait-ce que pour accélérer les choses. Après tout, la vie d'un innocent était en jeu. Une étagère courait sur tout un mur du salon à hauteur de visage, et mes yeux cherchaient parmi les livres de quoi exercer une pression supplémentaire sur cette femme, et vaincre de nouvelles résistances face à nos questions. La plupart des ouvrages traitaient de géologie, mais j'avais déjà repéré un ou deux titres susceptibles de m'aider. Dans l'immédiat, je les ignorai et traversai le salon vers la grande cheminée de brique rouge. Derrière un pare-feu en fer forgé, une grosse bûche se consumait lentement. La personne qui avait allumé ce feu l'avait fait en prévision d'une longue et paisible soirée. Près de la cheminée se trouvait un fauteuil, sur lequel était posé le *Völkischer Beobachter* du jour. Je l'ôtai pour m'asseoir et le mis sur la cheminée, à côté d'un cendrier et d'une boîte en fer-blanc de tabac Von Eicken ouverte. Une pipe reposait dans le cendrier. En la prenant, je constatai que le fourneau en merisier était encore chaud, plus chaud que le feu. On imaginait sans peine l'homme qui était assis là, devant la cheminée, moins d'une demi-heure plus tôt, tirant sur sa pipe tel un batelier du Danube.

« Vous avez une bien jolie maison », dit Korsch en ouvrant un des tiroirs du secrétaire.

Frau Diesbach croisa les bras, sur la défensive. Sans doute cela lui évita-t-il d'assommer Korsch avec la lampe en cristal.

« Je vous en prie, faites comme chez vous.

– Ça rapporte, le sel ? » demanda-t-il, ignorant la remarque sardonique.

Parfois, le travail de policier est tout le contraire d'un dialogue socratique : vous dites une chose, je fais semblant de ne pas avoir entendu et j'en dis une autre.

« Comme tout le reste, à condition de travailler dur.

– Ah, si seulement c'était vrai, soupira Korsch. Hélas, on gagne beaucoup moins bien sa vie dans la police. Pas vrai, patron ?

– C'est ça que vous cherchez ? De l'argent ? Je croyais que vous étiez là pour enquêter sur un crime, pas pour en commettre un. »

Korsch laissa échapper un rire sec. « Voilà une femme acerbe. À cause de tout ce sel sûrement. Hein, patron ?

– Oui, sans doute.

– Vous devriez plutôt essayer de raffiner du sucre, madame.

– Vous allez enfin me dire ce qui se passe ?

515

– On vous l'a déjà dit, répondit Korsch en ouvrant un autre tiroir du secrétaire. On cherche votre mari.

– Et moi, je vous ai dit qu'il n'était pas ici. Et il n'est certainement pas dans ce bureau.

– Un tas de gens veulent jouer au plus malin avec nous au début, dit Korsch. Mais ça ne dure jamais très longtemps. On finit toujours par avoir le dernier mot. Pas vrai, patron ? »

Je répondis par un grognement. Je n'avais pas très envie de rire. Pas avec ma mâchoire ficelée. Et certainement pas après avoir vu la pauvre Aneta Husák assassinée de sangfroid. Je n'allais pas l'oublier de sitôt. Sur un piano quart de queue trônaient plusieurs photos dans des cadres et il me sembla reconnaître parmi ces différentes personnes le jeune homme à l'allure estudiantine qui nous avait envoyés à Luegwinkl. Je me levai du fauteuil pour prendre la photo sur le piano lustré. Je l'observai un instant, puis la montrai à Korsch, qui hocha la tête. C'était bien lui.

« Voilà qui explique pas mal de choses, commenta-t-il.

– Qui est-ce ? demandai-je à *Frau* Diesbach.

– Mon fils, Benno.

– Joli garçon, hein ? »

Au tour de Korsch de se montrer sarcastique. Avec ses lunettes épaisses, son menton fuyant et son air renfermé, Benno Diesbach était tout à fait le genre de garçon sensible, chétif, à qui une mère poule anxieuse aurait voulu éviter une épreuve aussi brutale que l'armée. Ma mère avait sans doute ressenti la même inquiétude pour moi quand j'avais douze ans, à supposer qu'elle ait ressenti quelque chose un jour.

« Où est-il ? interrogeai-je.

– Je croyais que c'était mon mari que vous cherchiez.

– Répondez à la question, madame, dit Korsch.

– Il est allé boire une bière avec des amis.

– Il semble trop jeune pour ça.

– Il a vingt ans. Et il n'a rien à voir avec tout ça.

– C'est quoi "tout ça" ? demanda Korsch.

– Façon de parler. Pourquoi est-ce que vous le cherchez ?

– Qui ?

– Mon mari. Il n'a pas enfreint la loi.

– Vraiment ?» Dans la bibliothèque, parmi les nombreux ouvrages de géologie, j'allai prendre un exemplaire du célèbre roman d'Alfred Döblin, et un livre d'Erich Maria Remarque pour faire bonne mesure. Dans les mêmes éditions bon marché que celles que j'avais chez moi. «Ces livres sont à votre mari ou à vous ?

– Ils doivent appartenir à… Quelle importance ? Ce ne sont que des vieux livres.»

Elle avait failli avouer que ces deux romans appartenaient à son fils. J'en aurais mis ma main au feu. Il ressemblait assurément à l'idée que l'on se faisait d'un gros lecteur.

«Ce ne sont pas n'importe quels livres, dis-je. Ce sont des livres *interdits*.»

Parfois, j'étais obligé de me comporter en authentique nazi. Parfois, je me haïssais plus qu'en temps normal. J'avais acquis la conviction que non seulement Johann Diesbach nous avait filé entre les pattes, mais que sa fuite constituait un aveu de culpabilité flagrant. Sans oublier le sel rose incrusté dans les semelles de ses bottes. J'étais quasi certain que l'homme qui avait porté ces bottes avait assassiné Udo Ambros.

Mais plus sa femme nous retardait, plus il avait de chances d'échapper à la police, et moins Johann Brandner avait lui de chances d'échapper au peloton d'exécution ou à la hache du bourreau à Plötzensee.

« Depuis 1933, repris-je, ces auteurs sont interdits à cause de leurs origines juives ou de leurs sympathies vis-à-vis des communistes ou des pacifistes.

– Je l'ignorais. Qui a décidé ça ?

– Le ministère de la Vérité et de la Propagande, si vous voulez savoir. Vous ne regardez jamais les actualités au cinéma ? Cela fait six ans que nous brûlons les livres que nous n'aimons pas.

– On ne va pas souvent au cinéma.

– Personnellement, je me contrefiche de ce que vous lisez, mais l'ignorance de la loi ne constitue pas une excuse, *Frau* Diesbach. Le simple fait de posséder ces livres peut vous envoyer dans un camp de concentration, en prison, ou même à l'échafaud. Je ne plaisante pas. Alors, je vous conseille de coopérer et de nous dire où se trouve votre mari, *Frau* Diesbach. Sinon, il ne sera pas le seul à avoir des ennuis. Vous aussi. »

Je me demandais si elle savait ce qu'avait fait son mari.

« Votre mari est soupçonné d'être impliqué dans deux meurtres.

– Deux ? »

Face à son étonnement, j'en déduisis qu'elle était au courant pour Flex, mais pas pour Udo Ambros.

Korsch intervint : « Je ne vous avais pas dit qu'on avait toujours le dernier mot ?

– Je vous le répète : Johann est à Munich.

– Avec des clients, oui, on sait, dit Korsch. Vous nous l'avez expliqué. Mais on ne vous a pas crue et on ne vous croit toujours pas. »

Frau Diesbach s'assit lourdement, dans un nuage d'eau de toilette capiteuse et de désespoir, et alluma une nouvelle cigarette. Je pris celle qui se consumait dans un gros cendrier en cristal de sel, tirai dessus d'un air songeur et esquissai un sourire qui ressemblait à une grimace de douleur.

« Puis-je utiliser vos toilettes ? demandai-je. Pendant que vous réfléchissez peut-être. Ce que je vous recommande fortement.

– C'est en haut de l'escalier.

– À quelle heure doit rentrer votre fils ? interrogea Korsch.

– Je n'en sais rien. Pourquoi ?

– Quand comprendrez-vous que c'est nous qui posons les questions, *Frau* Diesbach ?»

Tandis que Korsch accaparait son attention, je gravis l'escalier étroit pour jeter un coup d'œil à l'étage. La maison ressemblait à une version miniature du Berghof, sans le nain Alberich. Les murs du couloir s'ornaient de cartes anciennes du Palatinat du Rhin, une région du sud-ouest de l'Allemagne voisine de la Sarre, et de photos encadrées de cavernes, très certainement des mines de sel, et d'intéressantes formations géologiques. En ouvrant deux portes en bois brut, je découvris des chambres petites mais confortables, avec des matelas roulés comme des viennoiseries et des gravures représentant des randonneurs alpins. C'était sans doute un endroit très agréable en été, propre, et après une excellente nuit et un savoureux petit déjeuner allemand préparé par *Frau* Diesbach, les joyeux promeneurs devaient se dire qu'ils avaient fait le bon choix, surtout s'ils avaient eu la chance d'entrapercevoir sa superbe poitrine.

J'ouvris un placard et sur une étagère, derrière des couvertures, je trouvai plusieurs boîtes de cartouches Brenneke rouges semblables à celle qui avait tué Udo Ambros. Dans un coin de la chambre principale, glaciale, une épée wallonne aussi longue qu'un bâton de ski reposait contre le papier peint épais, et je me réjouis presque que nous ne soyons pas arrivés plus tôt. Un chat blanc était allongé sur le lit au cadre en cuivre et me regardait de ses yeux d'un bleu vif, presque aussi perçants que l'épée et remplis de questions de chat, c'est-à-dire que les réponses n'avaient pas plus d'importance que le temps qu'il faisait, le goût de la neige fraîche ou la forme d'un nuage au-dessus de la Kehlstein. Parfois, je me disais qu'il serait bon d'être chat, même dans cette partie du monde, à condition de demeurer à l'écart de Hitler et du Landerwald. Plusieurs tiroirs de la commode étaient ouverts et vides, et j'aperçus, sur le tapis, un bouton de manchette, un bouton de col et une balle de Parabellum 7,62. De toute évidence, une personne possédant un Luger était partie en toute hâte.

Une feuille de papier posée sur la table de chevet contenait une longue liste de noms de clients et d'horaires de train pour Munich et Francfort ; elle n'avait rien de remarquable en soi, si ce n'est qu'elle était rédigée de cette même laborieuse écriture en capitales que le mot prétendument laissé par Udo Ambros pour expliquer son suicide. Je pliai la feuille et la glissai dans ma poche. Sur la coiffeuse de style Biedermeier, d'autres photos, au milieu des brosses à cheveux et des peignes en ivoire, montraient Benno, le fils adoré qui nous avait envoyés sur une fausse piste afin de pouvoir rentrer chez lui à toute vitesse et prévenir son père – qui apparaissait sur une autre photo en compagnie d'Udo Ambros encore affublé de sa tête – que la police était à ses trousses. Si Ambros était un homme robuste, Diesbach paraissait bien plus coriace, et plus antipathique, notamment parce qu'il avait taillé sa moustache de manière à copier très exactement celle d'Adolf Hitler. Je sortis les photos de leurs cadres, les glissai dans ma poche avec la liste et passai dans la pièce voisine. Je contemplai l'homme dans le miroir, resserrai la cravate Raxon pour immobiliser sa mâchoire, et m'adressai à lui dans un grommellement : « Pas étonnant que le chat te regarde d'un drôle d'air, Gunther. Tu es l'image même de la rage de dents.»

La baignoire était remplie d'eau tiède, comme si *Frau* Diesbach s'apprêtait à prendre un bain quand son fils héroïque avait débarqué pour annoncer notre arrivée imminente. Ses bas et ses sous-vêtements étaient posés sur une chaise cannée blanche derrière la porte. En d'autres circonstances, je les aurais sûrement reniflés ; ça faisait longtemps que je n'avais pas savouré l'odeur intime d'une femme attirante et je commençais à ressentir les effets du manque. Je me contentai de prendre le soutien-gorge et d'admirer, brièvement, la taille des bonnets. On aurait dit une fronde ayant appartenu à Goliath, et peut-être aurait-elle amélioré ses maigres chances face à David le jeune berger. Avec une ou deux grosses pierres en plus. Goliath m'avait toujours fait de la peine. Le grand air des montagnes bavaroises produisait de curieux effets sur un Berlinois comme moi.

Il y avait un radiateur électrique chromé fixé au carrelage mural, un dentier dans un verre posé sur le bord de la fenêtre et une imposante armoire de toilette au-dessus du lavabo. Je l'ouvris et trouvai immédiatement les réponses aux questions dont aurait dû s'émouvoir davantage le chat blanc s'il avait su qu'elles allaient affecter son existence. Fini les assiettes de poisson et les soucoupes de lait quand vos maîtres sont enfermés dans un camp de concentration, ou pire. J'avais découvert subitement l'ampleur de ce qui se passait ici, dans la maison des Diesbach, et pourtant je n'éprouvais aucune satisfaction professionnelle. De plus, cela ne ressemblait pas aux dénouements élégants propres aux romans d'écrivains respectables de la trempe d'Agatha Christie ou de Dorothy L. Sayers ; c'était le genre de preuves qui, au lieu de vous remplir de fierté, vous faisait honte. Et je sentais mon ventre se nouer en songeant à ce que j'allais devoir dire à *Frau* Diesbach, car dans des circonstances analogues, je ne suis pas sûr que j'aurais agi différemment de Johann Diesbach, si ce n'est que je n'aurais peut-être pas tué Udo Ambros. Personne ne méritait de voir son visage transformé en un Picasso. L'armoire de toilette contenait un flacon de protargol. Je me souvins alors que cet antiseptique était du nitrate d'argent et que sur le tableau périodique des éléments, l'argent apparaissait sous l'abréviation *Ag*. D'où, sans doute, la mention *Ag* dans l'infâme registre de Flex. Il y avait également de la pervitine dans l'armoire – *P* pour pervitine ? –, mais il ne s'agissait certainement que d'un traitement contre une maladie vénérienne. La question était de savoir lequel des deux avait une chaude-pisse. Johann Diesbach ? Sa femme ? Les deux ?

Benno ne me vint même pas à l'esprit : de toute évidence il était encore loin de connaître ce premier moment de joie où un garçon devient un homme très surpris. J'emportai les deux médicaments et dévalai l'escalier avec plus de preuves en poche pour étayer ma théorie qu'Archimède vêtu d'une simple serviette.

55

Avril 1939

« Il n'existe aucune façon polie ou gentille de dire ça, *Frau* Diesbach, alors je vais le dire simplement et ensuite, si vous faites preuve d'un peu de bon sens, et si vous m'indiquez où est parti votre mari, j'essaierai de vous aider. Pour lui, je ne peux pas faire grand-chose. Mais rien ne vous oblige à suivre le même chemin. Je l'arrêterai forcément, et ce jour-là, il vaudrait mieux pour vous que je puisse expliquer à mes supérieurs que vous avez collaboré avec nous. En revanche, si vous me lancez des trucs au visage en jouant la pieuse indignation, je vous assure que je n'apprécierai pas du tout. Et vous non plus. Je vous le dis franchement : si vous refusez de coopérer, vous irez en prison. Dès ce soir. Selon moi, c'est votre mari, sans doute bourré d'amphétamines, qui a tué Karl Flex, car Flex vous avait transmis une maladie vénérienne. » Je déposai le protargol et la pervitine sur la table et ajoutai : « Pièces à conviction numéros un et deux. Votre mari payait Flex pour qu'il fasse croire que votre fils, Benno, travaillait pour l'Administration de l'Obersalzberg, afin d'échapper à l'armée, mais Flex estimait que ça ne suffisait pas. Il vous trouvait à son goût et il a décidé qu'il voulait autre chose que de l'argent. Malheureusement, il vous a contaminée.

» Je m'interrompis pendant que la grande et belle femme qui, un peu plus tôt, s'apprêtait à prendre un bain, se laissait tomber sur une chaise et cherchait un mouchoir dans sa manche.

« Très bien, repris-je. Je suis content que vous ne protestiez pas. Comme vous l'avez sans doute constaté, j'ai mal à la mâchoire et je n'ai pas la force de discuter. Karl Flex voulait coucher avec vous et vous avez accepté car vous aimez votre fils, et lui assurer un travail réservé en échange de quelques centaines de marks par mois, c'était le meilleur moyen de le protéger. Je l'ai croisé brièvement, et il m'a donné l'impression d'être un gentil garçon. Loyal et, oui, courageux. Mais peut-être un peu tendre. Et vous avez eu raison d'essayer de lui éviter l'armée, car en temps de guerre, ce sont toujours les jeunes gens au visage doux qui sont les premiers à payer. Ils veulent prouver qu'ils ne sont pas aussi délicats qu'ils en ont l'air. Alors, vous avez accepté de coucher avec Flex et il vous a refilé la chaude-pisse. Quand vous vous êtes plainte, il vous a envoyée consulter le Dr Brandt, qui a bien voulu vous aider à trouver un traitement, car il trempe dans les mêmes magouilles que Flex. Mais entre-temps, vous aviez contaminé votre mari, qui a décidé de mettre fin à tout ça. À toutes ces sales combines. Voilà pourquoi il a abattu Flex. Et tant mieux. Karl Flex l'avait bien cherché. Avec les compliments du Kaiser. Si vous aviez été ma femme, j'en aurais sans doute fait autant. Mais peut-être que je n'aurais pas utilisé le fusil de mon ami Udo pour cela. Ce n'était pas gentil, car dès lors Udo s'est retrouvé accusé de meurtre. Ce qui est encore moins gentil, c'est ce qui s'est passé quand il a compris qu'il s'était fait avoir par son vieil ami. Comment a-t-il alors réagi ? Il a menacé d'avertir la police ? Certainement, sinon Johann ne serait pas allé tuer ce pauvre Udo. Vous ne le saviez pas ? Peu importe. En tout cas, je peux vous assurer que ce n'était pas un suicide. J'ai peut-être la mâchoire brisée, mais mon cerveau fonctionne très bien. J'ai découvert dans un placard, en haut, une boîte de cartouches semblables à celle qui a fait sauter la cervelle d'Udo, et sur une feuille la même écriture que celle du mot prétendument laissé par le suicidé. J'ai rarement connu une affaire aussi claire. Voyez-vous, *Frau* Diesbach, je n'en suis pas à ma première enquête. Les gens, pas seulement vous, des gens qui devraient savoir à quoi s'en tenir car ils dirigent le gouvernement, persistent à croire que je ne sais pas quand on me ment. Ils ont tort. Je suis très doué pour déceler les mensonges. Il faut dire que je me suis beaucoup entraîné ces derniers temps.

» Et puis, en arrivant ici ce soir, avec Korsch mon assistant, sur qui on tombe ? Le jeune Benno en personne. Je l'ai identifié grâce à la photo sur le piano. C'était idiot de la laisser là. Mais je devine que vous n'avez pas eu le temps de la cacher. Votre mari n'a eu que cinq minutes, montre en main, pour faire ses adieux. C'est bien Benno, n'est-ce pas, qui nous a égarés pour pouvoir revenir ici avec son vélo et prévenir son père de notre arrivée ? Je suppose que Johann a maintenant au moins une heure et demie d'avance sur nous. La question est : Par où est-il parti ? Vers le centre de l'Autriche ? Vers l'Allemagne ? L'Italie peut-être ? Je veux des réponses et je vous conseille de satisfaire ma curiosité, *Frau* Diesbach, sinon vous ne serez pas la seule à finir en prison. Benno vous tiendra compagnie dès qu'on aura mis la main sur lui. Faire perdre du temps à la police a toujours été considéré comme un crime grave en Allemagne, et dans ce cas précis, nous sommes obligés d'en faire une affaire personnelle. »

Frau Diesbach sécha ses larmes et alluma une autre cigarette. J'en fis autant, et Korsch aussi, car nous savions l'un et l'autre depuis longtemps que n'importe quelle histoire devient plus intéressante accompagnée d'une bonne clope. Bien entendu, parmi toutes les histoires qu'entend un flic, beaucoup ne sont qu'un écran de fumée justement, mais celle-ci sonnait vrai. Je le sus d'emblée, à cause de l'élancement dans ma mâchoire au moment où *Frau* Diesbach se mit à parler. De plus, elle pleurait d'une manière qui va souvent de pair avec la vérité et que l'on ne peut feindre, à moins de s'appeler Zarah Leander, et même elle éviterait de se moucher bruyamment dans ces moments-là : pour une femme, ce n'est pas flatteur, surtout devant la caméra.

« Benno est un brave garçon, mais il n'est pas fait pour l'armée. Contrairement à mon mari. Johann est beaucoup plus résistant que ne le sera jamais Benno. Et aujourd'hui c'est notre fils unique. Voyez-vous, *Kommissar,* son frère aîné, Dietrich, était dans la marine allemande et il a été tué en Espagne durant la guerre civile. En 1937. À la bataille de Málaga, quand le *Deutschland* a été attaqué par les avions républicains. Du moins, c'est ce qu'on nous a dit. Je ne peux pas perdre un autre fils. Ai-je votre parole que Benno n'aura pas d'ennuis ?

– Vous l'avez. Pour l'instant, seuls mon assistant et moi savons qu'il a voulu nous égarer. On peut facilement oublier qu'il existe. »

Elle hocha la tête et tira sur sa cigarette avec force, comme si elle essayait de tuer quelque chose en elle, et lorsqu'elle l'ôta de sa bouche, le petit morceau de peau sèche se détacha partiellement de sa lèvre inférieure et se mit à pendre tel un cigarillo miniature. Régulièrement, elle essuyait les larmes qui coulaient sur ses joues, laissant à force sur son visage ce qui ressemblait à deux rivières asséchées.

« Faites une pause, dis-je avec compassion. Ressaisissez-vous et essayez de tout nous raconter. »

Korsch versa dans un verre à bière un alcool épais contenu dans une bouteille posée sur le buffet et le déposa devant elle. Elle le vida d'un trait, et le tendit à Korsch comme si elle voulait qu'il le remplisse de nouveau. Je donnai mon accord d'un hochement de tête. À bien des égards, l'alcool peut être le meilleur ami du flic : même s'il ne délie pas les langues, il réconforte.

« Vous avez presque raison, *Kommissar* Gunther. Karl Flex a couché avec moi. Plusieurs fois. Mais ce n'est pas du tout ce que vous croyez. C'était moi, et non pas Johann, qui le payais pour que Benno ne parte pas à l'armée. Benno est un garçon très sensible, et nul doute que l'armée l'aurait tué. Je ne me cherche pas d'excuses. Évidemment, Johann et moi n'étions pas d'accord sur ce point. Il était furieux quand il a appris la vérité. Il pensait que l'armée ferait de Benno un homme. Moi, je savais qu'elle ferait de lui un homme mort. Tout le monde craint une nouvelle guerre. Contre la Pologne. Ça veut dire aussi contre les Russes. Qu'est-ce qu'on va devenir alors ? Mais Karl ne m'a pas forcée à coucher avec lui. Et il ne m'a pas fait de chantage non plus. En vérité, j'ai découvert une lettre écrite par la maîtresse de mon mari, Pony, dans la poche de sa veste. Oui, c'est son nom. Ne me demandez pas comment on peut s'appeler Pony. En tout cas, Johann la chevauchait durant ses voyages d'affaires à Munich. J'imagine que j'ai couché avec Karl pour me venger. Un week-end, alors que Johann était à Munich avec Pony, on est allés à l'hôtel Bad

Horn sur le lac de Constance, dans la belle voiture de sport italienne de Karl. Ce que j'ignorais, c'est que Pony n'avait pas seulement donné une jolie lettre d'amour à Johann, elle lui avait aussi donné une maladie vénérienne. Qu'il m'a transmise ensuite. Et sans le savoir, je l'ai transmise à Karl. Avec Johann, nous avons eu une terrible dispute, et malgré ses écarts de conduite, il est devenu fou de jalousie et a juré de tuer Karl. Mais je n'ai jamais pensé qu'il le ferait. En revanche, vous avez raison au sujet des amphétamines. Comme la moitié des hommes sur la montagne, Johann y est complètement accro. Ça les rend fous. Mais ceux qui travaillent pour l'Administration de l'Obersalzberg en ont besoin pour tenir le planning insensé imposé par Martin Bormann. Hélas, l'approvisionnement en pervitine s'est récemment arrêté. Apparemment, ils gardent les stocks pour l'armée. Aussi, Karl et Brandt ont commencé à en vendre à ceux qui avaient les moyens. C'est ainsi que ça fonctionne ici désormais. Je ne dis pas que Bormann est au courant. Mais il devrait l'être.»

Korsch lui tendit le verre rempli. Du regard, il me demanda si j'en souhaitais moi aussi, mais je fis non de la tête. J'avais besoin de garder les idées claires si je voulais m'entretenir avec Albert Bormann et ensuite, éventuellement, avec son frère Martin. Le sort de Johann Brandner dépendait peut-être d'un usage scrupuleux de la syntaxe allemande et d'un plaidoyer tout en finesse.

« Évidemment, reprit *Frau* Diesbach, dès que j'ai appris que Karl avait été assassiné, j'ai su que c'était Johann qui avait fait le coup. Notre mine de sel se trouve à Rennweg. L'entrée se situe entre l'Ache et l'Obersalzberg. Je connais bien ce secteur. Quant à savoir où elle s'enfonce à l'intérieur de la montagne… mystère. Seul mon mari peut répondre à cette question. Il existe de vieilles galeries de plusieurs centaines de mètres de long qui pénètrent sous l'Obersalzberg. Je l'ai interrogé un jour, et il a été très évasif. Il semblerait qu'une de ces anciennes galeries débouche dans la forêt, tout près de la Villa Bechstein. Mais on peut passer devant sans même la remarquer. Udo avait dû le deviner lui aussi. Bref, mon mari et lui avaient l'habitude de se prêter des fusils et un tas d'autres choses. Ils avaient fait l'armée ensemble. Dans la 2ᵉ division d'infanterie bavaroise. Johann était un *Jäger,* un tireur d'élite. Udo aussi. Certains de ces hommes, par ici, ont grandi avec un fusil dans les mains. La veille de l'assassinat de Karl, j'ai vu Johann déposer un fusil à lunette dans le coffre de sa voiture, et même si je ne suis pas une spécialiste, je peux affirmer que je ne l'avais jamais vu avant. Il y avait quelque chose au bout du canon. Une sorte de boîte de conserve. Très bizarre. J'ai même posé la question à Udo la dernière fois que je l'ai vu, et il ne m'a pas répondu. Ça aussi ça m'a inquiétée.

– Votre mari possède-t-il un atelier ? demandai-je. Avec un tour ?

– Oui. Il doit souvent réparer des tuyaux qu'il rapporte de la mine. Comment le savez-vous ?

– Peu importe. Que disiez-vous au sujet d'Udo Ambros ?

– Je ne savais pas que Johann l'avait tué lui aussi. Je n'arrive pas à y croire. Udo ne l'aurait jamais dénoncé. Pas sans l'avoir prévenu plusieurs fois.» Elle haussa les épaules. « Mais vous avez peut-être raison. Johann l'a tué quand Udo lui a annoncé qu'il était obligé d'avouer à la police qu'il lui avait emprunté son fusil. Et s'en était servi pour assassiner Karl.»

Frau Diesbach but d'un trait le deuxième verre d'alcool, grimaça comme si elle n'aimait pas du tout ça et poussa un long soupir.

« Tout est ma faute, en réalité. Si je n'avais pas payé Karl pour qu'il mette Benno sur la liste des travailleurs de l'AO, rien de tout cela ne serait arrivé.

– Bon, dis-je. Assez tourné autour du pot. Où est-il ?

– Sincèrement, je l'ignore. Il ne m'a rien dit. Je lui ai bien sûr posé la question. Et il m'a répondu qu'il était sans doute préférable que je ne le sache pas. Comme ça, je ne pourrais rien dire à personne.

– Essayez de deviner, suggéra Korsch. Vous le connaissez mieux que personne. Pony incluse.

– Johann est un homme secret, sur bien des plans. Très souvent, je ne savais pas où il était. Et il voyageait beaucoup. Pour vendre notre sel. Il avait des amis à Salzbourg, à Munich, et même jusqu'à Francfort et Berlin. Il a pu aller n'importe où, ou presque. Et, évidemment, il connaît beaucoup de monde dans la région.

– Et sa voiture ? demandai-je.

– C'est une Wanderer noire quatre portes. Toute neuve. Je ne connais pas le numéro d'immatriculation par cœur. Mais je suppose que je pourrais le trouver.

– A-t-il beaucoup d'argent sur lui ? Son passeport ?

– J'ai remarqué que son portefeuille était plein de billets quand il m'a donné vingt reichsmarks pour la femme de ménage. Il en avait encore au moins deux cents. Et il possède un passeport allemand. Qui reste presque tout le temps dans la voiture, pour des raisons évidentes.

– Allons, madame, dit Korsch. Il faut faire un effort si vous voulez qu'on vous aide, votre fils et vous. D'ailleurs, où est Benno ?

– Chez des amis. Jusqu'à ce que la voie soit libre, si je puis dire. Je ne sais pas trop chez qui exactement. Mais il n'a pas pu se rendre très loin sur son vélo. Vous n'allez pas l'arrêter, hein ? Vous avez promis de me laisser mon fils.

– C'est votre mari qui nous intéresse, pas votre fils, répondit Korsch. Quelles que soient les excuses de Johann, c'est un meurtrier. Alors, n'essayez pas de le protéger. Il n'est pas le seul à risquer sa peau. Vous aussi. Si on ne le rattrape pas rapidement.

– Il a raison, ajoutai-je. L'anniversaire du Führer est le 20. Et Martin Bormann tient absolument à ce que le meurtrier de Karl Flex soit derrière les barreaux avant que Hitler débarque au Berghof pour déballer ses cadeaux. Si votre mari avait eu la bonne idée de le tuer ailleurs, *Frau* Diesbach, peut-être que toute cette histoire aurait été enterrée. Hélas, on subit une énorme pression pour élucider cette affaire avant qu'ils allument les bougies sur le gâteau. Pas de fête d'anniversaire tant qu'on n'a pas arrêté le coupable.

– Je pense que ce n'est pas un hasard si Johann l'a tué à cet endroit. Sur la terrasse du Berghof. J'espère qu'en disant cela je ne vais pas m'attirer d'autres ennuis, *Kommissar,* mais Martin Bormann est haï par ici. Beaucoup de gens croient que tout irait mieux s'il n'était plus là. Johann reprochait à Bormann d'employer des individus tels que Karl Flex, Brandt, Zander, et toute cette bande de pourris. Il voulait mettre Bormann dans l'embarras. Le faire passer pour un incapable aux yeux de Hitler. En espérant que le Führer se débarrasse de lui. Rien que pour cette raison, un tas de gens qui connaissent Johann seraient prêts à l'aider dans sa fuite.

– Où est-il allé, madame ? insista Korsch. Je perds patience.

– Je ne peux pas vous dire ce que j'ignore, si ?

– Je crois que vous nous prenez pour des idiots.

– Non, absolument pas, répondit-elle, sur un ton qui m'incita à penser qu'elle allait continuer à ironiser.

– Ne vous amusez pas à ce petit jeu avec nous, madame, dit Korsch. Nous n'aimons pas les gens qui font les malins. Cela nous rappelle qu'on nous doit un tas d'heures supplémentaires et des frais qui ne seront jamais remboursés. Quel mari pourchassé par la police ne dit pas à sa femme où il part ?

– Un mari intelligent, apparemment.

– Si c'était moi, je le dirais à ma femme.

– Oui, mais est-ce que ça l'intéresserait ?»

C'est à ce moment-là que Friedrich Korsch la gifla, deux fois. Suffisamment fort pour la faire tomber de sa chaise. Un bel aller-retour. Digne de Gottfried von Cramm, le champion de tennis. Chaque gifle claqua comme un pétard qui éclate et il n'aurait pas fait mieux s'il avait auditionné pour entrer à la Gestapo.

« Dites-nous où il est allé !» rugit-il.

Habituellement, je ne suis pas favorable à la méthode forte. La plupart des suspects qui promettent de tout dire à la police croient que nous ne remarquerons rien s'ils essaient de nous cacher quelque chose. Et ils sont toujours stupéfaits quand ils découvrent que ça ne marche pas. Personnellement, j'aurais peut-être continué à l'interroger encore un peu, mais le temps pressait. Korsch avait raison. Si on voulait donner une chance à Brandner d'échapper à une coupe au rasoir, on devait arrêter le meurtrier de Karl Flex, et vite. J'aidai *Frau* Diesbach à se relever et à se rasseoir ; un bon moyen d'empêcher Korsch de la frapper de nouveau. Elle semblait sous le choc, ce qui n'avait rien d'étonnant. Mais si je réprouvais le geste de Korsch, il était trop tard pour protester.

« Désolé. » Je sortis mon mouchoir, m'agenouillai devant elle et lui essuyai la bouche. « Mon ami se sent investi d'une mission, figurez-vous. Un innocent croupit dans une cellule de l'Obersalzberg et risque d'être condamné à mort pour le meurtre de Flex, alors il devient un peu violent. Je ne pense pas qu'il recommence, mais si vous savez où est votre mari, vous feriez bien de nous le dire. Avant qu'il éprouve un sentiment de véritable injustice.

– En Lorraine, lâcha-t-elle tout bas, les mains plaquées sur les joues telle une jeune grisette qui vient d'être abandonnée avec un enfant en bas âge. Il était stationné là-bas pendant la guerre. Avec son régiment. Il aimait bien cet endroit. Il m'en parlait souvent. Il se débrouille très bien en français. Il adore les Français. Il adore leur cuisine. Et, le connaissant, leurs femmes aussi, j'imagine. Il m'a dit qu'il voulait aller là-bas. Je ne sais pas où précisément, je n'y ai jamais mis les pieds. Mais il va franchir la frontière pour se rendre en Lorraine.»

Ses paroles semblaient coller avec les cartes que j'avais vues sur les murs, et avec les photos de Johann Diesbach en uniforme. C'est étrange ce que l'on peut ressentir pour un endroit qui a vu tant de morts ; moi-même, j'avais toujours eu envie de retourner dans le nord-est de la France, dans les villes proches de la Meuse où, en 1916, avait eu lieu la bataille de Verdun. Mais Korsch, lui, n'était pas convaincu.

« Vous auriez pu tout aussi bien dire les Bermudes, madame. La frontière française est à sept cents kilomètres d'ici. Et il n'aura jamais le temps de l'atteindre. Quand on vous demande où il est allé, on voudrait savoir où il est maintenant, et pas où il aimerait partir en vacances s'il gagnait à la loterie.»

Il voulut la gifler de nouveau, mais cette fois, j'arrêtai sa main car je savais exactement ce que ressentait *Frau* Diesbach à cet instant. Elle et moi avions reçu suffisamment de coups aujourd'hui.

56

Octobre 1956

Du sommet de la colline en forme de crâne, on ne voyait qu'une gravure en noir et blanc représentant l'enfer du capitalisme industriel.

À bien des égards, la Sarre était tout aussi terrifiante que dans mes souvenirs d'avant-guerre : des terrils aussi grands que les pyramides d'Égypte, une forêt pétrifiée de hauts-fourneaux crachant une telle quantité de fumée grise que la terre elle-même semblait en feu, le va-et-vient continu de trains de marchandises sillonnant un système nerveux de voies ferrées, de voies de garage et de postes d'aiguillage, des molettes tournant telles les roues dentées paresseuses d'une horloge très encrassée, des gazomètres, des entrepôts, des usines, des hangars rouillés, des canaux si noirs qu'ils semblaient remplis non pas d'eau mais d'huile, tout cela sous un ciel chargé de poussière de charbon et meurtri par le vacarme permanent des ferronneries, fonderies, mâts de battage, des moteurs de locomotive et des sifflets annonçant les changements d'équipes. Des picotements dans les yeux à cause de l'air sulfureux, vous sentiez sur le fond de la langue le goût du fer et de l'acier, et sous vos pieds le vrombissement étouffé des moteurs Morlock dans la terre empoisonnée. Un témoignage assez repoussant de l'activité humaine sur un plan esthétique. Mais ce n'était pas seulement laid, on aurait dit qu'un péché capital avait été commis contre le paysage lui-même, et j'avais l'impression de contempler le Niflheim, le royaume ténébreux et brumeux des nains, où les richesses n'étaient pas uniquement entreposées mais extraites du sol ou forgées pour les rois de Bourgogne. Les Français avaient certainement cette même vision, voilà pourquoi ils s'étaient battus afin de conserver la Sarre et, comme Siegfried, s'emparer de son gigantesque trésor industriel. Mais les nains de la Sarre étaient aussi obstinément allemands que leurs homologues wagnériens, et lors d'un récent référendum qui aurait pu rendre ce territoire indépendant, sous les auspices d'un commissaire européen nommé par l'Union de l'Europe occidentale, ils avaient voté non à l'Europe et à l'idée de conserver une union économique avec la France. Aussi, d'un mois à l'autre à présent, le protectorat de la Sarre, comme on l'appelait, finirait par rejoindre la République fédérale d'Allemagne. Tous les patriotes allemands l'espéraient assurément, et dans toute la RFA, le retour de la Sarre provoquait l'enthousiasme, un enthousiasme toutefois plus discret que celui qui avait accueilli la réoccupation de la Rhénanie en 1936. La grosse différence, c'était que cela n'impliquait pas l'intervention de troupes allemandes ni le rejet de traités. Il s'agissait sans doute du changement de drapeau le plus pacifique qu'ait connu cette région depuis un siècle, et l'idée que l'Allemagne et la France puissent se faire la guerre une fois de plus à cause de la Sarre paraissait presque aussi inconcevable qu'un voyage interplanétaire.

Dans la ville de Sarrebruck, tout était plus ou moins comme avant. La plupart des dégâts colossaux provoqués par l'armée américaine avaient été réparés et rares étaient les signes rappelant qu'une guerre mondiale avait eu lieu. Mais la ville n'avait jamais été séduisante et les travaux de reconstruction ne l'avaient pas rendue plus agréable au regard. Peut-être même moins. Les Français n'allaient certainement pas dépenser leur argent pour des projets d'urbanisme ou d'architecture publique. Tous les nouveaux bâtiments étaient purement fonctionnels, pour ne pas dire brutaux, et dans l'ensemble en béton. Landwehrplatz, la place principale, ressemblait à une cour de prison allemande, dont tous les prisonniers auraient eu la bonne idée de s'échapper. Tout était aussi gris et robuste qu'une mine de crayon Faber-Castell.

De près, la situation apparaissait un peu plus ambiguë. Les journaux et magazines des kiosques étaient allemands, ainsi que la majorité des noms de rues. Même les enseignes de boutiques – Hoffmann, Schulz, Dettweiler, Rata, Schooner, Zum Löwen, Alfred Becker – me donnaient le sentiment d'être de retour à Berlin, mais les banderoles, les drapeaux et les voitures – principalement des Peugeot et des Citroën – étaient français, tout comme les disques que j'entendais en passant devant les bars et les restaurants : Charles Aznavour, Georges Brassens et Lucienne Delyle. Parmi les représentants de l'ordre, bon nombre arboraient le mot Gendarmerie sur la manche de leur uniforme bleu marine, ce qui révélait clairement d'où venait l'autorité. Je n'étais pas encore tiré d'affaire, loin de là. Et puis, il y avait l'argent. La devise officielle de la Sarre était le franc, mais les Français l'appelaient le *frank,* et la valeur qui figurait sur les pièces était frappée en Allemagne. Dans les boutiques, les grandes marques étaient essentiellement françaises, parfois américaines. Il y avait même quelques restaurants français, du genre de ceux que l'on aurait pu trouver à Paris sur la rive gauche. Tout cela produisait un

effet étrange. Avec sa simplicité germanique et ses préten-
tions françaises, la Sarre ressemblait à un travesti effrayant,
un homme très musclé et mal rasé, portant du rouge à lèvres
et des chaussures à talons hauts dans l'espoir de se faire
passer pour une jolie fille.

J'achetai un paquet de Puck et une boîte d'allumettes
au bureau de tabac, le *Saarbrücker Neueste Nachrichten*
et, chez Alfred Becker, une bouteille de côtes-du-rhône,
une miche de pain, un camembert et une grande tablette
de chocolat Kwatta. Je ne m'attardai pas dans l'épicerie.
J'avais pleinement conscience de mon allure de clochard.
Mon pantalon était troué au genou, mes chaussures crottées
et foutues. J'avais sacrément besoin de me raser et on aurait
dit que j'avais passé la nuit sous une haie, ce qui était le
cas. Les habitants de la Sarre étaient peut-être pauvres, mais
contrairement à moi, ils s'étaient lavés, et leurs vêtements,
s'ils n'étaient pas de première qualité, étaient propres ; tout
le monde semblait avoir un emploi rémunéré et affichait un
air respectable. Un Allemand travailleur ou une Allemande
n'oublient pas facilement leur apparence.

Sur la route de Hombourg, je m'arrêtai à Brebach, à
côté du seul espace vert, pour manger un peu de pain et de
fromage en lisant le journal. Je fus soulagé de constater que
l'on n'y parlait pas de moi. L'actualité était dominée par la
révolution hongroise. Mais alors que je savourais ce rare
moment de paix et de calme, un policier à moto freina à
ma hauteur et me jeta un regard aussi dur que le siège de sa
R51. Avec sa chemise blanche, sa cravate noire, ses grandes
bottes, son uniforme bleu marine, sa ceinture Sam Browne
et ses longs gants en cuir assortis, il ressemblait davantage
à un pilote de la Luftwaffe qu'à un motard. Au bout d'un
moment, il releva ses lunettes sur son casque et d'un mouvement de tête me fit signe d'approcher. Heureusement, je

n'avais pas débouché la bouteille de vin, il ne pouvait donc pas me soupçonner d'être ivre. En outre, il était allemand, ce qui jouait également en ma faveur.

« BMW », dis-je, d'un ton aussi décontracté que possible étant donné que je venais quand même d'étrangler un homme. Korsch et ses sbires avaient-ils découvert l'agent de la Stasi ? Peut-être. Je l'avais pourtant soigneusement caché. « La meilleure moto au monde.

– Vous êtes allemand ?

– Berlinois depuis toujours.

– Vous êtes loin de chez vous.

– Ne m'en parlez pas. Et ça ne va pas s'arranger de sitôt. Ma maison se trouve maintenant à l'est. En RDA. Derrière le rideau de fer. Et mon ancien métier aussi. À l'Alex. Je ne suis pas sûr de retrouver l'un ou l'autre un jour.

– Vous étiez dans la police ? »

Tous les flics d'Allemagne avaient entendu parler du Präsidium sur Alexanderplatz. Dire que vous faisiez partie de l'Alex, c'était comme annoncer à un policier anglais que vous étiez de Scotland Yard. Dans tous les portraits de moi que j'avais lus dans les journaux, mon passé de policier était une chose que la Stasi avait pris soin d'effacer. Les flics, même les flics français, n'aimaient pas traquer d'autres flics. Ça leur donnait des boutons.

« Vingt-cinq ans en uniforme, grosso modo. À la fin de la guerre, j'étais sergent dans l'Ordnungspolizei. Normalement, j'aurais dû toucher une bonne grosse pension de retraite, pour aller avec ma bonne grosse épouse. Mais j'ai été obligé de raquer pour sauver ma peau.

– Vous en avez bavé ?

– Pas plus que la plupart des gens. Quand les Ruskoffs ont débarqué à Berlin, les flics dans mon genre n'étaient pas très appréciés, vous pouvez l'imaginer. Contrairement à ma femme, si vous voyez ce que je veux dire. Elle a été très demandée pendant quelque temps.

– Vous voulez dire…

– Oui. Vingt ou trente salopards de rouges. L'un après l'autre. Comme s'ils se servaient d'elle pour s'entraîner à la baïonnette. J'étais ailleurs à ce moment-là. Je tremblais de trouille dans un trou d'obus probablement. Bref, elle ne s'en est jamais remise. Moi non plus, d'ailleurs. Et depuis que j'ai balancé mon insigne, j'erre de petit boulot en petit boulot.

– Quel genre ?

– Des travaux divers. Des boulots où il n'y a pas besoin de parler et qu'un ex-flic peut faire en dormant. Ce qui m'arrive souvent.

– Comment vous vous appelez ?

– Korsch. Friedrich Korsch.

– Et vous venez d'où comme ça, Friedrich ?

– De Bruxelles. Mon épouse, Inge, était belge. Je travaillais aux Musées royaux, puis j'ai été contrôleur de train, sur l'Étoile du Nord, jusqu'à ce que la poisse me tombe dessus.

– Quel genre ? »

Je brandis la bouteille de vin. « Ce genre-là. D'où le brillant capitaine d'industrie que vous avez devant vous.

– Où allez-vous ? »

Je regardais le panneau routier au moment où je répondis et je n'aurais pas dû me fier à l'inspiration des dieux à cet instant. Si les dieux ne sont jamais punis pour leurs propres erreurs, c'est parce qu'ils nous incitent à en commettre aussi de notre côté.

« À Hombourg. J'ai pensé que je pourrais me faire engager à la brasserie Karlsberg. » Je souris. « C'est une plaisanterie. En fait, ma sœur Dora y travaille et je me suis dit que je pourrais peut-être la retrouver là-bas. J'ai calculé que je devrais y être demain. C'est à combien de kilomètres d'ici ? Trente ?

– Vous correspondez à de nombreux signalements.

– Mais pas à tous assurément. Il doit y avoir deux ou trois chiens et chats errants qui ne me ressemblent pas. » Le motard sourit. Arracher un sourire à un flic de la route, ce n'était pas un mince exploit. Je parlais en connaissance de cause. J'avais fait la circulation sur Potsdamer Platz. Respirer tous ces gaz d'échappement, ça rend grognon. Ce qui explique certainement le caractère des Berlinois.

« À l'Alex, on disait que les signalements de la police pouvaient s'appliquer à n'importe qui, à l'exception peut-être des personnes que l'on peut voir au cirque ou au musée des horreurs.

– C'est juste.

– Je ne sais pas trop dans quelle catégorie il faut me classer. La seconde, probablement. »

Il continuait à sourire et je sus que je n'avais plus grand-chose à craindre, pour le moment du moins. D'une minute à l'autre, il allait m'ordonner de passer mon chemin. Je ne m'attendais certainement pas à ce qu'il propose de m'emmener.

« Montez, dit-il. Je vais vous conduire à Hombourg. Il se trouve que c'est ma ville natale.

– C'est très gentil à vous. Mais vous êtes sûr ? Je ne voudrais pas vous causer d'ennuis. Et puis, je ne sens pas très bon. Je n'ai pas pris de vraie douche depuis un jour ou deux. Et je ne suis pas allé chez la manucure.

– J'étais dans les Panzerdivisions. 10ᵉ régiment de grenadiers. Croyez-moi, rien ne peut sentir aussi mauvais que cinq hommes vivant dans un F2 pendant tout un été. Et puis, sur la moto, vous serez dans le sens du vent. »

Je grimpai sur le siège du passager, étonnamment confortable. Quelques minutes plus tard, nous roulions à toute allure en direction de Kaiserslautern et je me félicitais pour mes talents de menteur. Un mensonge efficace ressemble un peu à une carte de stéréoscope : la carte est constituée de deux images séparées, côte à côte, et qui créent une seule image, bien nette, au centre. C'est bien sûr une illusion. Due au fait que l'œil gauche ignore ce que fait l'œil droit : le cerveau comble le vide. Un bon moyen de comprendre toutes les formes de supercheries. Mais le plus important quand on ment à un flic, c'est de ne pas hésiter. Celui qui hésite se fait arrêter. Et si tout le reste a échoué, vous lui balancez un coup de poing dans le nez et sauve qui peut.

C'était agréable de voir le monde défiler à l'arrière d'une moto, même si ce monde était la Sarre. Le long du canal, un tracteur remorquait une barge chargée de charbon ; deux génisses tiraient une charrette, suivie par deux robustes femmes presque aussi bovines que leurs bêtes ; une famille nombreuse et bigarrée de Sintés campait dans un champ ; un panneau d'affichage datant du référendum du mois d'octobre était encore couvert d'affiches qui proclamaient simplement « Non à l'Allemagne » et d'autres qui affirmaient « Seuls les traîtres à l'Europe disent non, alors dites oui » ; au coin d'une rue, un homme faisait ferrer son cheval par un maréchal-ferrant pendant qu'un jeune garçon immobilisait la tête de l'animal ; dans un champ, un énorme bunker allemand semblait avoir été fendu en deux par un tremblement de terre ; une maison blanche paraissait toute petite à côté d'un empilement de charbon aussi haut qu'une montagne. La vie avait l'air simple, élémentaire, monotone, banale, comme elle l'était pour la plupart des gens. Moi, pour qui le chemin de l'héroïsme était devenu impraticable, qui avais perdu toute capacité d'enchantement

541

vis-à-vis du monde, j'aurais donné beaucoup pour mener une vie aussi ordinaire.

Hombourg était constitué de neuf villages, mais personne ne pouvait s'en douter ; c'était le genre de petite ville que l'histoire oubliait pour se rendre dans un endroit plus attrayant, c'est-à-dire quasiment n'importe où ailleurs. Beaucoup de gens la confondent avec Bad Homburg, située au nord de Francfort, et sans doute prennent-ils leurs désirs pour des réalités. Il y a un château en ruine au sommet d'une colline, une abbaye, l'usine de pneus et la brasserie Karlsberg, évidemment – on la sent dans toute la ville –, mais la chose la plus intéressante à faire à Hombourg, c'est partir.

Le motard de la police me déposa près de l'entrée de la brasserie. Fondée en 1878, c'était une des plus grandes d'Allemagne, et ça se voyait. Je ne savais pas trop ce qu'ils avaient fait au sujet de la grosse étoile de David sur le mur en béton couleur crème et sur l'étiquette de la bouteille du temps où les nazis étaient au pouvoir. Mais elle était bleue et non jaune, alors peut-être qu'ils n'y avaient pas touché.

« On y est.

– Merci. Je vous suis très reconnaissant.

– De rien. Et bonne chance, Friedrich. J'espère que vous retrouverez votre sœur. C'est quoi son nom, déjà ? »

Je souris face à cette astuce de flic. Il voulait vérifier que mon histoire était raccord.

« Dora. Dora Brandt. »

C'était étrange de songer de quelle manière j'avais échoué à Hombourg, et cela faisait naître toutes sortes de questions importantes, et très allemandes, à propos du destin. Je ne suis pas certain que Nietzsche aurait reconnu dans mon arrivée là-bas son concept d'éternel retour, mais parfois, on aurait pu penser que les détails de ma vie étaient destinés à se répéter, encore et encore, pour l'éternité. Goethe aurait peut-être dit que j'avais une affinité élective avec les ennuis, que j'étais chimiquement prédisposé. Ou bien que j'étais condamné à errer à la surface de la terre, tel Odin, en quête d'une forme de connaissance qui pourrait peut-être aider ma recherche futile et crépusculaire d'immortalité. Mais, là encore, peut-être était-ce simplement les dieux ancestraux qui punissaient mon orgueil car je croyais pouvoir m'en tirer en toute impunité, comme eux-mêmes s'en tiraient en général. J'aurais pu cesser de croire en Dieu, mais j'avais besoin des dieux, ne serait-ce que pour m'expliquer certaines choses à moi-même. J'étais déjà venu à Hombourg, figurez-vous.

57

Avril 1939

Friedrich Korsch me déposa à la Villa Bechstein car il n'avait toujours pas le droit de pénétrer sur le Territoire du Führer et je gravis la colline à pied, passant devant le Berghof et la Türkenhäusel où Johann Brandner mourait de froid dans une cellule, jusqu'à la maison de Martin Bormann au sommet. En chemin, j'ôtai la cravate nouée autour de ma mâchoire. J'avais besoin qu'on me prenne au sérieux si je voulais sauver la vie de Brandner. Il était minuit largement passé, aussi fus-je soulagé, quoique pas très surpris, de voir que quelques lumières étaient encore allumées derrière les jardinières impeccables du chef de cabinet. Bormann avait depuis longtemps adopté les habitudes de son maître, oiseau de nuit, et se couchait rarement avant trois heures du matin, m'avait confié Hermann Kaspel. Mais en arrivant devant chez lui, je découvris une voiture, moteur huit cylindres tournant, qui attendait, et vis soudain Bormann, accompagné de plusieurs aides de camp, sortir de la maison. La capote avait été baissée et l'habitacle était si grand que j'aurais pu m'allonger à l'intérieur. Bormann portait un beau manteau en cuir, une chemise blanche, une cravate bleue à pois blancs et un feutre marron biscornu. M'apercevant, il me fit signe d'approcher, mais m'arrêta presque aussitôt en levant la main.

« Oh là, pas plus loin. On dirait que vous avez les oreillons. » À l'évidence, il avait oublié ma mâchoire brisée, et avant que j'aie le temps de lui expliquer, il ajouta : « Il y a six enfants dans cette maison, Gunther, alors si vous avez les oreillons, foutez-moi le camp.

– Ce ne sont pas les oreillons, monsieur. J'ai glissé sur du verglas et je suis tombé sur la tête.

– Ce n'est pas la première fois que ça arrive, pour sûr. Vous savez ce qui est bon quand on est enflé comme ça ? S'enrouler un chapelet de saucisses autour du cou, comme une écharpe. Ça supprime la douleur. Et ça fait un excellent sujet de conversation. Mais ne le portez pas devant le Führer. Il est végétarien et serait capable de faire fusiller quelqu'un qui a une écharpe de saucisses autour du cou. Ou de l'envoyer dans un asile de fous. Ce qui de nos jours revient au même. »

Il ricana sardoniquement, ce qui laissait entendre que c'était sans doute vrai.

« Vous allez quelque part ? demandai-je pour changer de sujet. Vous retournez à Berlin, peut-être ? »

Le simple fait de poser cette question me donna le mal du pays.

« Je monte voir la maison de thé. Venez avec moi. En chemin vous pourrez me raconter ce que vous avez découvert sur le meurtre de Karl Flex. Je suppose que vous ne seriez pas venu jusqu'ici si vous n'aviez pas quelque chose d'important à m'annoncer. En tout cas, je l'espère. » Il frissonna à l'intérieur de son manteau et se frotta furieusement les mains. « J'ai changé d'avis au sujet de la capote, les gars. Je crois qu'on va finalement la mettre. » Il me regarda et je fus surpris de l'entendre se justifier. « Je suis resté enfermé toute la journée, à assister à des réunions, et je pensais avoir besoin d'un peu d'air frais, mais je m'aperçois qu'il fait beaucoup plus froid que je ne le croyais.» Je montai à l'arrière de la grosse 770K, pendant que Wilhelm Zander et Gotthard Farber, un autre aide de camp de Bormann que je n'avais jamais vu, entreprenaient de relever la capote. Assis à côté de Bormann, j'attendais qu'il me demande de m'expliquer. Au lieu de cela, il alluma une cigarette avec un énorme lingot d'or qui faisait office d'allume-gaz et se mit à parler comme un homme qui ne cessait de le faire, certain qu'il y avait toujours quelqu'un pour l'écouter, mais c'était à moi présentement qu'il s'adressait, et pour cette raison, il me semblait judicieux de tendre l'oreille.

«Le Führer a parfois des envies subites. Il aime agir sur un coup de tête. Il se peut très bien qu'il décide de visiter sa nouvelle maison de thé à n'importe quelle heure du jour ou de la nuit. Par conséquent, je dois impérativement m'assurer que tout est fin prêt, le personnel comme les installations. Un vol d'essai, en quelque sorte. D'où cette visite. Pour m'assurer que tout correspond bien à ses exigences.»

Il regarda autour de lui d'un air impatient, tandis que Zander et Farber se débattaient avec la capote, qui avait l'air affreusement lourde. Le fait que Farber soit haut comme trois pommes n'arrangeait rien.

«Dépêchez-vous, on n'a pas toute la nuit ! Qu'est-ce qui se passe ? On dirait que je vous ai demandé de monter un putain de chapiteau de cirque. C'est une limousine Mercedes, pas une guimbarde de youpin.»

Il fallut aux deux hommes plusieurs minutes pour fixer la capote et quand enfin ils montèrent à l'avant du véhicule, ils étaient sacrément essoufflés. Ce qui m'aurait fait sourire si je n'avais pas été assis à côté de cet ersatz de tyran. Moi-même j'avais un peu de mal à respirer. Finalement, le chauffeur actionna le levier de vitesse aussi grand que celui d'un autobus, tourna l'immense volant et cette masse de chromes étincelants et de carrosserie noire lustrée attaqua la route de montagne.

« La dernière fois que je suis monté là-haut, Gunther, les gâteaux et les strudels n'étaient pas tout à fait à son goût. Il n'a encore jamais visité la maison de thé, c'est vrai, mais je le connais suffisamment bien pour dire qu'il y avait trop de fruits dans les strudels et pas assez de crème dans les gâteaux. Et le thé était du thé anglais, que Hitler déteste, pas du thé décaféiné Hälssen & Lyon. Un thé de Hambourg. C'est comme ça qu'il l'appelle. Le seul qu'il accepte de boire. Évidemment, personne d'autre que moi ne pouvait le remarquer. Sur bien des plans, Hitler est un homme très austère, détaché de ce monde, qui se préoccupe assez peu de son confort. Voilà pourquoi je dois me charger de toutes ces choses à sa place. Permettez-moi de vous dire que c'est une sacrée responsabilité. Je dois penser à tout. Et il m'en est très reconnaissant. Ça va peut-être vous surprendre, mais Hitler n'aime pas dire aux gens ce qu'ils doivent faire. Il préfère, et de loin, qu'ils devancent ses envies. »

Les poumons de Bormann inspirèrent une longue bouffée de tabac et exhalèrent un généreux mélange de fumée et d'alcool, de suffisance et d'orgueil. Nul doute qu'il profitait de l'absence du Führer pour s'adonner à ses propres vices. Mais en l'écoutant parler, je commençai à m'apercevoir qu'il était ivre, et pas seulement de pouvoir. À en juger par son haleine qui emplissait maintenant l'arrière de la Mercedes telle une grenade fumigène, je devinais qu'il avait bu plusieurs brandys. J'envisageai d'allumer une cigarette moi aussi, mais rejetai immédiatement cette idée. Bormann n'était pas quelqu'un avec qui on pouvait se comporter normalement. Qu'il fume dans un espace clos, c'était une chose ; si une autre personne en faisait autant, cela serait sans doute considéré comme un délit, passible d'une amende colossale.

« La dernière fois, j'ai aussi constaté un léger problème dans le système de chauffage, poursuivit-il. Je dois donc vérifier que la température est parfaite pour quelqu'un qui préfère l'obscurité et n'aime pas beaucoup la lumière du soleil. Ni trop chaude ni trop froide. Vous avez dû remarquer qu'il fait un peu frais au Berghof. Non ? Oui, je m'en doutais. C'est parce que Hitler ne ressent pas les températures comme les hommes ordinaires, comme vous et moi, Gunther. Peut-être parce qu'il n'ôte jamais sa veste. Ou bien c'est une conséquence de son séjour à la prison de Landsberg. Je n'en sais rien, mais c'est un peu mon test décisif. Le confort d'un homme qui porte une veste de laine en permanence. »

Je décidai de ne pas déconcentrer Bormann en l'interrogeant sur un sujet aussi trivial qu'une éventuelle invasion de la Pologne par l'Allemagne, ce qui pourrait déclencher une nouvelle guerre en Europe, et continuai à attendre son bon plaisir. Toutefois, après plusieurs minutes passées à l'écouter parler de thé, de gâteaux, de température idéale, je commençais à en avoir assez de servir d'auditoire et m'apprêtais à aborder le cas de Johann Brandner quand tout à coup Bormann hurla au chauffeur de s'arrêter. D'abord, je crus que nous avions écrasé quelqu'un, mais Bormann n'aurait pas fait stopper la voiture pour ça. Nous venions de passer devant un groupe d'ouvriers du bâtiment rassemblés sous une forêt de projecteurs, au bord de la route, et

Bormann semblait furieux de ce qu'ils avaient fait, ou pas fait en l'occurrence.

« Ouvrez cette putain de portière ! » ordonna-t-il à Farber, qui se débattait déjà avec la poignée, alors même que le monstre mécanique n'était pas immobilisé.

Aussitôt descendu de voiture, Bormann jeta sa cigarette et se mit à donner des coups de pied dans les pioches et les pelles, des coups de poing dans les épaules des ouvriers, en leur hurlant dessus comme s'ils étaient des bêtes de somme.

« Qu'est-ce que vous foutez ? C'est une putain de réunion syndicale ou quoi ? Vous êtes payés triple pour travailler sans relâche durant toute la nuit. Pas pour rester appuyés sur vos pelles et jacasser comme une bande de vieilles bonnes femmes ! Vous voulez me filer un ulcère ? C'est intolérable ! Vous osez prétendre être des travailleurs allemands ? Laissez-moi rire. Où est votre contremaître ? Où est-il ? Je veux parler au chef de la bande, immédiatement, ou je vous envoie tous en camp de concentration. Dès ce soir ! »

Un des ouvriers s'avança en tremblant, tenant sa casquette dans sa main gelée, mais Bormann poursuivit ses vociférations. On devait l'entendre jusqu'à Berchtesgaden. C'était sans doute la meilleure illustration du national-socialisme que j'avais jamais vue et je pris conscience, avec une lucidité soudaine, que le nazisme n'était rien d'autre que la volonté du Führer, et que Bormann était son porte-parole braillard.

« Qu'est-ce que ça veut dire, hein ? Expliquez-moi car j'aimerais bien comprendre. Moi, Martin Bormann, l'homme qui paye vos salaires mirobolants. Car chaque fois que je passe par ici, je vois le même virage par la vitre de ma voiture. Vous restez plantés là comme des œufs mollets et vous n'en branlez pas une. Le travail n'avance pas. Cette route est toujours aussi pourrie. Pourquoi ?

– On a un problème avec le rouleau compresseur, monsieur, répondit le contremaître. On ne peut pas finir d'asphalter. Il y a un défaut dans la chaudière. Elle ferme mal et du coup on n'a pas assez de vapeur.

– Je n'ai jamais entendu des conneries pareilles, dit Bormann. Ce n'est pas une excuse valable. Vous devriez avoir plusieurs rouleaux compresseurs. Le Führer en personne sera ici dans quelques jours pour fêter son cinquantième anniversaire et il est impératif que cette portion de route soit terminée avant cette date. Je ne veux pas que sa visite soit perturbée d'une manière ou d'une autre par des travaux. Alors, remettez vos hommes au travail et finissez cette route avant que je vous fasse fusiller, salopard de communiste. Débrouillez-vous pour trouver un autre rouleau compresseur. Si ce n'est pas fini demain, vous regretterez d'être né.»

Bormann remonta dans la Mercedes, soupira bruyamment, s'épongea le front, alluma une cigarette et décocha un coup de poing dans le revêtement en cuir de la portière, sans que cela ait le moindre effet sur la voiture a priori blindée. Les vitres aussi devaient être blindées, supposai-je, au cas où quelqu'un s'y attaquerait avec un manche de pioche au passage de la limousine. Voyager à bord de cette 770K, c'était comme rouler dans un coffre-fort.

«Mes ennemis, je peux m'en occuper, grommela-t-il. Mais que Dieu me protège des travailleurs allemands.» Il me regarda et son front se plissa davantage, comme s'il doutait que je puisse améliorer son humeur. Il se renversa contre le dossier de la banquette et martela son ventre proéminent. «Vous avez intérêt à m'annoncer une bonne nouvelle, Gunther. Avant que je pique une crise et que je me mette à bouffer les tapis de ce putain de corbillard !

– Oui, monsieur, dis-je gaiement. Je crois connaître le nom du meurtrier de Karl Flex. Le véritable meurtrier, je veux dire, pas le pauvre Fritz innocent qui se les gèle dans une cellule sous la Türkenhäusel.

– C'est quoi son nom ?

– Johann Diesbach. Un mineur de Kuchl, de l'autre côté du Hoher Göll. Apparemment, Flex avait une liaison avec sa femme. Un triangle amoureux typique. Vous serez soulagé d'apprendre que ça n'a rien à voir avec vous ni avec le Führer.

– Pourquoi est-ce que ce nom me dit quelque chose ? demanda Zander. Diesbach, vous dites ?

– Peut-être que ceci vous rafraîchira la mémoire.»

Je tendis à Zander la photo de Diesbach que j'avais confisquée chez lui. Zander alluma le plafonnier pour l'examiner.

«Vous êtes sûr de vous, Gunther ? demanda Bormann. Ce Diesbach est notre homme ?

– Sûr et certain. Je suis allé chez lui et j'ai trouvé toutes les preuves nécessaires à lui offrir un billet de première classe direct pour la guillotine.

– Joli travail, Gunther.

– Je me souviens de cet homme, monsieur», dit Zander. Difficile d'oublier un homme qui arborait une moustache pareille à celle de Hitler.

«Il a assisté à une de mes conférences sur la littérature allemande. Au théâtre d'Antenberg. Dans le cadre du programme éducatif, pour bâtir des liens avec la communauté locale. Nous avons discuté un petit moment ensuite.

– C'était la conférence sur *Tom Sawyer,* peut-être ? dis-je. Je l'ai lu dans le temps. Comme tous les écoliers allemands, j'imagine.

– Bon sang, pas étonnant que les gens d'ici nous détestent, dit Bormann. *Tom Sawyer* ? Qu'est-ce que vous avez contre les écrivains allemands, Zander ?

– Absolument rien, monsieur. Mais je voulais parler d'un livre qui a été important pour moi dans ma vie. Et puis, c'était l'édition Wilhelm Grunow de Leipzig, en allemand.

– Je plaisantais, imbécile. Comme si je m'intéressais à un putain de bouquin ou à votre foutue conférence !» Bormann cracha sa fumée en s'esclaffant. « Eh bien, Gunther, où se trouve ce Diesbach ? Derrière les barreaux, j'espère. Ou mieux : mort.

– Hélas, non. Il a deviné qu'on l'avait identifié et il a pris la fuite avant qu'on puisse l'arrêter.

– Vous voulez dire qu'il court dans la nature ? Dans les parages ? Sur l'Obersalzberg ?

– Oui, monsieur. Seulement, maintenant qu'il sait qu'on est à ses trousses, il va chercher à quitter la Bavière le plus vite possible.

– Peut-être, mais il n'y a pas de temps à perdre. Vous devez le retrouver, un point c'est tout. Avant le 20. Impérativement. Je veux que vous l'arrêtiez, c'est compris ? Avant le 20 avril.» Bormann commençait à paniquer. « Priorité absolue. Dès qu'on arrivera à la maison de thé, j'appellerai Heydrich à Berlin. J'ordonne que toute l'Allemagne soit mobilisée pour traquer cet assassin.

– Si je peux me permettre, je pense qu'il serait préférable d'utiliser une méthode plus discrète. Évidemment, il faut faire appel à la police et à la Gestapo pour le retrouver. Mais j'ai cru comprendre qu'il s'agissait d'une affaire hautement confidentielle. Et il sera difficile de garder le secret si tout le monde sait que nous poursuivons un fugitif. Faisons croire qu'il a abattu un policier. Ainsi, on sera sûrs que toutes les forces de l'ordre ouvriront l'œil, sans qu'on soit obligés d'en dire plus.

– Mais oui, bien sûr.» Bormann étouffa un rot, ce qui n'améliora pas l'atmosphère à l'arrière de la voiture. « Très bonne idée.

– D'autant que je crois savoir où il compte aller.

– Parfait. Donc, que suggérez-vous, Gunther ? C'est vous le spécialiste de ce genre de chose. Les criminels en fuite et les personnes recherchées.

– Il faut fermer la frontière avec la Lorraine. Temporairement. Je pense que c'est là qu'il va vouloir se rendre.

– Jusqu'à présent vous ne vous êtes pas trompé. Mais vous ne seriez pas un peu pessimiste ? La France, ce n'est pas la porte à côté. Il ne pourra jamais aller jusque-là. Surtout si la Gestapo le recherche.

– Avec un peu de chance, on l'arrêtera bientôt. Mais j'ai le sentiment qu'il va se montrer plus insaisissable qu'on l'imagine.

– Qu'est-ce qui vous fait dire ça ?

– Selon moi, la Gestapo n'est pas aussi toute-puissante qu'elle voudrait le faire croire. Quant à la police... ça fait un moment déjà que l'Orpo a perdu ses meilleurs hommes, partis dans la SS. C'est mieux payé. La plupart des policiers qui sont maintenant dans les rues sont trop vieux pour y entrer. Ils sont trop vieux pour faire quoi que ce soit, d'ailleurs. Ils attendent la retraite.

– Je parie que vous n'oseriez pas dire ça à Himmler.

– Non, monsieur. Mais ce n'est pas Himmler qui commande sur l'Obersalzberg. C'est vous. Et puis, il y a Diesbach lui-même.»

Bormann prit la photo à Zander et l'examina d'un œil critique.

553

« Pendant la guerre, il était *Jäger,* ajoutai-je. Stationné près de la Meuse, avec un détachement d'infanterie de premier ordre. Un véritable *Sturmtruppen*[1]. Je ne parle pas de ces chemises brunes ivres de bière que commandait Ernst Röhm. Diesbach a certainement été formé à la tactique de Hutier. Ça signifie que c'est un homme coriace et débrouillard. Doublé d'un tueur impitoyable.

– Je dois avouer qu'il a l'air d'un dur à cuire, en effet.

– Il a de l'argent et une voiture, sans parler de courage, et un Luger chargé. À mon avis, il est déjà dans un train qui roule vers l'Ouest.

– Très bien. J'appellerai le ministre des Affaires étrangères. Qu'est-ce que vous voulez à part ça ?

– J'aimerais me rendre dans la grande ville allemande la plus proche de la frontière avec la Lorraine, où que ce soit, et assurer temporairement le commandement de la police et de la Gestapo locales en personne.

– C'est Sarrebruck, déclara Zander. Ma ville natale.

– Vous n'avez pas de chance, lâcha Bormann. Vous savez qu'au référendum de 1935, dix pour cent des Sarrois ont choisi de rester français ?

– Non, monsieur.

– Ça veut dire qu'on ne peut pas faire confiance à dix pour cent de la population.

– Mais quatre-vingt-dix pour cent ont choisi de faire partie de l'Allemagne, souligna Zander.

– La question n'est pas là. Au cœur de la principale région productrice de charbon d'Allemagne, il y a dix pour cent de traîtres potentiels. C'est une affaire grave. Quoi qu'il en soit, Wilhelm, vous feriez bien d'accompagner le *Kommissar.* À Sarrebruck.

---

1. Soldat d'assaut.

554

– Moi, monsieur ? Je ne vois pas ce que je pourrais faire.

– La connaissance du terrain ça peut être utile. Pas vrai, *Kommissar* ?

– Vous avez sans doute raison. Mais votre aide de camp n'a peut-être pas envie de se retrouver sous mes ordres.

– Foutaise. Vous vous ferez un plaisir d'assister le *Kommissar* autant que possible, n'est-ce pas, Wilhelm ?

– Certainement, monsieur, si vous pensez que c'est nécessaire.

– Je le pense. Et pendant que vous serez là-bas, profitez-en pour demander à la Gestapo s'ils font le maximum pour exterminer tous ces traîtres.

– Bien, monsieur, dit Zander.

– Le moment est peut-être venu d'évoquer le cas de cet innocent qui est toujours enfermé à la Türkenhäusel, dis-je. Johann Brandner. Il a besoin de soins. Puis-je demander au major Högl de le relâcher ? Et de le faire transférer à l'hôpital de Nuremberg ?

– Je ne crois pas. La situation n'a pas vraiment changé. Vous avez un nom, mais vous ne tenez pas encore votre homme. Un tiens vaux mieux que deux tu l'auras. Il me faudra bien un coupable si jamais vous n'arrivez pas à mettre la main sur le meurtrier. Au cas où le Führer apprendrait par une personne jalouse de mon influence, et elles sont nombreuses croyez-moi, que quelqu'un a été tué sur la terrasse du Berghof, je me vois mal le regarder dans les yeux et lui avouer qu'aucun suspect n'a été arrêté. C'est inconcevable. Vous comprenez ? Tant que votre Diesbach ne sera pas derrière les barreaux, je suis obligé de garder Brandner au frais. »

Je hochai la tête.

« Mais soyez certain qu'il ne lui arrivera rien tant que Zander m'assurera que les recherches pour retrouver Diesbach progressent à grands pas.

– Et pour les deux autres ? Les gestapistes de Linz ?

– Heydrich a réclamé leur mort.

– C'est moi qui vous pose la question.

– Soit. À eux non plus. Parce que je suis d'humeur généreuse.

– Merci, monsieur.

– Cela étant, compte tenu du caractère extrêmement sensible de cette opération, il nous faudrait un mot de passe, ou une expression, en cas de succès. Un message bref pour indiquer que Johann Diesbach a été arrêté, et qui me permettra de libérer Brandner sur-le-champ. Qu'est-ce que vous en pensez, Gunther ?

– Je suis d'accord, monsieur.

– Et que suggérez-vous ? »

Je scrutai la capote doublée de feutre pour trouver l'inspiration et finalement, un peu en désespoir de cause, je dis : « Maintenant que j'y réfléchis, il existe un autre Johann Diesbach. Johann Jacob Diesbach, un fabricant de peinture berlinois qui a inventé la couleur bleu de Prusse, en 1706. L'armée prussienne portait des manteaux bleu de Prusse jusqu'à la Grande Guerre, avant qu'elle passe au *Feldgrau*. À une époque, tous les écoliers berlinois connaissaient le nom de Johann Jacob Diesbach. Alors, pourquoi ne pas choisir ce mot de passe, monsieur ? Bleu de Prusse ? »

58

Avril 1939

Le Präsidium de la police de Sarrebruck se trouvait dans St. Johanner Strasse, à un jet de pierre au nord de la rivière Sarre, à proximité de la gare principale où nous venions de débarquer. Après avoir pris des chambres au Rheinischer Hof dans Adolf Hitler Strasse et un déjeuner sur le pouce au Ratskeller, Zander et moi rendîmes visite au major Hans Geschke, nommé depuis peu chef de la Gestapo dans la capitale sarroise, et qui de ce fait coordonnerait les recherches pour retrouver Johann Diesbach.

Le Präsidium était une construction récente de quatre étages, en béton couleur vieille merde de chien, dotée de fenêtres carrées toutes identiques et d'une porte massive assurément destinée à rappeler aux gens combien ils étaient petits comparés à la grandeur de l'État, sans aucun intérêt architectural. J'entendais presque Gerdy Troost critiquer cet esthétisme typique de Speer, sans élément pour le racheter, ni aucun caractère. C'était exactement ainsi que j'aurais décrit Geschke, un docteur en droit de Francfort au visage poupon, de trente ans tout au plus. Il faisait partie de ces nazis malins et manipulateurs pour qui une carrière dans la police était juste un moyen de parvenir à leurs fins, c'est-à-dire le pouvoir, accompagné de ses ombres jumelles : l'argent et le prestige. Le teint pâle, souriant, vif, il me faisait penser à un sinistre Pierrot qui aurait renoncé à sa naïveté détachée de ce monde comme à sa quête de Colombine en échange du premier rôle dans *L'Opéra de quat'sous*. Mais lors de ses études à Berlin, Geschke s'était intéressé à une de mes vieilles enquêtes. Ce qu'il m'annonça presque d'emblée lorsque j'entrai dans son bureau, et durant plusieurs minutes je me laissai flatter au nom de l'amabilité et de la coopération. Néanmoins, je me réjouissais d'avoir affaire à lui et non à son prédécesseur, Anton Dunckern, promu à de plus grandes responsabilités à Brunswick et tristement célèbre parmi les flics de Berlin pour avoir appartenu à un escadron de la mort SS très actif en ville et dans les alentours au cours du sanglant été 1934. J'avais d'excellentes raisons de croire que Dunckern avait assassiné un très bon ami à moi, Erich Heinz, membre éminent du SPD, dont on avait découvert le corps près d'Oranienbourg en juillet de cette année-là. Tué à coups de hache.

« La police des frontières a été alertée, nous dit Geschke. Et la police des transports aussi, bien évidemment. La Gestapo locale surveille toutes les gares des environs et je suis en contact avec la police française qui, en dépit de tensions diplomatiques récentes, se montre toujours extrêmement coopérative. Si l'Allemagne règne de nouveau sur la France, vous pouvez être certains que nous n'aurons aucun problème avec sa police. Le commissaire Schuman, mon homologue pourrait-on dire, à Metz, a un père allemand et il parle couramment notre langue. Sincèrement, je pense qu'il est plus proche de nous que de cet imbécile de Daladier. C'est Schuman qui a pris le train de Berlin à

Paris en octobre dernier pour arrêter Maurice Bavaud, le meurtrier suisse. Au fait, sait-on quand il va être jugé ?

– Aucune idée. »

Il me parut inutile de souligner que Bavaud n'avait tué personne, mais nous savions tous les deux que l'issue de son procès ne faisait aucun doute.

« Bref, reprit Geschke, la frontière avec la Lorraine est maintenant aussi hermétique qu'un autocuiseur. J'accueillerai toutefois avec plaisir toutes les suggestions afin de venir en aide à *Herr* Bormann et au célèbre inspecteur de la Kripo qui a arrêté Gormann l'étrangleur. Nous sommes une petite ville si on nous compare à Berlin, mais nous avons à cœur de faire tout notre possible. Et nous sommes extrêmement loyaux. Au référendum de 1935, quatre-vingt-dix pour cent des Sarrois ont choisi d'appartenir à l'Allemagne. Et je suis heureux d'affirmer que la plupart des opposants au national-socialisme qui avaient trouvé refuge ici après 1933 sont en prison, ou exilés en France. »

Assis près de la fenêtre, Wilhelm Zander esquissa un sourire, comme s'il repensait au commentaire de Bormann sur Sarrebruck. À peu près d'âge identique, Geschke et lui semblaient sortis du même trou à rats. Seule différence notable entre eux : contrairement à un grand nombre d'individus ayant accédé à des positions de pouvoir dans l'Allemagne nazie, Zander n'était pas docteur en droit, ni a priori en rien du tout d'ailleurs. Malgré un long voyage en train en sa compagnie, je ne savais presque rien de lui, mais j'étais déjà parvenu à la conclusion que je n'éprouvais nul désir d'en savoir plus. De son côté, il semblait totalement indifférent à l'issue de ma mission et avait passé presque tout le trajet plongé dans un livre sur l'Italie où, m'avait-il confié, il possédait encore quelques intérêts. Je ne pouvais pas le lui reprocher : pour quiconque venait de Sarrebruck, l'Italie devait ressembler à Shangri-La. Une maison bâtie sur les pentes du Vésuve paraîtrait plus attirante que la plus belle demeure de la capitale sarroise.

Son mépris pour mon travail ne me gênait pas, au contraire. Je n'avais aucune envie que l'espion de Martin Bormann regarde par-dessus mon épaule pendant que je jouais mon rôle d'inspecteur. Et ma plus grande inquiétude, c'était que le Walther P38 qu'il avait tenu à emporter se révèle plus mortel pour lui ou moi que pour Johann Diesbach.

« Vous savez vous servir de cette chose ? lui avais-je demandé à bord du train en découvrant le pistolet dans sa valise.

– Je ne suis pas un spécialiste. Mais je sais tirer avec une arme.

– Espérons-le.

– Écoutez, *Kommissar,* je ne voulais pas de cette mission. Et vous ne pensez tout de même pas que je vais vous aider à traquer un fugitif sans être armé. Franchement, je croyais que vous seriez content d'avoir des renforts, étant donné que votre collègue a choisi de rester à Berchtesgaden.

– C'est moi qui lui ai ordonné de rester.

– Puis-je vous demander pour quelle raison ?

– Pour enquêter.

– Plus précisément ?

– J'espère qu'il parviendra à arracher des informations supplémentaires à *Frau* Diesbach. Quelques bribes, concernant l'endroit où se trouve son mari.

– De quelle manière, au juste ? Vis à ailettes ? Fouet clouté ?

– Oui. Et si ça ne fonctionne pas, il allumera un feu sous ses pieds. Ça marche à tous les coups. S'il y a une chose qu'on trouve facilement à Berchtesgaden, c'est du bois à combustion lente.»

Je plaisantais, évidemment, toutefois avant de partir je m'étais senti obligé de dire à Korsch d'un ton ferme que je ne voulais pas qu'Eva Diesbach fût maltraitée. Il l'avait déjà giflée une fois et la crainte qu'il recommence, sans oublier les accusations qui pesaient sur son fils Benno, devait suffire, estimais-je, à la convaincre de nous en dire plus.

«Nous n'utilisons pas ce genre de méthodes à la Kripo, dis-je à Zander. Je laisse ça aux individus comme le major Högl.

– J'ignorais que vous étiez aussi délicat, *Kommissar*.

– Si vous commencez à frapper les gens au cours d'un interrogatoire, ça devient une sale habitude. Et à long terme, celui qui en sort abîmé, c'est le flic qui se sert trop facilement de ses poings. Et je ne parle pas de jointures éraflées.»

Après notre entrevue avec Hans Geschke, nous regagnâmes notre hôtel, puis allâmes dîner au Saar Terrasse, près du pont Luisen. Le temps était à l'image de la nourriture : infect. Froid et humide. Et face au souvenir du ciel bleu et de la neige de Berchtesgaden, Sarrebruck paraissait lugubre. Geschke avait promis de venir nous chercher aussitôt qu'il aurait du nouveau, mais en rentrant au Rheinischer Hof, je trouvai un message de Friedrich Korsch me demandant de l'appeler immédiatement, à un numéro qui se révéla être celui de la Schorn Ziegler, la pension de famille de St. Leonhard où logeait le capitaine Neumann.

«J'ai dû quitter la Villa Bechstein, m'expliqua-t-il. Il fallait laisser la place à des huiles du Parti et à leur entourage qui ont débarqué pour l'anniversaire du Führer. Apparemment, il est attendu d'une minute à l'autre. Le capitaine

Neumann a dit que je pouvais occuper sa chambre, ici à St. Leonhard, puisqu'il rentre à Berlin.

– Notre cher capitaine Neumann est très attentionné. »

Je n'avais pas parlé à Korsch du meurtre d'Aneta Husák. Et je ne voyais pas l'intérêt d'en parler à qui que ce soit. Les meurtres – les véritables meurtres, lorsqu'une personne innocente est tuée par une autre – devenaient presque anecdotiques dans l'Allemagne de Hitler. À moins que celui-là n'ait pour but de discréditer quelqu'un aux yeux du Führer.

« D'après les derniers renseignements fournis par l'Orpo, la Wanderer de Diesbach a été retrouvée devant la Frauentor, près de la gare de Nuremberg.

– Nuremberg ? Je me demande pourquoi il est allé là-bas.

– Depuis 1935, Nuremberg possède le meilleur réseau ferré d'Allemagne. À cause de tous les rassemblements du parti nazi, évidemment. Un employé du guichet se souvient d'un homme correspondant au signalement de Diesbach qui a acheté trois billets : un pour Berlin, un pour Francfort et un pour Stuttgart. Il essaye de nous égarer, c'est certain. Francfort et Stuttgart sont plus proches de la Lorraine. En supposant que ce soit sa destination.

– Comment ça se passe avec l'amazone ?

– Je commence à l'apprécier, patron. Faut dire qu'elle est appétissante. Elle présente deux très beaux plats. Rien qu'à la regarder, j'ai faim.

– Restez concentré sur votre travail et laissez vos mains dans vos poches. Cette femme est un témoin, en imaginant que son mari soit jugé un jour. Avez-vous réussi à lui soutirer quelque chose ? C'est le plus important.

– Non, rien. Mais le jeune Benno a fini par rentrer au bercail, et j'ai compris pourquoi sa maman voulait lui éviter l'armée. L'uniforme, ce n'est pas une tenue pour lui.

« – Il est pédé ?

– Comme un phoque. Bref, il a suffi que je froisse son écharpe en soie – à peine, rassurez-vous, il peut encore la porter – pour qu'il m'apprenne une chose intéressante. Il aurait une tante dans la Sarre. Apparemment, papa Johann a ou avait une sœur plus âgée à Hombourg. Berge de son nom, Paula Berge. J'ai cherché sur une carte. Hombourg est une petite ville située à une vingtaine de kilomètres à l'est de Sarrebruck. L'endroit idéal pour se cacher quelque temps avant de juger qu'on peut traverser la frontière française en douce, sans risque. Le Kaiser pourrait vivre là-bas sans que personne ne le sache. D'après Benno, son père et sa tante ne se sont pas parlé depuis longtemps, mais Benno croit se souvenir qu'elle travaillait comme secrétaire du directeur de la brasserie Karlsberg. Et si ça se trouve, elle y est toujours. Auquel cas...

– Frère Johann et sœur Paula ont peut-être renoué des liens.

– Exact.

– Qu'a dit maman à ce sujet ?

– Pas grand-chose. Mais on voyait bien qu'elle mourait d'envie de flanquer une bonne taloche à son fils chéri.

– Il y a de pires endroits qu'une brasserie pour se cacher, non ? »

59

Avril 1939

De bon matin, Zander et moi empruntâmes une voiture à la police. Nous prîmes la route de Kaiserslautern. Je me trouvais au volant d'une Mercedes 260 décapotable très fatiguée, tandis que Zander s'était installé à l'arrière, comme si j'étais son chauffeur. Mais je m'en fichais. J'avais ri en comprenant qu'il avait l'intention de faire ainsi le trajet jusqu'à la brasserie Karlsberg.

« Vous voulez vraiment voyager de cette façon ?

– Je ne conduis pas. Et je me dis que je serai aussi bien derrière.

– Ce n'est pas très poli de traiter un collègue comme un employé.

– Depuis quand vous souciez-vous de la politesse ?

– Oui, maintenant que vous le dites, vous avez raison. Peut-être qu'on devrait baisser la capote afin qu'un taré du coin vous prenne pour l'archiduc Ferdinand et fasse un trou dans votre grosse tête. »

À cause du froid, nous avions tous les deux enfilé un pardessus, mais Zander portait son habituelle tunique brune du Parti, ornée de ces écussons de col rouges qui signifiaient sans doute quelque chose, mais je n'aurais su dire quoi. Je savais seulement que le natif de Sarrebruck était tiré à quatre épingles, et irritable. Il fumait à la chaîne des cigarettes françaises en regardant par la vitre d'un air maussade, alors que nous laissions derrière nous les rues grises pour pénétrer dans la campagne environnante tout aussi grise. Toutefois, au bout d'un moment, il consentit à desserrer ses lèvres pincées, semblables à une cicatrice. Peut-être parce que je m'étais arrêté pour laisser passer un troupeau de vaches pie, qui abandonnèrent une énorme quantité de bouse.

« Bon sang, je déteste cette foutue région. La seule chose bien ici, ce sont les cigarettes françaises.

– Vous détestez quelque chose en particulier ? demandai-je. Ou bien surtout vous-même ? »

Dans le rétroviseur, je le vis se mordiller la lèvre avant de répondre. J'imagine qu'il aurait préféré planter ses dents dans ma jugulaire. Visiblement, j'avais touché une corde sensible.

« Vous ne pouvez pas comprendre. Le monde entier paraît différent quand on vient d'un endroit comme Berlin.

– Je l'ai toujours pensé. »

J'aurais pu, pour confirmer cette affirmation, faire remarquer que les nazis n'avaient jamais été très populaires à Berlin, où dans n'importe quelle élection ils n'avaient jamais récolté plus de trente et un pour cent des votes, mais il me paraissait inutile de me mettre à dos ce petit homme, au risque de me retrouver à la Gestapo. Si les écussons de col de Zander signifiaient quelque chose, c'était qu'il n'était pas arrivé là au mépris de la moindre marque de déloyauté vis-à-vis du Parti. Il m'aurait dénoncé aussi vite qu'il allumait une cigarette.

« Étant berlinois, reprit-il, vous n'avez sans doute jamais éprouvé le besoin de fuir l'endroit d'où vous étiez originaire pour aller ailleurs. N'est-ce pas ?

– Pas jusqu'à ces derniers temps.

– Vous avez de la chance. Et vous avez entendu ce qu'a dit Martin Bormann au sujet de la Sarre. Quand vous venez d'un endroit comme celui-ci, vous êtes automatiquement suspect. Pourquoi le Führer s'entoure-t-il de Bavarois, à votre avis ? Pour la simple raison qu'ils l'ont toujours soutenu. Depuis le tout début. Quand il défilait dans les rues de Munich avec Ludendorff en 1923, moi je grandissais dans une région dirigée conjointement par les Britanniques et les Français, conformément au traité de Versailles. Jusqu'en 1935 j'étais un homme sans pays. Quel Allemand cela fait-il de moi aux yeux du Führer ?» Il ricana en regardant par la vitre. «Évidemment que je hais cet endroit. Comme n'importe qui à ma place. N'importe qui ayant envie d'arriver quelque part dans la nouvelle Allemagne.»

Après cela, il replongea dans le mutisme. Mais je comprenais maintenant mieux pourquoi les gens devenaient nazis : ils voulaient sortir d'une impasse, quitter un endroit insignifiant comme Sarrebruck, obtenir un certain statut parmi leurs semblables ; ils voulaient donner un sens à leur vie merdique, même si cela les obligeait à faire du mal à d'autres, les juifs principalement, mais quiconque ne partageait pas leur point de vue ferait l'affaire.

Hombourg était une ville encore moins reluisante que Sarrebruck, ce qui n'était pas peu dire. Le ciel s'était refermé et la pluie battante cinglait le pare-brise, si bruyamment qu'on aurait pu croire que quelqu'un faisait griller du bacon. De plus, l'humeur dépressive de Zander était contagieuse comme un mauvais sort. Je suivis les panneaux indiquant la brasserie, à l'instar de tout Allemand digne de ce nom, et la route nous fit gravir une colline vers les ruines du château de Karlsberg.

« C'est un château intéressant ? demandai-je. Je me souviens d'un passage de la conférence que vous avez donnée au théâtre d'Antenberg. Vous y alliez quand vous étiez enfant, n'est-ce pas ?

– Il n'en reste plus grand-chose aujourd'hui. Pourtant, c'était un des plus grands d'Europe, habité par le duc de Zweibrücken jusqu'à ce que les hordes indisciplinées de l'armée révolutionnaire française y mettent le feu en 1793. Même les ruines ont disparu. Il n'y a plus que les fondations, je crois. Le seul bâtiment encore debout appartient à la brasserie. Quoi qu'il en soit, ce fut la dernière fois qu'une chose intéressante a eu lieu à Hombourg. Depuis, l'histoire fait un détour pour éviter de passer par ici. »

Je me garai devant la brasserie, qui ressemblait elle-même à un château de taille respectable, beaucoup plus grande et moderne que celle de Berchtesgaden, et me tournai vers mon passager renfrogné.

« Vous n'êtes pas un compagnon de voyage aussi ennuyeux que je le craignais. »

Il me gratifia d'un sourire ironique et las. « Je vous attends dans la voiture », dit-il, et il s'enfonça un peu plus dans le col de son pardessus, tel un Napoléon grognon.

En ouvrant la portière, je fus accueilli par une forte odeur de houblon torréfié, qui me fit regretter de ne pas avoir une chope à la main. Mais j'avais déjà envie d'une bière après une demi-heure de voiture avec Zander.

Je ne m'absentai pas très longtemps. Le directeur de la brasserie, Richard Weber, était un grand et solide septuagénaire portant un costume à fines rayures et un nœud papillon, avec un ventre proéminent d'homme bien nourri, des yeux rouges gonflés, une petite barbe grise et un front dégarni. Comme beaucoup d'Allemands prospères d'un certain âge, il me faisait un peu penser à l'acteur Emil

Jannings, mais surtout il me rappelait mon père. Il dégageait la même odeur : tabac et naphtaline. De la fenêtre de son bureau qui dominait la plaine, j'apercevais la ville en bas et le clocher hexagonal de l'église. Ce n'était pas une vue extraordinaire, mais c'était sans doute la plus belle de Hombourg.

Paula Berge, m'apprit Richard Weber, avait travaillé pour son père, Christian Weber, aujourd'hui âgé de presque cent ans. Il me fournit son adresse grâce à un système d'archivage détaillé qu'aurait envié Hans Geschke. Paula Berge vivait toujours à Hombourg, dans un appartement d'Eisenbahnstrasse, au coin de Marktplatz. À deux minutes de marche de la brasserie, précisa *Herr* Weber. J'en doutais. En outre, il pleuvait des cordes et même si j'aurais préféré laisser là Zander pour me rendre à pied à l'adresse en question, je m'empressai de regagner la voiture.

« Alors, vous lui avez parlé ? demanda-t-il en s'agitant à l'intérieur de son pardessus.

– Non, mais *Herr* Weber, le fils de son ancien patron, m'a donné l'adresse où je pourrai la trouver. Et Diesbach aussi, avec un peu de chance.

– Parfait.

– Espérons seulement qu'elle n'a pas le téléphone.

– Quelle importance ?

– Au cas où Weber déciderait de l'appeler pour lui annoncer l'arrivée de la Gestapo.

– Vous n'êtes pas de la Gestapo.

– Cela ne fait pas beaucoup de différence quand un homme muni d'un insigne de policier frappe à votre porte. Ce n'est jamais une bonne nouvelle.

– Mais pourquoi lui téléphonerait-il ?

– Parce qu'il savait très bien qui elle était, et parce qu'il n'a pas eu besoin de chercher très longtemps pour trouver son adresse. Et parce qu'il l'appelait par son prénom, comme s'ils se connaissaient bien. Mais surtout parce que le standard de la brasserie est à côté de la réception, et en repartant j'ai entendu une des standardistes mettre Weber en relation avec un numéro qu'il venait de lui demander.

– Vous devriez être détective.

– Je me mets à la place de Weber, c'est tout.

– Appeler *Frau* Berge pour l'informer de notre venue, ce n'est pas la réaction d'un bon Allemand.

– Peut-être. Mais c'est la réaction d'un bon ami.

– Mais comment savoir qui il a appelé ? Ça peut être n'importe qui d'autre.

– On va vite être fixés, n'est-ce pas ?»

L'adresse de Marktplatz correspondait à un immeuble d'angle de trois étages, voisin d'une librairie. En face, de l'autre côté de la place, se dressait une église de brique rouge, celle que j'avais vue du bureau de Weber. On aurait dit une prison de haute sécurité, mais de nos jours, toutes les constructions en Allemagne ressemblaient à des prisons. La pendule installée sur la tour hexagonale indiquait dix heures. On aurait pu tout aussi bien être dans un autre siècle. J'arrêtai la Mercedes et attendis que la pluie cesse pour ouvrir la portière.

«Vous restez dans la voiture ou vous venez ? Si elle est là, votre uniforme pourrait être utile. Personne n'aime voir un uniforme nazi de bon matin. Les gens se sentent aussitôt coupables.

– Pourquoi pas ? J'ai besoin d'air frais, si tant est qu'on trouve de l'air frais par ici. Ma parole, la banquette de cette épave roulante est couverte d'une matière collante. Je vais devoir faire nettoyer mon manteau.

569

– Du sang certainement. Vous apprendrez que dans une voiture de police, les seuls sièges propres sont en général ceux de devant.

– Pourquoi ne pas me l'avoir dit ? »

Je fronçai les sourcils. « Je devrais me soucier d'un homme qui juge ma compagnie détestable ? »

Nous descendîmes de voiture pour nous diriger vers l'immeuble où vivait Paula Berge. Devant nous, une grande femme blonde tenait un parapluie. Elle portait des chaussures de ville en cuir noir et blanc aux talons de cinq centimètres et un tailleur en tweed gris. Elle entra dans la librairie. Mon cœur cessa de battre un instant : je crus la reconnaître. Sortie de mon passé. C'était peu probable, je le savais, dans un trou comme Hombourg. Mais avant de comprendre que je faisais erreur, je l'avais suivie à l'intérieur de la librairie, où elle choisit rapidement un exemplaire d'*Autant en emporte le vent,* avant de se diriger vers la caisse.

Six mois s'étaient écoulés depuis que Hilde, la dernière femme à être entrée dans ma vie, en était ressortie tout aussi promptement. Je ne lui reprochais pas d'être partie, uniquement la manière dont elle l'avait fait. Je n'aurais su dire pourquoi, mais une part de moi-même continuait d'espérer qu'un jour elle prendrait conscience de son erreur, tout comme une fraction microscopique espérait qu'elle serait heureuse avec son major SS. Même si le bonheur ne voulait plus dire grand-chose ; c'était une idée pour les enfants, comme Dieu, les anniversaires et le père Noël. La vie était devenue une chose trop sérieuse pour se laisser détourner de son chemin par des bagatelles comme le bonheur. Le sens, voilà ce qui comptait, même si lui aussi se faisait rare. La plupart du temps, ma vie avait moins de sens que les mots croisés de la veille.

N'ayant d'yeux que pour la femme dans la librairie – la ressemblance était étrangement troublante –, je la regardai payer le livre, puis ressortir, peu de temps après le seul autre client du magasin, un homme assez grand, en loden, qui avait oublié sa valise.

« Vous connaissez cette femme ? me glissa Zander, qui m'avait suivi dans la librairie.

– Non.

– Jolie.

– C'est aussi mon avis.

– Pour Hombourg.

– Pour n'importe où.»

Entre-temps, j'avais récupéré la valise en cuir et m'apprêtais à appeler son propriétaire quand je remarquai une petite étiquette sur le côté : elle représentait une pioche et un maillet, accompagnés de ces mots : *Mines de sel de Berchtesgaden* et *Bonne chance*. J'avais déjà vu ce logo : sur un badge en émail au revers d'Udo Ambros. Soudain, je compris qui était cet homme et, sans lâcher la valise, je sortis en courant de la librairie pour voir dans quelle direction il était parti, mais Marktplatz était déserte et Johann Diesbach – car j'étais certain que c'était lui – avait disparu.

« Merde !»

Zander me rejoignit sur la place et alluma une cigarette. « Elle n'a rien de spécial, commenta-t-il. Plutôt pas mal pour la région, je vous l'accorde. Mais pas de quoi perdre la tête.

– Mais non, imbécile ! L'homme qui a laissé sa valise, c'était Diesbach.

– Hein ?» Zander regarda de tous les côtés, mais en vain : plus aucune trace du fugitif. «Vous plaisantez ?» Il fronça les sourcils. «Le directeur de la brasserie, il a dû prévenir la sœur, comme vous le craigniez. Vous devriez y retourner et l'arrêter.

– Pas le temps. De plus, je lui ai seulement dit que je cherchais Paula Berge, pas son frère. Alors, il ne mérite pas vraiment d'être arrêté.

– Mais pourquoi Diesbach a-t-il laissé sa valise ?

– Ses nerfs l'ont trahi, je suppose. Voici ce que vous allez faire, Wilhelm.» Je lui tendis la valise. «Postez-vous devant la porte de l'immeuble de Paula Berge. Et ne laissez sortir personne.»

Zander paraissait affolé.

«Et s'il est à l'intérieur ? Cet homme est un meurtrier. Il est armé, non ? Supposons qu'il sorte en ouvrant le feu ?

– Ripostez. Vous avez une arme.»

Zander grimaça.

«Vous avez déjà tiré avec ? demandai-je.

– Non. Mais ça ne doit pas être très difficile.

– Un jeu d'enfant. Appuyez sur la détente et le Walther fera le reste. C'est pour cette raison qu'on appelle ça une arme automatique.»

60

Avril 1939

Pas une seule seconde il ne me vint à l'esprit que Johann Diesbach, en sortant de la librairie, s'était précipité dans l'entrée de l'immeuble de sa sœur – il aurait pris un sacré risque –, mais je ne pouvais pas me permettre de négliger cette possibilité. Plus vraisemblablement, mes soupçons étaient fondés : sa sœur avait été prévenue de notre arrivée et Johann sortait de l'immeuble quand il nous avait vus traverser Marktplatz, Zander et moi, et il avait décidé de se cacher dans la librairie. Il ne pouvait pas imaginer que nous y entrerions nous aussi, avant d'aller frapper à la porte de Paula Berge. Pour lui, retourner à cette adresse ensuite aurait été suicidaire. Cependant, j'avais bon espoir de le retrouver dans les rues désertes de Hombourg et je me mis à courir dans une direction, puis dans une autre, tel un jouet à ressort : dans Klosterstrasse, puis dans Karlsbergstrasse, et pour finir vers le nord, en remontant Eisenbahnstrasse en direction de la gare. J'avais vu la blonde monter dans une Opel Admiral verte, conduite par un homme vêtu d'un bel uniforme de lieutenant de vaisseau, mais de Johann Diesbach, toujours aucune trace.

Je ne croisai aucun policier en patrouille non plus. Évidemment, Hombourg n'était pas le genre d'endroit où des flics traînaient au coin des rues. La vie n'était pas la seule à se dérouler ailleurs, le crime aussi. Il s'était remis à pleuvoir, la pluie violente de la Sarre, chargée de poussière de charbon et de l'éreintante réalité de la vie ordinaire en Allemagne. N'importe quel flic raisonnable de l'Orpo se serait emmitouflé à l'intérieur de sa cape imperméable et réfugié dans l'embrasure d'une porte tranquille, pour fumer en cachant sa cigarette dans sa main, ou bien il se serait planqué dans le café le plus proche, en attendant que la pluie cesse. En tout cas, c'est ce que j'aurais fait. Une cigarette, à l'abri d'une entrée d'immeuble, quasiment un luxe pour un flic en uniforme à moitié gelé.

Aux deux tiers d'Eisenbahnstrasse, je tombai sur le poste de police et, après avoir exhibé mon insigne, j'expliquai que j'étais sur la piste d'un redoutable tueur de flic répondant au nom de Johann Diesbach et fournis un signalement acceptable de l'homme aperçu dans la librairie.

« Priorité absolue à cette affaire, ajoutai-je avec une certaine suffisance. J'agis sur ordre direct du bureau du chef de cabinet. Cet individu est armé et dangereux.

– Entendu, monsieur. » Le sergent arborait des favoris qui descendaient jusqu'à ses épaules et une moustache de l'envergure des ailes de l'aigle impérial autrichien. « Que voulez-vous que je fasse ?

– Envoyez deux de vos meilleurs hommes le guetter à la gare. Ainsi qu'à la gare routière, si vous en avez une. Je reviens dans une demi-heure pour mener les recherches. »

Sur ce, ignorant la pluie, ou essayant de l'ignorer, je regagnai l'endroit où j'avais laissé Wilhelm Zander. Mes chaussures étaient trempées et mes pieds glacés ; mon chapeau ressemblait à un bloc de glaise sur le tour d'un potier.

Fort judicieusement, Zander s'était abrité dans l'entrée de l'immeuble, une main glissée dans la manche de son pardessus et j'en déduisis qu'il tenait son arme. La valise était coincée entre ses pieds. Il jeta sa cigarette et se redressa, presque au garde-à-vous.

« Personne n'est entré dans cet immeuble ni n'en est sorti depuis que je suis posté là, déclara-t-il.

– J'ai envoyé deux flics locaux surveiller la gare. Avec un peu de chance, il n'ira pas loin. Et quiconque se cache par ici dans l'embrasure d'une porte comme vous est certain d'attirer l'attention. »

Je me faufilai à côté de lui et ouvris la valise pour fouiller rapidement dans les affaires de Diesbach : quelques vêtements propres, un peu d'argent français, un guide Baedeker sur la France, une paire de chaussures, un journal de la Sarre sur lequel étaient notés un numéro de téléphone et une initiale, la photo d'une femme nue que je ne reconnaissais pas, un jeu d'échecs de voyage, une boîte de cachets Wybert pour la gorge, un coupe-chou, un cuir d'affilage et du savon, une brosse à dents, un tube de dentifrice Nivea, un paquet de serviettes hygiéniques Camelia, des munitions et un objet hérissé de pointes qui semblait provenir d'un arsenal moyenâgeux.

« C'est quoi, ce machin ? demanda Zander.

– Une massue de tranchée. On se servait de ce genre de choses pour mener des raids sur les tranchées ennemies la nuit. Très efficace pour tuer des Tommies sans bruit. Rien de mieux que les bonnes vieilles méthodes. »

Zander me regarda en clignant des yeux, visiblement mal à l'aise. « Qui est cette femme sur la photo ? Son épouse, je suppose ? »

Je souris. « Non. Je penche plutôt pour sa maîtresse : Pony. Elle vit à Munich.

– Et les Camelia... les serviettes hygiéniques ? Ça veut dire qu'elle est avec lui ?

– Non.

– C'est à sa sœur, alors ?

– Je pense qu'il les lui a empruntées.

– Hein ? Pourquoi est-ce...

– Quand vous êtes en cavale, vous mouillez vos chaussures. Je parle d'expérience.» Je lui montrai la paire de chaussures de rechange dans la valise, et les serviettes que Diesbach avait glissées à l'intérieur, comme une semelle, pour les aider à sécher. «C'est une vieille astuce de soldat. Ça permet de garder les pieds au sec. Ce qui est particulièrement utile un jour comme aujourd'hui. Une serviette hygiénique, c'est beaucoup plus absorbant que du papier journal.»

Je refermai la valise, me retournai vers la porte de l'immeuble et appuyai sur la sonnette, mais si Paula Berge était chez elle, elle avait sagement choisi de ne pas répondre.

«Enfoncez la porte, dit Zander.

– Non. À quoi bon ? On sait déjà que Diesbach est venu ici. La rue et le numéro de l'immeuble sont notés sur la première page du journal. Mais bien sûr elle niera avoir vu son frère. Et au lieu de perdre notre temps à essayer de la convaincre de parler, je pense qu'il serait plus utile de rentrer au poste et de recruter d'autres policiers pour passer la ville au peigne fin. C'est ce que j'ai expliqué au sergent.»

Nous remontâmes en voiture – cette fois Zander prit place à l'avant avec moi – et je roulai jusqu'au commissariat d'Eisenbahnstrasse, où j'ordonnai au sergent de déployer tout son effectif. Il se trouve qu'il se limitait à trois hommes de plus car, en comptant les deux policiers postés à la gare, il n'y avait que cinq hommes en service dans tout Hombourg, et ils se déplaçaient avec cette lenteur dont seuls sont capables les agents de police des petites villes. Presque aussi inquiétant : ils semblaient considérer cette chasse à l'homme comme un jeu amusant et ils jacassaient, ils plaisantaient, excités à l'idée d'arrêter un tueur de flic. Je leur conseillai de prêter particulièrement attention aux cars qui allaient vers l'ouest, vers Sarrebruck et la frontière française, mais autant demander à un âne d'attraper un lièvre.

« Je parie qu'ils ne trouveront même pas un parapluie cassé, soupirai-je en regagnant la voiture avec Zander. Je n'ai jamais vu de flics aussi empotés, sauf dans les films de Mack Sennett.

– Ils ne m'ont pas fait forte impression, je l'avoue. Je crois qu'on ferait mieux de le chercher nous-mêmes, non ?»

Nous nous rendîmes tout d'abord à la gare, histoire de nous assurer que notre homme n'avait pas été arrêté entre-temps – non –, puis nous roulâmes quelque temps à travers la ville sous la pluie, essayant d'apercevoir Johann Diesbach dans les rues désertes. À côté de Hombourg, Sarrebruck ressemblait à Paris. Nous ne vîmes qu'une seule personne correspondant à son signalement : il s'avéra que c'était une femme.

« Comment un homme peut-il disparaître de cette façon ? s'étonna Zander.

– Ça arrive souvent en Allemagne. On pourrait même dire que c'est banal. Sauf que la plupart du temps la police ne prend pas la peine de les rechercher. Car tout le monde sait bien où ils sont, en réalité.

– C'est-à-dire ?

– Ils sont devenus des KZ[1], ou pire.

---

1. *Konzentrationslager* : détenu d'un camp de concentration.

– Oh, je vois. Peut-être que Diesbach connaît quelqu'un d'autre ici, à Hombourg. Un ami de sa sœur ? Cet homme que vous avez interrogé à la brasserie. Peut-être qu'il le cache. Ce ne sont pas les cachettes qui manquent dans une brasserie.

– Oui, possible. »

Je me garai devant un café.

« Restez ici », dis-je.

J'entrai en courant, allai inspecter les toilettes et ressortis.

« Il n'est pas là. »

Je fis demi-tour pour repartir en direction du château.

« Où allons-nous maintenant ? demanda Zander.

– À la brasserie.

– Je me posais une question... Quand nous étions dans la voiture de Bormann, vous avez dit que cet homme était un *Jäger,* formé à la tactique de Hutier. De quoi s'agit-il ?

– La tactique de Hutier ? On pourrait presque dire que c'est juste du bon sens. Au lieu d'obliger des milliers d'hommes à traverser un terrain à découvert pour lancer une attaque, Hutier formait des bataillons composés de fantassins légers, des petits groupes d'hommes spécialisés dans les raids éclair. Et ça aurait pu marcher, si quelqu'un avait pensé à utiliser cette tactique avant mars 1918.

– Autrement dit, il sait ce qu'il fait.

– Pour ce qui est de se défendre ? Oui, je pense. Vous avez oublié la massue de tranchée dans sa valise ?

– Non. Je comprends ce que vous voulez dire.

– Dites-moi... Avez-vous gardé d'autres souvenirs de cet endroit épouvantable ? demandai-je. À part ce qui s'est passé en 1793 ?

– La plupart des meubles récupérés dans le vieux château ont été transférés dans celui de Berchtesgaden.

– Je parlais d'un souvenir utile, lâchai-je, acerbe.

– C'est si vieux.

– Qu'est-ce qui vous avait poussé à venir ici, d'abord ? De Sarrebruck.

– Mon frère Hartmut et moi, on a reçu une éducation très religieuse. Il vit aujourd'hui à Berlin, il travaille pour la Gestapo. Par ici, la plupart des gens sont catholiques, mais nos parents étaient des luthériens de stricte obédience, et avec mon frère, on allait à l'école du dimanche. La plupart du temps, c'était aussi affreux que vous pouvez l'imaginer. Mais une fois par an, l'été, l'église organisait un pique-nique, et ça se passait presque toujours ici, à Hombourg, dans les anciens jardins du château de Karlsberg. Pour un jeune garçon, c'était très excitant, vous vous en doutez. Un tas de jeux et d'activités sportives avaient lieu. Mais...» Il haussa les épaules. « Ça n'a jamais été mon fort. Hartmut et moi nous partions plutôt explorer les ruines du château avec deux ou trois camarades.»

Zander nous alluma deux cigarettes, ces cigarettes françaises qu'il aimait tant, et j'attendis patiemment tandis qu'il nous emmenait faire un court voyage dans le temps.

« Maintenant que j'y repense, dit-il finalement. Il y a peut-être un endroit où je me cacherais si j'étais poursuivi. À condition d'être vraiment aux abois.

– Comme Johann Diesbach, vous voulez dire ?

– Euh... oui. Sous les ruines du château, il y a ce qu'on appelle les grottes du Schlossberg. Quand j'étais enfant, on y allait souvent. Je crois que tout le monde à Hombourg connaît ces grottes. Ce ne sont pas des grottes à proprement parler, mais des mines de quartz, creusées par l'homme. Ce minéral était très recherché et particulièrement utile pour nettoyer et meuler le verre. Avec au moins cinq kilomètres de galeries, sur neuf ou dix niveaux, un fugitif peut échapper indéfiniment à ses poursuivants. C'est une des raisons pour lesquelles j'aime tant *Tom Sawyer*. La grotte de McDougal me rappelle les grottes du Schlossberg. » Zander marqua une pause. « Bien sûr, ce n'était pas du goût de tout le monde, ajouta-t-il. Et à vrai dire, je n'aimais pas trop descendre dans ces galeries moi non plus. Contrairement à Hartmut. Mais je me sentais obligé, par bravade enfantine. Je souffre de claustrophobie, voyez-vous. Je ne supporte pas les espaces clos. Surtout sous terre. Je lisais le roman de Mark Twain pour combattre ma phobie. Après avoir erré pendant plusieurs jours dans la grotte de McDougal, Tom Sawyer et Becky Thatcher retrouvent la sortie.

– Ce n'est certainement pas un problème pour un homme comme Diesbach, qui possède une mine de sel et a passé la moitié de sa vie sous terre.

– Sans doute pas.

– Et même avant cela, quand il était dans l'armée, évidemment. Moi-même, je suis sûrement à moitié troll après quatre ans de tranchées.

– Il serait comme chez lui là-dessous. Au chaud et au sec. Et je suppose que le sol sablonneux est relativement confortable.

– Où sont ces grottes du Schlossberg ?

– Un peu plus haut sur la colline, après la brasserie.

– On va commencer par là, alors. Et si on ne le trouve pas dans ces galeries, on fouillera la brasserie, comme vous l'avez suggéré. Ils ont peut-être un tonneau de bière aussi gros que ceux du château de Heidelberg et on va le découvrir caché à l'intérieur.

– J'espère que vous n'allez pas me demander de descendre avec vous, dit Zander d'un ton nerveux. Je vous le répète : je souffre de claustrophobie. Et c'est un véritable terrier, avec une multitude d'entrées et de sorties. »

Je ne répondis pas.

« Ne devrait-on pas aller chercher ces policiers en renfort ?

– Je veux attraper le lapin, pas le faire fuir.

– Vous oubliez un détail important, répliqua Zander. De votre propre aveu, ce lapin est armé et extrêmement dangereux. »

61

Avril 1939

« Il est bien là, dis-je tout bas.

– Comment pouvez-vous en être sûr ? »

Je montrai une succession d'empreintes de pas humides dans le sable rouge sec qui couvrait le sol à l'entrée de la grotte et s'enfonçait dans l'obscurité silencieuse.

« Ça pourrait être n'importe qui, objecta Zander.

– Exact. Mais sentez cette odeur. »

Zander fit un pas timide à l'intérieur de la galerie, leva son long nez fin et huma, délicatement, tel un parfumeur de chez Treu & Nuglisch. L'air chaud et sec des grottes du Schlossberg charriait une odeur douceâtre et aromatique.

« C'est quoi ? demanda-t-il.

– Du tabac à pipe. Du tabac Von Eicken pour être précis. Celui que fume Diesbach. »

J'allumai une cigarette. Notre conversation au sujet de la tactique de Hutier m'avait rendu nerveux, comme si je m'apprêtais à sortir de la tranchée en pleine nuit pour aller couper des barbelés dans un no man's land. Ma main tremblait légèrement quand j'approchai le briquet pour inspirer les hydrocarbures chauds et volatils dont j'avais besoin pour calmer mes nerfs. J'avais toujours été meilleur en chimie qu'en philosophie.

Zander fronça les sourcils.

« Vous allez entrer là-dedans ?

– C'est l'idée.

– Tout seul ?

– À moins que vous n'ayez changé d'avis. »

Zander secoua la tête. « Non. Je n'irai pas plus loin.

– Vous êtes sûr ?» Je souris et lui proposai la lampe de la police que j'étais allé chercher dans le coffre de la voiture. Deux languettes en cuir à l'arrière permettaient de l'accrocher à une ceinture ou à un bouton de tunique, afin d'avoir les mains libres. « Prenez cette torche si vous voulez. Et fixez-la à votre pardessus.

– Pour me faire tirer dessus ?» Il secoua la tête avec fermeté. « Autant me peindre une cible sur la poitrine. Je veux bien faire beaucoup de choses pour Martin Bormann, certaines dont je ne suis pas très fier, mais je n'ai pas l'intention de me faire tuer pour lui.

– Voilà qui est parler en vrai national-socialiste.

– Je ne suis pas de la même étoffe que vous, Gunther. Je suis un bureaucrate, pas un héros. Je suis plus à l'aise avec un stylo dans ma poche qu'avec ce stupide pistolet.

– Vous n'êtes pas au courant ? Le stylo est bien plus puissant que l'épée, Wilhelm. Surtout depuis janvier 1933. Si vous saviez les dégâts que peut causer un Pelikan de nos jours. Demandez au Dr Stuckart[1]. Et puis, ni vous ni moi n'allons nous faire tuer.

– Vous semblez très sûr de vous, Gunther.

– Avec un peu de chance, je pourrai essayer de raisonner ce type. Le convaincre de sortir d'ici. En lui promet-

---

1. Wilhelm Stuckart, officiel du parti nazi, corédacteur des lois antisémites, dites de Nuremberg.

tant d'intervenir pour qu'ils se montrent indulgents avec sa femme et son fils s'il se rend. Ce qui ne sera certainement pas le cas. Je ne serais pas surpris que Bormann dynamite sa mine de sel et arrache le toit de sa maison à Kuchl. Il appellera ça une expropriation.

– Vous avez raison. C'est tout à faire le genre de vengeance dont il est capable. Vendre la maison à une huile du Parti et s'engraisser au passage. » Zander paraissait honteux. « J'ai moi-même organisé une ou deux expropriations de ce type. Franchement, j'étais bien content de pouvoir refiler cette tâche à Karl Flex. Ce n'est pas très agréable de jeter quelqu'un à la rue. Surtout dans un endroit comme l'Obersalzberg où tout le monde se connaît. » Il grimaça. « Croyez-moi, je sais à quel point je suis haï là-bas.

– Qu'est-ce que j'entends ? Un nazi qui a une conscience ?

– Nous sommes tous obligés de faire des choses que nous préférerions ne pas faire, afin de devancer les désirs du Führer, pour parler comme Bormann. Vous êtes quelqu'un de bien, Gunther, mais avant la fin de cette année vous pourriez vous retrouver en train de faire des choses que vous regretterez. Comme nous tous.

– Je vous ai devancé dans ce domaine, Wilhelm. » Je glissai la lampe électrique dans ma poche, sortis mon arme, actionnai la culasse pour introduire une balle dans la chambre et relâchai le chien. « Au cas où il ne serait pas ouvert à la discussion.

– Vous n'allumez pas la lampe ?

– Si nécessaire seulement.

– Mais il fait nuit noire là-dedans. Comment diable allez-vous le retrouver ?

– En faisant très attention. Au moins, il ne m'entendra pas venir. Ce sable est un vrai tapis. » D'une pichenette, je lançai ma cigarette dehors, dans les buissons mouillés qui entouraient l'entrée des grottes. Du sommet de l'étroit chemin qui y menait, on apercevait la totalité de Hombourg s'étendre tout en bas tel un pays des merveilles miniature, en insistant sur l'adjectif miniature. « Et peut-être qu'il aura accroché une lampe à la paroi. Ou fait du feu pour se tenir chaud. Avec des projecteurs et des filles à moitié nues du Tingel-Tangel. Un dernier conseil ?

– Le son ne porte pas très loin à l'intérieur. Il n'y a pas beaucoup d'écho. Le plafond est voûté et, par endroits, bien plus haut que vous ne l'imaginez. En fait, c'est assez beau, mais vous ne pourrez pas vraiment en juger dans les ténèbres. Ici et là, des contreforts soutiennent la voûte. Mais il y a peu de risques d'effondrement. En tout cas, ça ne s'est jamais produit quand j'étais gamin. Des escaliers permettent de passer d'un niveau à l'autre, alors attention où vous mettez les pieds. En revanche, dans mon souvenir, il n'y a pas de trous dans le sol. Je sais qu'il y a un interrupteur dans une des salles les plus grandes et les plus riches en couleurs, mais j'ai oublié laquelle.

– Très bien, dis-je. Restez ici pour monter la garde. » Je désignai la galerie obscure devant moi. On aurait dit l'entrée de Hel[1]. « Si tout se passe bien à l'intérieur, je crierai le mot de passe "bleu de Prusse" avant de sortir. Ne vous inquiétez pas, vous m'entendrez. Je le répéterai plusieurs fois. Mais si vous n'entendez pas le mot de passe, dites-vous que c'est lui et ouvrez le feu. Compris ? »

Zander sortit son Walther P38 et arma le chien ; on aurait presque pu croire qu'il savait ce qu'il faisait.

« Bleu de Prusse. Compris. »

---

1. Un des Neuf Mondes de la mythologie nordique.

62

Octobre 1956

Arrêté devant la brasserie Karlsberg, je fronçai les sourcils et secouai ma tête grisonnante, perplexe face au gros logo fixé sur le mur de stuc sale : un homme en tablier de cuir poussait un tonneau de bière à l'intérieur d'une étoile de David bleue. Au-dessus de cette date : 1878. À première vue, rien, ou presque, n'avait changé à Hombourg ; rien à part moi, et le plus surprenant, c'était mon étonnement. Je ne pouvais pas croire que dix-sept ans s'étaient écoulés depuis que j'étais venu ici pour la première fois, et que toutes ces années n'avaient eu aucun effet sur Hombourg. Elle ressemblait toujours à une petite ville allemande très ennuyeuse, et ne m'avait pas plus manqué qu'une chaussette perdue. Tandis que le temps perdu, c'était autre chose, il avait disparu à tout jamais. Et cette constatation me coupait le souffle, comme si un train express m'avait transporté à toute allure contre les butoirs de mon passé. Certes, l'avenir arrive à dix mille kilomètres à l'heure pour tout le monde, mais l'espace d'un instant, je crus être visé personnellement par le chancelier du Ciel, qui aurait décidé de me faire une blague hilarante, à moi et à moi seul. Je n'étais rien de plus que cinq dés dans un jeu de yahtzee. J'avais toujours cru que j'avais grandement le temps de faire un tas de choses, or à présent que j'y réfléchissais pour de bon, il n'y avait pas eu une seule minute à perdre. Voilà sans doute pourquoi des gens choisissaient de vivre dans un trou paumé comme Hombourg, le rythme de la vie y était plus lent, et c'était peut-être le secret d'une longue vie : vivre dans un endroit où il ne se passait jamais rien. Mais quelque chose se produisit soudain : il se mit à pleuvoir à verse.

Évidemment, je savais déjà où j'allais dormir cette nuit lorsque le motard de la police m'avait déposé devant les grilles de la brasserie. C'était gravé dans mon cœur en lettres de feu, supposais-je. Il y avait un hôtel à proximité et, ayant des francs en poche, je me torturai un long moment en contemplant la façade avec envie, rêvant d'un bain chaud, d'un bon repas et d'un lit, mais ma décision était prise. Je devais rester à l'écart des radars, devenir ce que je n'aurais jamais pensé être jusqu'à maintenant : un homme sans avenir. La Stasi espérait que j'adopte le comportement inverse. De toute façon, je n'étais pas présentable et n'importe quel employé ou directeur d'hôtel aurait appelé la police en me voyant débarquer, pour couvrir ses arrières au cas où. Dans le rôle du vagabond, j'aurais pu donner une leçon à Charlie Chaplin. J'avais un trou dans ma chaussure, assorti à celui de mon pantalon, mon visage ressemblait à un aimant à limaille de fer et ma chemise me faisait l'effet d'un papier pour emballer le beurre. Je gravis alors péniblement la colline jusqu'au sommet de Schlossberg-Höhenstrasse, et après avoir admiré la vue deux secondes environ, je me frayai un passage à travers la végétation en suivant le sentier étroit dont j'avais conservé un vague souvenir, et atteignis finalement les grottes de Schlossberg. Elles étaient fermées pour l'hiver et une épaisse porte en fer qui n'existait pas autrefois en interdisait l'entrée. Une pancarte fixée sur la paroi m'apprit qu'il s'agissait désormais d'une attraction touristique, mais j'avais du mal à imaginer que l'on puisse faire tout ce chemin pour voir... pas grand-chose. Ces cavernes n'abritaient pas de fascinantes peintures du paléolithique ni de spectaculaires formations géologiques ; ce n'étaient même pas d'authentiques cavernes mais des mines de quartz, exploitées des années plus tôt, puis abandonnées. Tandis que la pluie redoublait et gouttait dans mon cou, l'abandon ressemblait à une histoire familière dans cette partie du monde. J'essayai d'ouvrir la porte. Elle n'était pas verrouillée.

À l'intérieur, le sol était aussi mou et sec sous mes pieds que si je marchais sur les plages de Strandbad Wannsee au début de l'été. Tenant mon Ronson devant moi, j'avançai tel un pilleur de tombes jusqu'à une des plus grandes salles, où je trouvai un interrupteur électrique que j'actionnai. Le faible éclairage créait surtout l'ambiance, ce qui me convenait parfaitement : je n'avais aucune envie de signaler ma présence. La voûte ressemblait aux volutes de mon pouce très sale et révélait une palette de couleurs, essentiellement des beiges et des rouges, mais aussi des bleus et des verts, un phénomène sans doute dû aux effets du quartz sur la lumière, qui jouait autant de tours bizarres que l'immortel chancelier en personne. J'avais l'impression d'être au cœur d'une immense fourmilière, dans les profondeurs irradiées du Nouveau-Mexique, avec des galeries qui s'étendaient dans toutes les directions, et je m'attendais presque à ce qu'un insecte mutant géant m'arrache la tête d'un coup de dents. En tout cas, ça ne ressemblait pas à l'Allemagne. Je consacrai un moment à l'exploration des différents niveaux, dont un ou deux seulement étaient dotés d'un éclairage électrique, et finis par comprendre comment la mine avait été agencée. Dans certaines galeries on distinguait encore les traces des rails qui servaient à déplacer les wagonnets remplis de sable. On ne percevait aucun bruit, le silence évoquait une pendule enveloppée de plusieurs épaisseurs de coton, comme si le temps lui-même était en suspens. Peut-être pour exaucer mon vœu le plus cher. J'ôtai ma veste trempée et la suspendis à l'interrupteur dans la caverne principale, en espérant qu'elle sèche. Je sortis l'argent de la poche de mon manteau et étalai les billets sur le sable pour les faire sécher eux aussi. Puis je m'assis par terre, mon arme à côté de moi, adossé à la paroi rocheuse, et j'allumai une cigarette. J'aurais pu faire du feu, mais je savais que je ne trouverais rien de suffisamment sec dehors. En outre, il faisait bon dans les cavernes, à l'abri du vent et de la pluie, suffisamment pour que je me détende et souffle un peu, en repensant au chemin parcouru depuis mon départ du cap Ferrat.

J'ouvris la bouteille de vin rouge et en bus un tiers d'une seule gorgée, puis je mangeai un peu de chocolat. Après quoi je m'interrogeai pour savoir si j'allais fumer une autre cigarette et décidai de m'abstenir : il me semblait préférable de faire durer ma réserve de tabac. Peut-être en allumerais-je une après avoir fait une sieste. J'essayai d'imaginer ce qu'avait pu être la vie de ces centaines de mineurs devenus mes compagnons invisibles. Finalement, je choisis la facilité en revenant sur ce qui s'était passé dans ces cavernes avant la guerre, dix-sept ans plus tôt, avec Johann Diesbach et Wilhelm Zander. Dire que j'avais risqué ma vie pour arrêter cet homme. Comme si cela avait la moindre importance. Cinq mois plus tard, l'Allemagne envahissait la Pologne. Au lieu d'exercer le métier d'inspecteur de police dans un pays où la loi et la justice ne signifiaient plus rien, j'aurais dû prendre le premier train vers l'Ouest, vers la France et la sécurité. La Lorraine était si proche de Hombourg. En tant que policier gradé, doté de pouvoirs plénipotentiaires, j'aurais pu aisément franchir la frontière au bluff. Au lieu de cela, j'avais joué au héros dont personne ne voulait réellement. Quel imbécile ! Je balayai du regard mon nouvel appartement en me demandant ce que je pourrais acheter pour le rendre un peu plus agréable. C'était ainsi que nous améliorions notre ordinaire dans les tranchées : quelques livres de chez Amelang, des meubles de Gebrüder Bauer, du linge de maison de F.V. Grünfeld, quelques tapis en soie de Herrmann Gerson et peut-être une sélection de tableaux achetés chez Arthur Dahlheim dans Potsdamer Strasse. Tout le confort d'un intérieur. Dans la réalité, nous accrochions quelques photos parmi d'autres sur les planches en bois brut qui nous servaient de murs : petites amies, mères, vedettes de cinéma. Très souvent, nous ne savions pas qui figurait sur ces photos, les hommes qui les avaient fixées là étant morts depuis longtemps, mais nous n'osions pas les enlever. J'ouvris mon portefeuille trempé pour en sortir la photo d'Elisabeth que je conservais, mais j'avais dû la perdre en route, ce qui m'attrista. Au bout d'un moment, je n'eus plus rien d'autre à faire que de projeter le film de 1939 sur la paroi de la caverne. Je me vis – en noir et blanc, évidemment –, tel Orson Welles dans *Le Troisième Homme,* arme au poing, torche prête à servir, me déplaçant lentement dans les galeries à la recherche de Johann Diesbach, un rat sur la piste d'un autre rat. Les rats voyaient-ils dans le noir ? Enfant, j'avais visité plusieurs fois le Museum d'histoire naturelle de Berlin, et je me souviens d'avoir été horrifié par les photos d'un rat-taupe sans poils. Sans doute un des animaux les plus désagréables que j'aie jamais vus, pensai-je. Et j'avais l'impression de lui ressembler désormais : une sorte de rat mal-aimé et déraciné qui avait perdu son pelage. Sans oublier la seule photo de ma femme.

Je me disais que je pourrais me terrer dans les grottes du Schlossberg pendant deux ou trois jours avant de rejoindre la nouvelle frontière, située non loin de Hombourg, vers l'est. Une fois en Allemagne de l'Ouest, je pourrais faire du stop jusqu'à Dortmund ou Paderborn et m'acheter une nouvelle identité, comme on achète un nouveau chapeau. Beaucoup de gens l'avaient fait après 1945. Moi par exemple. Obtenir un nouveau nom n'était pas difficile ; de plus, ces noms étaient authentiques, en revanche, les Allemands qui les utilisaient étaient faux.

Je dus m'endormir, mais je n'aurais su dire combien de temps. Je me réveillai en sursaut, certain de ne pas être seul, impression essentiellement due au PM automatique de fabrication russe muni d'un silencieux qui était pointé sur mon visage.

63

Avril 1939

Tout a commencé dans les ténèbres, je suppose. Puis
Dieu a allumé la lumière. Mais il s'est senti obligé de se
cacher. Comme si les ténèbres ne pouvaient appréhender
sa lumière ; ou peut-être a-t-il préféré, ainsi que je le soupçonne, que sa véritable identité et la remarquable nature
de son œuvre restent secrètes. Et on ne pouvait pas le lui
reprocher. N'importe quel bon prestidigitateur de cabaret
a besoin de l'obscurité pour exécuter ses tours de magie.
L'imagination se construit non pas sur la clarté, mais sur
son absence. Le mystère a besoin du noir. Vous avez bien
sûr conscience de vous faire duper. Mais sans obscurité, il
n'y aurait pas de peur, et où serait Dieu sans une petite dose
de terreur ? Réaliser un bon tour, c'est une chose, inspirer la
terreur, c'en est une autre. Ce qui est fatal à l'esprit humain
vacillant se nourrit de ténèbres palpables. C'est la lumière
qui donne aux hommes à genoux le courage de se relever
et d'envoyer Dieu sur les roses. Sans Thomas Edison, nous
serions encore en train de nous signer, en proie au désespoir, et de faire des génuflexions comme les plus crédules
religieuses assistant à une messe de requiem pour le pape.

Dans les grottes du Schlossberg, l'obscurité m'enveloppait comme si j'avais été avalé par une baleine. Pendant plusieurs minutes, j'avançai dans le noir, le souffle coupé, tâtonnant contre les parois de quartz rugueuses, tel un aveugle au bord d'une falaise, mes doigts devenant mes yeux. De temps à autre, je plaquais mes reins contre la roche et de minuscules grains de sable adhéraient à mes paumes et s'insinuaient sous mes ongles. Une ou deux fois, je me laissai même tomber à genoux et, le bout d'une chaussure appuyée contre la paroi, je tendais la main pour vérifier que j'étais toujours dans une galerie. Celle dans laquelle j'avançais semblait mesurer moins de deux mètres de large car je touchais aisément les côtés sans abandonner le mur qui me servait de fil rouge dans ce labyrinthe. Je ne me souciais plus de mon manteau. J'avais plus peur de tomber que d'être couvert de sable, ou de me faire tirer dessus. De fait, c'était surtout mon odorat qui me guidait, car l'arôme sucré, caractéristique, du tabac à pipe de Johann Diesbach devenait de plus en plus fort. Je sentais également les effluves âcres des cigarettes préférées de Zander, et même l'odeur soufrée de l'allumette qu'il avait utilisée, et je me tançai vertement pour ne pas avoir pensé à lui interdire de fumer. Si je sentais son tabac dans les galeries, Diesbach aussi. Pendant dix ou quinze minutes, j'évoluai ainsi dans le vide intersidéral, de cette démarche hésitante, mais lorsque je touchai la fin du mur, j'en déduisis que la galerie était terminée elle aussi. Me gardant de toute précipitation, je m'allongeai à plat ventre et me mis à ramper. Je compris que je devais me trouver dans une des prétendues cavernes et, n'ayant aucune idée de ses dimensions, je savais que j'allais devoir jeter un rapide coup d'œil pour m'orienter, afin de la traverser sans risquer une blessure grave.

Ma lampe électrique, une Siemens, celle que nous utilisions déjà durant la guerre, était dotée d'un petit capuchon métallique réglable destiné à mettre l'ampoule à l'abri d'un tireur d'élite lorsque vous consultiez une carte la nuit. Malgré tout, très souvent, nous prenions la précaution de nous cacher sous un épais pardessus avant de l'allumer. En pensant à cela – je n'oubliais pas que Johann Diesbach était un ancien *Jäger* et un redoutable adversaire, et je n'oubliais pas non plus la massue de tranchée que j'avais découverte dans sa valise : un homme qui emportait une telle arme à côté de sa brosse à dents inspirait une crainte légitime –, je m'agenouillai et allumai à peine une seconde la lampe à moitié enfouie dans le sable, espérant avoir une meilleure perception de mon environnement. Bien m'en prit : au milieu d'une caverne imposante, un escalier raide conduisait au niveau inférieur. Quelques pas de plus dans le noir et je me serais brisé la nuque. Je laissai la lampe allumée juste le temps de calculer le nombre de pas nécessaires pour atteindre la galerie suivante, puis je l'éteignis. Une ou deux minutes plus tard, j'avais négocié la traversée de l'espace sablonneux et rejoint le mur opposé. Peu à peu, je gagnai une seconde caverne et, venus de l'autre côté du silence, quelques bruits épars – une toux, un raclement de gorge, le frottement d'une allumette, un soupir, des lèvres qui tètent goulûment le tuyau d'une pipe – s'insinuèrent dans mes oreilles vides comme autant d'indices crépusculaires. Finalement, à l'orée des ténèbres, le noir céda la place à un gris violacé et mes yeux cherchant désespérément quelque chose à voir, de la même manière que mes poumons auraient réclamé de l'oxygène, je distinguai la naissance pâle de ce qui pouvait être une lumière. Je fis encore timidement quelques pas, et peu à peu la tache indistincte s'amplifia, remua comme une chose presque vivante, jusqu'à ce que j'identifie la flamme discrète et tremblotante d'une minuscule bougie. Je levai mon pistolet à hauteur de mon visage, armai le chien, enlevai le cran de sûreté et avançai la tête au coin du mur.

Je vis d'abord ses chaussures, rien d'autre, et ma première pensée fut : elles sont gigantesques. Cet homme avait des pieds énormes. Il avait ôté ses chaussures pour les faire sécher. Un chapeau vert, orné d'une plume coincée dans le ruban, reposait à côté et son loden était suspendu à un clou planté dans un contrefort. Diesbach était assis par terre, dos au mur, à dix ou quinze mètres de l'endroit où je me tenais. La bougie se trouvait à quelques centimètres seulement de ses pieds. Il portait un épais costume de laine, avec un pantalon de golf que je n'avais pas remarqué précédemment ; il avait les bras croisés, sa pipe dans la bouche et les yeux fermés. De temps à autre, tel un dragon endormi, un coin de sa bouche se relevait pour laisser échapper une bouffée de tabac. On aurait dit Adolf Hitler en plus coriace. Ce type de moustache n'était pas rare en Allemagne ; nombreux étaient les hommes qui voulaient ressembler au Führer. Certains espéraient ainsi paraître plus autoritaires ; j'avais même lu dans le journal qu'un homme affublé de cette moustache à la Charlot avait exigé davantage de respect. Exception faite du Luger à canon long dans sa main, Diesbach semblait aussi détendu que s'il effectuait une croisière sur l'île de Rügen et aussi à l'aise dans ces cavernes que chez lui, comme s'il venait de s'asseoir pour se reposer après une journée de travail dans sa mine de sel.

J'aurais dû abattre ce salopard sans sommation, rien que pour la moustache, comme il avait abattu Udo Ambros et Karl Flex. La plupart des policiers qui travaillaient encore pour la commission d'enquêtes criminelles en 1939 lui auraient certainement troué la peau sans une seconde d'hésitation. Ne serait-ce que pour le ralentir, le temps de lui passer les menottes. Mais à cette époque, j'étais encore assez stupide pour croire que je valais mieux qu'eux, et que mon devoir m'imposait de donner à cet homme une chance de se rendre. À vrai dire, si j'aurais pu sans peine l'atteindre en plein jour, le risque de manquer ma cible dans la lumière vacillante de la bougie me semblait trop élevé, et si je loupais mon coup, je savais que je n'aurais pas d'autre chance. Mon expérience à l'Alex m'avait appris que la plupart des criminels abattus par la police l'étaient à moins de trois mètres, et à cette distance, il n'y avait pas de meilleure arme que le Walther PPK. Mais à plus de dix mètres, difficile de rivaliser avec un Luger Parabellum à canon long. Entre les mains d'un *Jäger,* cette arme l'emportait sur mon PPK et possédait la puissance d'arrêt d'une porte de château fort. Autrement dit, j'étais plus ou moins obligé d'avancer le plus possible avant de tenter une arrestation. Avec la conscience de prendre un risque colossal. Confronté à une mort ignoble sur la guillotine, tout homme décoré de la Croix de fer de première classe préférera mourir l'arme à la main et une bonne injure à la bouche. Diesbach ayant les yeux fermés, la seule chose qui jouait en ma faveur était la surprise. Grâce à l'épaisse couche de sable sous mes pieds, je pouvais aisément combler la distance entre lui et moi avant de lui annoncer que mon arme était pointée sur sa bedaine de buveur de bière. Et peut-être choisirait-il à ce moment-là de se rendre. Mais alors même que j'élaborais ce plan, j'avais conscience que Diesbach était un individu trop rude pour s'avouer vaincu sans se battre. Les muscles de ses avant-bras saillaient comme des jarrets et sa mâchoire semblait avoir été sculptée dans une carrière. Pour un tel homme, travailler dans une mine était sans doute plus facile que de séduire les clients dans des restaurants chics de Munich. Il devait faire peur aux chefs pour les inciter à acheter son sel rose. Avec sa sale petite moustache.

64

Avril 1939

Mon pistolet pointé sur le centre de sa poitrine, j'avançai dans la caverne. À quinze mètres, j'avais la bouche aussi sèche que le sable qui tapissait le sol ; à quatorze mètres, mon cœur cognait si fort que je craignais que Diesbach l'entende ; à treize, je commençai à prendre confiance ; à douze, j'étais suffisamment près pour voir la cicatrice blanche sur son menton ; à dix, je m'apprêtais à lui ordonner de lâcher son arme et de lever les mains ; mais à huit mètres, il ouvrit les yeux, croisa mon regard et sourit, comme s'il m'attendait.

« N'approchez pas plus, poulet, dit-il nonchalamment. Si vous faites un pas de plus, vous découvrirez quel excellent tireur je suis.

– Tout ce sel a dû vous sécher le cerveau comme un vieux hareng. Si je tire, vous serez mort avant même de lever votre arme. » Je lançai une paire de menottes dans le sable, à côté de sa jambe. « Allez, lâchez ce Luger, délicatement, comme si c'était un des jolis seins de Poly. Jetez-le vers moi et mettez ces bracelets.

– Comment vous connaissez Poly ? demanda-t-il, sans lâcher le Luger.

– Votre femme m'a parlé d'elle.

– Je suppose qu'elle vous a raconté un tas de choses, dit-il en tirant paisiblement sur sa pipe. Sinon, vous n'auriez pas fait tout ce trajet jusqu'à la charmante ville de Hombourg.

– Ne lui en veuillez pas. Accusez plutôt Benno. Et les nazis. Menacer quelqu'un d'un séjour à Dachau est une entrée en matière très persuasive avant toutes sortes de questions pressantes.

– Vous savez quoi ? Je pense que Bormann me réserve un sort bien pire que ça. Alors, je vous le dis d'emblée : je n'ai aucune envie de troquer mon plus beau chapeau contre le panier d'osier à Plötzensee. Ce qui signifie que je n'ai rien à perdre, poulet. Ce serait dommage qu'on se prenne une balle tous les deux parce que vous voulez me mettre la tête sur le billot.

– Je survivrai. Mais on ne peut pas en dire autant de vous, Johann. À la seconde même où j'appuierai sur la détente, votre dernière pensée sera une tache rouge sur le mur. Mais si vous vous rendez, je veillerai à ce qu'il n'arrive rien à Eva ni à Benno. Je ne suis pas un homme vindicatif, mais je crains qu'on ne puisse pas en dire autant de mes employeurs. Ils traiteront votre femme et votre fils comme les pires criminels. Ils arracheront le toit de votre maison. Ils dynamiteront votre mine de sel. Si votre femme pense que votre fils est trop tendre pour l'armée, combien de temps tiendra-t-il à Dachau selon vous ? Tout ça parce que vous voulez mourir comme James Cagney.

– Vous n'êtes pas un très bon enquêteur, hein ?

– Je vous ai retrouvé, non ?

– Oui, mais vous avez dû vous rendre compte qu'entre ma femme et moi, ce n'était pas l'entente parfaite. Depuis qu'elle a découvert l'existence de Pony. Quant à mon fils... Vous avez rencontré Benno, je suppose. Ce n'est pas ce qu'on appelle un homme un vrai, plutôt un homme à hommes, si vous voyez ce que je veux dire. Sa mère soudoyait ce salopard de Flex pour qu'il n'aille pas à l'armée. Pour moi, c'est la goutte d'eau qui a fait déborder le vase. Ce que j'essaye de vous expliquer, c'est qu'ils devront se débrouiller sans moi. Et je me dis que si je suis obligé de vous tuer, je n'aurai qu'à sortir d'ici pour franchir la frontière dès ce soir. Je parle français. Cela ne posera aucun problème.

– Vous devez penser que je suis un flic assez idiot pour être venu ici tout seul. Le secteur entier est bouclé par des policiers du coin. Par ailleurs, si vous croyez que les Franzis ne vous livreront pas à nous, vous vous trompez. Ils sont peut-être sur le point d'entrer en guerre contre l'Allemagne, mais en attendant, nous bénéficions de la totale coopération de la police française.

– Je n'en doute pas. Les Français ont toujours mangé dans la main des Allemands. Comme j'imagine que vous mangez dans la main de Martin Bormann. Ça fait quoi d'être un nazi comme les autres, qui exécute le sale boulot pour l'ordre nouveau de Hitler ?

– Je ne suis pas un nazi. Et j'en ai marre d'entendre parler de cet ordre nouveau. S'il me reste un peu de dignité, je vais m'en servir pour essayer de faire mon travail comme autrefois. Ce qui veut dire vous conduire en prison. Vivant. Vous arrêter pour un crime que vous avez commis, j'en suis convaincu. Une fois que vous serez derrière les barreaux, ils feront ce qu'ils voudront de vous. Je m'en fous. Mais n'imaginez pas que je sois incapable de vous tuer, Johann. Avec ce que je sais sur vous, ce sera même un véritable plaisir.

– Finalement, nous ne sommes pas très différents, vous et moi.

– Qu'est-ce qui vous fait dire ça ?

– J'ai tué Karl Flex parce qu'il participait à cette même hypocrisie criminelle que vos supérieurs. Et parce qu'il l'avait bien mérité. Vous avez certainement découvert toutes les combines dans lesquelles il trempait. Les combines de Bormann sur l'Obersalzberg. Drogue, expropriations, corruption. Ce type mange à tous les râteliers. Et Flex était un de ses larbins. Un nazi de la pire espèce. La race des profiteurs. Ça n'a pas pu vous échapper.

– Vous pouvez essayer de vous convaincre comme vous voulez. Et peut-être que Flex l'avait mérité. Mais on ne peut pas en dire autant d'Udo Ambros. Votre vieux camarade. Votre ami. Un homme qui a servi avec vous dans l'armée. Je ne vois pas ce qu'il a fait pour mériter que quelqu'un, vous en l'occurrence, lui fasse sauter la tête d'une décharge de chevrotine.

– Vous ne comprenez donc pas ? J'étais obligé de le tuer. Il menaçait de dire à la police que je lui avais emprunté ce fusil. Celui avec lequel j'ai tué Flex. À ce propos, bravo pour le coup de la cheminée, vous avez été très astucieux. Bref, Udo me donnait vingt-quatre heures d'avance pour quitter Berchtesgaden avant d'aller me dénoncer. Mais j'avais trop à perdre, je ne pouvais pas le laisser foutre ma vie en l'air. Uniquement parce que j'avais éliminé une ordure comme Karl Flex. Je lui demandais juste de la boucler. De dire que ce fusil avait été volé, ou je ne sais quoi. J'avais une belle vie, les affaires marchaient bien. J'étais obligé de le tuer. Je vous en prie, essayez de comprendre. Il ne m'a pas laissé le choix. Je devais protéger ma famille et mon entreprise. »

Je percevais une intonation nouvelle dans son ton de Bavarois pompeux, le genre d'autojustification mensongère et mielleuse que nous avions tous entendu quelques semaines plus tôt, quand Hitler avait violé les accords de Munich et occupé ce qui restait de la Tchécoslovaquie, après que l'Allemagne avait déjà annexé les Sudètes. La suite me persuada que j'avais surestimé Johann Diesbach : quand il retira sa pipe de sa bouche, sa main tremblait. Il avait peur. Je le voyais dans ses yeux.

« La façon dont vous parlez d'un meurtre de sang-froid, vos explications pleurnichardes, tout cela prouve que vous ne valez pas mieux que les nazis. Vous êtes peut-être même pire. Mais je sens que vos nerfs vous lâchent. Vous êtes le genre de type qui peut tirer sur un homme seulement s'il ne s'y attend pas. Je me trompe ? Alors, vous allez vous servir de votre Luger pour tirer ou pour vous curer le nez ? » Baissant mon arme, je me rapprochai et lui décochai un coup de pied. « Allez-y, gros dur. Pointez votre flingue sur moi et vous verrez ce qui se passe. »

Diesbach me regardait d'un air maussade. De près, je voyais que l'envie de se battre l'avait quitté depuis longtemps. À moins qu'elle n'eût jamais existé. La lumière d'une bougie, surtout dans une caverne, peut vous jouer des tours

« Non ? dis-je. Je m'en doutais. Autrefois peut-être, *piefke*. Mais plus maintenant. Votre fils a plus de cran que vous. »

Je lui pris son arme et la fourrai dans la poche de mon manteau. Puis je l'obligeai à se lever et le giflai violemment. Non pas à cause de sa petite moustache horripilante, mais parce qu'il m'avait fait peur, et je n'aimais pas avoir peur.

65

Avril 1939

Tenant la lampe électrique d'une main, je glissai mon pistolet dans ma poche et escortai mon prisonnier menotté dans les galeries. À peine avions-nous fait quelques pas qu'il me proposa un marché.

« Rien ne vous oblige à faire ça, *Kommissar* Gunther. Vous pourriez me laisser filer. J'ai beaucoup d'argent. Il y a au moins mille reichsmarks dans la doublure de mon loden, là. Et des pièces d'or cachées dans la ceinture de mon pantalon. Relâchez-moi et tout est à vous. Ne me remettez pas à ces salopards de nazis. Vous savez très bien ce qu'ils vont me faire. Ils vont me laisser crever de faim, comme ce pauvre Brandner, et ensuite, ils me couperont la tête.

– Vous aurez besoin de cet argent pour vous payer un bon avocat. »

Je ne savais pas pourquoi j'avais dit ça. L'habitude, sans doute. Je ne pensais pas qu'il y avait un seul avocat en Allemagne qui pourrait éviter la guillotine à Diesbach. Clarence Darrow lui-même n'aurait pas réussi à persuader le tribunal populaire de Potsdamer Platz que le meurtrier de Karl Flex méritait autre chose qu'une coupe de cheveux.

Et je m'en fichais. Dès que Diesbach serait entre les mains de la police de Sarrebruck, je retournerais à l'Obersalzberg pour faire aussitôt sortir Brandner de la prison du RSD. C'était son sort qui m'intéressait. J'espérais même que Martin Bormann, reconnaissant, accepterait de commuer la condamnation à mort des deux gestapistes de Linz. Et quand j'en aurais fini avec Martin, je travaillerais au corps Gerdy Troost pour qu'elle me présente Albert, afin de le mettre au courant de l'ampleur des malversations de son frère et de la corruption flagrante au sein de l'Administration de l'Obersalzberg.

Diesbach devint menaçant.

« Je vous conseille de faire gaffe, poulet. Après ce que vous m'avez dit tout à l'heure, je pourrais vous causer de gros ennuis. Croyez-moi.

– Comment cela ? »

Diesbach sourit. « Je pourrais raconter à la Gestapo que vous détestez les nazis. Oui, je pourrais leur répéter ce que vous m'avez dit.

– Si on me donnait cinq reichsmarks chaque fois qu'un abruti de votre espèce menaçait de me dénoncer à la Gestapo, je serais un homme riche. Vous croyez qu'ils ne s'attendent pas à entendre ce genre de révélations de la part d'individus comme vous ? Qui accusent des flics de trahison ?

– Je parie que vous n'êtes même pas membre du Parti. Ça pourrait faire vibrer une corde sensible. Évidemment, si vous me laissez filer… »

Je l'agrippai par le col de sa veste. Nous approchions de la sortie et, après m'être donné tant de mal pour le capturer vivant, je ne voulais pas que Diesbach se fasse tuer par un homme qui avait peur du noir.

« Zander ? C'est moi. Bleu de Prusse ! OK ? Vous m'entendez ? Tout va bien. Je lui ai passé les menottes. On va sortir. Vous m'entendez ? Bleu de Prusse !

– Je vous entends, Gunther. Bleu de Prusse. Bien reçu. Pas de problème. Sortez. »

Je poussai Diesbach devant moi. Quelques secondes plus tard, nous tournions au coin de la galerie pour déboucher dans la lumière grisâtre du jour. Zander n'avait pas bougé. Il jeta sa cigarette, baissa son arme et ricana.

« Alors, c'est lui le satané Fritz qui a provoqué tout ce chambard ?

– C'est lui.

– Félicitations, Gunther. Je dois dire que j'admire votre courage. Pénétrer comme ça dans ces grottes. Même avec une lampe, je n'aurais pas pu faire ce que vous avez fait. Rien qu'en restant à l'entrée, je me sens mal. Je n'arrive pas à croire que je me suis aventuré là-dedans quand j'étais enfant. Oui, vous êtes un sacré numéro. Je comprends à présent pourquoi le général Heydrich vous tient en si haute estime. Parfois, on a besoin d'un homme compétent que l'on peut éventuellement sacrifier, comme vous, capable de faire le sale boulot. Dans des circonstances normales, vous pourriez espérer une médaille. Pour bravoure. Hélas pour vous, ce ne sont pas des conditions normales. Vous auriez été en droit d'attendre une promotion, au minimum.

– Je me ferai une raison, dis-je.

– J'en suis sûr, *Herr Kommissar*. Mais je suis au regret de vous dire que ce n'est pas le cas de Martin Bormann. »

À peine Wilhelm Zander eut-il fini de prononcer ces mots, qu'il leva son Walther et tira sur Diesbach, trois fois, sans ciller. À l'entrée des grottes, les détonations ressemblaient au rugissement métallique d'un Minotaure des temps modernes. Diesbach s'écroula, son sang se répandit sur le sable. Il était mort.

Je demeurai un instant pétrifié, en partie à cause du pistolet de Zander, désormais pointé sur moi.

« Je le voulais vivant !

– Vous peut-être. Mais vous étiez le seul.

– Il faut agir dans les règles. Sinon, la loi ne vaut pas mieux que ceux qui la violent. Vous ne comprenez pas ça ?

– Ce que vous êtes vieux jeu. Et naïf. Êtes-vous stupide à ce point ? Ce malheureux incident – j'ai nommé le meurtre de Karl Flex – n'a jamais eu lieu. Pour des raisons évidentes. Il ne faudrait pas que le Führer apprenne que quelqu'un a été tué sur la terrasse du Berghof ! Ce serait très embêtant, n'est-ce pas ? Mais si d'autres l'apprenaient, ce serait encore pire. Si Flex a été tué sur cette terrasse, la même chose pourrait arriver à n'importe qui. Et vous imaginez ce que les journaux et les magazines étrangers tireraient de cette histoire. De quoi donner des idées à toutes sortes de gens. De mauvaises idées. La chasse au Führer serait ouverte. Des Anglais sportifs, obsédés par la démocratie et munis de fusils, débarqueraient dans la région pour traquer la proie suprême : Hitler en personne.

– J'aurais dû m'attendre à un coup tordu de votre part, Zander.

– Je n'ai pas agi de mon propre chef. Martin Bormann m'a ordonné de tuer cet homme. Alors, épargnez-moi vos airs supérieurs, Gunther. Tuer ne me procure aucun plaisir. Je ne suis qu'un bouton sur lequel Bormann a appuyé avant que nous quittions l'Obersalzberg. Et si vous voulez mon avis, j'ai rendu un service à ce pauvre type. Ils lui auraient coupé la tête et ce n'est pas une belle façon de mourir. J'ai entendu dire qu'ils n'aiguisaient plus la lame de la guillotine de Plötzensee, sur ordre de Hitler. Afin que l'exécution dure plus longtemps. Il arrive qu'on doive s'y reprendre à deux ou trois fois avant que la tête tombe. Bon sang, ça doit faire mal.

– Et maintenant ?» demandai-je en observant le pistolet que Zander tenait d'une main ferme, et plus particulièrement son index replié sur la détente. Aucun signe de nervosité ne transparaissait chez ce petit homme, ce qui m'étonnait. Tous les gratte-papiers allemands ne sont pas capables de tuer quelqu'un de sang-froid « On peut rentrer maintenant ? Ou bien Bormann souhaite-t-il ma mort également ?

– Mon cher Gunther, Bormann ne souhaite pas votre mort. Mais moi, si. Comme plusieurs de mes collègues de l'Obersalzberg. Le Dr Brandt, Bruno Schenk, Peter Högl, par exemple. Je suppose que face à un individu de votre espèce, nous avons un peu honte de notre malhonnêteté. Car, comme vous l'avez sans doute compris, nous sommes tous impliqués dans les mêmes combines que Karl. Les dix pour cent de commission. Nous prélevons une partie de tout ce que Bormann empoche en administrant la montagne de Hitler. Cela nous semblait normal, étant donné qu'il nous envoyait percevoir ses pots-de-vin. Et nous ne trouvions pas cela particulièrement malhonnête, je dois l'avouer. Bormann a amassé une fortune depuis son arrivée à l'Obersalzberg. Et si lui-même se le permet… en supposant que vous vouliez dénoncer nos combines, vous ne pourriez pas faire grand-chose. Vous seriez obligé de dénoncer Bormann, et il n'aimerait pas ça. Mais pourquoi courir le risque ? Voilà ce que nous nous sommes dit. Vous êtes un élément incontrôlable, Gunther. Mourir en essayant héroïquement d'arrêter Johann Diesbach, c'est une conclusion idéale. Les deux problèmes s'annulent. De belle manière. Et je ne serais pas surpris que vous ayez finalement droit à votre médaille. À titre posthume. Ce sont les héros nazis que le Dr Goebbels préfère. Ceux qui ne sont plus là pour contredire ce qu'il...»

Il n'y eut rien d'ingénieux dans ce qui se passa ensuite. On ne pourrait même pas dire que je m'étais montré plus malin que Zander. En bon nazi, il était encore en train de me débiter son laïus lorsque je tournai les talons et décampai à l'intérieur des grottes du Schlossberg. Souvent, la fuite est la meilleure solution. La lâcheté apparaît comme telle seulement aux yeux d'un témoin relativement protégé. La plupart des hommes courageux sont des lâches les autres jours de la semaine.

On entendit une détonation assourdissante. Un morceau de quartz se détacha de la paroi, juste devant mon nez. La première balle de Zander m'avait loupé de peu. La tête rentrée dans les épaules, je continuai d'avancer. Une deuxième explosion se produisit et ce fut comme si un insecte furieux, hôte de ces grottes, m'avait mordu le dos de la main droite. Je grimaçai de douleur, serrai le poing et plongeai dans le sanctuaire de l'obscurité. Deux autres balles ricochèrent contre la paroi derrière moi, semblables aux coups de pioche d'un mineur invisible. Mais seul le silence se lança à ma poursuite. Et le bruit de mes pas sur le sol sablonneux. Zander devait être en train de recharger le Walther et cela m'incita à m'arrêter une minute, avant de percuter une des parois, et à allumer ma lampe, avant de repartir à toute allure. J'espérais que la peur que Martin Bormann inspirait à Zander ne l'emporterait pas sur sa peur du noir et sa claustrophobie. J'avais deux armes chargées dans mes poches, mais je n'avais jamais été très bon tireur de la main gauche et ma main droite commençait à s'engourdir, je sentais le sang couler entre mes doigts. Ce n'était pas l'idéal pour viser, même avec un Luger à canon long. Je fis une halte au coin d'une galerie et éteignis ma lampe pour reprendre mon souffle, relativement à l'abri. Et grand bien m'en prit : une seconde plus tard, une succession d'éclairs illumina l'obscurité lorsque Zander tira à six reprises dans les grottes. Des tirs au hasard, imprécis, qui misaient sur la chance, comme ceux que décochaient les soldats dans les tranchées pour tromper l'ennui, mais dangereux néanmoins, et je me jetai à terre jusqu'à la fin de ce mini-bombardement. L'odeur de la cordite empestait l'atmosphère et je compris que Zander avait fait tout ce dont il était capable pour essayer de me tuer : six tirs dans le noir. S'il avait eu le courage de pénétrer dans les grottes, il aurait gardé ses munitions en attendant de m'avoir dans sa ligne de mire. Pendant un instant, j'envisageai de riposter, mais je ne voyais pas mieux que lui et je n'avais aucune envie de m'attirer l'hostilité d'un personnage aussi puissant que Martin Bormann en tuant son messager. D'autant que je me sentais déjà plus en sécurité. Il me semblait peu probable, compte tenu des circonstances, que Zander annonce à son maître qu'il avait tenté de me tuer. Je n'avais plus qu'à trouver une autre sortie, et avec neuf niveaux de galeries, j'avais de bonnes chances de m'échapper. Ensuite, impossible de prédire ce qui allait se passer au-delà d'une cigarette et d'un saut à l'hôpital du coin pour faire soigner ma main, et peut-être aussi ma mâchoire.

66

Octobre 1956

« Debout, Gunther. »

Friedrich Korsch glissait dans la ceinture de son pantalon l'arme trouvée par terre, à côté de ma jambe, et reculait lentement. Malgré la faible lumière, je distinguais son expression triomphante, comme s'il avait hâte de me tuer. Il semblait seul.

« Pourquoi ? » demandai-je d'un ton las.

Jadis, j'avais échappé à la mort dans ces mêmes grottes et il paraissait peu probable que je renouvelle cet exploit. Il y avait des limites à la chance. En même temps, la chance n'était que la capacité et la détermination à vaincre la malchance ; tout le reste s'apparentait à une fortune capricieuse. Hélas, ma détermination disparaissait derrière le désir de dormir pendant mille ans à l'intérieur de cette montagne.

« À quoi bon ? ajoutai-je. Vous pouvez aussi bien me tuer ici, Friedrich. Cet endroit vaut bien tous les mausolées.

– Ce ne sont pas les ordres du général Mielke. Votre mort doit passer pour un suicide. De manière à satisfaire les flics du coin. Le meurtrier du Train bleu met fin à ses jours. Et si je vous tue maintenant, ça ne marchera pas. Alors, levez-vous, s'il vous plaît. Je ne suis pas sadique et je n'aimerais pas être obligé de vous tirer dans la rotule. Et vous aimeriez encore moins, croyez-moi. »

Il n'avait pas tort. La chance avait fini par m'abandonner, et dans le domaine des coïncidences, celle-ci valait son pesant de sens ; à croire que le destin avait toujours voulu que je meure dans ces grottes et qu'il était bien décidé à avoir gain de cause. Les voies du Seigneur sont impénétrables, mais il faut reconnaître que le vrai mystère c'est que les gens continuent à croire qu'il se soucie de nous. Je me levai à contrecœur et frottai mon pantalon pour enlever le sable.

« Nul doute qu'ils vous accorderont une promotion. Ou une médaille. Peut-être les deux. »

Korsch recula encore un peu maintenant que j'étais debout. Mais il ne risquait pas de me louper à l'intérieur de cette grotte, d'où qu'il soit. Même avec un seul œil.

« Pour l'arrestation d'un vieux fasciste dans votre genre, ennemi du peuple ? Oui, certainement.

– C'est ce que je suis ?

– C'est probablement ainsi que ce sera présenté en Allemagne. Et pourquoi pas ? De nos jours, nous avons autant besoin de méchants que de héros. On peut rejeter un tas de fautes sur les nazis, et généralement on ne s'en prive pas. Avez-vous d'autres armes sur vous ?

– Hélas, non. »

Korsch longea la paroi de la grotte jusqu'à l'interrupteur auquel était suspendue ma veste et la palpa.

« Simple vérification. Vous avez toujours été un salopard imprévisible, Gunther.

– C'est comme ça que j'ai réussi à rester en vie.

– Vous pouvez continuer à essayer de vous convaincre. Moi, je pense plutôt que vous avez survécu en faisant exactement ce que les Heydrich, Goebbels et consorts vous ordonnaient.

– Pas vous ?

– Si, bien sûr. Mais c'était vous le *Kommissar,* pas moi. Je n'ai été que brièvement votre clé à molette.

– Vous êtes obligé aujourd'hui de vous dire que vous êtes la clé à molette des Ruskoffs. Surtout, c'est ce que vous êtes obligé de leur dire à eux.

– Pas aux Ruskoffs, non. On construit une nouvelle Allemagne. Une Allemagne socialiste. Nous menons maintenant la danse. Pas les Russes. Nous. Les Allemands. Et cette fois, nous avons un véritable objectif, pour lequel nous œuvrons tous ensemble.

– Même dans la pénombre je devine que vous ne croyez pas à tout ce baratin. En vous regardant, je me revois dans le temps, quand j'essayais de suivre la ligne du Parti et de faire comme si tout était formidable dans la façon dont nos maîtres dirigeaient l'Allemagne. Mais nous savions l'un et l'autre que c'était faux, et ça l'est toujours. La RDA et les communistes, ce n'est qu'une tyrannie universelle de plus. Alors, pourquoi ne pas faire croire que vous ne m'avez pas trouvé et ne pas me laisser filer ? En souvenir du bon vieux temps. Que je sois mort ou vivant, qu'est-ce que ça change à l'ordre nouveau ?

– Désolé, Bernie. Je ne peux pas. Si le général Mielke apprenait que je vous ai laissé filer, je ne serais pas le seul à en subir les conséquences, ma famille aussi. Et puis, deux de mes hommes attendent à la sortie. Au cas où vous réussiriez à me semer dans le noir. Si je vous laisse vous échapper, ils n'apprécieront pas eux non plus. Vous nous avez fait tourner en bourrique depuis la Riviera.

– Pour quelle raison ? Parce que je n'étais pas disposé à me rendre en Angleterre pour empoisonner l'agent de

Mielke, Anne French. Voilà pourquoi. Ça en dit long sur vos nouveaux maîtres, Friedrich. Ce sont des lâches. En revanche, c'était courageux de votre part d'entrer seul dans ces grottes.

– N'est-ce pas ? Vous plaisantiez tout à l'heure en parlant de promotion et de médaille. Mais pour moi, c'est sérieux. Je vais avoir l'une et l'autre. Mes hommes y veilleront. Votre arrestation, c'est ma meilleure chance d'avancement avec Mielke. Ça pourrait me valoir ma quatrième étoile. Peut-être même des épaulettes de major.

– Vous savez qu'Erich Mielke était un tueur de flics. Avant d'en devenir un.

– Je me souviens qu'il a tué une brute des Freikorps, si c'est ce que vous voulez dire.

– La vache, les cocos ont réussi un sacré travail de rééducation avec vous, hein ? Je parie que vous savez même écrire "dialectique" et "bourgeoisie" sans fautes. »

Korsch brandit son automatique avec un grand sourire.

« Vu que c'est moi qui tiens le flingue, on dirait que ma rééducation a été plus efficace que la vôtre. Vous ne croyez pas ?

– Là se niche la véritable essence du marxisme. "De chacun selon ses moyens, à chacun selon ses besoins", ça ne marche qu'avec une arme à la main. Au fait, comment m'avez-vous retrouvé ?

– J'aimerais prétendre que je vous connais mieux que vous ne le supposez, Gunther. Mais ma grande perspicacité n'a rien à voir là-dedans. Le motard de Sarrebruck qui vous a conduit ici l'a dit à un de nos informateurs. C'est lui qui nous a indiqué que vous étiez à Hombourg. Apparemment, il se méfiait de vous depuis le début. À partir de là, c'était facile de deviner que vous alliez retourner dans les grottes du Schlossberg, compte tenu de ce qui s'y était passé juste avant la guerre.

– J'ai toujours eu le sentiment que personne n'en savait rien. Pas précisément du moins. Wilhelm Zander n'en a jamais parlé, pour des raisons évidentes. Et moi non plus. Pas même à Heydrich. Pour des raisons tout aussi évidentes. Cela me semblait plus prudent, étant donné que Bormann m'avait interdit d'évoquer ce qui était arrivé sur la terrasse du Berghof. Et avant de quitter la région, Zander a fait disparaître tout ce qui pouvait conduire à Johann Diesbach. Y compris Diesbach lui-même, à la réflexion. Je crois qu'il a chargé des gestapistes d'aller récupérer le corps et de le balancer ailleurs. Alors, qu'est-ce qui vous a permis de faire le rapprochement entre moi et ces grottes ?

– Quelle importance ?

– Disons que j'ai le nez qui me démange et que je ne peux pas me gratter maintenant que je suis sur la potence avec les mains attachées dans le dos. Aussi, si vous voulez bien...

– Peut-être que je suis plus intelligent que vous ne le croyez.

– C'est une possibilité.

– Quand Zander et vous avez débarqué à Hombourg pour retrouver Diesbach, c'est sa sœur qui lui a suggéré de se cacher dans les grottes. Quelques jours plus tard, en lui apportant à manger, elle a découvert toutes les douilles à l'entrée. Elle a deviné qu'il y avait eu une fusillade et quelques semaines plus tard, comme Diesbach ne l'avait toujours pas contactée, elle a naturellement soupçonné le pire.

– Comment savez-vous tout ça ?

– Elle a écrit à l'épouse de Diesbach, Eva, pour lui dire qu'elle craignait que Johann ait connu une mort violente.

Et quand Eva m'a transmis la lettre, en me demandant de l'aider à découvrir ce qui s'était passé, j'ai accepté.

– Je ne me souviens pas que vous étiez en si bons termes, tous les deux.

– Quand vous m'avez abandonné là-bas, à Berchtesgaden, on s'est bien entendus, elle et moi. Disons que j'étais une véritable consolation pour cette femme. Très peu de temps après la disparition de son mari, elle est partie vivre à Berlin. Et nous avons été amants un moment.

– Vous avez pris un risque, Friedrich. Compte tenu de ses antécédents médicaux.

– Ça valait le coup. Vous l'avez vue.

– Elle était bien bâtie, en effet, si c'est ce que vous voulez dire. Mais pourquoi ne pas m'avoir demandé ce qu'il était advenu de Diesbach, pour vous éviter toute cette peine ?

– Je l'ai fait. À deux ou trois reprises. Ça vous est peut-être sorti de la tête, mais vous m'avez simplement répondu qu'il était mort et que je vivrais plus longtemps si j'oubliais qu'il avait existé. Ou quelque chose dans ce goût-là. C'est ce que j'ai fini par faire au bout d'un moment. Et elle aussi.

– Si je peux me permettre, c'était un conseil judicieux. Je vous ai rendu service. Pour Bormann, assurer la sécurité du Berghof, ça ne voulait pas seulement dire protéger la vie de Hitler. Ça voulait aussi dire le rassurer. Il m'avait bien fait comprendre que la moindre allusion à la mort de Karl Flex serait considérée comme un acte de trahison. Une tentative pour miner la sécurité du Reich, ou une idiotie dans ce genre.

– Tout cela n'a plus aucune importance à présent.

– Avez-vous découvert ce qu'était devenu le corps de Diesbach ?

– Plus tard. Apparemment, la Gestapo locale l'a emporté dans un crématorium de Kaiserslautern et l'a transformé en cendres à la nuit tombée. Mais Eva Diesbach s'en fichait pas mal. Elle avait d'autres soucis. Son fils Benno, vous vous souvenez de lui ? Il s'est fait draguer par un homme dans la vieille galerie marchande de Friedrichstrasse et on l'a envoyé dans un camp de concentration avec un triangle rose sur sa veste.» Korsch agita le canon de son Makarov en direction d'un des tunnels de quartz qui conduisaient à l'entrée des grottes. «Allez, l'histoire est terminée. En route. Cet endroit me file les jetons. Vous avez raison : on a l'impression d'être enterré vivant.

– De quelle manière suis-je censé m'être suicidé ? Empoisonnement au thallium ou une nouvelle pendaison ?

– Vous le saurez bien assez tôt. Allez, en route.» J'hésitai à bouger. «Je peux récupérer ma veste ? J'ai froid.

– Là où on va, vous n'en aurez pas besoin.

– Ma carte d'identité est dans une des poches. Si les autorités ne la retrouvent pas, ça ne ressemblera pas vraiment à un suicide.

– Qu'est-ce que ça peut vous faire ?

– Rien. Mais j'ai vraiment froid. Et mes cigarettes sont dans ma veste aussi. J'espère que vous me laisserez fumer une dernière clope.»

Korsch montra ma veste d'un mouvement de tête. «OK. Mais pas de coup tordu, Gunther. Franchement, ça ne me gênerait pas de vous tuer. Après ce que vous avez fait à ce pauvre Helmut. Le gars en culotte de peau que vous avez étranglé avant-hier. Un de mes meilleurs hommes.

– C'était lui ou moi.

– Peut-être, mais c'était aussi mon cousin.

615

– Désolé. Les cousins sont devenus une denrée rare. Mais je crois vraiment que ce n'était pas quelqu'un de bien, Friedrich. Je l'ai vu tuer un chat pour le plaisir. Il faut être salement détraqué pour faire une chose pareille.

– Je me fiche pas mal des chats. Mais vous avez tué deux de mes hommes depuis nos retrouvailles. Il n'y en aura pas de troisième. »

J'allai récupérer ma veste.

« Lentement, ordonna Korsch. Comme la sève des arbres en hiver.

– Tout ce que je fais, je le fais désormais lentement. Je suis épuisé, Friedrich. Même si je le voulais, je serais incapable de courir. Et je suis à court d'idées ingénieuses pour vous fausser compagnie, à vous et à vos hommes. »

C'était la vérité. J'en avais plus qu'assez de m'enfuir. Mon cou me faisait mal et j'avais les pieds mouillés. Mes vêtements me collaient à la peau et je sentais presque aussi mauvais que l'andouillette froide que j'avais mangée à Freyming-Merlebach. J'avais juste envie de fumer une dernière cigarette et de faire face au sort que m'avait réservé la Stasi, qu'on en finisse. On dit qu'un rat acculé n'hésitera pas à attaquer un chien pour le mordre, et salement. Mais ce rat-là sentait que c'était fini. Seulement, en décrochant ma veste suspendue à l'interrupteur sur la paroi de quartz, je parvins sans le vouloir à éteindre la lumière, plongeant ainsi la grotte dans l'obscurité complète. Pendant un millième de seconde, je me demandai ce qui s'était passé. Je crus même que quelqu'un d'autre avait éteint. Et Korsch aussi sans doute. Durant le court laps de temps qu'il lui fallut pour presser la détente du Makarov, je reconnus le débris de chance que les dieux capricieux avaient lancé dans ma direction et je me jetai à plat ventre sur le sable. Je rampai pour m'éloigner des éclairs enflammés qui ponctuaient en vain l'air d'un noir d'encre, une fois, deux fois, puis une troisième et dernière fois.

J'entendis Korsch pousser un juron et se débattre avec une boîte d'allumettes, et comme il est impossible de gratter une allumette et de tirer en même temps, je me levai et fonçai avec l'énergie du désespoir à l'endroit où j'avais vu la dernière flamme jaillir du pistolet automatique muni d'un silencieux. Sans me soucier de savoir si j'étais blessé ou pas. Une seconde plus tard, je percutai violemment Korsch et nous heurtâmes l'un et l'autre la paroi de quartz. Le choc fut beaucoup plus brutal pour lui que pour moi et il grogna, avant de demeurer inerte. Le souffle coupé, je restai couché sur son corps inanimé pendant une bonne minute avant de constater que je ne l'entendais pas respirer.

Je roulai sur le côté et, après avoir trouvé mon briquet, je découvris que Friedrich Korsch n'était pas évanoui, mais mort. Le doute n'était pas permis dans la lumière vacillante de mon Ronson. Son œil unique et globuleux me regardait fixement et, pendant un moment, je crus qu'il portait un chapeau rouge, jusqu'à ce que je m'aperçoive que le sommet de son crâne était fendu comme un œuf et couvert de sang. Sa vie s'était arrêtée subitement, plus vite qu'elle n'avait été engendrée entre des draps sales, à Kreuzberg, comme si on l'avait éteinte en même temps que la lumière de la grotte. Et ses espoirs de galons ou d'épaulettes s'étaient envolés. Je soutins son regard quelques instants, en repensant à tout ce que nous avions vécu ensemble à la Kripo, puis je repoussai sa tête horriblement fracassée avec le talon de ma chaussure.

Je ne m'apitoyai pas sur son sort. Ma vie aurait pu prendre fin de la même manière. Je me réjouissais qu'il ait utilisé un silencieux car les hommes de la Stasi postés à l'extérieur auraient accouru sinon, alertés par ses trois coups de feu. Je ne dirai pas que j'avais l'intention d'ériger un autel dédié à la fortune, comme Goethe, mais je me sentais ridiculement chanceux.

Il ne me restait plus qu'à rejoindre un des neuf autres niveaux pour m'échapper, comme je l'avais fait en 1939.

67

Avril 1939

Jusqu'en 1803, il y avait à Berchtesgaden un chapitre de chanoines augustiniens, dont les prieurs possédaient le titre de princes de l'Empire à la fin du xve siècle. Le Schloss, les anciens bâtiments monastiques, appartenait à présent au dernier prince héritier Rupprecht. Mais ni un roi ni un empereur n'auraient pu franchir le cordon de sécurité mis en place par le RSD autour de l'Obersalzberg depuis l'arrivée du Führer. Et moi encore moins. J'étais désormais interdit d'accès et le colonel Rattenhuber vint m'expliquer en personne qu'il en serait ainsi jusqu'à ce que le Führer retourne à Berlin.

J'étais installé dans mon nouveau logement, au Grand Hôtel & Kurhaus de Berchtesgaden, quand Rattenhuber me rendit visite, se confondant en excuses pour ce désagrément et mourant d'envie de fumer une cigarette, ce qu'il ne pouvait pas faire, de peur que Hitler perçoive l'odeur du tabac dans son haleine.

« Vous devez comprendre qu'il y a ici énormément de gens venus souhaiter un joyeux anniversaire à Hitler, et qu'il est impossible de vous héberger sur le Territoire du Führer. La Villa Bechstein est pleine.

619

– J'essaierai de masquer ma déception.

– J'ai eu le plus grand mal à vous loger dans cet hôtel. Je n'ai jamais vu autant de monde dans cette ville. Il règne une véritable ambiance de carnaval.»

Je me demandais si Rattenhuber avait déjà assisté à un carnaval. Avec la guerre qui se profilait en Pologne, personne n'avait envie de courir autour d'un arbre de mai.

«Au nom de Martin Bormann, je suis autorisé à vous féliciter pour votre excellent travail, *Herr Kommissar*. Sans parler de votre bravoure. Il a téléphoné au général Heydrich à Berlin pour lui dire combien il était heureux que cette enquête ait été menée avec la plus grande discrétion et conclue de manière satisfaisante.

– Qui vous a dit ça? demandai-je de but en blanc.

– Wilhelm Zander, évidemment.

– Il est donc de retour sur l'Obersalzberg?

– Oui.

– Que vous a-t-il dit précisément, colonel?

– Simplement que vous aviez traqué Johann Diesbach jusqu'à Hombourg tous les deux et que vous aviez été obligé de l'abattre car il opposait de la résistance. Il a dit que vous aviez fait preuve d'un très grand courage.»

J'esquissai un sourire. «Trop aimable.

– Vous avez agi au mieux. Un procès public aurait malencontreusement attiré l'attention sur cette regrettable défaillance de la sécurité. Dans l'intérêt du Führer, il est préférable de considérer désormais que Karl Flex n'a pas été tué sur la terrasse du Berghof. Ni lui ni personne. Qu'il n'y a jamais eu de tireur sur le toit de la Villa Bechstein. Et que Johann Diesbach n'a jamais existé. Corollaire de tout cela, nous aimerions clairement faire comprendre que votre enquête ici n'a jamais eu lieu. D'ailleurs, vous n'avez jamais mis les pieds à Berchtesgaden. Afin de ne pas inquiéter inutilement le Führer. Par conséquent, moins il y aura de gens qui verront un inspecteur de la Kripo rôder autour du Berghof et de la Villa Bechstein, mieux ça vaudra pour toutes les personnes concernées. Et même si vous ne pouvez en aucun cas parler de cette affaire – peut-être devrais-je vous rappeler que vous avez signé un accord de confidentialité en arrivant – vous aurez la satisfaction de savoir que vous avez rendu un immense service au Führer et à l'Allemagne. Cela étant, vous avez ordre de regagner Berlin dès que possible pour faire votre rapport au général Heydrich. Votre assistant, Korsch, a déjà pris le train, sur ordre d'Arthur Nebe. »

Wilhelm Zander avait bien fait son travail. Je m'apercevais que mon plan de le prendre en défaut devant Martin Bormann tombait à l'eau. Je pouvais difficilement accuser Zander du meurtre d'un individu dont personne ne voulait reconnaître l'existence. En outre, Bormann avait approuvé le meurtre de Diesbach. Quant au fait que Zander avait tenté de me tuer moi aussi, ce serait sa parole contre la mienne, et il n'était pas difficile de deviner qui serait le plus convaincant. Rien de tout cela ne me surprenait, je crois. D'ailleurs, je n'étais même pas là. Je n'y avais jamais été. J'avais l'impression d'être l'Homme invisible.

« Comment va votre mâchoire, à propos ? s'enquit Rattenhuber.

– Mieux, je vous remercie. Je me suis fait examiner par un médecin de Kaiserslautern. Elle n'est pas cassée. Simplement blessée. Comme mon amour-propre.

– Vous êtes plus coriace que vous ne le pensez, Gunther. Mais que vous est-il arrivé à la main ? »

Il montra mon bandage.

« On m'a tiré dessus, répondis-je d'un ton léger. Simple égratignure.

– Lors de la tentative d'arrestation de Diesbach ?

– On peut dire ça.

– Quel imbécile. »

Je souris de nouveau, sans savoir si le colonel parlait de Diesbach ou de moi.

« Pour un homme tel que vous, cela fait partie, je suppose, des risques du métier, *Herr Kommissar*. Se faire tirer dessus. »

Je changeai de sujet. « Et la veuve ? » demandai-je avec une certaine inquiétude. Trois hommes enfermés à la Türkenhäusel attendaient de passer devant un peloton d'exécution, inutile d'avoir beaucoup d'imagination pour penser qu'une quatrième personne pouvait les rejoindre.

« *Frau* Diesbach aura certainement des choses à dire sur les conditions dans lesquelles son mari a quitté Berchtesgaden.

– Elle va être envoyée à Berlin, dit Rattenhuber. De manière permanente. La maison de Kuchl et la mine de sel vont être rachetées par l'Administration de l'Obersalzberg. Dans quelques semaines, plus personne ne saura qu'ils ont vécu dans la région.

– Les risques du métier, là aussi, je suppose. Mais admettons qu'elle refuse de déménager ? » Étant donné ce que je savais des méthodes de l'AO, c'était une question naïve, mais je voulais connaître la réaction de Rattenhuber. « Admettons qu'elle veuille rester là où elle est.

– Elle n'a pas le choix. À cause de son fils. Disons qu'il n'est pas comme les autres hommes. Vous comprenez ce que je veux dire, je pense. Et je n'ai pas besoin de vous rappeler ce que dit le paragraphe 175 du Code pénal allemand concernant les actes d'obscénité aggravée, *Herr Kommissar,* et les individus susceptibles de les commettre. Le major Högl l'a déjà informée qu'il serait préférable, pour son fils comme pour elle, qu'ils ne fassent pas de vagues.

– Je suis d'accord sur ce point. »

J'allumai une cigarette et soufflai la fumée en direction des narines avides de Rattenhuber et, plus important, sur son uniforme, puis je marchai vers la fenêtre de ma chambre. Dehors, un défilé de berlines noires longeait la rive gauche de l'Ache dans les deux sens. J'avais l'impression de contempler la Wilhelmstrasse à Berlin. Berchtesgaden ressemblait davantage à la deuxième ville du pays qu'à un bourg assoupi de seulement quatre mille âmes. Combien de temps faudrait-il à Bormann pour s'en débarrasser également ? me demandai-je.

« Je ne me soucie guère du sort de la mère ou du fils, à vrai dire. Ce qui m'intéresse, c'est qu'un innocent soit libéré. Je parle de Johann Brandner. Il n'y a absolument aucune raison de le garder prisonnier maintenant que le véritable coupable est mort. Sa place est dans un hôpital. En outre, Bormann a promis de le relâcher. De même qu'il devait reconsidérer le cas des deux officiers de la Gestapo de Linz, enfermés eux aussi dans les cellules de la Türkenhäusel et condamnés à mort.

– C'est très généreux de votre part de plaider leur cause, quand on sait qu'ils avaient l'intention de vous tuer.

– Ils ont commis une erreur malencontreuse qui peut être effacée. Ils n'avaient rien contre moi. Avec toutes ces organisations chargées du maintien de l'ordre dans la nouvelle Allemagne, ce sont des choses qui arrivent forcément, vous ne croyez pas ? Gestapo, Abwehr, Kripo, SS, SD, RSD... Il n'y a pas seulement la main droite qui ignore ce que fait la main la gauche, il y a aussi les doigts et les orteils. »

Rattenhuber semblait embarrassé.

« Oui, je suis d'accord. Le maintien de l'ordre est devenu un bazar juridictionnel. Mais je suis au regret de vous informer, *Herr Kommissar,* que les trois hommes dont vous parlez ont été fusillés ce matin à six heures. Le major Högl s'est chargé de l'exécution. Elle a eu lieu avant l'arrivée du Führer. Les deux officiers de la Gestapo ont été fusillés sur ordre de Heydrich, évidemment, et compte tenu du concours exemplaire apporté par ses services au Führer, Martin Bormann ne voulait pas le décevoir sur ce point. Quant à Brandner, Bormann a estimé qu'il savait beaucoup trop de choses au sujet de Karl Flex et du meurtre commis sur la terrasse du Berghof, ne serait-ce qu'en raison de l'interrogatoire que Peter Högl et moi-même lui avons fait subir. À quoi bon prendre des mesures aussi extrêmes afin de nous assurer du silence de *Frau* Diesbach si Johann Brandner restait en liberté dans les environs et pouvait raconter tout ce qu'il voulait à quiconque voudrait bien l'écouter. Comme il l'avait déjà fait en de précédentes occasions. De plus, nous avons appris depuis que sa libération de Dachau était due à une erreur administrative. Il devait être transféré au camp de Flossenbürg. Donc, comme vous le voyez, tout est bien qui finit bien. Retour au statu quo.

– C'est votre façon de voir les choses ?

– Dans une affaire comme celle-ci, on ne demande rien d'autre, n'est-ce pas ? Que tous les meubles se retrouvent à la même place qu'avant. De nos jours, seuls les avocats, les pinailleurs et les correspondants étrangers se soucient de la manière dont on mène une enquête. Les règles de procédure, la collecte des preuves... ces choses-là n'ont plus aucun sens. Depuis Hitler. Il a fait le ménage dans ces excès décadents et nous a montré que l'essentiel était de conclure. Vous mieux que quiconque, Gunther, pouvez comprendre ça. Le plus important quand on boucle une enquête avec succès, c'est justement de la boucler. Sans tergiverser. Sans possibilité de compromis, d'appel ou de verdict erroné. Le résultat doit satisfaire tout le monde, n'est-ce pas ?»

Je ne faisais pas partie de ce « tout le monde », à l'évidence, mais j'acquiesçai malgré tout. À quoi bon discuter ? Je devinais même qu'ils avaient exécuté ces trois hommes avant l'arrivée de Hitler afin que celui-ci ne soit pas importuné par les coups de feu au fond de son jardin. Comprendre les nazis ne demandait aucun effort : leur logique était toujours d'un fascisme impeccable.

« Mais surtout, reprit Rattenhuber, le résultat doit satisfaire Martin Bormann. Et par extension le Führer, évidemment.»

J'étais furieux, bien entendu, et terriblement navré, et alors que je restais là à ruminer la véritable nature de cet ordre nouveau qui voyait le jour en Allemagne, je me sentais hanté par l'homme que j'avais été autrefois, l'inspecteur qui aurait protesté face à un exemple aussi scandaleux de tyrannie, quitte à mettre en danger sa carrière, voire sa vie, et je me répétais : *Tu dois faire quelque chose pour arrêter ces gens, Gunther, même si cela signifie tuer Adolf Hitler. Tu dois faire quelque chose.* La bouche de Rattenhuber continuait à remuer au milieu de son visage rougeaud et adipeux, et je vis que, pour lui, ce qui était arrivé à Diesbach, aux deux gestapistes de Linz et à Brandner, était totalement justifié. C'était aussi brutal et impitoyable. Car Martin Bormann et ses nains étaient des hommes brutaux et impitoyables ; ils détruisaient des gens, puis ils se réunissaient autour d'une cheminée en marbre rouge à la maison de thé ou ailleurs, là où ils aimaient parler de ce genre de choses, pour planifier la destruction d'autres personnes. Nul doute que l'invasion de la Pologne ferait un sujet de discussion passionnant au cours du repas d'anniversaire du Führer. Et dire que j'avais été tout près du bureau de

Hitler au Berghof. N'aurais-je pas pu faire quelque chose à ce moment-là ? Poser une bombe ou cacher une mine sous le tapis de sa salle de bains ? Pourquoi n'avais-je pas agi alors ? Pourquoi n'avais-je rien fait ?

« Je suppose que Heydrich vous félicitera à sa manière, ajouta Rattenhuber. Mais Bormann et moi cherchions un moyen de vous rendre hommage, et nous sommes parvenus à la conclusion que c'était peut-être la manière la plus appropriée de reconnaître votre excellent travail. » Il se mit à fouiller dans la poche de sa tunique. « Après tout, vous avez fait exactement ce que l'on vous demandait, en un temps record, malgré de considérables obstacles. J'avoue que j'ai encore du mal à comprendre comment vous avez démasqué le coupable. Mais je ne suis pas inspecteur. Juste un policier.

– Un inspecteur est un policier à l'esprit mal tourné, murmurai-je. Et le mien est sans doute plus mal tourné que les autres. »

Rattenhuber sortit de sa poche un étui en cuir brillant contenant une médaille et me le tendit. Posé sur un coussinet en velours, un petit insigne en bronze représentait une épée placée verticalement devant une croix gammée, dans une couronne de laurier ovale.

« La médaille de Cobourg, expliqua-t-il. La plus haute décoration civile du Parti. Elle commémore cette fameuse journée de 1922 où Hitler a conduit huit cents *Sturmtruppen* à Cobourg pour un rassemblement qui a donné lieu à de violents affrontements avec les communistes. »

À l'entendre, c'était la bataille des Thermopyles, mais je n'avais aucun souvenir de ce fait historique majeur.

« Je suppose que nous avons gagné », dis-je sèchement.

Rattenhuber répondit par un petit rire nerveux.

« Bien sûr ! Est-ce qu'on a gagné ? » Rattenhuber rit de nouveau et me donna une tape sur l'épaule. « Vous êtes un farceur, Gunther. Toujours à plaisanter. Regardez, en haut de la couronne, on voit le château de Cobourg et le village. Et à l'intérieur, il est écrit : "Avec Hitler à Cobourg 1922-32." » Évidemment, ce n'est pas tout à fait exact dans votre cas, mais le grand honneur qui vous est fait, c'est de sous-entendre que vous étiez là quand même, vous comprenez ?

– Oui, je comprends. Je crois que Leibniz avait un mot pour ça. Heureusement, je ne m'en souviens pas. En tout cas, merci infiniment, colonel. Chaque fois que je regarderai cette décoration, elle me rappellera quel grand homme est Hitler. »

Je refermai l'étui et le posai sur la commode, en songeant que dans les Alpes bavaroises il ne manquait pas d'endroits pour balancer ma médaille de Cobourg, avec la certitude qu'on ne la retrouverait jamais.

« J'ai également un billet de train pour vous, ajouta Rattenhuber en déposant une enveloppe sur la commode, à côté de ma décoration. Et des remboursements de frais. Un train part pour Munich demain à la première heure, et ensuite il y a un express pour Berlin. Puis-je vous recommander le Hofbraustübl pour votre dîner de ce soir ? Leur jarret de porc est un régal. La bière aussi, naturellement. Rien ne peut rivaliser avec la bière bavaroise, n'est-ce pas ?

– Non, sûrement pas. »

Mais les jarrets de porc et la bière ne faisaient pas partie de mes projets pour ce soir. J'avais rendez-vous avec Gerdy Troost et Albert Bormann, le frère de Martin. Sinon, je ne sais pas comment j'aurais pu écouter le baratin de Rattenhuber sans rien dire.

68

Avril 1939

Je quittai Berchtesgaden par l'ouest et roulai vers la banlieue de Stanggass. La nouvelle Chancellerie du Reich se trouvait au bout d'Urbanweg, après Staatsstrasse : une construction de deux étages, dans le style chalet alpin, de la taille d'un hangar à avions, avec un toit de bardeaux rouges, un terrain de manœuvres et un mât. Il était deux heures du matin passées, mais le ballet des voitures d'aspect officiel se poursuivait, plusieurs grandes fenêtres étaient éclairées, de la fumée s'échappait des cheminées trapues et quelque part un chien aboyait. On aurait dit que tout le monde dans la région vivait à l'heure de Hitler, et tant qu'il ne déciderait pas d'aller se coucher, personne n'oserait le faire, même ici, à la Chancellerie, à presque huit kilomètres de l'Obersalzberg et du Berghof.

Je trouvai Gerdy Troost sous la voûte de l'entrée principale, aussi large qu'un tunnel de l'U-Bahn. Au-dessus de l'entrée, un grand aigle rouge tenait dans ses serres une couronne de laurier accompagnée d'une croix gammée. Gerdy Troost était enveloppée dans un épais manteau de fourrure blanche qui aurait déplu à l'amoureux des animaux au cœur tendre qu'était Hitler, et elle fumait une cigarette qui lui aurait plus encore déplu. Elle était coiffée d'un béret blanc et un sac couleur crème en plumes d'autruche pendait à son bras.

Étant un être superficiel qui a toujours apprécié l'odeur d'un parfum de luxe et la couture parfaitement droite d'un bas, le spectacle de cette femme élégante me rappela pourquoi j'étais si impatient de rentrer à Berlin.

Nous nous installâmes dans ma voiture afin de nous mettre à l'abri du cinglant vent d'est et de bavarder en privé, et là, sans que je puisse fournir la moindre explication, sauf peut-être le fait d'avoir frôlé la mort dans les grottes du Schlossberg, j'embrassai Gerdy à peine ma portière refermée. Sa bouche sentait le vin blanc, le rouge à lèvres et la cigarette qu'elle tenait toujours entre ses doigts gantés. Elle était frêle dans mes bras, on aurait dit une enfant fragile, et je dus me souvenir qu'il lui avait fallu de la force ainsi qu'une bonne dose de courage pour entreprendre cette démarche, et que cette femme – du moins à l'en croire – avait contredit Hitler. On ne faisait pas ça sans réfléchir. Ce dos étroit et osseux que je sentais contre ma paume devait être en acier.

« Vous êtes un homme plein de surprises, savez-vous ? Je ne m'attendais pas à ça, Gunther.

– Moi non plus. Je pense que l'absence de gardes SS m'est montée à la tête. Ou alors, je suis heureux de vous revoir, simplement.

– Vous êtes nerveux, en vérité. On ne participe pas tous les jours à un complot visant à faire tomber la deuxième personne la plus importante d'Allemagne. Mais je ne me plains pas, notez-le bien. Il y a longtemps qu'on ne m'a pas tenue de cette façon.

– Ça ne m'étonne pas, vu vos fréquentations et l'endroit où vous dormez.

– Vous ne savez pas tout. J'ai dû m'échapper en douce par-derrière et sortir moi-même ma voiture du garage. Mais le Führer déborde de projets ce soir, ce qui le rend épuisant. Naturellement, il ne se lève pas avant midi, alors il s'en fiche. Au Berghof, les autres doivent continuer à travailler en dormant deux fois moins. »

J'avais presque de la peine pour eux.

« Vous avez arrêté votre meurtrier ? » me demanda-t-elle.

Repensant à la mise en garde du colonel Rattenhuber, je jugeai préférable de ne pas lui raconter ce qui s'était passé à Hombourg. Même si nous nous apprêtions à apporter les preuves de la corruption de Martin Bormann à son frère Albert, j'estimais que moins elle en savait, mieux ça valait. Alors, je me contentai de hocher la tête, et m'empressai de changer de sujet.

« En évoquant ses projets, le Führer a-t-il parlé de la Pologne ?

– Il a juste dit que les Britanniques et les Français n'étaient pas parvenus à conclure une alliance avec l'Union soviétique contre l'Allemagne, et que s'il le pouvait, il en négocierait une de son côté, avec les Russes contre les Polonais. C'est de mauvais augure pour la paix, n'est-ce pas ?

– Staline ne fera jamais alliance avec Hitler, dis-je.

– Les gens disaient sans doute la même chose au sujet de l'accord entre Sparte et Darius, le roi de l'Empire perse. »

Gerdy tira une longue bouffée de sa cigarette avant de la lancer par la vitre.

« Darius projetait de trahir les Polonais lui aussi ?

– Tout le monde déteste les Polonais, affirma-t-elle. Non ?

– Pas moi. Du moins, pas plus que je hais n'importe qui d'autre. Ce qui de nos jours ne veut pas dire grand-chose, je le concède.

– Vous ne voulez pas récupérer Dantzig ?

– Pas particulièrement. Ce n'était pas à moi au départ. Et puis, ce n'est pas le véritable problème. Le véritable problème c'est que Hitler cherche un problème pour provoquer un conflit et étendre nos frontières afin d'englober toute l'Europe. C'est le rêve de l'Allemagne depuis toujours. Hitler. Le Kaiser. Il n'y a pas beaucoup de différences. Toujours la même rengaine.

– Je vois que nous ne pourrons pas être d'accord sur ce point.

– Sans doute pas.

– Alors, vous êtes prêt ?

– Je crois. Mais vous avez raison : je suis nerveux.

– C'est normal. Ce n'est pas une chose qu'il faut prendre à la légère.

– Vous ne m'avez pas entendu siffloter.

– Nous allons pénétrer dans ce bâtiment pour donner à Albert Bormann l'arme la plus dangereuse qui soit. La connaissance.

– Je sais. »

J'hésitais malgré tout. La Chancellerie semblait récente et pour changer de sujet encore une fois, je demandai : « C'est une des réalisations de feu votre mari ? Ou de Speer ?

– Ni l'un ni l'autre. C'est Alois Degano qui l'a dessinée. Comme Speer, il n'a qu'un seul modèle en tête. Si vous lui demandiez de refaire le Reichstag, le résultat ressemblerait certainement à ça. »

Je souris. J'aimais bien entendre les commentaires cinglants et faussement naïfs de Gerdy sur les talents de ses collègues.

« Cela dit, ajouta-t-elle, c'est sans doute le bâtiment le plus important d'Allemagne. Bien plus que n'importe quel bâtiment de Berlin, même si ça ne saute pas aux yeux. Vous avez devant vous l'endroit où prennent effet tous les ordres du Führer. Si le nazisme possède un centre administratif, c'est là.

– Difficile à croire.

– Berlin n'est qu'une façade. Pour les grands discours et les défilés. De plus en plus, c'est ici que les choses se passent.

– Déprimant. C'est le Berlinois qui parle.

– Hitler ne porte pas notre capitale dans son cœur.»

J'avais envie de lui répondre que c'était réciproque, mais après lui avoir confié mon opinion sur Dantzig, je jugeais préférable de garder cette réflexion pour moi. Sans Gerdy Troost, je n'avais aucune chance d'approcher Albert Bormann.

« Vous avez apporté le registre ? demanda-t-elle.

– Dans ma mallette.

– Le plus important, c'est la manière d'aborder Albert. Un homme modeste et cultivé, un luthérien pur et dur. Il a accepté de nous recevoir car il a confiance en moi, et parce que je me suis portée garante de votre honnêteté. Je lui ai dit que vous n'étiez pas le pantin de Heydrich, mais un policier de la Kripo à l'ancienne, pour qui le mot justice avait encore un sens. L'honnêteté et l'intégrité comptent beaucoup pour Albert. Sans doute s'est-il renseigné sur vous de son côté. Il dispose de certaines ressources lui aussi. Certes, il déteste son frère aîné, mais pas au point de vous autoriser à le discréditer sans preuves. Martin, lui, ne se gêne pas pour dénigrer Albert. Celui-ci représente tout ce qu'il n'est pas. Et pourtant, on voit bien qu'ils sont frères. Un peu Jekyll et Hyde, pourrait-on dire. Albert traite parfois Martin de "laquais du Führer", ou il l'appelle "celui qui tient le manteau de Hitler". Il a même répandu une rumeur selon laquelle l'épouse de Martin, née en Hongrie, était juive. C'est étrange. Quand ils sont ensemble, on a l'impression qu'ils ne se voient pas. Si Albert fait une plaisanterie, le seul qui ne rira pas, c'est Martin. Et vice-versa.

– Qu'en pense Hitler ?

– Il encourage les rivalités. Convaincu que cela incite les gens à redoubler d'efforts pour gagner ses faveurs. Et il a raison. Speer est l'incarnation vivante de ce que devient un homme qui cherche constamment à plaire à Hitler. Ce dernier compte sur Martin, mais il admire Albert et a confiance en lui. Alors, n'oubliez pas ça : Albert aime le Führer. Comme moi.

– Pourquoi les deux frères se haïssent-ils ?

– Je l'ignore. Mais le plus étrange n'est pas qu'ils se détestent, c'est fréquent entre frères, mais que Martin n'ait pas tenté de se débarrasser d'Albert. Ne serait-ce qu'en le mutant ailleurs. À croire qu'Albert détient des informations compromettantes sur Martin. De quoi lui garantir sa place, ici à Berchtesgaden. N'importe qui d'autre aurait été renvoyé depuis longtemps.

– Quelle belle famille unie !

– Embrassez-moi encore, Gunther. Pour me donner du courage. Ça m'a bien plu la première fois. Plus que je l'imaginais. »

Je me penchai vers Gerdy sur le siège avant pour déposer un baiser affectueux sur sa joue. Nous savions elle et moi que cela ne déboucherait sur rien, mais parfois, ces baisers sont les plus tendres. Et si je l'embrassai, si elle me laissa l'embrasser, c'était pour une autre raison. Quoi qu'elle en dise, Albert Bormann restait le frère de Martin. Peut-être se haïssaient-ils, en effet, mais peut-être avaient-ils fait la paix, comme cela arrivait parfois entre proches. On avait déjà vu des choses plus étranges. Quand Gerdy eut rectifié son maquillage dans le rétroviseur et essuyé mon visage avec son mouchoir de poche, nous descendîmes de voiture et nous précipitâmes vers l'entrée de la Chancellerie, où l'aigle semblait sur le point de s'animer et de lâcher la croix gammée pour fondre sur le manteau en fourrure blanche de Gerdy, comme dans un conte de fées. Nul doute que nous courions au-devant du danger, et un aigle affamé était certainement la chose la moins menaçante qui nous attendait à Stanggass. Albert Bormann détestait peut-être son frère, mais c'était un général SS qui adorait Hitler, et cela suffisait à le rendre extrêmement dangereux.

69

Avril 1939

Albert Bormann se leva pour accueillir Gerdy Troost, et quand il contourna son bureau pour l'embrasser, je constatai qu'il mesurait quelques centimètres de plus que son frère aîné, sans toutefois être aussi grand que moi. Ses traits étaient plus fins, mais peut-être était-ce dû au fait qu'il semblait prendre soin de lui ; il paraissait en forme et la ceinture de son pantalon faisait sans doute plusieurs tailles de moins que celle de son frère. Tous ces gâteaux au chocolat et autres, à la maison de thé, ça finissait par se payer. Albert Bormann portait l'uniforme d'un général SS et le brassard du Parti, et bien qu'il soit plus de deux heures du matin, sa chemise blanche était aussi impeccable que ses cheveux châtain clair soigneusement peignés. Le brassard rouge me donna à réfléchir, quoique moins que la médaille de Cobourg accrochée sur sa poche de poitrine gauche. Compte tenu du mépris de Martin envers son frère, je songeai soudain que l'on m'avait remis cette même décoration pour la dévaloriser. Si Martin Bormann en distribuait un grand nombre, la médaille de Cobourg qu'arborait son frère ne serait peut-être plus « la plus haute décoration civile du Parti ». Tout à fait le genre de sale coup qu'un frère pouvait faire à un autre.

Après avoir longuement serré Gerdy dans ses bras, il l'aida à se débarrasser de son manteau et le suspendit derrière la porte, puis il s'inclina très poliment dans ma direction, tandis que Gerdy se chargeait des présentations. La pièce était vaste, mais sobrement meublée : sur le bureau, à côté d'une machine à écrire Erika 5 tab et d'un ouvrage assez détestable de Theodor Fritsch, trônait une petite photo du Führer. Au mur était accrochée une pendule à coucou. Au-dehors, à travers la fenêtre, on entendait le drapeau nazi claquer au vent, comme si quelqu'un secouait une serviette humide.

Albert Bormann tira un fauteuil devant la cheminée pour Gerdy, m'invita à venir m'asseoir avec eux et en vint directement au fait.

« Vous rendez des comptes à Heydrich, n'est-ce pas ?

– C'est exact. À contrecœur.

– Pourquoi dites-vous cela ?

– Je n'aime pas qu'on me force la main.

– Vraiment ? Parlez-moi un peu de vous, *Kommissar* Gunther.

– Je ne suis rien. C'est ce qui semble plaire à mes supérieurs.

– Vous êtes inspecteur de police. C'est un peu plus que rien.

– Oui, on pourrait le penser, n'est-ce pas ? Mais de nos jours, le grade ne signifie plus grand-chose. Depuis Munich. Beaucoup de gens importants sont désormais traités comme des moins que rien.

– Donc, vous ne croyez pas que les Sudètes appartenaient à l'Allemagne ?

636

– Dorénavant elles lui appartiennent. C'est tout ce qui compte. Sinon, nous serions en guerre contre l'Angleterre et la France.

– Peut-être. Mais vous me parliez de vous. Pas de la situation en Europe. Expliquez-moi, par exemple, pourquoi je devrais vous faire confiance.

– Bonne question. Sachez, monsieur, que j'ai démissionné de la Kripo en 1932. J'étais membre du SPD et j'aurais été viré de toute façon, à cause de mes orientations politiques, pas de mes états de service. Souvenez-vous que le Parti national-socialiste pensait que les membres du SPD ne valaient guère mieux que les communistes. Ce que je n'ai jamais été. Après avoir quitté l'Alex, j'ai travaillé quelque temps à l'hôtel Adlon en tant que détective privé. Et je me débrouillais plutôt bien, jusqu'à ce que, à la fin de l'année dernière, Heydrich m'oblige à réintégrer la Kripo.

– Pour quelle raison ?

– Plusieurs jeunes filles avaient été sauvagement assassinées à Berlin, par des juifs disait-on. Heydrich voulait que l'enquête soit menée par quelqu'un qui n'appartenait pas au parti nazi, et n'avait donc pas de préjugés raciaux. Il voulait que le véritable coupable soit arrêté et non pas un pauvre type victime d'un coup monté afin de satisfaire la propagande antisémite. Le général pensait sans doute que mes antécédents à la commission d'enquêtes criminelles faisaient de moi l'homme idéal pour ce travail.

– Autrement dit, il pensait que vous étiez un flic honnête.

– Si tant est que ça ait encore un sens aujourd'hui.

– Dans les circonstances présentes, ça en a beaucoup. Avez-vous arrêté le vrai coupable ? Celui qui avait assassiné ces filles ?

– Oui, monsieur.

– Et parce qu'il pense toujours que vous êtes un bon inspecteur, Heydrich vous a envoyé ici pour enquêter sur le meurtre de Karl Flex, c'est ça ? Parce que mon frère lui a demandé d'envoyer son meilleur enquêteur. »

Je hochai la tête. Albert Bormann avait presque la même voix que Martin, sans toutefois les intonations brutales. Gerdy avait raison : c'était comme rencontrer le Dr Jekyll après avoir fait la connaissance de Mr Hyde. Je n'en revenais pas que deux frères puissent se ressembler autant et être si différents.

« Mais vous n'aimez pas plus travailler pour la Kripo que pour Heydrich. C'est bien cela ?

– Exactement. Comme je l'ai déjà dit : je n'aime pas ses méthodes.

– Ni celles de mon frère, à en croire Gerdy.

– En effet. »

Bormann m'écouta patiemment lui expliquer comment j'avais récolté une quantité considérable de preuves indiquant que son frère organisait toutes sortes de trafics sous l'égide de l'Administration de l'Obersalzberg pour son profit personnel. Il prit même quelques notes avec un stylo en or dans un petit carnet relié en cuir.

« Quelles preuves avez-vous découvertes ? me demanda-t-il.

– Essentiellement ce registre, monsieur, dis-je en lui tendant le livre de comptes. Karl Flex y consignait tous les versements d'argent liquide relatifs à diverses opérations de racket que lui et quelques autres menaient pour le compte de leur maître, Martin Bormann.

– Quel genre de rackets ? »

Je lui parlai du trafic de pervitine et de protargol.

« Mais la combine la plus monstrueuse, à ma connaissance, consiste à fournir un sursis d'incorporation aux employés de l'Administration de l'Obersalzberg. En échange d'une centaine de reichsmarks par an, n'importe qui ou presque peut faire semblant de travailler pour l'AO et échapper ainsi au service militaire. À côté de l'empire immobilier bâti par Martin Bormann sur l'Obersalzberg, là aussi de manière illégale, ces paiements représentent plusieurs centaines de milliers de reichsmarks par an. »

Albert Bormann laissa échapper un soupir et hocha la tête comme si je lui apportais la confirmation d'une chose qu'il avait toujours soupçonnée. Je le regardai prendre une paire de lunettes et tourner les pages du registre, avant de me demander de continuer.

« J'ai également découvert deux livrets d'épargne de la banque Wegelin & Co, à Saint-Gall, en Suisse. L'un au nom de Karl Flex, l'autre au nom de Martin Bormann. Ils indiquent précisément combien d'argent votre frère a amassé. Une fois par mois, Karl Flex se rendait à Saint-Gall pour déposer de grosses sommes en liquide sur ces comptes. Des sommes modérées pour lui, colossales pour votre frère.

– Puis-je voir ces livrets, *Kommissar* Gunther ? »

Je les lui tendis et patientai pendant qu'il les examinait.

« Stupéfiant. Mais je vois qu'il y a une seconde signature sur le livret de mon frère : Max Amann.

– En effet, monsieur.

– Savez-vous qui est Max Amann, *Kommissar* Gunther ?

– Un associé de votre frère, je crois. Un patron de presse et le président de la Chambre de la presse du Reich. Mais je ne pourrais pas vous en dire plus.

– Tout cela est exact, mais anecdotique. Savez-vous ce qu'il fait surtout ?

– Non, monsieur.

– Max Amann est le directeur de la commission de contrôle de l'édition pour le NSDAP.»

Je me mordis la lèvre, prenant conscience soudain que toutes mes preuves ne valaient pas un clou.

«Merde, lâchai-je tout bas.

– Comme vous dites, *Herr Kommissar*.

– Je ne comprends pas, avoua Gerdy. Je n'ai jamais entendu parler de ce Max Amann.

– Si, corrigea Bormann. Vous ne vous souvenez pas d'avoir rencontré un manchot à la Maison brune à Munich ?

– C'était lui ?»

Bormann acquiesça.

«Je ne comprends toujours pas pourquoi il est si important.

– Zentralverlag est la maison d'édition du Parti, et au cas où vous l'ignoreriez, c'est aussi l'éditeur de Hitler. Autrement dit, Max Amann est l'homme qui publie *Mein Kampf.*

– Oh.

– Je vois que vous avez compris, Gerdy. Et à en juger par l'importance des sommes en question, et le fait qu'Amann ait lui aussi la signature, je dirais que tout cet argent sur le compte de Martin à la banque Wegelin provient non seulement des activités illégales que vous décrivez, mais également des droits d'auteur de Hitler. Considérables, comme vous pouvez l'imaginer. Hitler sait-il que mon frère possède un compte en Suisse ? Presque à coup sûr. Si le Führer est attentif à une chose, c'est à son propre argent. Depuis un certain temps déjà, je sais que mon frère veille sur le compte du Führer à la Reichsbank, comme il le fait sur celui de la Deutsche Bank. Visiblement, Hitler fait en outre confiance à Martin pour gérer ses royalties.

» Néanmoins, le Führer sait-il que mon frère alimente lui-même ce compte en ajoutant aux droits d'auteur de *Mein Kampf* l'argent que lui rapportent toutes ses malversations ? Je suis sûr que vous avez à ce sujet un avis que, n'étant pas un national-socialiste, vous garderez pour vous. Personnellement, je doute fort qu'il soit au courant. Hélas, je pense qu'il n'existe aucun moyen d'en avoir le cœur net. Pas du moins sans plonger le Führer dans un immense embarras. D'ailleurs, c'est peut-être pour ça que mon frère l'a fait. Vous comprenez ?

– S'il mélange l'argent sale aux droits d'auteur perçus légalement, on peut de fait difficilement lui demander des comptes, dit Gerdy. Oui, je comprends.

– C'est la couverture parfaite, reprit Bormann. Il suffit à Martin de dire qu'il garde tout cet argent sur un compte en Suisse pour le Führer, avec l'accord de celui-ci. Et si ce registre était tenu par Karl Flex, mon frère peut nier avoir eu connaissance de son existence, ainsi que de toutes les combines qu'il orchestrait sans doute lui-même. Alors, oui, je suis certain que vous avez raison, *Herr Kommissar*. On trouve la patte de mon frère sur toutes ces pratiques scandaleuses que vous décrivez. Malheureusement, je ne pense pas que ces preuves suffisent à causer sa perte. »

Il existait bien sûr une autre possibilité : Hitler était au courant des méthodes de Bormann et laissait faire. Mais je n'étais pas prêt à l'évoquer devant Albert et Gerdy. J'aurais mis à mal leur loyauté.

« Ne vous méprenez pas, *Herr Kommissar*. Il n'y a personne dans toute l'Allemagne qui plus que moi souhaite assister à la chute de mon frère. Mais ce que vous m'avez apporté ne suffit pas. Malgré tout, j'apprécie votre courage. Ce n'était pas facile pour vous de venir ici ce soir, j'en suis conscient. Pour vous non plus, Gerdy. Je sais que vous aimez le Führer autant que moi. C'est pour cela que vous détestez mon frère.

– Oui, confirma-t-elle. Je le hais. Je hais son omniprésence. Je hais son influence grandissante sur notre Führer. Mais surtout, je hais sa brutalité et son mépris des gens.» Albert me rendit le registre et les livrets d'épargne. «Himmler et Heydrich sauront peut-être en faire un meilleur usage. Mais je crains de ne pas pouvoir vous aider, *Herr Kommissar*. Hélas.»

Je me contentai de hocher la tête et d'allumer une cigarette. Le silence s'imposa durant une minute. Puis Bormann demanda :

«J'ai raison, n'est-ce pas ? Himmler et Heydrich se réjouiraient de se débarrasser de mon frère.

– Pour Himmler, je ne sais pas. Mais Heydrich aime rassembler des informations sur certaines personnes afin de les utiliser contre elles au moment opportun.

– Moi y compris ?

– Vous, moi, tout le monde, je dirais. Himmler lui-même a peur de lui. Mais il ne m'a pas parlé de vous la dernière fois que nous nous sommes vus. Uniquement de votre frère. Il pense que vous détenez sur lui des informations secrètes qui l'empêchent de se débarrasser de vous.

– Et il a parfaitement raison. C'est exact. Et je vais vous dire quel est ce secret.»

Dans la vie, il y a parfois des secrets que vous ne voulez pas connaître, et je devinais que celui-ci en faisait partie. Je regrettais déjà d'être retourné à Berchtesgaden.

«Pourquoi feriez-vous ça, monsieur ?

– Parce qu'il est possible que Heydrich parvienne à accomplir ce que je n'ai pas été capable de faire, c'est-à-dire détruire mon frère. Et pour cela, il aura besoin selon moi de bâtir un mur de preuves, brique par brique.

Et votre registre y contribuera. Mais seul, il n'est pas suffisant.

– Si quelqu'un peut y parvenir, c'est Heydrich, dis-je. Je l'ai vu à l'œuvre. Peut-être que vous devriez le rencontrer. En privé. Rien que vous deux. Je lui parlerai de votre volonté de l'aider dès mon retour à Berlin. Mais je ne suis pas sûr de vouloir jouer les intermédiaires dans cette querelle fraternelle.

– Au cas où vous ne l'auriez pas remarqué, *Herr Kommissar,* c'est trop tard. Quant à rencontrer Heydrich, la réponse est non. Je déteste Heydrich et Himmler presque autant que je déteste mon frère. Mais ils sont un mal nécessaire. Parfois, nous avons besoin d'employer la manière forte. Leurs motivations seront différentes des miennes, mais le résultat sera le même. Un homme corrompu et vénal, dont l'influence sur le Führer devient de plus en plus dangereuse, se trouvera évincé. Mais je dois agir sans bruit, en coulisse. Je dois jouer les éminences grises moi aussi. Alors, voici ce que vous direz de ma part à votre chef : "Aidez-moi à me débarrasser de mon frère. Je vous assisterai de mon mieux." Puis-je compter sur vous, Gunther ? Vous lui transmettrez ce message ?

– Oui, monsieur.

– Votre maître devra agir avec prudence. Et vous aussi. Néanmoins, il est nécessaire d'agir vite. Le pouvoir de mon frère grandit de jour en jour. Cela vous a peut-être échappé, mais bientôt il sera trop tard pour faire quoi que ce soit. Selon moi, Heydrich doit intervenir avant qu'une nouvelle guerre éclate en Europe. Car ensuite mon frère occupera une position imprenable. Dites-lui ça également. »

Albert Bormann se leva, alla chercher une bouteille de Freihof dans le tiroir du bureau et remplit à ras bord trois verres à pied. Sur chaque verre était gravé un petit aigle nazi semblable à celui qui trônait à l'entrée de la Chancellerie, au cas où quelqu'un voudrait les voler. Cela devait arriver souvent. La plupart des Allemands raffolent des jolis souvenirs.

« Maintenant, je vais vous dire ce que je sais depuis quinze ans et qui, jusqu'à présent, a empêché Martin Bormann de se débarrasser de moi, son petit frère. Je vais vous confier le secret de famille Bormann. »

70

Avril 1939

« En 1918, après avoir servi brièvement dans le 55ᵉ régiment d'artillerie de campagne, mon frère, qui avait étudié l'agriculture au lycée, est devenu le régisseur d'une grande ferme à Mecklenbourg où, comme des milliers d'autres, il a rejoint une association de propriétaires terriens antisémites et les Freikorps. Vous n'avez pas oublié que la nourriture était rare après la guerre et que nombre de propriétés faisaient appel à des unités de Freikorps pour protéger les récoltes des pillages. Les Freikorps locaux comptaient dans leurs rangs un certain Albert Schlageter qui, vous vous en souvenez peut-être, avait mené plusieurs opérations de sabotage contre les Français qui occupaient alors la Ruhr, conformément au traité de Versailles. Il avait notamment provoqué le déraillement du train reliant Dortmund à Duisbourg. Plusieurs personnes avaient été tuées. Par la suite, en avril 1923, Albert Schlageter a été dénoncé aux Français et le 26 mai de la même année, il a été fusillé par un peloton d'exécution pour sabotage. Pour cette raison, il est aujourd'hui considéré comme un héros nazi. Hitler le mentionne dans *Mein Kampf,* et il y a même un monument à sa mémoire. Même si, selon moi, c'était un personnage honorable, mais fourvoyé.

» Tout de suite après la mort de Schlageter, la section locale des Freikorps a décidé de découvrir l'identité du traître qui l'avait dénoncé. Une enquête a été menée et très vite les soupçons se sont portés sur un autre membre de l'unité, un instituteur de soixante-trois ans nommé Walther Kadow, dont les références idéologiques étaient par ailleurs excellentes. C'était aussi un fervent antisémite. Mais surtout, il était connu et détesté par deux autres membres des Freikorps, un homme de vingt-trois ans nommé Rudolf Höss et mon frère Martin, qui en avait alors vingt-quatre. Walther Kadow avait été l'instituteur de Höss à Baden-Baden, et j'ai le sentiment que le vieil homme, comme de nombreux professeurs, était un petit tyran et qu'il lui en avait fait baver. Mon frère, de son côté, était très proche de la fille encore mineure de Kadow.

» Beaucoup trop proche au goût du père et quand, après l'avoir séduite, il l'a mise enceinte, Kadow a écrit plusieurs lettres au propriétaire de la ferme qui employait Martin pour l'accuser de détournement de mineure et exiger son renvoi immédiat. Le propriétaire a montré les lettres à mon frère qui a aussitôt affirmé, de manière tout à fait scandaleuse, qu'il avait eu sous les yeux les lettres dénonçant Schlageter aux Français, et que l'écriture était identique. J'ai attentivement examiné tous les éléments de cette affaire, et il me semble que seuls la haine et le désir de vengeance de mon frère sont à l'origine des soupçons visant Kadow. Mais cette haine répondait à une logique simple : la mort d'Albert Schlageter devait être vengée, et donc Walther Kadow devait être tué. Mon frère a demandé à Rudolf Höss et à deux autres de lui prêter main-forte. Kadow a été enlevé et conduit dans une forêt près de Parchim, déshabillé, humilié, puis battu à mort à coups de pelle. Ce n'est peut-être pas l'épisode le plus glorieux de l'histoire des Freikorps.

» Peu de temps après, un des meurtriers, un certain Schmidt, désireux d'écarter les rumeurs selon lesquelles c'était lui qui, en réalité, avait dénoncé Albert Schlageter aux Français, a avoué le meurtre de Walther Kadow. Le corps de celui-ci a été déterré par la police locale, Schmidt et Rudolf Höss ont été arrêtés et interrogés. En dépit des vigoureuses dénégations de Höss à propos de l'implication de Martin dans ce meurtre, mon frère a été arrêté lui aussi. Tous les trois ont été jugés et reconnus coupables en mai 1924. Höss et Schmidt ont été condamnés à dix ans d'incarcération à la prison de Brandebourg. Mais grâce à Höss qui était prêt à porter le chapeau, mon frère n'a écopé que d'un an de prison à Leipzig, et il a été libéré au bout de neuf mois. Il s'est empressé de rejoindre le parti nazi et a rapidement gravi les échelons au sein de la SS en vertu du statut de héros que lui conférait son acte de vengeance déguisé en acte politique. De fait, Adolf Hitler louait si chaleureusement mon frère que Himmler lui a attribué un des premiers matricules de la SS pour souligner sa condition de Vieux Combattant. Autrement dit, son actuelle position dominante repose sur un mensonge, raconté au Führer lui-même. Kadow a été assassiné non par parce qu'il avait trahi les Freikorps en dénonçant un combattant de la liberté, mais parce qu'il reprochait à mon frère d'avoir violé sa fille mineure. Qu'y a-t-il de plus compréhensible ? D'ailleurs, ce n'est probablement pas Kadow qui a dénoncé Schlageter, mais Schmidt, qui a avoué le meurtre de Kadow.

» Pendant que Martin purgeait sa peine de prison, le propriétaire de la ferme de Mecklenbourg, désireux de ne pas se mettre à dos les Freikorps qui avaient protégé ses récoltes, a réexpédié à Martin, par le biais de nos parents à Wegeleben, les lettres de protestation qu'il avait reçues de Walther Kadow. C'est ainsi qu'elles ont atterri entre mes mains. Mon frère n'est pas le seul à posséder un coffre-fort en Suisse. Il fait partie de mon assurance-vie. De nos jours, c'est devenu indispensable. Surtout ici, à Berchtesgaden. Ces lettres, et quelques autres éléments que la presse étrangère se ferait un plaisir de publier, sont une des raisons pour lesquelles Martin n'ose pas me renvoyer. Il sait que je les montrerai immédiatement au Führer, et qu'il apparaîtrait sous son vrai visage, celui d'un violeur et d'un meurtrier. Voilà, vous savez tout. Enfin, presque tout. Aussi, j'aimerais que vous disiez à Heydrich que je suis disposé à mettre à sa disposition les ressources considérables de la Chancellerie du Reich.

– Je ne comprends pas, Albert, dit Gerdy. Pourquoi vous ne le faites pas ? Vous n'avez pas besoin du registre de Flex ni de ces livrets pour faire tomber Martin. Vous n'avez pas besoin de Heydrich. Ces lettres à elles seules sont suffisantes pour détruire la réputation de votre frère. Ce n'est pas juste un violeur, c'est un meurtrier, comme vous le disiez. Il vous suffit de montrer ces lettres à Hitler.

– Oui, on pourrait le croire. Et en effet j'aurais peut-être dû le faire. La vérité, c'est que le meurtre est une chose fréquente au sommet de la hiérarchie du Parti. Je suis au regret de le dire, mais plusieurs membres du gouvernement actuel en ont commis. Pas uniquement mon frère. Et je ne parle pas de tuer un ennemi pendant la guerre. Même si quelques-uns parmi nous feraient valoir que l'Allemagne était en proie à l'anarchie, pour ne pas dire à la guerre civile dans les premières années de la république de Weimar. Et que certains meurtres étaient justifiés. N'est-ce pas, Gunther ?

– Je ne fais pas partie de ces gens-là, répondis-je. Malgré tous ses défauts, la république de Weimar était démocratique. Mais vous avez raison, les meurtres politiques, comme celui de Kurt Eisner, étaient fréquents. Surtout à Munich.

– Paroles courageuses.

– Ce qui est arrivé à Eisner était regrettable, dit Gerdy. Mais l'homme qui l'a tué était un extrémiste, non ?

– En effet, confirma Bormann. Mais je crains que le cas d'Eisner n'ait rien d'atypique. C'était une époque extrêmement difficile et il est presque impossible aujourd'hui de faire avec certitude la part des meurtres justifiés ou non. Toute tentative serait vaine. Voilà pourquoi je perdrais mon temps en montrant ces lettres au Führer. Il sait très bien qui a du sang sur les mains et qui n'en a pas. Par exemple, Julius Streicher a assassiné un homme à Nuremberg en 1920.

– Oh, Streicher, dit Gerdy. Streicher est fou. Hitler lui-même le dit. Et, fort heureusement, des mesures ont été prises pour l'écarter.

– Il y a aussi notre responsable des sports du Reich, Hans von Tschammer und Osten, poursuivit Bormann avec calme. Il a assassiné un garçon de treize ans à Dessau. N'est-ce pas, *Herr Kommissar* ? Il l'a tabassé à mort dans un gymnase, à mains nues.

– Hans ? Je refuse d'y croire, dit Gerdy.

– Le général a raison, dis-je. Von Tschammer und Osten est un meurtrier lui aussi.

– Mais pourquoi aurait-il fait une chose pareille ?

– Parce que le garçon était juif, expliquai-je.

– Je crains que Streicher et von Tschammer und Osten ne soient pas des cas isolés à cet égard, ajouta Bormann. Il y en a d'autres. Et pas des moindres. Des hommes puissants dont les exactions passées font réfléchir à deux fois un simple officier comme moi qui veut accuser de meurtre son propre frère. En vérité, je ne suis pas sûr qu'il y ait encore quelqu'un en Allemagne aujourd'hui, à l'exception du *Kommissar* Gunther, qui soit révolté par le meurtre. Et surtout pas notre Führer. Il a d'autres soucis. Éviter une nouvelle guerre en Europe notamment.

– Balivernes, objecta Gerdy. Le meurtre est le crime le plus grave de tous, chacun sait cela.

– Plus maintenant, rétorqua Bormann. Pas en Allemagne.

– Qu'en pensez-vous, *Herr Kommissar* ? me demanda Gerdy. Ce n'est pas possible. Vous êtes policier. Dites-lui qu'il a tort.

– Il a raison, Gerdy. Le meurtrier d'Eisner a écopé de cinq ans de prison seulement. Le meurtre n'est plus un crime aussi grave qu'autrefois.

– Mais de qui parlez-vous, Albert ? s'étonna Gerdy. Qui sont ces gens ? Ces meurtriers parmi nous ?

– Je ne saurais le dire. Il n'en demeure pas moins que j'ai besoin de l'aide de Heydrich pour évincer mon frère. Il faut trouver une autre raison. Une preuve de déloyauté plus grande. Espionnage, peut-être. Le meurtre ne suffit plus.

– Oh, allons, Albert, ne faites pas tant de mystères, insista Gerdy. Qui ? Göring ? Himmler ? Dites-le-nous. Je crois Himmler capable de tout. C'est un petit homme désagréable. Lui au moins a une tête de meurtrier.

– Non, franchement, Gerdy. Il ne s'agit pas d'un jeu. Mieux vaut que je me taise. Dans notre intérêt à tous. Je suis peut-être général, mais je n'ai aucun poids. Certes, le Führer m'écoute, mais uniquement parce que je ne lui dis pas ce qu'il ne veut pas entendre. Je crois que je ne ferais pas de vieux os si j'évoquais quelques épisodes peu glorieux du passé. Un passé dont personne, je dis bien personne, ne sort grandi.» Bormann secoua la tête. « Je suppose que tout cela n'est pas nouveau pour vous, Gunther. Mais ce que j'essaye de vous faire comprendre, Gerdy, c'est que rien n'est blanc ou noir, comme vous semblez l'imaginer. Et pourquoi je ne peux pas agir seul. Pourquoi j'ai besoin de l'aide de Heydrich.

– Je trouve cela déloyal de votre part ! s'emporta Gerdy. Vous nous amenez sur ce terrain et ensuite vous refusez de dire qui sont les assassins parmi nous. Faites-vous allusion aux personnes qui résident actuellement au Berghof ?»

Évidemment, je pensais à Wilhelm Zander, au Dr Brandt et aux meurtres qu'ils avaient commis, et pour lesquels ils ne seraient sans doute jamais inquiétés. Mais j'avais déjà deviné qu'Albert Bormann ne faisait pas allusion à eux. Il n'était même pas au courant des meurtres de Johann Diesbach et de Hermann Kaspel. Et Gerdy non plus. Je ne lui en avais pas parlé.

« Très certainement, dit Bormann en réponse à sa question.

– Je voudrais bien savoir avec qui je peux aller fumer une cigarette sans risque. Non, franchement, Albert ! Votre frère, c'est une chose… je ne l'ai jamais aimé et je ne suis pas étonnée d'apprendre que c'est un meurtrier. Mais là, c'est trop.

– Je ne peux rien révéler. Parfois les mots ne suffisent pas, et parfois ils sont superflus. Mais on dit qu'un dessin vaut mieux que mille mots, alors… »

Après un long silence, il ouvrit le tiroir de son bureau et en sortit une chemise en kraft qu'il me tendit.

« Qu'est-ce que c'est ? demanda Gerdy.

– Le double d'un rapport de la police de Munich. L'original se trouve dans le même coffre qui contient les lettres accusant mon frère. Ce rapport concerne le meurtre d'un juif commis à la prison de Stadelheim en juillet 1919, après le bref intermède de la République soviétique bavaroise. Ce juif se nommait Gustav Landauer, et outre ses idées d'extrême gauche et l'événement historique ayant conduit à sa mort, il est peut-être plus connu pour ses traductions de Shakespeare en allemand. Permettez-moi d'ajouter que je ne remets pas en question le meurtre de cet homme, simplement le bien-fondé de la photo qui a été prise ensuite, et qui figure dans ce dossier. Landauer était un agitateur communiste et un bolchevik pur et dur qui n'aurait certainement pas hésité à assassiner ses ennemis d'extrême droite. Comme je vous le disais, c'était une époque d'une très grande violence. Mon but est de vous montrer combien il serait vain de faire du raffut au Berghof en accusant telle ou telle personne de meurtre. »

Alors que je m'apprêtais à ouvrir la chemise, Albert Bormann posa sa main sur la mienne et dit : « Ce n'est pas beau à voir, *Herr Kommissar*. Cet homme a été frappé à coups de pied et piétiné à mort. Toutefois...

– J'ai vu pire, croyez-moi.

– Dans l'exercice de votre profession, je n'en doute pas. Mais je voulais ajouter que parfois, dans la vie, il vaut mieux ne pas savoir ce que l'on sait. Vous n'êtes pas d'accord ? Gerdy ? Ce n'est certainement pas le genre de chose que l'on laisserait voir aux électeurs, pour des raisons évidentes. C'est pour ça que cette photo a été soigneusement dissimulée.

– Vous m'intriguez, dit Gerdy.

– Je vous en supplie, prenez le temps de bien réfléchir. Une fois que vous aurez vu ce que contient ce dossier, je vous assure que vous ne l'oublierez plus jamais. Aucun de vous deux. »

Dès qu'il ôta sa main, j'ouvris la chemise. Appelez ça de la curiosité professionnelle si vous voulez, ou n'importe quoi d'autre. C'était peut-être la curiosité qui m'avait poussé à devenir flic au départ, et peut-être que la curiosité me tuerait un jour, mais de toute évidence Albert Bormann avait raison : dès que je découvris le contenu de ce dossier, telle Pandore je regrettai de l'avoir ouvert. Trois photos étaient attachées par un trombone au rapport dactylographié. Deux clichés d'autopsie représentaient un homme barbu de quarante ou cinquante ans. Et j'avais vu pire, en effet, bien pire. Pour chaque flic, la vue d'une mort violente est comme le rabot du menuisier qui enlève des copeaux d'humanité jusqu'à ce que, désensibilisés, nous ne soyons pas loin de ressembler à des planches de bois. Sur la troisième photo, quatre membres souriants des Frei-korps entouraient le corps inanimé du même homme ; on aurait dit un groupe de chasseurs revenant d'un safari et posant fièrement à côté de leur trophée. L'un d'eux paraissait être le chef, et je le reconnus immédiatement. Il portait un blouson de cuir, un casque, des bandes molletières et il avait posé son pied botté sur le visage affreusement contusionné de l'homme. Je n'avais jamais vu une telle photo, ni moi ni personne. Et bien entendu, les mots me manquaient, Bormann l'avait prédit. J'entendais une voix lointaine provenant de mon passé qui semblait me répéter : je t'avais prévenu. Une phrase prit naissance dans ma tête qui bourdonnait et je sentis mes lèvres commencer à remuer, à la manière de la marionnette d'un ventriloque, mais seules quelques syllabes de stupéfaction et d'horreur s'échappèrent de ma gorge, comme si j'avais perdu la parole. Après ce qui me parut une éternité, je refermai la chemise et la rendis à Bormann avant qu'elle me contamine, et sans doute était-il préférable que les mots que j'avais failli prononcer devant le frère de Martin Bormann et l'amie intime d'Adolf Hitler ne soient jamais sortis de ma bouche.

71

Octobre 1956

Dix-sept ans après, j'ai gardé un souvenir très précis de cette photo qui avait suffi à éclipser mes dernières heures à Berchtesgaden, comme si j'avais entrevu les cauchemars intimes du diable. J'avais regretté ma curiosité et j'étais plus que soulagé de rentrer à Berlin, avec le sentiment que le simple fait de me trouver à proximité du Berghof, en sachant ce que je savais sur le Führer, pouvait m'attirer des ennuis. Ce qui ne s'était pas produit. Et cela n'avait pas changé radicalement mon opinion sur Hitler. En revanche, je comprenais très bien que n'importe quel chancelier ne souhaitait pas partager ce genre de chose avec le peuple allemand, et pourquoi Albert Bormann traitait ce document comme un secret d'État. Tuer un homme de sang-froid, c'est une chose, se faire photographier en train de piétiner son visage avec un grand sourire, c'en est une autre. Sur mes conseils, Gerdy Troost avait finalement choisi de ne pas regarder la photo. Je le regrettais car elle était restée fidèle au Führer jusqu'à la fin, et même au-delà. Compte tenu de l'enfer qu'il avait déchaîné sur terre, sans doute aurait-il été préférable qu'elle le voie tel qu'il était : un criminel politique. Aujourd'hui, tout le monde le sait, bien sûr, mais en 1939, c'était choquant de découvrir que le chef du gouvernement était capable d'avoir un comportement aussi barbare. Jusqu'alors, j'avais entendu des rumeurs selon lesquelles il avait dirigé un escadron de la mort au sein des Freikorps à Munich, mais ce n'était que cela : des rumeurs. La photo de Bormann était la première preuve concrète que je voyais. Et quand vous êtes flic, c'est la seule qui compte.

La dernière fois que j'ai entendu parler de *Frau* Troost, on lui avait interdit d'exercer son métier d'architecte pendant dix ans et un conseil de dénazification des Alliés lui avait infligé une amende de cinq cents deutsche marks. Mais j'aimais bien Gerdy, je l'admirais même, c'était sans doute pour cela que, à l'époque, je l'avais dissuadée de regarder la photo. J'étais plus prévenant en ce temps-là. De même, avant de quitter les Alpes bavaroises, je pris soin de rendre visite au Dr Brandt dans sa petite maison de Buchenhohe pour l'informer que je savais qu'il avait saboté les freins de la voiture de Hermann Kaspel, et l'avait donc assassiné ; que j'étais au courant également de son misérable trafic de pervitine et de protargol, sans oublier les avortements illégaux. Il haussa un sourcil en esquissant un sourire comme si je venais de lui raconter une blague obscène, déclara que j'étais complètement à côté de la plaque et me claqua la porte au nez, persuadé qu'il était intouchable. Et il avait raison. J'aurais eu plus de chances d'arrêter Joseph Staline. Malgré cela, je voulais dire ce que j'avais à dire et ne pas lui laisser croire que ses agissements étaient passés totalement inaperçus, en souvenir de Kaspel et aussi, sans doute, parce que j'estimais que c'était mon devoir. Personne d'autre ne se souciait de défendre la justice à laquelle chaque citoyen a droit dans une société digne de ce nom. Je revis le major Högl également. Il débarqua à l'hôtel au volant d'une jolie petite voiture de sport bleue et proposa, non sans effronterie, de me conduire à la gare. Il voulait certainement s'assurer que je quittais bien Berchtesgaden. J'acceptai sa proposition, pour pouvoir lui dire ce que je pensais de lui et de toutes ces combines organisées sur la montagne de Hitler. Quand j'eus terminé, il m'ordonna de disparaître, ou quelque chose dans ce goût-là. Aurais-je disparu que la guerre aurait peut-être pris une autre tournure pour moi. Si Heydrich ne m'avait pas enrôlé dans le SD, peut-être ne serais-je jamais allé en France et n'aurais-je pas revu Erich Mielke, ni sauvé sa peau. Pour autant, le camarade général n'estimait pas avoir de dette envers moi, plus maintenant en tout cas. Et si après m'être enfin débarrassé du tenace Friedrich Korsch j'espérais échapper à la meute des agents de la Stasi, désormais privée de maître, que Mielke avait lancée à mes trousses, je n'en étais pourtant pas certain. Toutefois, je pouvais me dire qu'ils ne me retrouveraient pas de sitôt, surtout à présent que j'étais de retour en Allemagne de l'Ouest. Une fois ressorti des grottes du Schlossberg, je franchis clandestinement la nouvelle frontière et, *via* Cologne et Dortmund, je rejoignis Paderborn, située dans le secteur britannique, dont j'avais entendu dire que c'était le centre de blanchiment numéro un pour les « vieux camarades » en quête de nouvelles identités. Je pense que les pauvres Tommies ne soupçonnaient même pas qu'il existait des laveries pour les anciens nazis, et encore moins que l'une d'elles fonctionnait dans une librairie d'occasion qui se trouvait près de l'université. Soixante-douze heures après mon arrivée, je prenais une chambre à l'hôtel Löffelmann, sous le nom de Christof Ganz, avec cent cinquante deutsche marks en poche, un passeport, un billet de train pour Munich et un nouveau permis de conduire. J'avais même réussi à me rajeunir de quelques années pour devenir, dans l'instant, un quinquagénaire beaucoup plus alerte. À ce rythme, je pourrais retourner à Paderborn dans dix ans et me procurer une nouvelle identité sans avoir vieilli.

Quelques jours plus tard, j'arrivai à Munich. Bien sûr, j'aurais préféré revenir à Berlin, mais ma ville natale, au cœur de la RDA, m'était désormais interdite, et sans doute pour toujours. Inutile d'y penser. Berlin ressemblait à une perle de liberté dans un seau rempli de roulements à billes, et était probablement la seconde ville la plus assiégée au monde. Autant essayer d'entrer dans Budapest, que les chars de l'Armée rouge étaient en train de transformer en ruines à la suite de l'insurrection hongroise. En outre, je connaissais beaucoup de gens à Berlin, et surtout eux me connaissaient, aussi Munich me semblait un meilleur choix. Ce n'était plus comme avant, mais ça ferait l'affaire. Et puis Munich se trouvait en zone américaine, ce qui voulait dire qu'il y avait toujours de l'argent à gagner. Et si Bernie Gunther et Walter Wolf étaient recherchés par les Ricains et les Franzis, Christof Ganz, lui, était un homme sans passé, ce qui me convenait parfaitement, car sans passé, j'avais d'assez bonnes chances d'avoir un avenir.

Le premier soir de mon retour à Munich, mes pas me conduisirent du Christliches Hospiz, dans Mathildenstrasse, où je logeais, à Odeonsplatz et à la Feldherrnhalle, copie de la Loggia dei Lanzi à Florence. Si je n'ai jamais visité le bâtiment original, j'imagine qu'il renferme quelques belles statues Renaissance en marbre et des œuvres d'art en bronze, tout cela dans un style très italien. La copie munichoise abritait un monument dédié à la guerre franco-prussienne et deux ou trois statues fortement oxydées représentant des généraux bavarois aujourd'hui oubliés. Tout cela dans un style très allemand et autrefois très nazi. Sur la gauche de la Feldherrnhalle, dans Residenzstrasse, se dressait naguère un monument érigé en souvenir du putsch de la Brasserie, mais il avait disparu, tout comme, Dieu merci, l'homme malavisé qui avait fomenté cette tentative de coup d'État vouée à l'échec. Mais l'écho du bruit des bottes était persistant, ainsi que quelques fantômes sans doute. Et alors que, planté là, je ruminais des souvenirs de la vieille Allemagne, je parvins à faire abstraction des touristes qui grouillaient autour de moi. Peu à peu, ils se fondirent dans le décor et, plus important peut-être, moi aussi. Puis un nuage noir se déplaça, dévoilant la lune éclatante, et soudain je vis la scène qui s'était déroulée à cet endroit en cette fatidique journée de novembre 1923, comme si j'avais été assis dans une salle de cinéma. Theodor Mommsen le formule sans doute mieux que Christof Ganz, mais pendant un bref instant enchanté, presque transcendantal, je compris que l'histoire n'était rien d'autre qu'un accident, un hasard extraordinaire, une question de quelques centimètres, un ordre mal entendu ou mal interprété, un mouvement de tête, une rafale de vent, un canon de pistolet sale, une cartouche qui fait long feu, une respiration que l'on retient trop ou pas assez longtemps, un doigt fébrile posé sur la détente, un retard ou une hésitation d'une seconde. L'idée que chaque chose était écrite paraissait grotesque ; de petites causes peuvent produire de gros effets, et les paroles de Fichte viennent alors à l'esprit, quand il explique que l'on ne peut pas déplacer un seul grain de sable sans changer quelque chose dans l'incommensurable grand tout.

Lorsque Adolf Hitler, Ludendorff et plus de deux mille membres des SA, venus du Bürgerbräukeller à environ deux kilomètres de là, débarquèrent à cet endroit, ils se retrouvèrent face à un barrage de cent trente policiers armés de fusils. Le statu quo qui s'ensuivit prit fin quand un coup de feu fut tiré par une de ces armes – l'histoire ne dit pas de quel camp il provenait –, ce qui provoqua une fusillade. Quatre policiers et seize nazis furent tués. Au dire de tous, Göring reçut une balle dans le bas-ventre, tandis que certains des hommes qui se tenaient à côté de Hitler furent abattus sur-le-champ. Aussi peut-être ne fallait-il pas s'étonner qu'il se soit imaginé choisi par Dieu pour gouverner le pays. Je m'interrogeais. Avait-il vraiment cru qu'il faisait quelque chose de bien ? Ou alors était-il possédé par sa dévotion, dévoyée et primordiale, au pangermanisme, autrement dit était-il contaminé par un excès d'Allemagne en tant que concept, de manière inversement proportionnelle à l'absence totale d'Allemagne, soit la situation qui existait jusqu'à l'unification après la guerre franco-prussienne de 1871 ? Il était bien dommage que l'affrontement de la Feldherrnhalle n'ait pas connu une autre issue. L'histoire aurait sans doute été très différente. Mais je ne pouvais pas critiquer la présence de ce barrage, ni la décision d'ouvrir le feu, seulement le manque d'adresse au tir.

Pour une fois, semble-t-il, la police bavaroise avait correctement fait son travail.

NOTES DE L'AUTEUR
ET REMERCIEMENTS

À la suite de l'assassinat de **Heydrich** en juin 1942, **Ernst Kaltenbrunner** devint en janvier 1943 le chef du RSHA, qui rassemblait la Kripo, la Gestapo et le SD. Jugé à Nuremberg comme criminel de guerre, il fut pendu en octobre 1946.

Hans-Hendrik Neumann demeura l'aide de camp de Heydrich jusqu'à la capitulation de la Pologne en 1939. Il fut alors envoyé à Varsovie pour créer le bureau local du SD. En 1941, il servit dans la SS en Norvège et devint par la suite attaché de police à l'ambassade d'Allemagne à Stockholm, sous les ordres de Heydrich là encore. Après avoir purgé une courte peine de prison, il entra chez Philips Electrical à Hambourg, où il travailla jusqu'à sa retraite en 1975. Il est mort en juin 1994.

Gustav Landauer était un leader anarchiste au début du XXe siècle. Il fut piétiné à mort par des membres des Freikorps en mai 1919. Ses dernières paroles furent : « Quand je pense que des gens comme vous sont des êtres humains. »

Les unités du RSD du colonel **Johann Hans Rattenhuber** assassinèrent des centaines de juifs au « Loup-garou », un des QG de Hitler, en janvier 1942. Capturé par les Russes en mai 1945, Rattenhuber resta dix ans en prison avant d'être libéré en octobre 1955. Il est mort en juin 1957.

Le major **Peter Högl** suivit Hitler dans le Führerbunker au début de l'année 1945. C'est sans doute lui qui a commandé le peloton d'exécution qui fusilla l'agent de liaison de Himmler et le beau-frère d'Eva Braun, Hermann Fegelein, le 28 avril 1945. Högl fut tué le 2 mai 1945 alors qu'il traversait le pont Weidendammer à Berlin, sous un feu nourri.

On ignore le sort d'**Arthur** et **Freda Kannenberg**, les régisseurs du Berghof.

Martin Bormann fut le secrétaire particulier de Hitler et l'homme le plus haï d'Allemagne après Hitler lui-même. Il est mort en s'enfuyant du Führerbunker le 2 mai 1945. Son complice dans le meurtre de Walther Kadow, en 1923, un certain Rudolf Höss, fut libéré de prison en 1928 ; il rejoignit la SS en 1934 et devint par la suite le commandant du camp de concentration d'Auschwitz. Il fut pendu en tant que criminel de guerre à Varsovie en 1947.

Albert Bormann s'enfuit de Berlin en avril 1945. Il fut arrêté en 1949 et après six mois de travaux forcés, il fut libéré. Il refusa d'écrire ses Mémoires et ne parla jamais de son frère aîné, Martin. Il est mort en avril 1989.

Wilhelm Zander accompagna Hitler dans le Führerbunker au début de 1945. Il était un des trois hommes auxquels Hitler fit confiance pour remettre son testament politique et le commandement des forces allemandes à l'amiral Doenitz en avril 1945. Il a survécu à la guerre et est mort à Munich en 1974.

Wilhelm Brückner fut renvoyé par Hitler en octobre 1940 et remplacé au poste d'adjudant-chef par Julius Schaub. Il rejoignit l'armée allemande et fut élevé au grade de colonel à la fin de la guerre. Il est mort à Chiemgau en août 1954.

Le **Dr Karl Brandt** devint responsable en 1939 du programme d'euthanasie Aktion T4 qui gaza plus de soixante-dix mille personnes. Il fit partie des prévenus au cours du « Procès des médecins » qui débuta en avril 1946. Accusé d'avoir pratiqué des expériences médicales sur des prisonniers de guerre, il fut déclaré coupable et pendu en juin 1948.

Les **frères Krauss** étaient les plus célèbres cambrioleurs de Berlin. Ils ont réellement cambriolé le Musée de la police. L'auteur ignore ce qu'ils sont devenus.

Gerdy Troost reprit son travail d'architecte à Haiming, en Haute-Bavière, en 1960. Elle est morte à Bad Reichenhall en 2003, à l'âge de quatre-vingt-dix-huit ans.

La société **Polensky & Zöllner** poursuivit ses activités longtemps après la guerre. En 1987, la branche allemande de l'entreprise en bâtiment fit faillite. Mais une autre branche existe encore aujourd'hui, sous un autre nom, à Abu Dhabi.

Erick Mielke fut chef de la Stasi de 1957 jusqu'à la chute du mur de Berlin en novembre 1989. Juste avant, en octobre, il avait ordonné à ses hommes d'arrêter et d'emprisonner jusqu'à nouvel ordre quatre-vingt-six mille Allemands de l'Est, au nom d'un prétendu état d'urgence. Mais des agents locaux de la Stasi refusèrent d'exécuter ses ordres de peur d'être lynchés. Mielke démissionna le 7 novembre 1989. Il fut arrêté en décembre de la même année et jugé en février 1992. Il fut libéré en 1995 pour des raisons de santé. Il est mort en mai 2000.

La maison de thé de la **Kehlstein** existe encore aujourd'hui et c'est un lieu qui attire de nombreux visiteurs, comme l'excellent **hôtel Kempinski** sur l'Obersalzberg, bâti à l'emplacement de la maison de Hermann Göring. Les ruines du Berghof et de la maison de Bormann sont encore visibles. La Türkenhäusel continue à servir d'hôtel et peut se visiter durant toute l'année. La Villa Bechstein, en revanche, a disparu, mais la maison d'Albert Speer est toujours là ; elle a été vendue récemment à un particulier, pour plusieurs millions d'euros.

Albert Speer, quant à lui, fut jugé à Nuremberg en tant que criminel de guerre et condamné à vingt ans de prison. Il est mort à Londres en 1981.

Je remercie pour leur aide Marie-Caroline Aubert, Michael Barson, Ann Binney, Robert Birnbaum, Robert Bookman, Paul Borchers, Lynn Cannici, J.B. Dickey, Martin Diesbach, Gail DiRe, Abby Fenneweld, Karen Fink, Jeremy Garber, Ed Goldberg, Margaret Halton, Tom Hanks, David Harper, Ivan Held, Sabina Held, Kristen Holland, Millie Hoskins, Elizabeth Jordan, Ian Kern, Caradoc King, John Kwiatkowski, Vick Mickunas, Simon Sebag Montefiore, Christine Pepe, Barbara Peters, Mark Pryor, Jon Rinquist, Christoph Rüter, Anne Saller, Alexis Sattler, Stephen Simou, Matthew Snyder, Becky Stewart, Bruce Vinokaur, Thomas Wickersham, Chandra Wohleber, Jane Wood et, surtout, Marian Wood, comme toujours.

Du même auteur

Le Chiffre de l'alchimiste
Le Masque, 2004

La Paix des dupes
Le Masque, 2007
et « Le Livre de poche » n° 32732, 2012

La Trilogie berlinoise
Le Masque, 2008
et « Le Livre de poche » n° 31644, 2010

La Mort, entre autres
Le Masque, 2009
et « Le Livre de poche » n° 32077, 2011

Une douce flamme
Le Masque, 2010
et « Le Livre de poche » n° 32433, 2012

Une enquête philosophique
Le Masque, 2011
et « Le Livre de poche » n° 33132, 2013

Hôtel Adlon
Le Masque, 2012
et « Le Livre de poche » n° 32820, 2013

Chambre froide
Le Masque, 2012

Vert-de-gris
Le Masque, 2013

Impact
Le Masque, 2013

Prague fatale
Le Masque, 2014
et « Le Livre de poche » n° 33659, 2015

Les Ombres de Katyn
Le Masque, 2015
et « Le Livre de poche » n° 34079, 2016

La Dame de Zagreb
Le Masque, 2016
et « Le Livre de poche » 2017

Le Mercato d'hiver
Une enquête de Scott Manson, vol. 1
Le Masque, 2016

La Main de Dieu
Une enquête de Scott Manson, vol. 2
Le Masque, 2016

Pénitence
Le Masque, 2017

Les Pièges de l'exil
Seuil, 2017

RÉALISATION : NORD COMPO À VILLENEUVE-D'ASCQ
IMPRESSION : NORMANDIE ROTO IMPRESSION S.A.S À LONRAI
DÉPÔT LÉGAL : MAI 2018. N° 134074-3 (1802654)
IMPRIMÉ EN FRANCE